Великая Отечественная: Неизвестная война

Марк Солонин

23 июня: «день М»

Москва
«ЯУЗА»
«ЭКСМО»
2008

ББК 63.3(0)С
С 60

Оформление художника *П. Волкова*

Солонин М.

С 60 23 июня: «день М». — М.: Яуза, Эксмо, 2008. — 512 с. — (Великая Отечественная: Неизвестная война).

ISBN 978-5-699-22304-6

Новая работа популярного историка, прославившегося своими предыдущими сенсационными книгами «22 июня, или Когда началась Великая Отечественная война?» и «На мирно спящих аэродромах...».

Продолжение исторических бестселлеров, разошедшихся рекордным тиражом, сравнимым с тиражами книг Виктора Суворова.

Масштабное и увлекательное исследование трагических событий лета 1941 года.

Привлекая огромное количество подлинных документов того времени, всесторонне проанализировав историю военно-технической подготовки Советского Союза к Большой Войне и предвоенного стратегического планирования, автор приходит к ошеломляющему выводу — в июне 1941 года Гитлер, сам того не ожидая, опередил удар Сталина ровно на один день...

ББК 63.3(0)С

ISBN 978-5-699-22304-6

«Самым ценным в РККА является новый человек Сталинской эпохи. Ему принадлежит в бою решающая роль. Без него все технические средства борьбы мертвы, в его руках они становятся грозным оружием».

п. 6 Полевого устава Красной Армии

ПРЕДИСЛОВИЕ

> «Современные писатели вроде Солонина в своих книгах берут только одну сторону. Что все бежали, побросали оружие и бежали. Но если бы Солонин был прав — тогда мы потерпели бы поражение. В этом логика жизни, логика исторических событий, и если люди этого не видят — им бесполезно заниматься историей».
>
> *М.А. Гареев, интервью агентству «РИА-Новости»*

Что я могу на это возразить? Махмуд Ахметович Гареев, президент Академии военных наук, академик Российской академии естественных наук, член-корреспондент Академии наук РФ, доктор военных наук (бывают, представьте себе, и такие доктора), доктор исторических наук, профессор, бывший заместитель начальника Генерального штаба Советской армии по научной работе и «прочих земель повелитель» высоко сидит, далеко глядит, а потому и занимается историей с большой пользой. Для себя лично. Партия и правительство щедро оценили его вклад в развитие советской военно-исторической науки. Махмуд Ахметович, кроме всего прочего, удостоен звания «генерал армии». Для тех, кто забыл, напоминаю, что это последняя ступенька перед вершиной, на которой сияют маршальские звезды. В свое время в звании генерала армии К. Мерецков и Г. Жуков руководили Генеральным штабом Красной Армии, а из пяти командующих войсками западных приграничных округов СССР только один (Д. Павлов) имел в июне 1941 г. столь высокое звание.

Генералу армии Гарееву тоже довелось принять участие в руководстве крупными группировками войск. В 1970—1974 гг. он служил начальником штаба Главного военного советника при командовании египетской армии. Под его непосредственным руководством была спланирована и осуществлена грандиозная операция, вошедшая в историю под названием «Война Судного дня» (октябрь 1973 г.). Война эта, как известно, закончилась тем, что решительные и экстраординарные действия Советского Союза спасли тогда Египет от полного разгрома (хотя египетские солдаты — в полном соответствии с «логикой жизни» — побросали оружие и побежали, не желая оплачивать брежневские авантюры своей единственной жизнью). В последний раз отвлечься от научной работы генералу Гарееву пришлось в 1989 г. Тогда, после вывода советских войск из Афганистана, его назначили главным военным советником при правительстве Наджибуллы. Неумолимая «логика исторических событий» привела марионеточный кабульский режим к краху. Для самого Наджибуллы эта история закончилась смертной казнью, а Махмуд Ахметович вернулся в Москву и получил орден Ленина. Казалось бы, личный опыт участия в ближневосточной и афганской войнах должен был нагляднейшим образом убедить генерала Гареева в том, что ни огромный численный перевес, ни подавляющее техническое превосходство не могут спасти армию, солдаты которой не желают воевать. Увы, «полезные занятия» историей по-советски помешали товарищу Гарееву увидеть и признать эту простую «логику жизни».

Скажу честно — мне (да и не только мне) имя М.А. Гареева стало известно только благодаря В. Суворову, который в своей книге «Последняя республика» привел несколько примеров изумительного невежества главного военного историка СССР. С тех пор такие перлы, как «опиум войны» и «38-тонные танки» (таким незатейливым образом наш трижды академик расшифровывал немецкое обозначение легкого танка чешского производства Pz-38(t)), стали ходячим анекдотом в узких кругах военных историков. Памятуя, однако же, о том, что негоже ругать то, что не читал лично, я решил пролистать самые свежие («постперестроечные») работы М.А. Гареева. Да-да, именно «самые свежие». Дело в том, что, несмотря на почтенный возраст (в 2003 г. был отмечен 80-летний юбилей), генерал Гареев является не бывшим, не «почетным», а самым что ни на есть действующим президентом Академии военных наук. Официальная биография выдающегося ученого содержит упоминание о 250 (!!!) опубликованных научных работах...

С первых же минут чтения стало ясно — Махмуд Ахметович не стареет душой и не «изменяет принципам». Что, несомненно, заслуживает всяческого уважения. Да и кому не будет приятно перенестись, хотя бы мысленно, хотя бы с книжкой в руках, в незабвенные годы пионерского детства? Десятки и сотни страниц текста заполнены общими рассуждениями, лишь изредка прерываемыми такой конкретикой: *«Советскими Вооруженными Силами было разгромлено 507 немецко-фашистских дивизий и 100 дивизий Германии и ее союзников... На советско-германском фронте была уничтожена основная часть военной техники вермахта: свыше 70 тыс. самолетов, около 50 тыс. танков и штурмовых орудий, более 2,5 тыс. боевых кораблей, транспортов и вспомогательных судов».*

Сильно сказано. 507 дивизий. Это когда же у Германии была армия такой численности? Знает ли главный военный историк России о том, сколько людей и лошадей, артиллерийских орудий и подготовленных командиров требовалось для укомплектования одной пехотной дивизии вермахта? Сколько людей в корпусных и армейских частях, в тыловых, транспортных, санитарных службах должны обеспечивать боевую работу этой дивизии? Весной 1940 г. во всей сухопутной армии Германии числилось 156 дивизий. 22 июня 1941 г. на западной границе Советского Союза в составе Групп армий «Север», «Центр» и «Юг» было сосредоточено 115 дивизий вермахта и боевых частей СС. В дальнейшем группировка немецких войск на Восточном фронте возрастала на десятки дивизий, но отнюдь не в разы. И что самое примечательное — через два абзаца Гареев (или те аспиранты-троечники, которые писали за него очередной, 251-й «научный труд») сообщает: *«В июне 1944 г. против Советской Армии действовало 181,5 немецкая дивизия... Перед завершающей кампанией 1945 г. советские войска имели против себя 179 немецких дивизий»*. Где же и когда же было разгромлено «507 немецко-фашистских дивизий»? Не хотелось бы заниматься гаданием, но, может быть, доктор военных наук имел в виду что-то вроде: «потери немецких войск на Восточном фронте за четыре года войны были столь велики, что этим количеством личного состава можно было бы укомплектовать 507 дивизий»? Не говоря уже о том, что такой подход к оценке численности армии противника уместен разве что в стенгазете трикотажной фабрики, цифры опять же не сходятся. 507 пехотных дивизий вермахта — это 8 млн. человек, а все безвозвратные (убитые, пропавшие без вести, пленные) потери вермахта и боевых частей СС за 6 лет войны на всех фронтах (!) оцениваются цифрой порядка 4,6 млн. человек.

Одно из двух: или печатная машинка, или арифмометр у академика Гареева поломанные. Ничуть не в лучшем состоянии находится и его курвиметр. Прошу не вздрагивать — это такая палочка с маленьким колесиком на конце. При помощи этого прибора измеряется длина кривых линий на географической (топографической) карте. К чему это я? А вот к чему: *«Небывалым в истории был пространственный размах вооруженной борьбы на советско-германском фронте. С первых же дней она развернулась здесь на рубежах протяжением свыше 4 тыс. км»*. В первые дни войны вермахт наступал на фронте от устья Немана на севере до Карпатских гор на юге. От Клайпеды до Самбора. Это порядка 800 км по прямой. Но граница до войны (и линия фронта после ее начала) не была прямой. Это причудливо петляющая кривая линия. Ее длина была промерена еще задолго до первых орудийных залпов на границе. Результаты опубликованы сотни раз. Напоминаю: Северо-Западный фронт (8-я и 11-я Армии) — 300 км, Западный фронт (3-я, 10-я, 4-я Армии) — 470 км, Юго-Западный фронт (5-я, 6-я, 26-я Армии) — 410 км. Итого — 1180 км фронта. Округленно — 1200, но никак не 4000. Ладно, предположим, что исправного курвиметра в Академии военных наук нет. Это я вполне могу допустить. Но неужели же генерал армии, заместитель начальника Генерального штаба огромной страны не понимает, что своей фразой про «4 тыс. км фронта» он высек сам себя больнее, чем злополучная унтер-офицерская вдова? Махмуд Ахметович, сколько войск надо иметь для успешного наступления на фронте в 4 тыс. километров? Хватит ли для такого великого подвига и тех «507 дивизий вермахта», которые насчитали ваши референты? Неужели же во всей Академии военных наук нет ни одного экземпляра предвоенного Полевого устава Красной Армии (ПУ-39)?

Параграф 98 этого основополагающего документа предусматривает следующую плотность построения боевых порядков при наступлении: *При атаке сильно укрепленных полос и УР — 2 км для дивизии, на второстепенных направлениях — от 5 до 6 км»*. Если даже считать нерушимые рубежи Советского Союза, вдоль которых было сформировано 15 укрепрайонов (Тельшяйский, Шауляйский, Каунасский, Алитусский, Гродненский, Осовецкий, Замбровский, Брестский, Ковельский, Владимир-Волынский, Рава-Русский, Струмиловский, Перемышльский, Верхне-Прутский и Нижне-Прутский), жалким «второстепенным направлением», которое прикрывает третьесортная армия, то и в этом случае для наступления на фронте в 4 тыс. км требуется 666 дивизий. Где же их было взять? Хорошо, согласимся с тем, что для командиров вермахта ПУ-39 не обязателен. Посмотрим, как воевали немцы практически.

10 мая 1940 г. немецкое командование сосредоточило 77 дивизий на фронте протяженностью порядка 350 км. Средняя оперативная плотность — 4,5 км на дивизию. Средняя. На направлении главного удара, в 130-км полосе от Льежа до Седана, наступали две немецкие армии (4-я и 12-я) в составе 23 пехотных, 7 танковых и 5 моторизованных дивизий. Оперативная плотность — 3,7 км на дивизию. Через две недели, с 10 по 24 мая, немецкие танки вышли к Ла-Маншу, преодолев 300—350 км. Средний темп наступления моторизованных соединений составил 26 км в день. Отечественные исто-

рики и по сей день не стесняются называть это «триумфальным маршем вермахта по Франции». Если же верить академику Гарееву, то в июне 1941 г. вермахт наступал (причем еще быстрее!) на фронте в 11 раз большей протяженности, имея при этом всего лишь в 1,5 раза большее число дивизий. Как такое стало возможным, если версию о том, что бойцы и командиры Красной Армии *«побросали оружие и бежали»* М.А. Гареев решительно отвергает?

После таких «перлов» как-то уже спокойнее воспринимается совершенно феерическая фраза о том, что в общий перечень *«уничтоженной военной техники вермахта»* вошло и *«70 тыс. самолетов»* (эта цифра завышена как минимум в пять раз) и даже *«2,5 тыс. боевых кораблей, транспортов и вспомогательных судов»*. Даже барон Мюнхгаузен, пролетая на пушечном ядре над Черным и Балтийским морями, не смог бы обнаружить там такое количество боевых кораблей Германии. Причина этому предельно проста: в Черном море крупных кораблей не было вовсе. Турция, сохраняя лояльность по отношению к Англии и СССР, не разрешила проход немецкого флота через Босфор и Дарданеллы, в результате чего под красным флагом с фашистской свастикой на Черном море плавало лишь то, что можно было перевезти из Германии в румынские порты по железной дороге: подводные лодки сверхмалого класса, торпедные катера, разборные десантные баржи, разборные же самоходные паромы и т.п. На Балтике было что топить, да вот только топить было некому. Краснознаменный Балтфлот с первых же часов войны был «заперт» немецкими минными полями в Финском заливе, а после злосчастного «Таллиннского перехода» и потери всех баз, кроме блокированного с суши Ленинграда (Кронштадта), боевой путь КБФ был по большому счету завершен. Что же касается реального количества уничтоженных советскими флотами боевых кораблей противника, то общая картина примерно такова. В 1957 г. был подготовлен секретный отчет о боевых действиях советских ВМС, в котором утверждалось, что за всю войну на всех морях было потоплено 17 немецких эсминцев и 6 кораблей большего класса (крейсеров, броненосцев береговой обороны). Правда, при более тщательном изучении этих цифр, каковое стало возможным лишь в постсоветские времена, выяснилось, что большая часть «уничтоженных боевых кораблей противника» или была накануне капитуляции Германии взорвана и затоплена самими экипажами, или же была потоплена авиацией союзников, а то и вовсе благополучно плавала до 50—60 гг. В «сухом остатке» 7 реально потопленных эсминцев, 1 крейсер и 1 финский броненосец береговой обороны.

Разумеется, такие мизерные результаты боевой деятельности огромных советских флотов (3 линкора, 7 крейсеров, 54 лидера и эсминца, 212 подводных лодок, 22 сторожевых корабля, 80 тральщиков, 287 торпедных катеров, 260 батарей береговой артиллерии по состоянию на 22 июня 1941 г.) советскую военно-историческую науку устроить не могли. Положение было исправлено традиционным для этой «науки» способом — при помощи союза «И». Метод этот одновременно и универсальный, и эффективный. «В ходе авиаударов по вражеским колоннам было уничтожено 736 танков, бронетранспортеров И конных повозок». На море же было потоплено великое множество *«боевых кораблей, транспортов И вспомогательных судов»*. Если в последнюю категорию зачислить все прогулочные катера, рыбацкие шаланды и спасательные шлюпки, на которых сотни тысяч беженцев (2 млн., по утверждениям немецких историков) весной 1945 г. пытались покинуть окруженную Восточную Пруссию и Померанию, то можно было бы получить любой результат. Но академия товарища Гареева решила (или получила указание свыше) остановиться на «скромной» цифре в 2,5 тысячи.

Абсолютно искренне желая Махмуду Ахметовичу встретить 90-летний юбилей в добром здравии, в окружении внуков и правнуков, я, как рядовой гражданин России и исправный налогоплательщик, не могу согласиться с тем, что храм науки, каковым должна была бы быть Академия военных наук, превращен в закрытую элитную богадельню для номенклатурных пенсионеров. Вот такой уж я злой Сальери. *«Мне не смешно, когда маляр ничтожный мне пачкает Мадонну Ра-*

фаэля. Мне не смешно, когда фигляр презренный пародией бесчестит Алигьери...» Единственно, что меня немного смешит — это когда товарищи Гареев и К° начинают громко возмущаться: «Перестаньте переписывать историю!» Что переписывать? Какую «историю»? Ваши заведомо ложные измышления про 507 немецких дивизий и 70 тыс. сбитых самолетов, про «внезапное нападение» и «безнадежно устаревшие» советские танки, про сугубо мирную сталинскую империю и многократное численное превосходство противника? Если же речь идет о скрупулезном и непредвзятом изучении событий Великой Войны, то как можно ПЕРЕписать то, что еще только-только начинает создаваться?

И последнее замечание перед тем, как перейти к изложению основного материала. Есть один тонкий нюанс, который многие искренне не понимают, а некоторые на этом осознанно спекулируют. В русском языке есть два слова: «бесстрастный» и «беспристрастный». Несмотря на большое сходство в написании, это — разные слова.

И смысл у них совершенно разный.

Тоталитарный коммунистический режим действительно был кровавым и антинародным. Рано или поздно, но его безмерные преступления будут осознаны и осуждены даже и в той стране, откуда эта смертоносная зараза пошла по всему миру. То, как сталинский режим развязал мировую войну, как он бросил в эту войну советский народ, является, возможно, самым кровавым из его преступлений. Изучать эти события, писать о них без душевного волнения, бесстрастно может только электронная машина. Человеку такое не дано. А вот врать при этом совсем не обязательно. Да и незачем — действительность практически всегда оказывается страшнее и ярче любого вымысла. Так что никакой прямой связи между страстностью в изложении материала и пристрастным отбором одних только «удобных» для автора фактов нет. Ее нет в исторических исследованиях, нет ее и в обыденной жизни. Каждый из нас на основании собственного жизненного опыта знает, что бывают страстные, эмоциональные натуры, которые, однако же, чужой копейки не возьмут. Встречаются и абсолютно флегматичные, вечно невозмутимые жулики и мерзавцы. Никакой связи между эмоциями и воровством обнаружить пока не удалось.

А вот связь между политическими убеждениями автора и достоверностью его произведения есть. И очень даже заметная. Это сегодня мы как-то подзабыли, что совсем еще недавно тов. Гареев и его коллеги без тени смущения называли себя «бойцами идеологического фронта». Нас приучили — и мы с этим безропотно согласились — не вспоминать о том, что некоторые (многие? все?) коммунистические «историки» были по совместительству еще и сотрудниками одной известной конторы, которая (вы и об этом уже забыли?) опять-таки без тени смущения называла себя «вооруженный отряд партии». А на войне, уважаемые, как на войне. Сказать правду — предательство. Обмануть — дело доблести и геройства. Я нисколько не сомневаюсь в том, что тов. Гареев, подписывая составленный его подчиненными текст про «507 разгромленных дивизий вермахта и 70 тыс. сбитых самолетов», делал это с чистой совестью, с сознанием выполненного партийного долга. «Воспел подвиг воина Красной Армии. Дал достойный отпор буржуазным фальсификаторам, принижающим историческую роль. Посодействовал коммунистическому воспитанию молодежи...»

Будучи человеком демократических, «западных», либеральных убеждений, я делаю свою работу по-другому.

Ни моральных, ни материальных стимулов к тому, чтобы врать вам, уважаемый читатель, у меня просто нет. Свои взгляды я не только не скрываю, но прямо и ясно сообщаю вам на первых же страницах книги. Да, я не из тех. Я — из этих. На следующих страницах вам будут представлены не только (и не столько) выводы, сколько аргументы и факты. Ссылки на источник при каждой значимой цифре. Желающие могут проверить, хотя честно и искренне советую — не тратьте время зря.

Часть 1

КОЛОСС СОВЕТСКИЙ

Глава 1

ГЛАВНАЯ ПРИЧИНА ПОРАЖЕНИЯ

По общепринятому порядку глава с таким названием должна была бы появиться в конце книги, посвященной событиям 41-го года. Но, наученный горьким опытом написания и издания двух предыдущих книг, я решил больше не рисковать. Не подставляться. Как-то так получается, что самая шумная часть читателей, не имея терпения дочитать текст до конца (или до середины, или дальше 10-й страницы), тут же роняет книгу и берет в руки ручку. Вот, например, известный журналист Л. Радзиховский уже второй год терроризирует меня тремя тысячами танков. Все началось с того, что 22 июня 2005 г. господин Радзиховский решил рассказать образованной публике про мой скромный труд. Кратко обозначив автора взволновавшей его книги («*какой-то историк-любитель из Самары, которого я знать не знаю*»), маститый мастер пера сообщил, что Солонин привел много новых и интересных фактов.

В частности, новейших танков Т-34 и КВ в начале войны в Красной Армии было, оказывается, 3 тыс. единиц. Очень интересный факт. Количество танков в армии оказалось чуть ли не в два раза больше, чем их было сделано на заводах. Прошел год. Все мои попытки связаться с г. Радзиховским и попросить его открыть мою книгу на стр. 499 успехом не увенчались. Наступил следующий печальный юбилей — 22 июня 2006 г. Господину Радзиховскому опять понадобилось написать «статью к дате». Вы таки будете смеяться — но он опять вспомнил про «*некого историка-любителя из Самары, какого-то неведомого Марка Солонина*» и опять сообщил «городу и миру» про якобы найденные мной 3 тысячи новейших

Т-34 и КВ. Что это было? Во всех изданиях книги «Бочка и обручи» (маркетинговая служба издательства ЭКСМО заменила авторское название на более, с их точки зрения, понятное читателям «22 июня»), начиная с 2003 г., на последних страницах имеется Приложение № 2. Это таблица, в которой я перечислил все 20 мехкорпусов Красной Армии, принявших участие в боевых действиях первых недель войны. По каждому мехкорпусу указаны номера входивших в его состав танковых и моторизованных дивизий, указано количество танков, «старых типов» — отдельно, новейших Т-34 и КВ — отдельно. Цифры просуммированы по фронтам и направлениям. Указано и общее число: **12 379 танков**, в том числе **1600 Т-34 и КВ.** Цифра выделена жирным шрифтом. Вероятно, г. Радзиховскому недосуг было пролистать книжку «любителя из Самары» до предпоследней страницы. И что самое (для меня лично) удивительное — за полтора года никто не захотел исправить эту несуразность, хотя обе статьи Радзиховского бурно обсуждались в Сети.

«Врагов имеет в мире всяк, но от друзей храни нас, Боже...» Какой-то неведомый мне Андрей Кротков решил похвалить меня на страницах «Независимой газеты». Или отработать свои сребреники на подложном использовании моего имени для огульной критики В. Суворова (каковую критику так называемая «независимая газета» очень любит).

Оказывается, *«оперируя документами оборонных ведомств, Солонин доказывает главное — никаких «планов упреждающего удара» (главной коллизии, на которой построены все книги Виктора Суворова) не было. Существовал и выполнялся (очень плохо) план стратегического развертывания и мобилизационного прикрытия»*. У человека, который прочитал мою книгу — или хотя бы знаком с военной терминологией, — от таких «перлов» очки и волосы встанут дыбом. Сталинским планам вторжения в Европу в моей книге уделено по меньшей мере три главы. Одна из них так и называется: «Час твой последний приходит, буржуй». Для полной ясности приложена цветная карта южной Польши с красными стрелочками, устремленными на запад. Чего ж вам боле? Но господин Кротков продолжает «нахваливать» меня: *«Цифр в книге Солонина много, и доверия они заслуживают... Достаточно прочувствовать цифру: страна за 4 года потеряла убитыми и умершими 43,5 млн. граждан. Пятую часть населения»*. Цифр в книгах Солонина действительно много. И доверия они, безусловно, заслуживают. Но зачем же к этим цифрам примешивать такой бред сивой кобылы?

Признаюсь, я совершенно не ожидал столкнуться с тем, что писателей у нас гораздо больше, чем читателей (под последним термином я понимаю человека, способного прочитать и адекватно воспринять текст, написанный простым, без малейших претензий на наукообразность, русским языком). Моя первая книга имела подзаголовок: «Когда началась Великая Отечественная война?» Вопросительный знак — не опечатка. Это главный вопрос, для ответа на который и написано без малого 500 страниц. Для того чтобы самое важное не прошло мимо внимания читателя, я:

— продублировал вопрос в названии последней части книги,

— разместил конкретный ответ буквально на последних строках последней главы и

— выделил жирным шрифтом: **«осень 1942 — весна 1943 гг.»**.

Несколькими абзацами выше приведены и аргументы в пользу такого ответа. Я предполагал, что предложенная мной методика (анализ структуры потерь личного состава, процентного соотношения санитарных и безвозвратных потерь) покажется кому-то из читателей странной, ошибочной, претендующей на неуместную экстравагантность и пр. Я был готов к дискуссии на эту тему — но я ее так и не дождался. Видимо, редкий дятел долетит до 490-й страницы, зато прокукарекать что-то несуразное этот дятел (вопреки законам природы) всегда готов.

Вот, например, А.А. Киличенков, доцент кафедры отечественной истории новейшего времени РГГУ, опубликовал («Новый Исторический Вестник», №15) огромную разгромную рецензию, в которой долго и больно возмущался *«гипо-*

тезой о начале Великой Отечественной войны 17 июня», которую якобы выдвинул Солонин. Ну, с доцентом кафедры отечественной истории все понятно — про таких сказано: «Был чином от ума избавлен». Удивляет и огорчает другое: даже некоторая часть нормальных людей, обсуждавших мою книгу (печатно и электронно), сообщила, что, *«по утверждениям Солонина, Великая Отечественная война началась 17 июня 1941 года»*. Происхождение этой даты мне понятно: первая глава книги называлась «Вторник, 17 июня». Сам виноват. Не подумал я о том, что «писатели» вечно спешат и читать вторую и последующие главы им будет некогда. Один товарищ просто потряс меня сообщением о том, что война, по утверждению Солонина, оказывается, началась после заключения Пакта Молотова — Риббентропа. Насколько я помню, среди 138 тысяч слов, составляющих полный текст книги, слово «пакт» (и все, что с этим связано) не упомянут ни разу. Современный историк А. Исаев прочитал мою книгу, увидел... и высказал свое возмущение тем, что *«датой фактического начала Великой Отечественной войны М. Солонин считает события периода Гражданской войны и последовавшей за ней коллективизации и репрессий»*. Сильно сказано...

По всему по этому я и решил на первых же страницах первой главы сообщить всем «писателям», что самую главную причину поражения 41-го года я знаю. Безоговорочно признаю. Спорить со мной на эту тему не надо. Я и безо всяких дополнительных доказательств полностью согласен с тем, что: **главной причиной поражения был вооруженный противник.**

Признаюсь и в том, что сам я до того не додумался. Мне это подсказали писатели-критики. Да и после многократной подсказки я не сразу понял — что же они имеют в виду? Например, уже упомянутый А. Исаев сердито указал мне на то, что Красная Армия развалилась не сама. *«Ее развалили солдаты в форме фельдграу»*. Что означает слово «фельдграу», я еще могу догадаться («полевой-серый», цвет гимнастерок солдат вермахта, на русский это обычно переводилось словом «мышиный», но г. Исаев любит демонстрировать свое знакомство с «иностранными источниками»). Понять тайный смысл критического замечания было труднее. Разумеется — развалилась не сама собой. Бочка тоже разваливается не сама собой, а только после того, как с нее сильным ударом будут сбиты обручи. Но на поле боя (операции, войны) сталкиваются две армии. Иначе это не бой и не война. Наличие противника «в форме фельдграу» (или в любой другой форме) не должно, как мне казалось, считаться внештатной ситуацией для войны. И Красная Армия создавалась, вооружалась, оснащалась не только для парадов, но и прежде всего для того, чтобы при столкновении с ней разваливалась любая вражеская армия. *«Любой враг разобьет свой медный лоб о советский пограничный столб»* (из речи Молотова на открытии 18-го съезда ВКП(б)).

А. Исаев выразился вежливо. Но непонятно. Безымянный критик на одном из интернет-сайтов выразился грубо, зато доходчиво. *«Автор — идиот. Он не понимает, что те 66 900 орудий и минометов, про которые он пишет, были не брошены, а потеряны при О-Т-С-Т-У-П-Л-Е-Н-И-И»*. Так и написал. В разбивку. И я сразу понял, чего от меня хотят. Мне хотят объяснить, что если б не было войны, то Красная Армия не потеряла бы ни одной пушки. А если бы в случае войны противник не мешал наступать, то и тогда Красная Армия не потеряла бы столько военной техники. Но противник нагло, бесцеремонно и — что самое главное — совершенно неожиданно мешал. Не давал он Красной Армии воевать спокойно, с чувством, с толком, с расстановкой. Вот из-за такого противного противника и возникло О-Т-С-Т-У-П-Л-Е-Н-И-Е. А произнесение вслух этого волшебного слова («отступление») является, по мнению моего анонимного хулителя и легиона его единомышленников, заклинанием, которое разом освобождает всех от присяги, от обязанности выполнять приказы, уставы, наставления. Вопрос (на мой взгляд — напрашивающийся сам собой) о том, что же было причиной, а что — следствием, даже не обсуждается. Злополучное «отступление» воспринимается как некое стихийное бедствие, как уважительная, «объективная» (т.е. от действия или бездействия людей не зависящая) причина, оправдывающая потерю астрономического количества вооружения.

Впрочем, мои критики это все тоже не сами придумали. Они просто продолжили давнюю традицию. Самый первый (из известных мне, не исключаю, что есть и более ранние образцы) текст подобного содержания был написан 6 июля 1941 г. Это приказ № 2 войскам 11-й Армии (Северо-Западный фронт). Документ подписали все три члена Военного совета армии (командующий войсками армии генерал-лейтенант Морозов, начальник штаба армии генерал-майор Шлемин, ЧВС бригадный комиссар Зуев). В соответствии с установленным в Красной Армии порядком оформления приказов после даты (6 июля 1941 г.) было указано место, где находится штаб 11-й Армии. Место это — Идрица, поселок и железнодорожная станция на юге Псковской области, примерно в 80 км к северу от белорусского Полоцка. Строго говоря, этим уже сказано ВСЕ. На 15-й день войны штаб 11-й Армии оказался на расстоянии в 450 км по прямой от государственной границы. Отойти на такое расстояние за 15 дней невозможно. Можно отбежать, но и это крайне утомительно — если только не бросить все мешающие марафонскому забегу тяжелые предметы (винтовки, гранаты, пулеметы, минометы, пушки...).

Подробный анализ обстоятельств и хронологии разгрома Северо-Западного фронта выходит за рамки нашей книги. Ограничимся лишь очень кратким цитированием монографии «1941 год — уроки и выводы», изданной в 1992 г. группой военных историков Генерального штаба тогда еще Объединенных Вооруженных сил СНГ:

«...26 июня положение отходивших войск резко ухудшилось... 11-я Армия потеряла до 75% техники и до 60% личного состава. Ее командующий генерал-лейтенант В. И. Морозов упрекал командующего фронтом генерал-полковника Ф.И. Кузнецова в бездействии... в Военном совете фронта посчитали,

что Морозов не мог докладывать в такой грубой форме, при этом Ф.И. Кузнецов сделал ошибочный вывод, что штаб армии вместе с В.И. Морозовым попал в плен и работает под диктовку врага... Среди командования возникли раздоры...»

В тот же самый день, 26 июня 1941 г., в районе Даугавпилса сдался в плен начальник Оперативного управления штаба Северо-Западного фронта генерал-майор Трухин (в дальнейшем Трухин активно сотрудничал с немцами, возглавил штаб власовской «армии» и закончил свою жизнь на виселице 1 августа 1946 года). (20, стр.164) Остатки 11-й Армии и ее штаб искала разведывательная авиация. Не немецкая авиация — наша. 30 июня поиски увенчались некоторым успехом. В этот день из Москвы в адрес командующего С-З.ф. ушла телеграмма, подписанная Г.К. Жуковым: *«В районе ст. Довгилишки, Колтыняны, леса западнее Свенцяны найдена 11-я Армия Северо-Западного фронта, отходящая из района Каунас. Армия не имеет горючего, снарядов, продфуража. Армия не знает обстановки и что ей делать...»* Другими словами, остатки армии находились в 150—200 км от границы, но еще в 100 км западнее Даугавы (Западной Двины). На восток к Полоцку и Идрице, через Даугаву смог переправиться практически один только штаб 11-й Армии. К такому выводу можно прийти на основании доклада, который 4 июля 1941 г. направил в Москву новый начальник штаба С-З.ф. генерал-лейтенант Н.Ватутин (прежний начштаба Кленов был арестован и в октябре 1941 г. расстрелян). Ватутин доложил Жукову полный перечень частей и соединений фронта, которые он смог обнаружить.

В многостраничном донесении указаны даже те дивизии, от которых остались только номер, боевое знамя и полтысячи бойцов с парой пушек. По поводу 11-й Армии сказано дословно следующее: *«По 11-й Армии (16-й стрелковый корпус, 29-й стрелковый корпус, 179-я и 184-я стрелковые дивизии, 5, 33, 128, 188, 126, 23-я стрелковые дивизии, 84-я моторизованная дивизия, 2-я танковая дивизия, 5-я танковая дивизия, 10-я артбригада противотанковой обороны, 429-й гаубичный артиллерийский полк, 4-й и 30-й понтонные полки) сведений нет».*

Все это можно свести к двум коротким словам: «полный разгром». И вот 6 июля 1941 г. командующий этой разгромленной армией издает такой приказ:

«I. Войска армии закончили выполнение большой и ответственной задачи по выходу из окружения противника и сосредоточиваются за линией наших войск в новых районах. С первого дня войны личный состав армии показал беззаветную преданность нашей великой советской Родине и Коммунистической партии. Все наши соединения и части с мужеством и стойкостью отбивали вероломное нападение врага, нанося ему громаднейшие потери. Многие наши подразделения не растерялись и с честью выполняли свои задачи, находясь в окружении превосходящего противника. Части армии в первых боях добились того, что враг в последующие дни ***с осторожностью и опаской следовал за отходившими нашими частями.*** (Подчеркнуто мной. — *М.С.*)

II. ПРИКАЗЫВАЮ:

а) Широко разъяснить всему командному, начальствующему, красноармейскому составу обстановку и условия выхода армии из окружения. Широко разъяснить всем бойцам и командирам, что части армии за весь период боевых действий под напором врага отступали только при неожиданном нападении 22 июня сего года. Ни в одном из последующих боев, которые вели части армии с превосходящими силами врага, последний не добился успеха. ***Мы отходили в силу создавшейся общей обстановки».***

Вот так вот. Не беспорядочное отступление в темпе форсированного марша (по 25 км в день), не потеря боевой техники и массовое дезертирство (чем еще можно объяснить потерю *«60% личного состава отходивших войск»* на 5-й день отступления и почти полное отсутствие личного состава на 13-й день этого странного «отхода»?) создали на фронте в Прибалтике вполне определенную «обстановку», а сама собой создавшаяся «общая обстановка» объявлена первопричиной всех бед. При всем при этом понять логику генерала Морозова можно — война еще только начиналась, и он хотел подбодрить немногих оставшихся в строю бойцов. Приказ № 2 — это, по сути дела, документ военной пропаганды, каковая по определению не имеет права быть правдивой. И с этой точки зрения становится уместной даже совершенно фарсовая фраза про противника, который с «осторожностью и опаской» крался за бегущей в силу «создавшейся обстановки» Красной Армией.

Генерала Морозова понять можно. Гораздо труднее понять маршала Г.К. Жукова, когда он в совершенно мирной обстановке, через десятки лет после завершения войны, размышляя в своих воспоминаниях о причинах «временных неудач», решил **пожаловаться на противника**:

«Ни нарком обороны, ни я, ни мои предшественники Б.М. Шапошников и К.А. Мерецков, ни руководящий состав Генерального штаба не рассчитывали, что противник сосредоточит такую массу бронетанковых и моторизованных войск и бросит их в первый же день мощными компактными группировками на всех стратегических направлениях с целью нанесения сокрушительных рассекающих ударов». (15, стр. 282)

Обратите внимание на то, как построена фраза. Маршал Жуков прекрасно понимает всю абсурдность и лживость этих слов и поэтому немедленно записывает к себе в соавторы давно ушедших в лучший мир маршалов Тимошенко, Шапошникова, Мерецкова, а под конец — и весь «руководящий состав Генерального штаба» чохом (т.е. Ватутина, Василевского и других). Что же так удивило Великого Маршала Победы? Вы не ожидали, что противник создаст мощные ударные группировки на выгодных для него (а не для вас) стратегических направлениях? Вы не рассчитывали, что противник постарается нанести «сокрушительные рассекающие удары»? А чего ж тогда вы ждали? Ласкового похлопывания по попе? Того, что немцы соберут по роте выздоравливающих от каждого армейского госпиталя и пошлют их реденькой цепочкой прямиком в болота Полесья? И откуда же взялись такие благостные ожидания?

Главная аксиома оперативного искусства — концентрация сил. Это знает каждый выпускник школы ротных старшин. Каждый солдат-новобранец убеждается в этом на собственном опыте, на первом же выходе в поле (в лес). Крохотный комарик весом менее одного грамма сокрушительным рассекающим ударом пробивает толстенную шкуру человека. Почему ему это удается? Потому, что ничтожная комариная сила сконцентрирована на микроскопическом участке острия комариного жала. К лету 1941 года каждому военному специалисту было известно, что командование вермахта вполне осознает и мастерски реализует на практике основной принцип концентрации. Был уже к тому времени опыт войны в Польше, была блестяще проведенная операция на севере Франции. Последний пример можно считать особенно ярким.

На уровне стратегии немцы проявили свою приверженность идее концентрации всех сил для решения главной задачи тем, что из имеющихся у них 156 дивизий для войны с Францией и ее союзниками было выделено 136 (87%). На огромных пространствах Дании, Польши, Чехословакии, Австрии и собственно Германии оставалось всего 13 дивизий (еще 7 дивизий вели боевые действия в Норвегии). Концентрация всех сил люфтваффе на одном-единственном направлении была и вовсе доведена до уровня азартной игры в «русскую рулетку». Из округов ПВО Кёнигсберга, Бреслау, Дрездена, Нюрнберга, Вены были сняты все истребители до одного. В зоне ПВО Берлина был оставлен штаб 3-й истребительной эскадры и одна из ее истребительных групп (II/JG-3). Всего 49 самолетов, из них по состоянию на 10 мая 1940 г. только 39 исправных. (24)

На оперативном уровне принцип концентрации сил был реализован с той же неуклонной решимостью. Общая протяженность западной границы рейха составляла 650 км (от Базеля на юге до голландского Арнема на севере). На второстепенных направлениях общей протяженностью в 300 км было оставлено всего 17 дивизий, зато в полосе наступления (на границе с Голландией, Бельгией и Люксембургом) уже в первом эшелоне (не считая резервов верховного командования) в первые же дни было введено в бой 77 дивизий, в том числе все танковые и все моторизованные. На направлении главного удара, на фронте в 130 км от Льежа до Седана, было сосредоточено 7 танковых дивизий из 10 и 5 моторизованных дивизий из 5. Мало этого — 15 мая на участок прорыва был переброшен еще один танковый корпус (2 танковые дивизии) из Бельгии. Сокрушительный удар проломил оборону французской и британской армий. Через две недели, 24 мая 1940 г., немецкие танки вышли к Ла-Маншу.

Об этом тогда писали все газеты мира (включая «Правду» и «Известия»). В массовых газетах (не говоря уже про специализированные военные издания) публиковались карты со стрелочками. Ладно, предположим, что читать газеты начальнику Генерального штаба Красной Армии было некогда. Так ведь и не надо — для сбора информации у него и у наркома обороны Тимошенко были другие структуры, другие источники. В частности, вплоть до самого начала войны в Москве находились военные атташе двух сторон: победившей Германии и побежденной Франции. Было с кем обсудить ход и исход кампании на Западе...

Но — может быть, мы не о том спорим? Может быть, Жукова несказанно удивил не сам факт создания противным противником ударных группировок для нанесения «сокрушительных рассекающих ударов», а то, что в состав этих группировок была включена *«такая масса бронетанковых и моторизованных войск»*? И на этот вопрос мы можем сегодня ответить совершенно однозначно. Действительно, «такой массы» ни Жуков, ни Тимошенко, ни сам Сталин не ожидали.

В начале 90-х годов были опубликованы некоторые документы советского стратегического военного планирования, позволяющие дать вполне конкретный ответ на вопрос о том, какие именно силы противника, с участием какой *«массы бронетанковых и моторизованных войск»* ожидало встретить в первых боях высшее военно-политическое руководство Советского Союза. Единственный вопрос, на который у меня нет точного ответа, — как это ведомство товарища Гареева допустило публикацию таких материалов? Впрочем, и здесь нет большой загадки. Мемуары Жукова были опубликованы сотнями тысяч экземпляров, процитированы в десятках миллионов газетных и журнальных публикаций, пересказаны сотням миллионов кино- и телезрителей так называемых «документальных» фильмов. Цитируемые ниже документы были опубликованы в известной крайне узкому кругу специалистов «малиновке» (двухтомный сборник «Россия-XX век. Документы. 1941 год», получивший такое название за цвет обложки), давно уже превратившейся в библиографическую редкость. Так что Гареев и гареевцы ничем особенно и не рисковали...

Вернемся, однако, к сути дела. Каждый из известных документов стратегического планирования начинался с раздела, посвященного оценке возможного состава группировки войск противника (противников). Множественное число здесь будет более уместным, так как советское руководство неизменно включало в состав противников СССР на Западе Финляндию, Румынию, Венгрию, Италию, причем по вопросу о численности вооруженных сил последних высказывались совершенно фантастические предположения. Так, по мартовскому (1941 г.) плану в составе группировки венгерской армии на советской границе предполагалось наличие 20 дивизий, в то время как фактически Венгрия развернула в Карпатах, на границе с советской Украиной, всего 3 бригады, что соответствует 1,5 «расчетной дивизии». Учитывая, что боевая ценность дивизий вермахта и, например, румынской армии просто несопоставимы, ограничимся только сравнением ожидаемой и реальной численности вооруженных сил главного противника — Германии. Для удобства восприятия сведем информацию в следующую таблицу.

пд	**тд**	**мд**	**танки**	**самолеты**
1. «Соображения об основах стратегического развертывания Вооруженных Сил СССР», 18 сентября 1940 года				
145	**17**	8	10.000	13.000
2. «Уточненный план стратегического развертывания Вооруженных Сил СССР», 11 марта 1941 г.				
165	20	15	10.000	10.000
3. «Соображения по плану стратегического развертывания сил Советского Союза на случай войны с Германией и ее союзниками», 15 мая 1941 г.				
141	19	15		
4. Фактический состав групп армий «Север», «Центр», «Юг», 22 июня 1941 г.				
84	17	14	3.628	2500

Примечание: в число 84 пехотных дивизий включены 4 легкопехотные, 2 горно-стрелковые и 1 кавалерийская дивизии;

в число 14 моторизованных дивизий включено 4 моторизованные дивизии СС;

900-я моторизованная бригада и моторизованный полк «Великая Германия» учтены как одна «расчетная» мд.

Внимательный читатель, должно быть, обратил внимание на одну странность: фактическое число танковых дивизий вермахта чуть меньше ожидаемого (17 вместо 19—20), а танков оказалось в три раза меньше. Это не опечатка. Это с одной стороны — качество работы советской разведки, предполагавшей, что в одной танковой дивизии вермахта может быть до полутысячи танков, с другой — то, что в советской историографии называлось «особенности подготовки вермахта к нападению на СССР». В рамках этой подготовки Гитлер решил увеличить число танковых дивизий в два раза. «Особенность» заключалась в том, что сделано это было тем самым способом, которым в колхозах неизменно добивались рекордных надоев молока, — методом разбавления. Штатный состав танковой дивизии вермахта был изменен, и вместо двух танковых полков в дивизии оставили один (правда, при этом в некоторых дивизиях танковый полк включал в себя три батальона вместо двух, как было ранее). В конечном итоге утром 22 июня 1941 г. количество танков в одной танковой дивизии вермахта на Восточном фронте укладывалось в диапазон от 265 (7-я танковая дивизия) до 143 (9-я и 11-я). Сталин в такие игры не играл. Несмотря на стремительный рост числа танковых дивизий Красной Армии (до 61 к началу войны), штатное количество танков в одной дивизии снизилось весьма незначительно: с 413 по штатному расписанию июля 1940 г. до 375 по штату февраля 1941 г. (7, стр. 277)

Наиболее фантастическими были представления советской разведки о боевом составе люфтваффе. Так, по данным «Спецсообщения Разведуправления Генштаба РККА» от 11 марта 1941 г., немцы могли выставить на Восточном фронте 3820 истребителей, 4090 двухмоторных бомбардировщиков, 1850 пикирующих «Юнкерсов»-87. Фактическое число боеготовых самолетов по состоянию на 22 июня 1941 г. было: по истребителям — в 3,5 раза меньше, по бомбардировщикам — в 4 раза меньше, по пикировщикам — в 7 раз меньше. Хилые силы немецкой авиации были настолько малы — как в сравнении с численностью ВВС Красной Армии, так и в сравнении с прогнозами советской разведки, — что в докладе штаба Северо-Западного фронта №3, подписанном в 12 часов дня 22 июня 1941 г., было сказано дословно следующее: *«Противник еще не вводил в действие значительных сил ВВС, ограничиваясь действием отдельных групп и одиночных самолетов»*. Это про 22 июня 41-го года такое написано. Про тот самый день, когда авиация противника якобы налетела и за полдня уничтожила всю советскую авиацию прямо на земле. На «мирно спящих аэродромах»...

Вероятно, для того, чтобы обсуждаемая фраза из воспоминаний Г.К. Жукова приобрела смысл и достоверность, надо убрать из нее все лишние слова и добавить три нужных. Вот тогда получится что-то вполне разумное. Например:

«Ни нарком обороны, ни я, ни мои предшественники, Б.М. Шапошников и К.А. Мерецков, ни руководящий состав Генерального штаба не рассчитывали, что противник ТАКИМИ МАЛЫМИ СИЛАМИ СМОЖЕТ нанести сокрушительные рассекающие удары». И с учетом реального соотношения сил сторон это было бы совершенно верным определением.

Глава 2

«НАСТУПЛЕНИЕ ЯВЛЯЕТСЯ ВЫРАЖЕНИЕМ ПРЕВОСХОДСТВА»

Первые публикации, в которых была указана реальная численность Красной Армии накануне войны, приведены данные по количеству и производству танков и самолетов, состоялись еще в конце 80-х годов прошлого века. Без малого двадцать лет назад. И ничего. Никто ничего не заметил. Напечатал, например, «Военно-исторический журнал» (официальный, заметьте, печатный орган Министерства обороны СССР) в далеком 1989 г. (№ 4) табличку, в которой были перечислены мехкорпуса, развернутые в западных приграничных округах, и приведено количество танков в них. Ноль эмоций. Но стоило только нескольким «историкам-любителям» обратить внимание образованной публики на то, что мехкорпусов в Красной Армии было, оказывается, больше, чем у немцев — танковых дивизий, стоило только этим «любителям» взять в руки исправный калькулятор и доложить читателям, что, например, войска Юго-Западного и Южного фронтов имели на вооружении 5826 танков, а немецкая группа армий «Юг» — всего 728, стоило только некоторым, особенно разнузданным «фальсификаторам истории» вслух заявить о том, что 5826 больше 728... Что тут началось... Сколько крика, сколько претензий... «Этого не может быть, потому что не может быть никогда! Откуда вы это взяли? Предъявите документы! Нет, оригиналы с личной подписью Сталина! Мне же еще в школе МарьВанна рассказывала про многократное численное превосходство противника...» Товарищи дорогие, господа хорошие — что же вы у МарьВанны документы с подписью Сталина не требовали? Почему вы не замечаете публикацию документов и фактов, но столь бурно реагируете на очевиднейшие выводы, на основании этих фактов сделанные?

Что же касается действительно первейшего вопроса о достоверности приведенных здесь и далее цифр, то по этому поводу надо отметить два момента. Первое. Оригиналов документов с собственноручной подписью Сталина в моем личном архиве нет. Документы, с которыми я работал в государственных и военных архивах (например, так называемые «Особые папки» протоколов заседаний Политбюро, хранящиеся в РГАСПИ, или протоколы заседаний Комитета Обороны при СНК СССР, недавно рассекреченные в ГАРФе), представляют собой (по большей части) машинописные копии. Теоретически рассуждая, за истекшие 60 лет их можно было и подделать. Точно так же могут быть фальсифицированы и документы, опубликованные в «малиновке» (4, 6), и 42 тома «Сборников боевых документов» (СБД), и факты, приведенные в постоянно цитируемых мною монографиях, выпущенных коллективами военных историков Генерального штаба (2, 3). Но в любом случае эти документы находились в распоряжении тех людей и структур, которые никоим образом не были заинтересованы в том, чтобы ПРЕУВЕЛИЧИВАТЬ состав и вооружение разгромленной летом 41-го года Красной Армии. Поэтому я считаю, что приведенные ниже цифры можно смело использовать в качестве минимального (скорее всего — заниженного) предела количественной оценки.

Второй момент связан с тем, что точные цифры, характеризующие численный состав и вооружение Красной Армии (равно как и армии любой другой мощной державы того времени), невозможно назвать в принципе. Причина этого очень проста — накануне войны СССР, Германия, Франция, Англия непрерывно наращивали свою военную мощь. Формировались все новые и новые части и соединения, стремительно обновлялся танковый и авиационный парк, технически устаревшие машины списывались или выводились в тыловые подразделения, менялись штатные расписания и структура соединений, менялись способы перевода армии из состояния мирного в состояние военного времени. Точные до последней запятой цифры указать в подобной ситуации нельзя, но — как станет ясно из дальнейшего — это и не создает больших проблем для исследователя, так как при том численном превосходстве, которым обладала Красная Армия, небольшие «погрешности измерения» уже не имеют принципиального значения.

Первая мировая война завершилась Версальским мирным договором, в соответствии с которым Германия не только потеряла некоторые населенные немцами территории (т.е. потеряла часть призывных контингентов), но и — что гораздо важнее — была лишена права создавать и содержать боевую авиацию, танковые войска, артиллерию средних и крупных калибров. В целом разрешенная для Германии численность сухопутной армии (рейхсвера) была ограничена числом 10 дивизий. Страны Антанты даже и не скрывали того, что их целью является ослабить военный потенциал Германии до такого уровня, при котором Германия никогда не сможет вернуться в «клуб» великих европейских держав. С другой стороны, на советскую Россию — несмотря на то, что она предала своих союзников в Бресте, несмотря на то, что новая российская власть конфисковала без суда имущество английских, французских и американских граждан и компаний — никаких ограничений наложено не было. Страна «победившего пролетариата» отнюдь не стала (подобно Ливии или Северной Корее в современном мире) страной-изгоем. Ничего подобного. Победившие «пролетарии» (из числа бывших лавочников, люмпен-интеллигентов, а то и просто темных проходимцев типа Ганецкого) разъезжали по ведущим столицам мира, скупали оружие и военную технологию, почти открыто вербовали «агентов влияния», заманивали баснословными деньгами военных и технических специалистов. Гениальное пророчество Ульянова-Ленина о том, что на растленном буржуазном Западе найдутся (и в немалом количестве) «полезные нам идиоты», сбылось на 101 процент.

Таким образом, в полном несоответствии с извечными причитаниями коммунистической пропаганды (*«История отпустила нам мало времени»*) пресловутая «история» (т.е. «полезные идиоты» в Лондоне, Париже и Вашингтоне) предоставила Советскому Союзу значительно большее, нежели Германии, время для подготовки к Большой Войне.

Время — это очень важный ресурс. В некоторых делах — решающий. Как гласит известный афоризм: «Даже девять женщин не смогут родить ребенка за один месяц». Подготовка военных специалистов (танкистов, артиллеристов, летчиков, штурманов) требует еще большего, нежели срок нормальной беременности, времени. А уж для того, чтобы накопить многомиллионный запас обученных резервистов, и вовсе нужны долгие годы. У Германии этих лет не было, а у СССР — были. Однако одним лишь временем и огромными людскими и природными ресурсами задача создания высокоэффективной армии в середине XX века уже не решалась. Нужны были еще и современная промышленность, инженерные и научные кадры. С этим видом ресурсов в стране была «большая напряженка» — большевики имели неосторожность уничтожить или принудить к бегству из страны большую часть ученых и инженеров. За морями, за океанами проектировали свои истребители Сикорский, Северский и Картвели, английские и американские самолеты заправлялись высокооктановым авиабензином, изготовленным по технологии инженера Ипатьева... В распоряжении же Сталина были талантливая молодежь (но ей еще надо было учиться, учиться и учиться) и миллионы зэков, которые могли добыть невообразимое количество руды, каковой можно было засыпать огромные каналы, вырытые другими зэками. Да, еще можно было продать эту руду за границей и получить в обмен красивые бумажки с портретами мудрых президентов или даже золото. Но золото — в высшей степени бесполезный металл. Из него даже гвоздя хорошего сделать нельзя. А уж про золотой штык и говорить смешно (тяжелый и мягкий).

Решение проблемы было найдено опять-таки на Западе. В обстановке жесточайшего экономического кризиса (конец 20-х — начало 30-х годов) крупная буржуазия промышленно развитых стран мира наперегонки, отталкивая друг друга от «советской кормушки», бросилась продавать Сталину военную технику, технологию, станки, лаборатории, испытательные стенды, целые заводы в полной комплектации. Безрассудная, безнравственная и самоубийственная политика Запада позволила Сталину превратить гигантские финансовые ресурсы (как насильственно изъятые у прежних владельцев, так и вновь созданные трудом многомиллионной армии колхозных и гулаговских рабов) в горы оружия и военной техники. На гигантских предприятиях, оснащенных новейшим американским и немецким оборудованием, английский танк «Виккерс-Е» размножался тысячами экземпляров под названием Т-26, конструкция американского инженера Кристи превращалась в тысячи советских танков БТ. По немецким лицензиям было налажено производство 37-мм и 76-мм зенитных пушек, знаменитых «сорокапяток» (противотанковая пушка калибра 45 мм). Французские авиамоторы под скромными пролетарскими именами М87/М88 поднимали в воздух дальние бомбардировщики ДБ-3, оснащенные американскими автопилотами фирмы «Спэрри», французские же моторы, переименованные в М100/М103, стояли на советских бомбардировщиках СБ, лучшие в мире истребители Поликарпова И-15 и И-16 ревели моторами М25/М62 (в девичестве американский «Райт-Циклон»), на авиазаводе в подмосковных Филях (концессия фирмы «Юнкерс») строился первый в мире тяжелый четырехмоторный бомбовоз ТБ-3 с двигателями М-17 (BMW-6)...

Уважаемый читатель, если вам не трудно — постарайтесь не читать в моей книге то, чего в ней нет. Я не говорю, что организовать массовое производство технически сложных видов вооружений — пусть даже и на базе импортного оборудования, импортных технологий, с помощью иностранных специалистов и по иностранным лицензиям — легко.

Легко ничего не делать и растранжиривать наследство внуков и правнуков, качая сырую нефть по трубе, построенной отцами и дедами. Но и никакого «беспримерного чуда» в истории советской индустриализации 30-х годов нет. Такие же «чудеса» на нашей памяти произошли (и происходят сейчас) в Южной Корее, Тайване, Малайзии, Индонезии, Таиланде. С той только разницей, что так называемая «лапотная Россия» задолго до прихода большевиков к власти уже производила свои рельсы и свои паровозы, автомобили и самолеты, тяжелые крейсера и почти невесомые радиолампы. Проще говоря, не была Россия образца 1916 года ни Малайзией, ни Сингапуром...

Заставить людей работать Сталин и его «выдвиженцы»

умели. Можно спорить о том, насколько рационально были организованы эти великие труды с точки зрения критерия «цена — результат». Очень может быть, что при нормальной конкурентно-рыночной организации дела, без ажиотажа, «штурмовщины» и репрессий колоссальные инвестиции 30-х годов могли бы дать еще большую отдачу. В любом случае «цена» мало беспокоила Сталина (зэки на колымских рудниках мыли золото в три смены без выходных), а результат был огромен. Советские «ученики», несомненно, превзошли своих западных «учителей». Приведем лишь два характерных свидетельства. В 1936 г. авиационные заводы СССР смог посетить Луи Шарль Бреге, основатель крупнейшей французской авиастроительной фирмы (по сей день выпускающей совместно с фирмой «Дассо» реактивные «Миражи»). Вернувшись домой, он написал: *«Используя труд вдесятеро большего количества рабочих, чем Франция, советская авиационная промышленность выпускает в 20 раз больше самолетов»*. В этой фразе, конечно же, больше эмоций, чем статистики. Но интересно, что такие же эмоции возникли после посещения французских авиапредприятий в том же самом 1936 г. и у молодого советского авиаконструктора А. Яковлева: *«Осматривая авиационные заводы Франции, я невольно сравнивал их с нашими. И каждый раз с глубоким удовлетворением приходил к выводу, что по масштабу, по качеству оборудования ни одно из виденных мною французских предприятий не могло идти ни в какое сравнение с любым из наших рядовых авиационных заводов»*.

Теперь перейдем от эмоций к сухим цифрам. Уже в 1937 году на вооружении Советских ВВС числилось 8139 боевых самолетов — примерно столько же будет два года спустя на вооружении Германии (4093), Англии (1992) и США (2473), вместе взятых. (1) К 1 октября 1939 г. самолетный парк Советских ВВС вырос в полтора раза (до 12 677 самолетов) и теперь уже **превосходил общую численность авиации всех участников начавшейся мировой войны**. В 1940 г. воюющая Германия произвела 1877 одномоторных истребителей и 3012 бомбардировщиков, СССР — 4179 и 3301 соответственно.

Даже в 1941 году, в условиях потери или эвакуации ряда ведущих заводов, Советский Союз в 2,5 раза обогнал Германию по количеству выпущенных истребителей (7080 против 2852), отставая, правда, по числу произведенных двухмоторных бомбардировщиков (2861 против 3783). В дальнейшем количественные показатели выпуска боевых самолетов в Советском Союзе были все время выше. За одним исключением — в 1944 году, пытаясь противостоять массированным ударам стратегической бомбардировочной авиации союзников, Германия произвела 23 805 одномоторных истребителей (в 8 раз больше, чем в 1941 г.), а в СССР в тот год было выпущено «всего лишь» 16 703 истребителя. (24, 32). Но этот рывок в производстве истребителей был уже последним усилием германской авиапромышленности...

Столь же грандиозным был и масштаб советского танкового производства. Уже в начале 1939 г. по числу танков (14 540 — и это не считая устаревшие Т-27 и легкие плавающие Т-37/38) Красная Армия ровно в два раза превосходила армии Германии (3420), Франции (3290) и Англии (550), вместе взятые. К 22 июня 1941 г. танковый парк советских вооруженных сил выражался немыслимой ни для одной другой страны мира цифрой **21 447 танков** (это, опять же, не считая 2,6 тыс. устаревших танкеток Т-27 и не считая 3,8 тыс. легких плавающих Т-37/Т-38/Т-40). (82) На вооружении вермахта в июне 41 г. числилось всего **5440 танков и самоходных орудий** всех типов (не считая 1122 танкеток Pz-I). **В четыре раза меньше**, чем в Красной Армии. Объем производства танков в СССР даже в катастрофическом 1941 году составил 6590 единиц (в том числе 1360 тяжелых КВ и 3010 средних Т-34). Немцы же (на которых якобы «работала вся Европа») в 1941 году выпустили в полтора раза меньшее число танков и самоходных орудий (4110 единиц, включая 700 чешских Pz-38(t)). В следующем, 1942 году танковая промышленность СССР произвела уже 24 720 танков (в том числе 2550 КВ и 12 530 Т-34), что в 4 раза превысило объем производства танков и самоходных орудий в Германии (6090 единиц, в том числе 1560 танкеток и легких танков). (1, 2, 11)

Огромные мощности военной промышленности, неисчерпаемые запасы природного сырья, многомиллионный резерв прошедших действительную службу военнослужащих запаса позволили Сталину создать самую крупную армию мира. К лету 1939 г. в составе Красной Армии уже числилось 100 стрелковых дивизий (считая 5 стрелковых бригад за две «расчетные дивизии»), 18 кавалерийских дивизий и 36 танковых бригад. Сухопутная армия страны-агрессора (Германии) насчитывала к этому времени всего 51 дивизию (в том числе 5 танковых и 4 моторизованные). По последнему утвержденному варианту мобилизационного плана МП-41 намечалось развернуть Красную Армию в составе: **198 стрелковых** (в том числе 19 горно-стрелковых), **61 танковая, 31 моторизованная, 13 кавалерийских дивизий. Всего 303 дивизии.** А также **94 корпусных** артполка и **72 артполка РГК**, **10 ПТАБРов** (противотанковая артиллерийская бригада РГК), **16 воздушно-десантных бригад**. По принятой традиции, мы не стали включать в общий перечень части и соединения войск НКВД, численность которых (154 тыс. чел.) соответствовала 10 «расчетным дивизиям». Причем все эти соединения к 22 июня 1941 г. уже существовали в реальности. Каркасы 303 дивизий были созданы, 5,6 млн. человек были поставлены под ружье еще в рамках «армии мирного времени». Причем в армиях западных приграничных округов «каркасы» были в основном уже «заполнены». В 99 стрелковых дивизиях западных округов (включая Ленинградский ВО) численность личного состава (при штате в 14,5 тыс. человек) была доведена до: **21 дивизия — 14 тыс., 72 дивизии — 12 тыс. и 6 дивизий — 11 тыс. человек.** (3, стр. 83)

В ходе открытой мобилизации предполагалось главным образом **доукомплектование** ранее сформированных частей и соединений до штатных норм и создание очень небольшого («небольшого» в сравнении с гигантской численностью Красной Армии мирного времени) числа новых дивизий: в течение первых трех месяцев планировалось сформировать дополнительно 30 новых стрелковых дивизий. (3, стр. 73, 4, стр. 607—651) Этим принятый в СССР порядок мобилизационного развертывания кардинально отличался от того, что было в других странах Европы. Например, Франция летом 1939 г. имела всего 33 кадровые дивизии при общей численности сухопутных войск метрополии порядка 550 тыс. человек. В ходе мобилизационного развертывания было сформировано более 50 новых, совершенно «сырых» дивизий, большая часть личного состава которых вообще ранее не служила в армии. В составе вермахта весной 1939 г. было всего 35 кадровых пехотных дивизий, в ходе открытой мобилизации число пехотных дивизий к началу следующего, 1940 года возросло до 86. Этим «новорожденным» дивизиям и предстояло сокрушить столь же молодую, мало подготовленную и плохо вооруженную французскую армию...

В апреле 1941 г. стрелковые дивизии Красной Армии были переведены на новый штат. Численность личного состава немного (на 16%) уменьшилась и составляла теперь **14,5 тыс.** человек против **16,9 тыс.** в пехотной дивизии «первой волны формирования» вермахта. Несколько большая численность немецкой пехотной дивизии означала лишь большее развитие тыловых и вспомогательных служб — по огневой мощи стрелковая дивизия Красной Армии ничуть не уступала дивизии противника. По штатному расписанию апреля 1941 г. стрелковой дивизии полагалось 166 станковых и 392 ручных пулемета (в пехотной дивизии вермахта соответственно 138 и 378). О том, что в пехотной дивизии вермахта на 16 тыс. человек приходилось по штату всего 767 автоматов, а остальные были вооружены обыкновенными винтовками (в количестве 11,5 тыс.), написано уже немало (правда, на режиссеров и продюсеров так называемых «исторических» фильмов это еще не подействовало). Более того, стрелковая дивизия Красной Армии, на вооружении которой было 10 420 винтовок и карабинов, перевооружалась с «трехлинейки» на самозарядную винтовку Токарева (СВТ), что давало заметное преимущество над противником в плотности стрелкового огня. Для того чтобы никогда больше не возвращаться к обсуждению совсем уже бредовых измышлений о том, что в Красной Армии **до начала войны** (подчеркните эти три слова тремя жирными чертами, уважаемый читатель) не хватало даже винтовок, отметим, что реально имевшимся в наличии к июню 1941 г. стрелковым вооружением можно было укомплектовать следующее количество дивизий: (2, стр. 351)

— станковые пулеметы 460;
— ручные пулеметы 435;
— винтовки и карабины 743.

Традиционно мощной была советская артиллерия — этот беспощадный «бог войны» 20-го столетия. В состав стрелковой дивизии Красной Армии (наряду с тремя стрелковыми полками) было включено два артиллерийских полка. Кроме того, по 6 легких «полковых» пушек калибра 76,2 мм было в каждом из трех стрелковых полков. Итого: **18 полковых** короткоствольных 76,2-мм пушек, **16 «дивизионных»** (имеющих больший вес, большую длину ствола и соответственно большую начальную скорость снаряда) 76,2-мм пушек, **32 гаубицы калибра 122 мм и 12 гаубиц калибра 152 мм.** Для сравнения приведем численность артсистем и так называемый «вес суммарного залпа» полевой артиллерии польской, французской и немецкой пехотной дивизии (вес снарядов в системах сопоставимого калибра разных армий несколько различался, поэтому приведенное ниже значение веса суммарного залпа следует рассматривать только как ориентировочное).

	75 / 76,2-мм	100 / 105-мм	122-мм	150 / 152,2-мм	Вес залпа, кг
СССР	34	——	32	12	1395
Германия	20	36	——	18	1384
Франция	36	——	——	24	1183
Польша	30	15	——	3	531

Как видим, по числу стволов и весу суммарного залпа артиллерия советской стрелковой дивизии по меньшей мере не уступала «лучшим мировым стандартам». Вопреки широко распространенному заблуждению, о минометном вооружении в Советском Союзе тоже не забыли. По штатному расписанию стрелковой дивизии полагалось 84 ротных миномета калибра 50 мм и 54 миномета калибра 82 мм (в пехотной дивизии вермахта соответственно 93 и 54). Небольшое (на 9 единиц) отставание по числу легких ротных минометов с лихвой перекрывалось тем, что на вооружении стрелковой дивизии Красной Армии было еще и 12 мощных 120-мм минометов. По весу снаряда (мины) и поражающему действию эта система была уже вполне сопоставима с немецкой 105-мм гаубицей.

Все вышеперечисленное — это штатное расписание апреля 1941 г. Но, может быть, «история отпустила Сталину мало времени» и всех этих пушек-минометов в натуре просто не было? Для полной ясности стоит посчитать самим. Берем выпущенный Главным артиллерийским управлением в 1977 г. (и ныне уже рассекреченный) статистический сборник «Артиллерийское снабжение в Великой Отечественной войне 1941—45 гг.», берем исправный калькулятор и делим указанные в сборнике количества пушек, минометов и гаубиц на штатную численность вооружения стрелковой дивизии. В результате мы получаем некое условное число дивизий, которые можно было укомплектовать имевшимся артиллерийским вооружением. Да, разумеется, так мобилизационный план не составляют, но для оценки «общей ситуации» предложенный подход вполне уместен. Итак: (9, стр. 248, 250, 252)

	Наличие, тыс. ед.	**Кол-во дивизий**
50-мм минометы	36 324	432
82-мм минометы	14 524	269
120-мм минометы	3 872	323
76-мм полковые пушки	4 701	261
76-мм дивизионные пушки	8 513	532
122-мм гаубицы	8 124	254
152-мм гаубицы	3 817	318

Как видно из приведенной таблицы, наличными запасами основных видов артиллерийского вооружения развертывание самой крупной армии мира было обеспечено полностью. Дивизионными «трехдюймовками» Красная Армия была обеспечена даже с таким избытком, что их порой ставили на вооружение артиллерийских батарей стрелковых полков, где штатно должны были быть легкие короткоствольные 76-мм пушки. Для самого внимательного читателя поясним, что штатное расписание горнострелковых, танковых, моторизованных и кавалерийских дивизий предусматривало значительно меньшее число артсистем, нежели в стрелковых дивизиях. В частности, 122-мм гаубиц горнострелковой дивизии требовалось 24 (вместо 32 в стрелковой), танковой — 12, моторизованной — 16, кавалерийской — 8.

Не менее показательно и сравнение числа артиллерийских стволов Красной Армии по состоянию на начало июня 1941 г. с вооружением противника: (9, стр. 248, 250, 263)

	СССР	**Германия**
82-мм (81-мм) минометы	14 524	11 767
76-мм (75-мм) пушки всех типов	15 298	4176
105-мм гаубицы	——	7076
122-мм гаубицы	8124	——
107-мм (105-мм) пушки	862	760
122-мм пушки	1255	——
152-мм (150-мм) гаубицы и пушки	6458	3802
203-мм (210-мм) гаубицы	871	403

Разобравшись с количеством, скажем пару слов и о качестве. Из общего числа 56,7 тыс. орудий (включая 23,5 тыс. зенитных и противотанковых пушек), которые состояли на вооружении Красной Армии в начале июня 1941 г., 52,4 тыс. орудий (92%) поступили в войска в период с 37-го по 41-й год. (3) Для пушек и гаубиц, срок службы которых исчисляется десятками лет, это можно определить словами «почти новые». Что же касается новизны тактико-технической, то новейшие системы образца 36—39-х годов составляли уже значительную часть общего артиллерийского парка. Так, например, в войсках Киевского особого военного округа из общего числа 2203 пушек калибра 76,2 мм новые системы составляли половину (1069 единиц). По 122-мм гаубицам и пушкам — 27%, по 152-мм системам — 73%. Для соседнего (и значительно более слабого) Одесского военного округа соответствующие цифры составляют 35%, 13% и 65%. (33, стр. 79) Практически новым (и по времени разработки, и по дате выпуска) было все минометное вооружение, большая часть зенитных и противотанковых пушек. И останавливаться на достигнутом советское военно-политическое руководство не собиралось. Так, утвержденный 7 февраля 1941 г. план производства стрелкового и артиллерийского вооружения на 1941 г. предполагал выпуск 4 тыс. зенитных орудий калибра 85 мм, 2600 артсистем калибра 122 мм, 2500 артсистем калибра 152 мм, 2060 минометов калибра 120 мм, 1,8 млн. винтовок... (8)

Если по количеству и качеству артиллерийского вооружения Красная Армия не уступала ни одной армии мира, то уровень механизации советской артиллерии был совершенно уникальным. По штатному расписанию апреля 1941 г. гаубичному артиллерийскому полку обычной стрелковой (не моторизованной!) дивизии **на 36 гаубиц полагалось 72 трактора** (гусеничных тягача), 90 грузовых, 9 специальных и 3 легковые автомашины. Два тягача на одну гаубицу — это двукратное резервирование средств мехтяги, а вовсе не свидетельство непомерного веса артсистем. 122-мм гаубица весила порядка 2,5 тонны, 152-мм гаубица — 4,2 тонны. Для буксировки дивизионных гаубиц предназначались обычные трактора производства Сталинградского и Челябинского заводов (СТЗ-3, С-60, С-65, в девичестве — «Катерпиллер»). Это именно то транспортное средство, которое в любой дождь и снег могло передвигаться по российским дорогам-направлениям. Высокая скорость буксировки орудий в стрелковой (т.е. пехотной) дивизии вовсе не обязательна — достаточно того, чтобы артиллерия просто не отставала от идущих пешком солдат. В любом случае наш противник о 72 гусеничных тягачах в артиллерийском полку даже и не мечтал. В единственном артиллерийском полку пехотной дивизии вермахта все артсистемы (включая 150-мм гаубицы) таскали шестеркой лошадей. Грузовых автомобилей в артиллерийском полку немецкой пехотной дивизии по штату было даже меньше, чем в гаубичном полку советской стрелковой дивизии (80 против 90). В целом на всю пехотную дивизию вермахта полагалось 615 грузовиков, что было все же больше, чем по штату советской стрелковой дивизии (529 грузовых и специальных). Единственное, в чем немецкая дивизия решительно превосходила стрелковую дивизию Красной Армии, так это в количестве легковых автомобилей (394 против 19). (11) Большая часть командного состава советской стрелковой дивизии должна была ходить пешком или ездить верхом (для этого в штате дивизии было предусмотрено 616 верховых лошадей). Спору нет, немецкий офицер перемещался в пространстве с несравненно большим комфортом. До тех пор, пока этим пространством были брусчатые мостовые старой доброй Европы. На тех направлениях, которые в России назывались «дорогами», кобыла обладала гораздо большей проходимостью...

Стрелковая дивизия Красной Армии не уступала пехотной дивизии вермахта и по такому важнейшему для армий середины XX века показателю, как **средства противотанковой обороны**. В составе пехотной дивизии вермахта был истребительно-противотанковый дивизион, на вооружении которого числилось 36 противотанковых 37-мм пушек. Кроме того, в каждом из трех пехотных полков дивизии была рота ПТО с 12 противотанковыми 37-мм пушками. С учетом еще трех таких пушек в разведбате дивизии общее количество орудий ПТО составляет 75 единиц. Аналогичная схема распределения средств ПТО была принята и в стрелковой дивизии Красной Армии: отдельный противотанковый дивизион, на вооружении которого было 18 противотанковых 45-мм пушек, и еще по 12 «сорокапяток» в каждом из трех стрелковых полков. Всего 54 противотанковые пушки. Кроме того — и в этом было существенное отличие структуры артиллерийского вооружения советской стрелковой дивизии — для борьбы с танками командир дивизии мог привлечь и 16 длинноствольных 76,2-мм орудий из состава артиллерийского полка. Новейшие (разработки 36—39-го гг.) дивизионные 76,2-мм пушки — конструкции Грабина Ф-22 и УСВ при приемлемом для орудия ПТО весе (1620—1480 кг) по параметрам бронепробиваемости значительно превосходили немецкие 37-мм противотанковые пушки Pak-36/37 и не уступали лучшей на лето 1941 г. немецкой 50-мм противотанковой пушке Pak-38. На дистанции до 1000 м Ф-22 пробивала лобовую (т.е. самую прочную) броню любого немецкого танка. К началу войны Красная Армия получила 4038 «дивизионок» Ф-22 и УСВ, что почти в четыре раза превосходило количество тех немецких танков (439 Pz-IV и 707 Pz-III серии H и J), на которые стоило тратить 76-мм снаряд. Примечательно, что именно пушки Ф-22 оказались тем видом трофейного оружия, который вермахт поспешил взять себе на вооружение. Полтысячи Ф-22, захваченных летом 1941 г., после незначительной доработки (немцы растачивали зарядную камору под большую длину гильзы своего бронебойного выстрела) были установлены на шасси легкого танка чешского производства Pz-38(t). В результате получилась импровизированная самоходка, которая в 1942 г. (наряду с новой 50-мм противотанковой пушкой Pak-38) стала главным средством борьбы с советскими танками.

Мощная противотанковая пушка является важным, знаковым, но отнюдь не единственным компонентом системы противотанковой обороны. Ничуть не менее важным является быстроходное и вездеходное «средство доставки» орудия на огневую позицию. Проблема заключается в том, что расстояние в 1,5—2 км от рубежа развертывания до линии вражеских окопов танк неспешно проползает за 5 минут. Соответственно противотанковый дивизион, прибывший к месту прорыва с опозданием на полчаса, боевую задачу не выполнил и выполнить уже не сможет — танки противника скрылись за клубами дыма и пыли. Вопрос «быстроходности» в вермахте был решен отлично. Для транспортировки 37-мм орудий противотанкового дивизиона использовался трехосный грузовик фирмы «Крупп» Kfz 69. По шоссе эта достаточно легкая (2450 кг) для 110-сильного двигателя машина неслась со скоростью 70 км/час. Правда, без орудия. Ходовая часть 37-мм пушки не допускала транспортировки со скоростью более 30—35 км/час, так что высокая скорость Kfz 69 не могла быть использована на практике. Что же касается «вездеходности», то грузовик с двумя ведущими задними осями мог считаться «вездеходом» на автомагистралях Бельгии и Франции, но не на российском бездорожье.

В Советском Союзе пошли другим путем. Командование Красной Армии изначально решило, что средство транспортировки противотанковых орудий должно обладать проходимостью ничуть не меньшей, чем танк. Проще говоря — нужен полноценный гусеничный тягач. Такая машина — бронированный малогабаритный гусеничный тягач «Комсомолец» — была создана коллективом конструкторов под руководством Н. Астрова на базе узлов и агрегатов легкого плавающего танка Т-37 в конце 1936 г. Бронирование тягача защищало водителя от пуль винтовочного калибра и осколков снарядов. Машина могла буксировать орудия весом до 2 тонн (т.е. все имеющиеся и перспективные противотанковые и дивизионные пушки), преодолевала ров шириной 1,4 м, брод 0,6 м, стенку высотой 47 см, ломала своим бронированным носом молодые елочки диаметром до 18 см, без прицепа забиралась в гору с уклоном до 45 градусов, разворачивалась на площадке диаметром в 5 метров. В целом, при удельном давлении гусениц на грунт 0,58 кг/см.кв (0,9—1,0 у средних немецких танков), «Комсомолец» превосходил по проходимости всех своих противников. Скорость? Гораздо ниже, чем у крупповского грузовика: 47 км/час по шоссе без груза и прицепа, 8—11 км/час с полной нагрузкой по пересеченной местности. Вероятно, это и есть пример того, что называется «разумная достаточность». Жалобы на «исключительно низкую надежность» советской бронетехники стали просто общим местом в писаниях современных российских историков (причем с каждым годом этот «плач Ярославны» все усиливается). Публику усиленно уговаривают поверить в то, что все наши танки/тягачи/бронемашины рассыпались в первые же дни войны, и вот из-за этого... Позволим себе не поверить кликушам — «Комсомолец», разумеется, разваливался, но не сразу. В финской армии трофейные «Комсомольцы» исправно трудились до 1961 (шестьдесят первого) года. Без новых заводских запчастей и замены моторов. Таких чудо-машин с 37-го по 41-й год включительно было выпущено 7780 единиц (всемирно знаменитая фирма «Крупп» выпустила за тот же самый период 7 тыс. грузовиков Kfz 69), к началу войны в частях Красной Армии числилось **6700 тягачей** этого типа. (17)

Много ли это — 6700 бронированных тягачей для противотанковых орудий? Все познается в сравнении. Танков в 17 танковых дивизиях вермахта на Восточном фронте было в два раза меньше (3266). Противотанковых орудий во всей Красной Армии было в два раза больше (14,9 тыс.). По штатному расписанию апреля 1941 г. противотанковому дивизиону стрелковой дивизии полагалось иметь 21 «Комсомолец». Таким образом, имевшимся в войсках количеством тягачей **можно было укомплектовать 319 стрелковых и моторизованных дивизий** (в реальности развертывалось, как было уже выше отмечено, 229 таких дивизий). Стоит также отметить и тот факт, что наряду с бронированными тягачами, «созданными на базе шасси плавающего танка», в стрелковых дивизиях Красной Армии были и сами эти плавающие танки Т-37/ Т-38/ Т-40. Такими боевыми машинами вооружался разведбат стрелковой и моторизованной дивизии — роскошь, ни одной другой армии мира недоступная. По штату дивизии полагалось 16 плавающих танков, фактически, по состоянию на 1 июня 1941 г., в военных округах числилось 3447 танков Т-37/ Т-38/ Т-40. (1, стр. 597) В среднем по 15 танков на одну дивизию. В среднем. На направлении главного удара, в Киевском и Одесском округах, обнаруживаются стрелковые дивизии, в которых было по 20—27 плавающих танков (30-я, 51-я, 58-я, 97-я, 99-я, 130-я, 140-я,156-я, 169-я). (76) Плавали эти танки, конечно же, плохо — хуже прогулочного катера, — но преодолеть лесную речку без брода и моста или отбуксировать легкую противотанковую пушку на огневую позицию вполне могли.

Наивысшей возможной подвижностью обладали воздушно-десантные войска Красной Армии (пять воздушно-десантных корпусов по три бригады в каждом и одна отдельная бригада ВДВ). Сразу же отметим, что **НИ ОДНОГО** немецкого воздушно-десантного соединения на Восточном фронте в 1941 году не было. **ВСЕ** бесчисленные упоминания о «парашютных десантах противника», встречающиеся не только на страницах мемуарной литературы, но и в боевых донесениях лета 41-го года, являются вымыслом. Что же касается советских ВДК, то «корпусами» они были названы с большим преувеличением. Численность личного состава ВДК составляла всего 8020 человек, т.е этот корпус был значительно меньше стрелковой дивизии. Коммунистические историки про развертывание в «неизменно миролюбивом» Советском Союзе воздушно-десантных войск, численность которых превышала число всадников в войске хана Батыя, старались не вспоминать. В последние же годы, с легкой руки В. Суворова, стали традиционными сетования на то, что великолепно подготовленных и мужественных диверсантов с одним десантным ножом в руках «бросили под немецкие танки...». И хотя доля истины в этом утверждении есть, подробное знакомство со штатным расписанием советского ВДК заставляет усомниться в том, что в обычном общевойсковом бою корпус был столь уж беззащитен. Кроме парашютов и ножей, на вооружении ВДК полагалось иметь: 4500 самозарядных винтовок, 1257 автоматов, 440 ручных пулеметов (больше, чем в стрелковой дивизии), 60 минометов, 864 ранцевых огнемета (!), 18 полковых 76,2-мм пушек, 50 плавающих танков Т-38/Т-40, 241 автомашину. По сути дела, под названием «воздушно-десантный корпус» создавались высокомобильные, прекрасно вооруженные стрелковые бригады, с возможностью парашютного или посадочного десантирования части личного состава и вооружения в тыл врага.

Еще одним, намертво вбитым в массовое сознание мифом является СВЯЗЬ, точнее говоря — ее отсутствие, каковое отсутствие связи и послужило причиной всех бед. Почему именно этот миф оказался едва ли не самым живучим из всех созданий советских историков-пропагандистов? Вероятно, потому, что он является почти правдой. **Связи действительно не было**. В первые часы, дни и недели войны всякий обмен информацией между штабами и частями всех уровней был практически полностью парализован. Вышестоящее командование, как правило, не имело никакой информации о положении, действиях, потерях своих подчиненных. Части и соединения собственной армии искали с помощью разведывательной авиации — невероятно, но факт. Противник «внезапно» обнаруживался за десятки (а в первые дни войны — и за сотни) километров от линии фронта, которую — судя по запоздалым донесениям — якобы еще удерживали наши войска (именно эти события и породили бесчисленные слухи о «немецких авиационных десантах»). Все это сущая правда. Далее советские «историки» с ловкостью, которой позавидовали бы матерые карточные шулера, передергивали эту правду, подменяя **факт отсутствия связи** между командными инстанциями **заведомо ложным тезисом об «отсутствии технических средств связи»**. Что совсем не одно и то же.

Для установления связи нужны:

— субъект, с которым хотят войти в связь;

— желание субъекта войти в связь;

— и только если первые два условия наличествуют, то возникает нужда в технических средствах связи (например, в барабанах, тамтамах, охотничьих рожках, сигнальных ракетах и пр.).

Поясним эту нехитрую теорию простым бытовым примером. Если у вас нет ребенка, то вам до него и не удастся дозвониться. Если ребенок уже есть, но он ушел на день рождения к другу и не хочет вовремя возвращаться домой, то даже два сотовых телефона (плюс домашний телефон в квартире друга) вам не помогут. Телефон будет все время «занят», в сотовом «сядет батарейка», нажмется «не та клавиша»... Наполеон, Суворов и Кутузов командовали огромными армиями с многочисленной артиллерией вообще без единого телефона. В Первую мировую войну связь в многомиллионных армиях, вооруженных уже танками и аэропланами, успешно строилась на использовании проводных телефонов, в то время как радиостанции были редкой экзотикой. Наконец, превосходным «техническим средством связи» был и остается посыльный на верховой лошади, мотоцикле, автомобиле, лодке, танке, легком самолете, вертолете...

«...22 июня в 6 час. 50 мин. я переправился на штурмовой лодке через Буг... двигаясь по следам танков 18-й танковой дивизии, я доехал до моста через реку Лесна... в течение всей первой половины дня 22 июня я сопровождал 18-ю тд... 23 июня в 4 час.10 мин. я оставил свой командный пункт и направился в 12-й армейский корпус, из этого корпуса я поехал в 47-й танковый корпус, в деревню Бильдейки в 23 км восточнее Брест-Литовска. Затем я направился в 17-ю танковую дивизию, в которую и прибыл в 8 часов... Потом я поехал в Пружаны, куда был переброшен командный пункт танковой группы... 24 июня в 8 час.25 мин. я оставил свой командный пункт и поехал по направлению к Слониму. По дороге я наткнулся на русскую пехоту, державшую под огнем шоссе... я вынужден был вмешаться и огнем пулемета из командирского танка заставил противника покинуть свои позиции... в 11 час.30 мин. я прибыл на командный пункт 17-й танковой дивизии, расположенный на западной окраине Слонима, где кроме командира дивизии я встретил командира 47-го корпуса...» (16)

Вот так, очень доходчиво, Г. Гудериан объясняет, почему Красная Армия на собственной территории оказалась «без связи», а немецкая армия на нашей территории — со связью. Просто командиру 17-й танковой дивизии вермахта никуда не надо было звонить. Его непосредственный начальник —

командир 47-го танкового корпуса — вместе с ним на одном командном пункте лично руководит боем, а самый среди них главный начальник — командующий танковой группой генерал Гудериан — по нескольку раз за день, под огнем противника прорывается в каждую из своих дивизий.

И наоборот — даже поголовное оснащение штабов Красной Армии терминалами спутниковой связи ровным счетом ничего не изменило бы в ситуации, когда командиры уже разбежались или когда они (командиры) не желают общаться с вышестоящими командирами просто потому, что ничего хорошего доложить им не могут. И не 22 июня 1941 года «внезапно» обрушилась на Красную Армию эта напасть. *«Выехав к месту событий, т. Блюхер всячески уклонялся от прямой связи с Москвой... трое суток при наличии нормально работающей телеграфной связи нельзя было добиться разговора с т. Блюхером»*. Это выдержка из приказа наркома обороны Ворошилова № 0040 от 4 сентября 1938 года, и приказ этот был посвящен локальному вооруженному конфликту у озера Хасан. С началом Большой Войны ситуация стала неизмеримо хуже, и никакие провода, никакие рации на бронепоезде не могли уже наладить связь в армии, в которой командиры и штабы пропадали сотнями и тысячами.

А провода были. В огромных количествах. Так, в одном только Западном ОВО (согласно докладной записке начальника штаба округа генерал-майора Климовских от 19 июня 1941 г.) в распоряжении службы связи округа было 117 тыс. изоляторов, 78 тыс. крюков и 261 тонна проводов. (66, стр. 44) Всего же в Красной Армии по состоянию на 1 января 1941 г. числилось 343 241 км телефонного и 28 147 км телеграфного кабеля. Этим количеством можно было обмотать Землю по экватору 9 раз. Телефонных аппаратов всех типов числилось 252 376 штук. В среднем — **более 800 аппаратов на одну дивизию**. Телеграфных аппаратов было, разумеется, значительно меньше — «всего» 11 049 штук, в том числе 247 аппаратов «БОДО» для шифрованной связи. (4, стр. 623). Но, по общему мнению советских историков, все это совершенно «не то». Красная Армия воевать без рации никак не могла. И все знают почему — немецкие диверсанты в первые же часы войны все провода перерезали. И вот поэтому... Диверсанты и вправду были. Каждой из четырех танковых групп вермахта было придано по одной роте диверсантов из состава полка особого назначения «Бранденбург». В составе роты было 2 офицера, 220 унтер-офицеров и рядовых, в том числе 20—30 человек со знанием русского языка. (46, стр. 55) В распоряжении этого несметного полчища врагов было всего несколько часов (из соображений секретности немцы начали резать провода только перед самым рассветом 22 июня 1941 г.). Советских партизан в Белоруссии перед началом операции «Багратион» (июнь 1944 г.) было, как принято считать, более 200 тысяч. Время для перерезания проводов было практически неограниченным — война шла уже третий год, так что скрывать враждебные действия и намерения было уже незачем. Удалось ли тогда, в июне 44-го, на той же самой местности перерезать «все провода» и оставить немецкую армию без связи?

Рации в Красной Армии тоже были (поэтому оставить эту армию «без связи» при помощи одних только ножниц было невозможно в принципе). В качестве иллюстрации к вопросу о реальной оснащенности Красной Армии средствами радиосвязи приведем данные из мобилизационного плана МП-41 (в дальнейшем мы будем еще многократно возвращаться к этому важнейшему документу), подписанного Тимошенко и Жуковым 12 февраля 1941 г. По состоянию на 1 января 1941 г. в Вооруженных силах СССР числилось: (6, стр. 622—623)

— фронтовых радиостанций (РАТ) — 40 штук (в среднем по **8 на каждый из пяти будущих фронтов**);

— армейских и корпусных (РАФ, РСБ) — 1613 штук (в среднем по **18 на каждый стрелковый и мехкорпус**);

— полковых (5АК) — 5909 штук (в среднем по **4 на каждый полк**).

Итого — 7566 радиостанций всех типов. Разумеется, в это число не вошли танковые и самолетные радиостанции. И это — на первое января 1941 г. Заводы продолжали свой «мирный созидательный труд», и к 22 июня средств радиосвязи должно было стать еще больше. Так, план 41-го предусматривал выпуск 33 РАТ, 940 РСБ и РАФ, 1000 5АК. В записке по мобилизационному плану МП-41 почему-то отсутствуют данные по наличию предшественницы РАФа — мощной (500 Вт) радиостанции 11-АК, хотя этих комплексов в войсках было очень много. Так, в Киевском ОВО (58 дивизий) по состоянию на 10 мая 1941 г. числилось 5 комплексов РАТ, 6 РАФ, 97 РСБ, 126 станций 11-АК и 1012 полковых 5АК.(6, стр. 191) Даже не считая полковые 5АК, получается в среднем по **4 мощных радиостанции на одну дивизию.**

Теперь стоит пояснить — что обозначают все эти большие буквы. Самая маломощная из упомянутых радиостанций (5АК) имела радиус действия 25 км при телефонной связи и 50 км — при телеграфной связи. Т.е., хотя она и считалась в Красной Армии «полковой радиостанцией», ее реальный радиус действия в несколько раз превышал уставную ширину фронта обороны дивизии! 5АК имела размеры большого сундука и могла перевозиться как в кузове автомобиля, так и в конных двуколках. Радиостанция РСБ стандартно устанавливалась на шасси автомобиля, имела излучаемую мощность до 50 Вт и обеспечивала дальность телефонной связи в 300 км, т.е. фактически в полосе действий армии или даже фронта. РАФ — это значительно более мощный (400—500 Вт) комплекс аппаратуры, установленной на двух грузовиках ЗИС-5. Подлинным чудом техники 40-х годов мог считаться комплекс РАТ. Огромная мощность (1,2 кВт) позволяла обеспечить связь телефоном на расстоянии в 600 км, а телеграфом — до 2000 км. Схема передатчика предоставляла возможность работы на 381 фиксированном канале связи с автоподстройкой частоты. Для перевозки всего оборудования РАТ вместе с системой автономного энергообеспечения использовалось три автомобиля ЗИС-5, расчет станции составлял 17 человек. Примечательно, что по мобилизационному плану МП-41 Красной Армии полагалось иметь 117 (!!!) фронтовых комплексов РАТ. Фактически же Красная Армия дошла до Берлина, никогда не имея на вооружении более полусотни РАТ одновременно...

Кроме вышеперечисленных мощных автомобильных радиоустановок, на вооружении Красной Армии были десятки тысяч переносных радиостанций батальонного и даже ротного звена (РБ, РБК, РБС, РБМ) мощностью в 1—3 Вт и радиусом действия в 10—15 км. Таких радиостанций по состоянию на 1 января 1941 г. числилось **35 617 единиц**.

Более **100 радиостанций тактического звена на одну дивизию**. Разумеется, этого очень-очень мало. В большой статье с красноречивым названием «Истоки поражения в Белоруссии» автор с горестным воздыханием сообщает читателям, что войска Западного ОВО были обеспечены *«полковыми радиостанциями — на 41%, батальонными — на 58%, ротными — на 70%»* (56) И он совершенно прав — штатной укомплектованности не было. По штатному расписанию стрелковой дивизии Красной Армии образца апреля 1941 г. в одном гаубичном артполку должно было быть 37 радиостанций (на 36 гаубиц), в артиллерийском полку — 25 радиостанций (на 24 орудия), 3 радиостанции в стрелковом полку и по 5 радиостанций в каждом из трех батальонов полка.

Вопреки размноженным в многомиллионных тиражах слухам, рация стояла и на бронепоезде, и на танках.

Еще в 1933 году была запущена в серийное производство специальная танковая радиостанция 71-ТК-1. Эта коротковолновая приемо-передающая симплексная радиостанция обеспечивала дальность связи телефоном на ходу до 15 км, телефоном на стоянках — до 30 км, в телеграфном режиме — до 50 км. Этими радиостанциями оснащались и бронемашины БА-10/20. Как минимум рация стояла на танке командира взвода (т.е. на каждом третьем танке). Фактически к началу войны 35—40% танков были оборудованы приемо-передающими радиостанциями. Например, в далеко не самой лучшей по укомплектованности (163 танка, т.е. половина от штатной численности, причем ни одного танка Т-34 или КВ) 19-й танковой дивизии к 10 июня 1941 г. числилось:

— 2 мощные радиостанции РСБ;

— 4 полковые радиостанции 5-АК;
— 16 батальонных РБ;
— 85 танковых 71-ТК-1.

Вот такая она была — Красная Армия образца июня 1941 года. Стоит ли удивляться тому, что ни Жуков, ни Тимошенко, ни Шапошников, ни Мерецков, ни весь «руководящий состав Генерального штаба» не ожидали «сокрушительных рассекающих ударов противника»? Они настойчиво и целеустремленно готовились нанести их сами. На 25 июня 1941 г. было назначено очередное заседание Главного Военного совета РККА, на котором наконец-то должен был быть утвержден самый окончательный вариант Полевого устава ПУ-39. Задачи, поставленные перед Красной Армией, были сформулированы в этом документе с предельной ясностью:

«...Если враг навяжет нам войну, Рабоче-Крестьянская Красная Армия будет самой нападающей из всех когда-либо нападавших армий. Войну мы будем вести наступательно, с самой решительной целью полного разгрома противника на его же территории. Боевые действия Красной Армии будут вестись на уничтожение. Основной целью Красной Армии будет достижение решительной победы и полное сокрушение врага...

...Весь личный состав Рабоче-Крестьянской Красной Армии должен быть воспитан в духе непримиримой ненависти к врагу и непреклонной воли к его уничтожению. Пока враг не сложил оружия и не сдался, он будет беспощадно уничтожаться...

...Всякий бой — наступательный и оборонительный — имеет целью нанесение поражения врагу. Но только решительное наступление на главном направлении, завершаемое окружением и неотступным преследованием, приводит к полному уничтожению сил и средств врага. Наступательный бой есть основной вид действий РККА...

...В любых условиях и во всех случаях мощные удары Красной Армии должны вести к полному уничтожению врага и быстрому достижению решительной победы малой кровью...

...Наступление является основным видом боя, обеспечиваю-

щим уничтожение противника и достижение полной победы... Наступление является выражением превосходства над противником».

Глава 3

«БРОНЯ КРЕПКА, И ТАНКИ НАШИ БЫСТРЫ...»

Просто заявить о том, что *«Красная Армия будет самой нападающей из всех когда-либо нападавших армий»*, мало. Надо было создать соответствующие этой задаче инструменты. Главной ударной силой сухопутных армий середины XX века были танковые войска. Ни одна страна в мире не приложила такие огромные усилия — и не достигла таких огромных успехов — в деле создания этой ударной составляющей вооруженных сил, как Советский Союз. Ни одна страна в Европе не имела таких преград и трудностей в деле создания бронетанковых войск, какие имела Германия, которой — повторим это еще раз — по условиям Версальского мирного договора было вовсе запрещено производить танки или закупать их за рубежом. В результате, в то время (начало 30-х годов) когда в Советском Союзе началось серийное производство танков и были созданы первые в мире крупные бронетанковые соединения, немецкий рейхсвер проводил полевые учения с картонными макетами несуществующих танков. После прихода Гитлера к власти и отказа (сначала фактического, а потом — и формального) Германии от выполнения ограничений Версальского договора началось проектирование первых немецких учебно-боевых бронированных машин. Вот как описывает историю их разработки главный идеолог и создатель танковых войск Германии Г. Гудериан:

«...Мы считали необходимым создать пока такие танки, которые могли бы быть использованы для учебных целей...

Такие танки, получившие обозначение Pz-I, могли быть изготовлены к 1934 году и использованы в качестве учебных машин до того времени, пока не будут готовы боевые танки...

Никто, конечно, не думал в 1932 г.,что с этими небольшими учебными танками нам придется вступить в бой...» Впрочем, были у Pz-I и вполне ощутимые достоинства. Все тот же Гудериан пишет в своих мемуарах: *«Школьники, которые прежде протыкали наши макеты своими карандашами, чтобы заглянуть внутрь, были поражены новыми бронемашинами...»* (16)

Пока любознательные (и, к счастью, не знающие, что их ждет в недалеком будущем) немецкие мальчишки ковыряли пятнистые картонные коробки бутафорских «танков», число настоящих танков, состоящих на вооружении Красной Армии, достигло 3460 единиц. Если же к числу настоящих (т.е. имеющих пушечное или огнеметное вооружение) танков добавить еще и легкие пулеметные танкетки (типа немецкой Pz-I), то советский танковый парк составит 7574 машины. Так мало их было 1 января 1934 г. Три года спустя, 1 января 1937 г., «мирный созидательный труд советского народа» увеличил количество танков в Красной Армии еще на 10 тыс. единиц, до 17280. (1, стр. 601) Огромное (не идущее ни в какое сравнение с численностью танков во всех странах мира, вместе взятых) количество бронетанковой техники позволило перейти к созданию танковых (механизированных) частей и соединений. В 1930 году была сформирована 1-я отдельная мехбригада. В 1932 году эту мехбригаду развернули в мехкорпус. На 1 января 1933 г. Красная Армия имела в своем составе 2 механизированных корпуса, 5 механизированных бригад, 14 отдельных танковых и механизированных полков, 15 отдельных танковых батальонов, 69 механизированных и танкетных дивизионов. (38) Отдельные батальоны и дивизионы были, разумеется, лишь первыми, робкими шагами на пути создания танковых войск. Генеральная линия шла по пути создания крупных, оперативно-самостоятельных соединений. Уже в 1932 году было принято Наставление «Вождение в бой самостоятельных механизированных соединений», а к концу 1935 года в РККА было уже 4 мехкорпуса и 18 танковых бригад. В следующем, 1936 году число танковых бригад выросло до тридцати. (1, стр. 604)

А в это время... Продолжим чтение мемуаров Гудериана: *«Ввиду того, что производство основных типов танков затя-*

нулось на большее время, чем мы предполагали, генерал Лутц принял решение построить еще один промежуточный тип танка, вооруженного 20-мм автоматической пушкой и одним пулеметом». 20-мм «пушка» по своим баллистическим характеристикам несколько уступала параметрам советского противотанкового 14,5-мм ружья Дегтярева (при этом, безусловно, превосходя его в скорострельности). Так что самым точным названием для нового немецкого «танка» Pz-II было бы «самоходное противотанковое ружье с пулеметом». Для выполнения основных задач танка — уничтожения огневых средств, укреплений и живой силы противника — снарядик весом в 120—145 г, несущий (в разных вариантах) от 4 до 9 г взрывчатого вещества, был ничтожно слаб. Перед войной в СССР пушки такого калибра устанавливались только на самолетах-истребителях, но отнюдь не на бронетехнике. Причем испытания и боевое применение 20-мм авиапушек показали, что «поражение живой силы на открытой местности» возможно лишь при прямом попадании в человека, осколочное же действие 20-мм «снаряда» было совершенно ничтожным. И вот таких-то «новейших танков» Pz-II промышленность Германии с конца 1935 по март 1937 г. выпустила (страшно сказать) 110 единиц.

Первая встреча будущих противников произошла на полях боев Гражданской войны в Испании. Германия поставила франкистам 6-тонные пулеметные танкетки Pz-I, фашистская Италия прислала лучшее, что у нее было: 3,5-тонный танк «Фиат-Ансальдо» CV-3, вооруженный пулеметом на турели в неподвижной (!) башне. Советское правительство поставило республиканцам 10-тонные танки Т-26 и 13-тонные БТ-5, вооруженные 45-мм пушкой. Бронебойный снаряд советской танковой пушки 20К пробивал броню легких танкеток противника на дистанции 1 км (мог бы и с большей дистанции, но попасть в танк с такого расстояния уже практически невозможно), а на пехоту мятежников обрушивался полноценный осколочно-фугасный снаряд весом в 2,13 кг, создающий зону поражения размером 15х6 метров. Встреча произвела сильное впечатление и на непосредственных участников боев, и на иностранных военных специалистов.

«...Республиканские танки с пушечным вооружением, имея против себя малые (пулеметные) танки противника, во всех случаях с успехом опрокидывали его танковую атаку... Легкие танки мятежников, вооруженные одним пулеметом, были бессильны в борьбе с пушечными танками республиканцев... Танки мятежников, боясь контратак республиканских танков с пушечным вооружением, жались к наступающей пехоте... Республиканские танки действовали всегда дерзко и решительно, нанося пехоте противника большие потери, используя для этой цели огонь и вес танка. Они давили огневые точки, орудия ПТО и даже дивизионную артиллерию...» (34)

«...Германский танк, являющийся основой вооружения новых бронетанковых дивизий в Германии, оказался весьма посредственным и почти неприменимым оружием... Германский легкий танк (как мы уже говорили и как это подтверждают все специалисты — как германские, так и итальянские) показал полную свою несостоятельность. Возможно, что иногда, при особо благоприятных условиях, он может быть использован для чисто разведывательных целей, но для боя в собственном смысле, даже для сопровождения пехоты, этот танк неприемлем... Во взаимной борьбе танки правительственных войск превосходят танки мятежников...» (35)

Будущий генерал армии Д. Павлов (одним из первых советских танкистов прибывший в 1936 г. в Мадрид) выразил свою оценку опыта боев в Испании «выпукло и категорически», как того и требовал Полевой устав Красной Армии:

«Опыт войны в Испании научил немцев и показал им, какие нужны танки, ибо легкие немецкие танки в борьбе с республиканскими пушечными танками не входили ни в какое сравнение и расстреливались беспощадно...» (14)

Павлов был прав. Война в Испании «научила немцев», и они наконец-то поняли — «какие нужны танки». Были сконструированы и запущены в производство две модели полноценного боевого танка: Pz-III, вооруженный 37-мм пушкой, и Pz-IV с короткоствольной (немцы называли ее «окурок») 75-мм пушкой. Вот только «история» отпустила Гитлеру мало времени: до конца 38-го г. немецкая промышленность успела выпустить 71 (семьдесят один) Pz-III и 115 (сто пятнадцать) Pz-IV. В следующем году производство танков было продолжено в том же темпе «в день по чайной ложке». К 1 сентября 1939 г. в составе вермахта числилось 98 Pz-III, 211 Pz-IV и 280 трофейных легких чешских танков Pz-35(t)/Pz-38(t), вооруженных 37-мм пушкой. Из этого числа непосредственно в боевых частях находилось 87 Pz-III, 198 Pz-IV и 167 чешских танков. Итого: 452 танка, округленно — полтысячи.

1 января 1939 г. (за 9 месяцев до начала мировой войны) в Красной Армии числилось 11 765 танков, вооруженных 45-мм пушкой или огнеметом (Т-26, БТ-5, БТ-7), и более 412 танков, вооруженных 76-мм пушкой (многобашенные Т-28 и Т-35). Более, т.к. среди 3351 танка БТ-7 было и некоторое количество (скорее всего, почти все) от 154 выпущенных БТ-7А с короткоствольной 76-мм пушкой. Итого: 12 тыс. танков с настоящим артиллерийским вооружением. (1, стр. 601) К 1 сентября 1939 г. их стало еще больше. Проанализировав эту информацию, советские историки пришли к единственно возможному (для них) выводу:

«...Положение советского правительства можно было уподобить положению человека, которого все выше и выше захлестывает морской прилив: вот вода дошла ему до колен, вот она дошла до пояса, до груди, потом до шеи... Еще мгновение — и вода скроет голову, если человек не сделает какого-либо быстрого, решительного скачка, который вынесет его на скалу, недоступную для прибоя...» (36)

Вода (или иная жидкость) «скрыла голову» советских историков-пропагандистов, и они без малого полвека талдычили про то, что Сталин с Молотовым были страсть как напуганы полутысячей немецких танков, что они дрожали в ужасе от мысли о том, что эти танки, пройдя всю Польшу (а она тогда была раза в два шире нынешней), бросятся в октябре 1939 г., под осенними дождями, прямиком через болота Белоруссии на Смоленск и Москву. И что только отчаянное желание «отпрыгнуть» от неумолимой опасности заставило их броситься в «коварные объятия» вероломного Риббентропа... Не будем, однако, тратить время на обсуждение диких бредней коммунистической пропаганды. Заслуживает обсуждения вопрос о том, какие выводы из опыта войны в Испании сделало военно-политическое руководство СССР.

Начитанный читатель, вероятно, в курсе того, что «на основании неверной оценки опыта применения танков в Испании было принято ошибочное решение о расформировании крупных танковых соединений». В этой ходячей легенде, что ни слово — то ошибка. Дебют советских танков и танкистов в Испании был более чем успешным. Никакой излишней «озабоченности» он в Москве не вызвал. Расформировано было 4 механизированных (танковых) корпуса, танковые же бригады остались. Легкотанковая бригада (лтб) по штату 1938 г. включала в себя 4 танковых батальона (54 линейных танка Т-26 или БТ и 6 «артиллерийских танков», вооруженных 76-мм пушкой, в каждом), мотострелковый батальон, разведбат и другие подразделения. Всего 4356 человек личного состава, 258 танков. (7, стр. 276) Едва ли это можно назвать «мелким танковым соединением». Выводы же из практического опыта войны в Испании были сделаны совершенно правильные и взвешенные, а именно: «Не надо бежать впереди паровоза». Не надо ставить перед танковыми войсками такие оперативные задачи, выполнение которых **при имеющейся в наличии матчасти** пока еще невозможно. Для того чтобы перевести эту «невозможность» на язык конкретных цифр, рассмотрим два взаимосвязанных параметра: бронепробиваемость наиболее массовых типов противотанковых орудий и бронирование танков СССР и Германии.

	Вес снаряда, кг	Нач. скорость, м/сек	Бронепробиваемость на 100 м	Бронепробиваемость на 500 м
Немецкая 37-мм пушка	0,68	760	40 мм / 34 мм	35 мм / 28 мм
Советская 45-мм пушка	1,43	760	51 мм / 43 мм	45 мм / 38 мм

Примечание: первая цифра относится к стрельбе под углом 90 град. к броне, вторая — к встрече снаряда с броней под углом 60 град.

Броня, мм	Т-26	БТ-7	Pz-38(t)	Pz-III	Pz-IV
лоб	15	22	25	30	30
борт	10	10	15	30	30

Примечание: указана толщина брони самых массовых в 39—40 гг. моделей танков Pz-III D,E.F и Pz-IV D,E.

Как видно из приведенных таблиц, **броня любых немецких и советских танков 39—40 гг. не защищала от огня противотанковой артиллерии.** Все эти танки имели фактически только противопульное бронирование. Разница между советскими и немецкими машинами состояла лишь в том, что противопульное бронирование советских танков Т-26 и БТ было рациональным, соответствующим критерию «разумной достаточности». Для защиты от стрелкового огня брони в 10—15 мм было вполне достаточно (к слову сказать, бронеспинки сиденья летчика-истребителя делались из листа толщиной в 7—8 мм, и этого вполне хватало для защиты от пуль скорострельных авиационных пулеметов ружейного калибра). Немецкие же танки были бесцельно перегружены 30-мм броней, которая для защиты от огня винтовок и пулеметов была избыточна, а для защиты от 45-мм снарядов советских противотанковых и танковых пушек — совершенно недостаточна. При таком соотношении «щита и меча» глубокий танковый рейд в тыл противника мог завершиться полным истреблением «табуна» легких танков, оторвавшихся от своей пехоты и артиллерии.

«...Танки, артиллерия, авиация остаются пока вспомогательными родами войск, работающими на пехоту, сведенную в крупные общевойсковые соединения... Танки отнюдь не заменяют артиллерии, наоборот, наступление танков на организованную оборону ***без мощной артиллерийской поддержки*** (подчеркнуто мной. — ***М.С.***) *сопряжено с большими потерями... Выбрасывание самостоятельных танковых групп в глубину оборонительной полосы в начале пехотной атаки вряд ли будет целесообразным, так как эти группы,* ***действуя против нерасстроенной системы ПТО, будут нести громадные потери...»*** (34)

Надо ли понимать все вышесказанное так, что легкий танк с противопульным бронированием превратился в начале 40-х годов в легкую добычу для противотанковой артиллерии, в почти бесполезную, но дорогостоящую игрушку? Это абсурдное предположение под бойким пером советских «историков» превратилось в непреложную истину. Правда, только в одном-единственном случае — применительно к советским Т-26 и БТ («безнадежно устаревшие... «картонные», горели, как свечи... по воробьям из них стрелять...»). Странно, но про танки противника такого никто никогда не писал, и ничего удивительного в том, что легкие немецкие танки с противопульным бронированием и маломощным вооружением дошли до Москвы, Тихвина и Ростова, никто не видел. А в этом и на самом деле нет ничего удивительного. Танк — это всего лишь инструмент, и результат его использования зависит прежде всего от тактики применения, а еще точнее — от соответствия этой тактики свойствам (техническим характеристикам) вооружения.

Что это значит практически? «Безнадежное» для танка соотношение между броней и бронепробиваемостью артиллерийского снаряда является таковым лишь в ситуации, когда на гладком, как стол, поле стоит одинокий танк и ждет, когда в него попадет снаряд. Примерно так и происходит обстрел мишени на артиллерийском полигоне, на основании которого появляются те таблицы бронепробиваемости, данные из которых были приведены выше. В реальном бою все несколько иначе. Во-первых, танк движется. Даже медленно ползущий по раскисшему от дождя полю Т-26 преодолеет последние 600 м (попасть в движущийся танк с большего расстояния практически невозможно) до огневых позиций противотанковой пушки за 3 минуты. Быстроходный БТ, двигаясь по выжженной солнцем украинской степи, сократит это время в 2—3 раза. Теоретически расчет противотанкового орудия может произвести 10—15 выстрелов в минуту. Но это если не целиться, а просто «лупить в белый свет». Реально и с учетом того, что отдача после выстрела сбивает прицел, в распоряжении артиллеристов не более 5—10 выстрелов. Но танк ведь не просто ползет по полю, он ползет и стреляет. Шансы сторон в «дуэли» танка и противотанковой пушки отнюдь не одинаковые. Бронебойный снаряд, просвистевший в одном сантиметре от башни танка, не принесет ему никакого вреда, в то время как осколочный снаряд (даже если это снаряд малокалиберной 45-мм советской танковой пушки 20К), взорвавшийся на расстоянии нескольких метров от огневой позиции, неизбежно заставит орудие замолчать (45-мм снаряд давал 100 убойных осколков, от которых расчет противотанковой пушки ничем, кроме гимнастерки, не был защищен). Поэтому 5—10 выстрелов, о которых мы сказали выше, в реальном бою являются для расчета противотанковой пушки недосягаемой мечтой — после первых же выстрелов экипаж (хорошо подготовленный и обученный экипаж) танка обнаружит стреляющее орудие и парой осколочных снарядов смахнет пушку с лица земли.

Из этих простых соображений следует, что самым простым и самым эффективным способом прорыва противотанковой обороны является все тот же, базовый для всего военного дела, принцип концентрации. Танковая бригада (258 легких танков Т-26 или БТ), развернувшись в боевой порядок на фронте в 2—3 км, гарантированно проламывает оборону пехотного полка вермахта, в составе которого всего одна рота ПТО с 12 противотанковыми 37-мм пушками. Даже если командование пехотной дивизии успеет в кратчайший срок перебросить в район прорыва истребительно-противотанковый дивизион (36 противотанковых 37-мм пушек), остановить атаку двух сотен танков он не сможет. Потери некоторого числа танков при этом неизбежны, но и прорыв обороны неизбежен. Это «некоторое число» может быть сведено к минимуму (если даже не к нулю) за счет артиллерийской поддержки танковой атаки.

Массированный огонь артиллерии — как ни парадоксально такое звучит — выполняет роль «дополнительной брони», позволяющей легким танкам с противопульным бронированием выжить на поле боя. Слово «массированный» появилось в предыдущей фразе не для красоты слога. Гаубица стреляет неприцельным навесным огнем, и надо много-много раз выстрелить, прежде чем один из снарядов взорвется рядом с огневой позицией вражеской противотанковой пушки. Сколько это «много»? По советским предвоенным нормативам — от 70 до 90 снарядов 122-мм гаубицы. Однако в танковом полку (или в танковой бригаде) нет никаких гаубиц, но они есть в составе гаубичного полка стрелковой дивизии. Другими словами, необходимо **взаимодействие**. Очень простое слово, с очень понятным смыслом, от которого в бою зависит почти все. Полевой устав ПУ-39 категорично требовал: *«Никакие действия войск на поле боя невозможны без поддержки артиллерии и недопустимы без нее... Атака танками переднего края должна быть во всех случаях обеспечена артиллерийской поддержкой и не допускается без нее...»* Взаимодействовать предстояло со стрелковой дивизией, в гаубичном полку которой (по штату апреля 1941 г.) было 36 гаубиц. Необходимую для гарантированного уничтожения немецкой роты ПТО (12 пушек) тысячу снарядов гаубичный полк «выбросит» за 15—20 минут. Правда, для этого надо знать главное: куда стрелять? На какой именно квадрат топографической карты надо высыпать эту тысячу снарядов? Следовательно, нужна разведка (в том числе самая точная из всех видов разведки — разведка боем), нужна устойчивая связь, корректировка артогня и еще много всякого, что превращает пушки, танки, пулеметы в единый военный механизм. Самой же главной «деталью» этого «механизма» был, есть и будет командир. Обученный, опытный, смелый командир. При наличии такого командира и при отлаженном взаимодействии с артиллерией танковое соединение, вооруженное всего лишь легкими танками с противопульным бронированием, пробивает оборону пехотной дивизии с железной неотвратимостью.

Как бы хорошо ни был отлажен описанный выше механизм взаимодействия, он неизбежно развалится через пару часов после того, как танки прорвут первую полосу обороны противника и уйдут в тактическую глубину. Артиллерия и пехота обычной стрелковой дивизии не могут двигаться со скоростью танка, а лишенные поддержки танки могут рассчитывать в глубине боевых порядков противника только на одного помощника — панику. В этом смысле танковый рейд развивается по тем же самым законам, которые в войнах предыдущего столетия определяли успех или неуспех кавалерийского рейда. Если обороняющихся охватывала паника, если командиры оказывались не в состоянии с этой паникой справиться, то начиналась рубка бегущих — самый истребительный способ действия конницы. Если же командиры в эти решающие минуты боя удерживали в своих руках управление и подчиненных, то практически беззащитная конная лава беспощадно истреблялась артиллерией и пулеметами обороняющихся. По сути дела, то же самое, но с поправкой на другие технические средства борьбы происходит и с группой легких танков, оторвавшихся от своей пехоты и артиллерии.

Эта очень бесхитростная теория была подтверждена практикой войны в Испании. Анализируя опыт этой войны, советские военные специалисты сделали совершенно верные выводы: отказались от имевшихся ранее «танкозакидательских» настроений, а возможность нанесения самостоятельными танковыми соединениями «сокрушительных рассекающих ударов» отнесли в будущее. Близкое, но еще не сегодняшнее. И вместо рисования стрелочек на картах и квадратиков организационных структур занялись работой по материально-технической подготовке к этому будущему. *«Делая выводы из опыта войны в Испании, необходимо учитывать все специфические ее условия... Если в Испании были лишь зачатки глубокой наступательной операции, то в большой войне, в связи с громадным насыщением современных армий техническими средствами борьбы, будут, как правило, вестись* ***глубокие сокрушающие операции на окружение и уничтожение противника...»*** (34)

Какие изменения в технической оснащенности механизированных (танковых) соединений требовались для того, чтобы они смогли вести «глубокие сокрушающие операции» в оперативном тылу противника, в отрыве от основной (пехотной) массы своих войск? Подробный ответ на такой вопрос потребует написания отдельной военно-научной монографии. В предельно сжатом и неизбежно конспективном, упрощенном виде можно сформулировать следующий перечень необходимых технических усовершенствований:

— усилить бронирование танков до уровня, обеспечивающего защиту от огня противотанковой артиллерии наиболее распространенных калибров, причем с любых направлений (лоб, борт, корма);

— усилить собственное артиллерийское вооружение танка до уровня, позволяющего вести артиллерийскую дуэль с противотанковой и полковой артиллерией противника;

— оснастить гаубичную артиллерию механизированных (танковых) соединений средствами мехтяги, обладающими скоростью и проходимостью, сопоставимой со скоростью и проходимостью танков;

— посадить пехоту механизированных соединений на бронетранспортеры, обладающие скоростью и проходимостью танков.

Ни одна страна мира не смогла достичь такого уровня технической оснащенности своей армии ни к началу, ни даже к концу Второй мировой войны, хотя отдельные элементы танковых соединений будущего появились уже в ходе войны.

Огромный конструкторский и технологический «задел», накопленный в 30-е годы в танковой индустрии СССР, позволил Красной Армии сделать несколько шагов к этому «будущему» раньше всех в мире. Главной составляющей качественного скачка было создание двух новых типов танков с **полноценным противоснарядным бронированием**: среднего Т-34 и тяжелого КВ. Боевую живучесть новых советских танков повышало и использование **дизельного мотора**, который работает на топливе, значительно менее опасном в отношении пожара и взрыва паров. Еще одним бесспорным достоинством дизеля является его экономичность, в результате чего значительно более тяжелые советские танки обладали большим запасом хода, нежели их немецкие противники. Так, запас хода немецких танков Pz-III и Pz-IV не превышал 150—200 км, в то время как Т-34 мог пройти на одной заправке 300 км (последние модификации Т-34/76 имели запас хода более 400 км), а КВ — 250 км. Дизельные моторы были установлены и на легких танках БТ последней модификации (БТ-7М), при этом была достигнута феноменальная скорость в 62 км/час и запас хода до 400 км. Невероятно, но даже по опорной проходимости 48-тонный танк КВ благодаря применению широкой гусеницы превосходил своих противников (удельное давление на грунт всего 0,77 кг/см.кв против 1 кг/см.кв у средних немецких танков). Мощная бронезащита танков Т-34 и КВ была дополнена столь же мощным вооружением. **Длинноствольная** (в отличие от короткоствольного «окурка» на немецком Pz-IV) **76-мм пушка Ф**-34 с большой дальностью прицельной стрельбы позволяла уничтожать на относительно безопасной дистанции как любые немецкие танки, так и легкие полевые укрытия (на дистанции в 4 км снаряд пушки Ф-34 пробивал кирпичную кладку в полметра).

Немцы же с перевооружением танковых частей безнадежно отстали — к 22 июня 1941 г. они не создали ни одного нового типа танка, а все улучшение бронезащиты имеющихся моделей свелось к установке дополнительной 30-мм лобовой плиты на танках Pz-III серий H и J да увеличению до 50 мм толщины брони лба корпуса и башни на Pz-IV серии F. Боковая поверхность башни, высоченные отвесные борта и корма немецких танков даже самых новых модификаций по-прежнему оставались прикрытыми лишь противопульной 30-мм броней, которая пробивались огнем советской «сорокапятки» на предельной (по условиям прицельной стрельбы) дальности в 600—700 м. В деле совершенствования вооружения танков немцы также не пошли дальше частичной модернизации имеющихся моделей. А именно — средние (по немецким меркам «средние») танки Pz-III начиная с серии G стали выпускать с 50-мм пушкой KwK-38, в дальнейшем этой же пушкой были перевооружены и «тройки» предыдущих серий E и F. Осколочно-фугасный снаряд 50-мм пушки KwK-38 весил даже чуть меньше (1,81 кг против 2,14 кг), чем ОФ снаряд советской 45-мм танковой пушки 20К. Другими словами, модернизированные немецкие «средние» танки по мощности вооружения **лишь приблизились к уровню** «безнадежно устаревших» советских танков Т-26 и БТ. Серьезным качественным усовершенствованием было лишь создание и постановка на вооружение пехотных дивизий вермахта новой 50-мм противотанковой пушки Pak-38, хотя и она не решала в полном объеме задачу борьбы с новыми советскими танками. Разумеется, в дальнейшем система противотанковой обороны вермахта была радикально улучшена, но на коротком отрезке времени (лето-осень 1941 г.) советский «меч» в своем развитии **безусловно обогнал** немецкий «щит».

Броня, мм	**КВ**	**Т-34**	**Pz-IV F**
лоб	75	45	50
борт	75	40—45	30
башня	90—75	52	50—30
корма	70—60	45	22

Тип и название орудия	Вес снаряда, кг	Нач. скорость, м/сек	Начальная энергия, кДж	Бронепробиваемость на 100 м	Бронепробиваемость на 500 м
Немецкая ПТО **50-мм Pak-38**	2,06	830	710	88 мм / 68 мм	75 мм / 58 мм
Советская дивизионная **76-мм Ф-22**	6,30	690	1500	82 мм / 69 мм	75 мм / 61 мм
Немецкая танковая **50-мм KwK-38**	2,06	690	490	54 мм / 46 мм	46 мм / 41 мм
Советская танковая **76-мм Ф-34**	6,30	662	1380	80 мм / 65 мм	69 мм / 55 мм

Как видим, советские «дивизионка» Ф-22 и танковая пушка Ф-34 гарантированно пробивали плоский лоб самых тяжелых (на лето 1941 г.) немецких танков. Стоит отметить и то, что высокая бронепробиваемость советских 76-мм пушек Ф-22 и Ф-34 сочеталась с большим весом и рекордно большой кинетической энергией бронебойного снаряда (по весу в три раза и по энергетике в два раза превосходящего снаряд немецкой противотанковой РаК-38). Все это, в сочетании с необычно мощным для бронебойных снарядов того времени весом разрывного заряда (76-мм снаряды БР-350А/ Б снаряжались 120—155 г тротила, что, например, в десять раз больше веса разрывного заряда 45-мм бронебойного снаряда БР-240), обеспечивало «заброневое воздействие», достаточное для разрушения танка и выведения из строя его экипажа. Ситуацию усугубляло и использование на всех без исключения немецких танках карбюраторных моторов, работающих на пожаровзрывоопасном бензине.

С другой стороны, лучшая на лето 1941 года немецкая танковая пушка KwK-38 была практически бесполезна в борьбе с танком КВ (броню которого она не пробивала ни с одного направления даже при стрельбе в упор), а в бою против «тридцатьчетверки» экипаж немецкого «среднего» танка Pz-III мог рассчитывать только на сверхудачное попадание в просвет между гусеничными катками (в этой зоне корпуса Т-34 отвесная 45-мм бортовая броня не имеет наклона и может быть на малых дистанциях пробита пушкой KwK-38). Правда, для этого немецкому танку надо было еще как-то приблизиться к Т-34, который мог расстрелять его на километровой дальности... Неудивительно, что уже в июне-июле 1941 г. в докладах командиров танковых дивизий и механизированных корпусов Красной Армии появляются во множестве сообщения такого типа: *«танки «КВ» приводили в смятение противника, и во всех случаях его танки отступали... имелись случаи, когда один танк КВ выводил из строя до 10—14 танков противника... огонь наших танков с первых двух-трех выстрелов уничтожал танки противника... танки противника от огня наших 76-мм танковых пушек воспламе-*

няются... при появлении наших танков, особенно КВ, пехота бежит, да и танки боя не принимают» (63).

Далеко убежать от танка не получится, поэтому пехоте вермахта предстояло не бегать, а бороться против Т-34 и КВ. Лобовые 75-мм броневые листы танка КВ имели наклон в 65 и 30 угловых градусов. Сравнивая эти цифры с параметрами бронепробиваемости новейшей длинноствольной (длина ствола 60 калибров, в то время как у KwK-38 «всего» 42) немецкой 50-мм противотанковой пушки Pak-38, мы приходим к выводу, что поразить в лоб 48-тонного монстра немецкие артиллеристы не могли. Единственно возможной тактикой борьбы с КВ могла быть только стрельба в борт, из засады, на предельно малой дистанции. Лобовой лист корпуса Т-34, хотя и имел толщину «всего» в 45 мм (литая башня имела толщину стенок в 52 мм), но был установлен под необычайно большим уклоном (60 градусов), что даже чисто геометрически увеличивает эффективную толщину брони до 90 мм. Практически же такой большой наклон бронелиста обычно приводил к рикошету бронебойной «болванки». Поразить Т-34 лучшая немецкая противотанковая пушка могла, только стреляя в борт корпуса (толщина брони — 40 мм, угол наклона — 40 градусов) или с малой дистанции в башню. Еще одним уязвимым местом «тридцатьчетверки» на протяжении всей войны оставался установленный на лобовом листе люк механика-водителя, который при прямом попадании бронебойного снаряда «проваливался».

При всем при этом ни Т-34, ни КВ не были «чудо-оружием». Абсолютно неуязвимых танков, конечно же, не бывает, да и сам термин «противоснарядное бронирование» является условностью. Снаряды бывают очень разные. Немецкая 150-мм пушка (не путать с гаубицей!) разгоняла снаряд весом в 43 кг до скорости 865 м/сек, что дает кинетическую энергию в 16 мДж, что примерно в 10 раз больше начальной энергии снаряда пушки Ф-22 и в 82 раза больше дульной энергии самой массовой в вермахте 37-мм противотанковой пушки. Но и это далеко не предел возможностей полевой ствольной артиллерии. Советская 210-мм пушка Бр-17 (вес в боевом положении 44 тонны) стреляла снарядом весом в 133 кг и начальной скоростью 800 м/сек, чему соответствует дульная энергия в 43 мДж. Выстрел орудий такой мощности по танку производил впечатление удара молнии, пробивал танк насквозь или срывал с него многотонную башню. Вот только к реальной организации противотанковой обороны вся эта «экзотика» не имеет никакого отношения.

Сам по себе факт наличия некоего оружия, способного разрушить некоторый предмет, еще не дает ни малейших оснований для тактических, тем паче — оперативных, выводов. Поясним это парой простых примеров. Топор, несомненно, способен перерубить шейные позвонки и отделить голову самого тяжелого и сильного человека от туловища. Что, однако, не означает, что наличие топоров позволяет с легкостью уничтожить любую вражескую армию, хотя она и состоит, в конечном итоге, из людей с головами на хрупкой шее. Необходимо еще принять во внимание количество топоров, количество врагов, их вооружение, расстояние между противниками в бою и операции и пр. Хотя в каком-то уникальном случае (ночное нападение на уснувшего часового) топор может быть полезен. Более того, топором можно сражаться и против танка. Бывало и такое: *«Храбрец подкрался по канаве с тыла, быстро вскарабкался на танк и ударами саперного топора вывел из строя пулемет и экипаж вражеского танка»*. Это строки из воспоминаний генерала армии Д.Д. Лелюшенко. Прославленный полководец закончил войну в Праге, в должности командующего 4-й Гвардейской танковой армией, и немецкие танки видел не на картинках. Да и комсомолец Иван Павлович Середа — лицо не вымышленное, а реальный участник войны, удостоенный за свой подвиг звания Героя Советского Союза. И тем не менее, несмотря на большое число храбрецов и саперных топоров, уничтожить все немецкие танки таким простым и дешевым способом не удалось...

Если уничтожение танка при помощи саперного топора может быть отнесено к разряду «чудес, которые иногда бывают», то гораздо более серьезными могли — на первый взгляд — быть последствия массового применения ПТАБов.

В ЦКБ-22 под руководством И.А. Ларионова была разработана, а в середине 1943 г. запущена в крупносерийное производство сверхлегкая (1,5—1,7 кг в разных модификациях) противотанковая авиабомба с кумулятивным зарядом, способным прожигать броню толщиной до 60 мм. И полигонные испытания, и боевое применение (впервые — на Курской дуге), и осмотр подбитых немецких танков на поле боя подтвердили тот непреложный факт, что кумулятивный заряд ПТАБа реально пробивает верхние бронелисты любого немецкого танка, а заброневое воздействие высокоскоростной струи расплавленного металла таково, что выводит из строя экипаж, вызывает детонацию боеприпасов и возгорание танка. Штурмовик Ил-2 брал в полет 192 ПТАБа в 4 кассетах (по 48 штук в каждой). При сбрасывании с высоты 200 м общая площадь поражения занимала полосу 15х190 метров, в которой обеспечивалось гарантированное уничтожение любой бронетехники вермахта. Другими словами, один штурмовик теоретически мог уничтожить полдюжины тяжелых танков, идущих в плотной походной колонне. Массовое производство кумулятивных зарядов не требовало к тому же расхода дефицитных цветных металлов, а основная «начинка» кумулятивного снаряда — смесь гексогена с тротилом — была принята на вооружение ВМФ СССР (для снаряжения морских мин и торпед) еще в феврале 1941 г. (87) И что, после появления ПТАБов немецкие «тигры» исчезли с полей боев? Или, по крайней мере, ПТАБы сделали излишними противотанковую артиллерию и самоходные «истребители танков»?

Да, действительно, 150-мм немецкая пушка, равно как и 88-мм зенитка (вес снаряда 9 кг при начальной скорости 820 м/сек), пробивала броню любых советских танков, включая Т-34, а в определенных условиях — и КВ. Но что это означало практически? Даже в условиях «рыцарского турнира», где число участников с каждой из сторон строго одинаково, шансы на успех артиллеристов были бы весьма сомнительны. Вес чудовищного 150-мм орудия превышает 12 тонн, габариты выше роста человека, орудийный расчет не прикрыт даже тонким лобовым щитом (и это неудивительно, учитывая, что дальнобойная пушка и не предназначалась для ведения огня на переднем крае). Развернуть орудие в сторону наступающих танков, тем паче — сменить огневую позицию, без мощного тягача невозможно в принципе. Даже теоретическая «скорострельность» 150-мм пушки не превышает одного выстрела в минуту, да и практически шансов на второй выстрел в бою с танком у этого огромного, заметного за версту орудия немного. Использование такого орудия, как средства ПТО, никогда не планировалось, соответственно личный состав орудийного расчета стрелять по танкам не обучен. И тем не менее в том случае, когда танковая атака противника по чистой случайности произойдет в районе огневой позиции 150-мм пушки, она способна, при наличии везения, подбить один, а может быть, и два танка, прежде чем будет сама уничтожена ответным огнем.

Теперь от ситуации «турнира» перейдем к реальностям войны. В каждом полку пехотной дивизии вермахта по штатному расписанию должно было быть (что еще не означает, что в каждой дивизии они были) две 150-мм пушки.

Две штуки. О том, чтобы в считаные минуты танкового боя перебросить к месту прорыва 12-тонные пушки соседнего полка, не приходится даже и говорить. Не многим более «мобильны» и 105-мм пушки (в ряде дивизий они заменяли отсутствующие 150-мм), весящие 5,6 т и оснащенные шестеркой лошадей. В танковом батальоне танкового полка советской танковой дивизии примерно 50 (точное число зависело от типа боевых машин) танков. Строго говоря, на этом все обсуждение возможности решения задачи противотанковой обороны при помощи 150-мм пушек можно закрывать. Используя свои тяжелые орудия, пехотный полк вермахта мог уничтожить один взвод (3 танка), случайно напоровшийся на огневую позицию 150-мм пушек. Об отражении массированной танковой атаки не может быть и речи — рота танков Т-34 или КВ (не говоря уже о подразделениях более крупного масштаба) «раскатает» по земле тяжелые орудия, прежде чем они успеют сделать десяток выстрелов...

Строго говоря, и новых 50-мм противотанковых пушек Pak-38 в пехотном полку вермахта было (опять же было по штатному расписанию, а не в реальности!) **всего 2 единицы**, но они были достаточно легкими (986 кг), и командование дивизии могло бы (если бы эти пушки были в необходимом количестве) сосредоточить их в полосе прорыва танков. Летом же 1941 года на вооружении пехотной дивизии вермахта могло быть всего **6 единиц Pak-38 и 66 единиц 37-мм** противотанковых Pak-36, которые все еще оставались наиболее массовым орудием ПТО немецкой армии. Примечательно, что именно после встречи с «тридцатьчетверкой» немецкая 37-мм Pak-36 получила свое прозвище «дверная колотушка» (смысл этого черного солдатского юмора был в том, что постучать по броне снаряд может, но «войти внутрь» — нет). Не менее красноречивы и конкретные цифры потерь «колотушек». Так, к 1 ноября 1941 г. вермахт потерял на Восточном фронте **2479 противотанковых 37-мм пушек**, **что в 1,42 раза больше**, чем потери всех артсистем дивизионного и корпусного звена (калибром от 75 мм до 150 мм включительно), вместе взятых. (88, стр. 381)

Что же касается 88-мм немецких зениток, то их в составе пехотных (равно как и танковых, и моторизованных) дивизий вермахта не было вовсе, т.к. все зенитные батареи в вооруженных силах Германии организационно входили в состав люфтваффе и «сухопутным» командирам не подчинялись. Более того, зенитным орудиям такого калибра в боевых порядках войск и делать было нечего. Для защиты войск на поле боя от налетов вражеских штурмовиков и пикирующих бомбардировщиков нужна мобильная зенитная пушка с высокой скорострельностью при относительно небольшой досягаемости по высоте. Такие пушки калибром от 20 мм до 40 мм и стояли на вооружении сухопутных войск (так, по штатному расписанию танковой дивизии Красной Армии полагалось 12 зенитных 37-мм автоматических пушек). Тяжелая (боевой вес 5,2 т) 88-мм зенитка с досягаемостью по высоте в 11—14 км была предназначена для обороны крупных объектов от высоколетящих дальних бомбардировщиков. Методика стрельбы по скоростной высотной цели не имеет ничего общего со стрельбой прямой наводкой по танку, габариты и вес 88-мм зенитного орудия очень далеки от требований к малозаметной и высокоподвижной пушке ПТО. Да, действительно, оказавшись в безвыходной ситуации после встречи с новыми советскими танками, особенно — после появления на поле боя тяжелого танка КВ, немцы вынуждены были заняться самыми нелепыми импровизациями, вроде использования 5-тонных зениток и 12-тонных дальнобойных пушек для борьбы с танками, но не стоит, наверное, выдавать «нужду за добродетель»...

Значительно более опасным, нежели многотонные дальнобойные или зенитные немецкие пушки, противником новых советских танков был легкий, весом 980 граммов, 50-мм подкалиберный снаряд. Этот снаряд имел достаточно сложную конструкцию, состоявшую из бронебойного сердечника и оболочки (так называемого «поддона»). При попадании снаряда в цель поддон, изготовленный из мягкой стали, сминался, а твердый остроголовый сердечник, изготовленный из карбида вольфрама, пробивал броню. Такая конструкция обеспечивала значительно меньший вес подкалиберного снаряда (по сравнению с обычной бронебойной «болванкой») и как следствие — существенно большую скорость и бронепробиваемость. Так, 50-мм противотанковая пушка Pak-38 пробивала подкалиберным снарядом PzGr-40 броню в 130 мм на 100-метровой дистанции. Этого, безусловно, было достаточно для поражения любого танка, включая тяжелый КВ. Даже жалкая 20-мм пушечка легкого немецкого танка Pz-II с расстояния в 100 м пробивала снарядом с карбид-вольфрамовым сердечником 49-мм брони. Однако «и на солнце есть пятна». Как танк КВ не был «абсолютным оружием», так и «вольфрамовый» снаряд не решал всех проблем противотанковой обороны, и отнюдь не случайно он не вытеснил обычный, «калиберный» снаряд, а вскоре и вовсе был снят с вооружения.

Первым и самым главным недостатком подкалиберных снарядов было их отсутствие. Карбид вольфрама в противотанковом снаряде — это дорогостоящая экзотика, и разбрасываться (в самом прямом смысле этого слова) дефицитнейшим легирующим элементом (вольфрамом), необходимым для производства специальных сталей, во время затяжной войны Германия не могла. Объем выпуска «вольфрамовых» снарядов составлял десятки, потом — единицы процентов от общего производства противотанковых боеприпасов, а в начале 1944 года был вовсе прекращен. Во-вторых, скорость, а следовательно, и бронепробиваемость снарядов малого веса и калибра стремительно убывает с расстоянием. В аэродинамике это называется «закон куба-квадрата» (аэродинамическое сопротивление зависит от квадрата линейных размеров, а сила инерции — от куба, поэтому легкий снаряд малого калибра быстрее теряет свою первоначальную скорость, нежели тяжелый снаряд большего калибра). Применительно к подкалиберному снаряду действие этого закона усугублялось плохой аэродинамикой и большим сопротивлением «поддона». В результате уже на дистанции в 500 м бронепробиваемость 37-мм «вольфрамового» снаряда снижалась до уровня обычной «болванки», а на дальности в 1 км и вовсе падала до нуля. Фактически стрельба подкалиберным снарядом по тяжелому советскому танку была разновидностью смертельно опасной «русской рулетки»: расчет противотанкового орудия должен был подпустить КВ на предельно близкую дистанцию и поразить стальное чудовище с первого выстрела. В-третьих, танк — это не воздушный шарик, который достаточно проткнуть иголкой. В борьбе с танком важен не сам факт появления некоего сквозного отверстия в броне, а то, что называется «заброневым воздействием». Несколько отклоняясь от хронологии повествования, отметим один интересный документ: отчет комиссии НИИБТ ГБТУ, которая в конце июля 1943 г. осмотрела 30 подбитых в сражении на Курской дуге немецких «пантер». Почти все подбитые и сгоревшие танки имели две-три и более пробоины (главным образом — от 76-мм снарядов, несущих мощный разрывной заряд). «Пантере» с бортовым номером 634 потребовалось получить 7 пробоин (три — от 76-мм снаряда), прежде чем она сгорела. (83) Поджечь дизельный КВ или Т-34 было едва ли легче. Подкалиберный же снаряд в принципе не мог нести разрывной заряд, а масса карбид-вольфрамовой «пики» была относительно мала для того, чтобы создать мощную струю раскаленных микроосколков пробитой брони. Подкалиберный сердечник 20-мм снаряда и вовсе представлял собой не более чем твердый «гвоздь», который мог нанести танку серьезное повреждение только в случае попадания в какой-то особо уязвимый агрегат. К этим общим недостаткам (можно их назвать словом «особенности») подкалиберных снарядов в случае стрельбы по танку Т-34 добавлялся еще один: характерная для всех остроконечных снарядов малого диаметра и большого удлинения склонность к рикошету или «опрокидыванию» с последующим разрушением снаряда при встрече с броней под углами более 30—40 градусов.

Общий вывод, вероятно, должен быть сформулирован так: летом 1941 г. вермахт не имел вооружения, с помощью которого можно было бы отразить массированную атаку крупных соединений новых советских танков (Т-34 и КВ), но эта констатация не опровергает тот факт, что единичные танки могли быть в особо благоприятных для обороняющихся условиях уничтожены зенитками, тяжелыми дальнобойными пушками, подкалиберными бронебойными снарядами.

Глава 4

ПРО «МЕЧ-КЛАДЕНЕЦ» И «ЗОЛОТОЕ СЕЧЕНИЕ»

Качественно новые технические характеристики советских танков Т-34 и КВ (противоснарядное бронирование, мощное вооружение, дизельный двигатель, высокая проходимость и большой запас хода) в своей совокупности означали создание принципиально нового инструмента ведения войны. Т-34 и КВ могли в значительной степени самостоятельно (не дожидаясь подхода артиллерии) подавить огневые средства противника на переднем крае, а затем поддержать прицельным огнем пехоту при прорыве обороны противника на всю тактическую глубину. И тем не менее «ни один род войск не заменяет другого». Есть целый ряд задач, которые 76,2-мм танковая пушка не может решить в принципе. Например, подавить минометную батарею, которая, укрывшись за склоном холма, не дает подняться пехоте. Для этой цели нужна гаубица с ее навесной траекторией стрельбы. Еще один распространенный вид целей, недоступных «трехдюймовому» снаряду весом в 6,2 кг, — долговременные оборонительные сооружения. Не говоря уже о бетонных дотах, даже для разрушения правильно выстроенного блиндажа «в три наката» («дерево-земляной огневой точки» по-научному) требуется снаряд 122-мм или даже 152-мм гаубицы (снаряды систем такого калибра весили соответственно 20—22 и 40—45 кг). Именно невозможность наступления без систематической поддержки со стороны артиллерии дивизионного и корпусного звена ограничивала ранее глубину танкового удара. Советское военное руководство совместно с конструкторами и промышленностью проделало огромную многолетнюю работу, позволившую в начале 40-х годов создать такие боевые соединения, в которых не танки жмутся к огневым позициям своей артиллерии, а артиллерия (вплоть до тяжелой) движется вслед за танками. Движется с той же проходимостью, что и танки, хотя и с меньшей скоростью. Разумеется, совсем хорошо было бы обеспечить и высокую защищенность, и скорость передвижения тяжелых орудий по пересеченной местности, равную скорости танков. И такая задача решаема — но для этого нужна уже боевая машина, называемая «самоходной артиллерийской установкой». Увы, такую роскошь, как полная замена буксируемой тяжелой артиллерии самоходными установками, не смогла себе позволить ни одна из участвовавших во Второй мировой войне армий.

Для буксировки артиллерии механизированных (танковых) соединений, а также корпусных полков и артполков РГК в конце 30-х годов было разработано четыре типа гусеничных тягачей, различавшихся по мощности мотора, по тяговому усилию и допустимому весу буксируемого орудия (прицепа), по сложности и стоимости. Все они имели крытую брезентом платформу для размещения орудийного расчета и боеприпасов, оборудовались мощной лебедкой для «самовытаскивания», три из четырех были оснащены дизельными моторами, т.е. работали на относительно пожаробезопасном топливе. (17)

	N, л.с.	Тяга, т	Вес прицепа, т	Скорость, км/час
СТЗ-НАТИ (СТЗ-5)	56, бен.	?	4,5	21 — 15
С-2	105, диз.	6,2	10	26 — 15 — 10
«Коминтерн»	131, диз.	6,8	17	30 —? —?
«Ворошиловец»	400, диз.	13—17	22	42 — 20—16

Примечание: в графе «Скорость» первая цифра — без прицепа по шоссе, вторая — с прицепом по шоссе, третья — с прицепом по пересеченной местности.

Теперь сравним цифры, указанные в таблице, с весом наиболее распространенных артсистем. Как известно, самыми тяжелыми орудиями, которые стояли на вооружении стрелковых, моторизованных и танковых дивизий Красной Армии, были 152-мм гаубицы и 85-мм зенитные пушки. Вес той и другой систем находился в диапазоне 4,5—4,3 т. Таким образом, даже самый простой и дешевый СТЗ-5 мог обеспечить буксировку любых систем дивизионной артиллерии. На вооружении корпусных артполков наряду со 152-мм гаубицами стояли значительно более тяжелые системы: 122-мм пушка А-19 (вес 7,8 т) и 152-мм пушка-гаубица МЛ-20 (7,9 т). Для буксировки орудий такого веса на Челябинском тракторном заводе был разработан и запущен в серийное производство мощный дизельный тягач С-2. Тяговые характеристики этой гусеничной машины обеспечивали буксировку практически всех орудий дивизионной и корпусной артиллерии, а также эвакуацию подбитых легких танков. Несмотря на то что выпуск С-2 пришлось прекратить уже в 1942 году (производственные мощности Челябинского завода были переведены на массовый выпуск танков), надежные и мощные тягачи этого типа простояли на вооружении советской артиллерии до начала 50-х годов.

В артполках и отдельных дивизионах большой и особой мощности РГК использовались орудия совсем другой «весовой категории»: 203-мм гаубица Б-4 (19 т), 152-мм пушка Бр-2 (19,5 т), 280-мм мортира Бр-5 (19,7 т), 305-мм гаубица Бр-18 (45,7 т). Эти системы метали снаряды весом от 100 до 330 кг, и их использование планировалось главным образом для разрушения железобетонных дотов. Относительно массовой среди всей этой артиллерийской экзотики была только 203-мм гаубица Б-4 (871 единица), но и она никак не предназначалась для совместных действий с механизированными соединениями. Тем не менее созданные для буксировки тяжелых артсистем гусеничные машины сыграли важную роль и в деле формирования новых механизированных корпусов, так как их высокие тяговые характеристики позволяли использовать артиллерийские тягачи для эвакуации с поля боя подбитых танков.

Наиболее распространенным тяжелым гусеничным тягачом был «Коминтерн», выпускавшийся на Харьковском паровозостроительном заводе № 183 им. Коминтерна (да-да, именно так назывался крупнейший танковый завод мира). Оснащенный 130-сильным двигателем, тягач развивал скорость до 30 км/час по шоссе и имел запас хода 220 км. На предельно низкой передаче (при скорости 2,6 км/час) «Коминтерн» мог тащить тяжелые артсистемы на подъеме до 40 угловых градусов. О надежности и ремонтопригодности этой машины можно судить по тому, что с 1 сентября 1942 г. и по конец войны было безвозвратно потеряно всего 56 тягачей этого типа! (17)

В 1940 г. производство «Коминтернов» было свернуто, и высвободившиеся производственные мощности завода

№ 183 были задействованы для серийного производства «Ворошиловца» — гусеничного тягача с уже совершенно феноменальными тактико-техническими характеристиками. Основой конструкции был 400-сильный танковый дизельный двигатель В-2 (ни один немецкий тягач или танк того времени не имел двигатель такой мощности). Без прицепа тягач развивал на шоссе скорость 42 км/час и имел запас хода 390 км, с полной нагрузкой — 20 км/час и 240 км. Другими словами, «Ворошиловец» способен был в течение одного светового дня и на одной заправке топлива переместить тяжелую гаубицу с одного фланга полосы обороны армии на другой. Максимальное тяговое усилие в 17 т (зимой из-за пробуксовки гусениц оно снижалось до 13 т) позволяло буксировать самые тяжелые артсистемы, два «Ворошиловца» справлялись даже с чудовищной 305-мм гаубицей Бр-18 весом в 45,7 тонны. В качестве эвакуационного тягача «Ворошиловец» способен был тащить пятибашенный танк Т-35, два тягача могли отбуксировать с поля боя подбитый КВ (48 тонн). Сверхмощная машина оказалась достаточно надежной и выносливой — несмотря на прекращение осенью 1941 г. серийного производства, 336 «Ворошиловцев» дожили до конца войны (некоторые из них приняли участие в Параде Победы), а затем продолжали нести воинскую службу до начала 50-х годов. (17)

Немцы пошли другим путем. Для транспортировки артиллерийских орудий и боеприпасов была разработана целая «линейка» полугусеничных тягачей с карбюраторными моторами мощностью от 100 до 185 л.с. и максимальным весом буксируемого объекта от 3 до 18 тонн. По скорости буксировки немецкие полугусеничные тягачи значительно превосходили любые советские, разве что за исключением «Ворошиловца». Это есть факт. В оценке этого факта (как и любых других) желательно проявить взвешенный подход и не спешить с выводами. Метод навесной стрельбы гаубичной артиллерии вовсе не требует непрерывного перемещения орудий вслед за наступающими танками. Скорость буксировки не бывает «высокой» или «низкой» сама по себе —

практический смысл имеет только **соотношение скорости движения артиллерии с темпом наступления танковой дивизии**. Самый массовый и дешевый тягач СТЗ-5 за 4 часа движения со скоростью 15 км/час проползет по дороге 60 км маршрута. При движении по полному бездорожью потребное время марша возрастет в 1,5—2 раза, т.е. до 6—8 часов. Вполне приемлемые показатели подвижности артиллерии моторизованных соединений, темп наступления которых даже теоретически не превышал 30—50 км в день. Наконец, не стоит забывать и о том, что новые дизельные танки (КВ, Т-34, БТ-7М) вполне могли быть использованы в качестве гусеничного тягача, причем тягача гораздо более мощного и быстроходного, нежели любой артиллерийский тягач того времени.

При всем при этом «запас карман не тянет», и наличие скоростных артиллерийских тягачей в вермахте было большим его преимуществом. Сложнее обстоит вопрос с оценкой проходимости, без которой «скорость буксировки» превращается из реальной тактической характеристики в бумажную фикцию. На умеренно плохой грунтовой дороге немецкий полугусеничник двигался уверенно, в настоящую же российскую распутицу два передних (пассивных) колеса уходили по ступицу в грязь и, как плуг, «пахали» грунт до тех пор, пока не глох двигатель. В известном смысле немецкие полугусеничные тягачи чем-то предвосхищали современные «паркетные джипы»: красивые, комфортабельные, но при этом уступающие полубрезентовому «уазику» в проходимости по нашему бездорожью. Советские трактора и гусеничные тягачи ползли медленно, но зато наверняка. Что же касается количества, то в данном случае (едва ли не единственном) Германия обогнала Советский Союз. До конца 1939 г. было произведено 5,8 тыс. полугусеничных тягачей пяти разных типов (Sd.Kfz — 11/6/7/8/9), в следующем году произведено порядка 6 тыс., чуть менее 7 тыс. было выпущено в 1941 году, всего — порядка 18,5 тыс. тягачей (в указанную численность не вошли полугусеничные шасси, использованные для производства бронетранспортеров Sd.Kfz-250/251).

В Советском Союзе с развертыванием массового выпуска специализированных артиллерийских тягачей серьезно запоздали. До конца 1940 г. было выпущено 1798 «Коминтернов» и порядка 600 «Ворошиловцев». С учетом наличия 2839 тягачей СТЗ-5 (и не считая С-2, производство которых осенью 40-го года только начиналось) набирается порядка 5,2 тыс. тягачей. В 1941 году планировалось выпустить еще 5 тыс. СТЗ-5, 2 тыс. С-2, 700 «Ворошиловцев», т.е. увеличить число гусеничных тягачей Красной Армии более чем в два раза. Грандиозные планы успешно выполнялись. К началу июня 1941 года в строю было **6,7 тыс. тягачей СТЗ-5 и С-2, более 2,5 тыс. «Коминтернов» и «Ворошиловцев»**, т.е. порядка 9,2 тыс. специализированных артиллерийских тягачей. (17, стр. 31) Это количество уже **превышало общую численность (8,7 тыс.) тяжелых артсистем**, состоявших на вооружении Красной Армии (3817 гаубиц 152-мм, 2603 гаубицы-пушки 152-мм, 1255 пушек 122-мм, 871 гаубица 203-мм, 147 орудий большой и особой мощности). (9, стр. 248-250) Кроме того, в войсках еще ДО начала открытой мобилизации числилось порядка 28 тыс. сельскохозяйственных тракторов, что **более чем в два раза превосходило суммарное число «объектов для буксировки»**, т.е. дивизионных гаубиц калибра 122 мм и тяжелых зенитных орудий калибра 76 мм и 85 мм. Вот на такой «весомой, грубой, зримой» материальной базе и реализовывались планы развертывания небывалых по мощи танковых соединений: механизированных корпусов Красной Армии.

Решение о формировании восьми механизированных корпусов нового типа было утверждено наркомом обороны Тимошенко 9 июня 1940 г., штатное расписание мехкорпуса утверждено 6 июля 1940 г. (временной разрыв объясняется, вероятно, состоявшейся во второй половине июня аннексией Прибалтики, каковая отвлекла внимание высшего руководства страны). Распределены мехкорпуса были вполне логично. По два корпуса развертывалось на главных стратегических направлениях, в Киевском и Белорусском (позднее он был переименован в Западный) Особых военных округах, по одному корпусу получили Ленинградский и Одесский округа (фланги будущего фронта), а также центральный Московский военный округ и расположенный на беспокойной границе с оккупированным японцами Китаем Забайкальский военный округ (фактически 5 МК дислоцировался значительно южнее Байкала — в Монголии). Итого 8 мехкорпусов. В октябре 1940 г. было принято решение сформировать еще один мехкорпус, девятый по порядку и по номеру, в Киевском ОВО. В Закавказском и Средне-Азиатском округах формировалось по одной отдельной танковой дивизии.

Все механизированные корпуса Красной Армии имели единую структуру. В состав мехкорпуса входили:

— **две танковые дивизии**;

— **моторизованная дивизия**;

— **отдельный мотоциклетный полк**;

— **многочисленные спецподразделения** (отдельный батальон связи, отдельный мотоинженерный батальон, корпусная авиаэскадрилья и т.д.).

По сути дела, в состав мехкорпуса входили три «танковые» дивизии, т.к. советская моторизованная дивизия имела в своем составе танковый полк и по штатному (275 единиц) числу танков превосходила немецкую танковую дивизию. Фактически отличие моторизованной дивизии от танковой заключалось в разной структуре, в разном соотношении между танковыми и мотострелковыми частями. В танковой дивизии было четыре полка: два танковых, мотострелковый и артиллерийский. В моторизованной дивизии также было четыре полка: два мотострелковых, танковый и артиллерийский.

Кроме того, в каждой дивизии были свой батальон связи, свой разведывательный батальон, понтонно-мостовой батальон, зенитно-артиллерийский дивизион, многочисленные инженерные службы. В состав моторизованной дивизии (на случай встречи с танками противника) был предусмотрительно введен и отдельный истребительно-противотанковый дивизион.

Очевидно, что, разрабатывая именно такую структуру, советское командование стремилось к тому, чтобы корпус в целом обладал максимальной оперативной самостоятельностью. В руках командира корпуса был и танковый «таран» — четыре танковых полка танковых дивизий, вооруженные главным образом средними и тяжелыми танками, и своя собственная артиллерийская группа — три артполка на механической (тракторной) тяге, способная взломать на участке прорыва оборону противника, и механизированная «конная лава» — полк легких танков в моторизованной дивизии и корпусной мотоциклетный полк, и своя пехота — четыре мотострелковых полка, способных закрепиться на завоеванной местности и прикрыть наступающий танковый клин с флангов и тыла. Были в мехкорпусе и собственные средства противовоздушной обороны, связи, разведки. Даже собственная разведывательная авиация — корпусная авиаэскадрилья, на вооружении которой было 15 самолетов У-2 и Р-5 («кукурузник» У-2, как известно, взлетал и садился на любой лесной поляне, радикально решая таким образом сакраментальную проблему «отсутствия связи»).

После многочисленных изменений штатной численности вооружение мехкорпуса должно было включать **1031 танк**, а именно: **126 КВ, 420 Т-34, 316 БТ, 152 Т-26** (в том числе 108 огнеметных) и 17 плавающих пулеметных танкеток Т-38/Т40. Распределялись танки следующим образом: в моторизованной дивизии по штату должно было быть 258 легких скоростных БТ-7 и 17 плавающих танков. Всего **275 танков**. Каждой из двух танковых дивизий полагалось 63 тяжелых танка КВ, 210 средних Т-34, 26 БТ-7 и 76 Т-26 (в том числе 54 огнеметных). Итого **375 танков**. Еще 6 танков БТ-7 числилось в подразделениях управления корпуса. Кроме того, на вооружении мехкорпуса был и такой (отсутствующий в вермахте) тип бронетехники, как колесные пушечные бронеавтомобили, всего 152 машины БА-10. Вооружены они были 45-мм танковой пушкой 20К в стандартной танковой башне, т.е. по мощности и бронебойности своего вооружения превосходили немецкие танки Pz-I, Pz-II, Pz-38(t), Pz-III (первых серий с 37-мм пушкой), все еще составлявшие к лету 1941 года 60% парка танковых групп вермахта. Всего же (с учетом 116 легких пулеметных БА-20) в мехкорпусе числилось **1299 единиц бронетехники.** Если выстроить всю бронетехнику мехкорпуса в одну линию со стандартным маршевым интервалом в 15 м между машинами, то получится «стальная лента» длиной в 25 километров. Общее распределение бронетехники мехкорпуса показано в таблице:

	КВ	Т-34	БТ-7	Т-26	Т-38/ Т40	БА-10	БА-20
тд	63	210	26	76	0	56	39
тд	63	210	26	76	0	56	39
мд	0	0	258	0	17	18	33
корпусные подраздел.	0	0	6	0	0	22	5
ВСЕГО	126	420	316	152	17	152	116

Наличие на вооружении мехкорпуса 126 тяжелых танков КВ и 420 средних танков Т-34 кроме всего прочего означает 546 артиллерийских стволов калибра 76,2 мм, дающих вес совокупного залпа в 3385 кг. Кроме танковых пушек, в составе мехкорпуса была и «нормальная» буксируемая артиллерия, находящаяся в мотострелковых и артиллерийских полках дивизий корпуса. Распределена она была следующим образом:

	76,2-мм	122-мм	152-мм
тд	4	12	12
тд	4	12	12
мд	16	16	12
Всего	24	40	36

В целом вес совокупного залпа мехкорпуса (даже не учитывая полтысячи 45-мм пушек в башнях легких танков и тяжелых бронемашин) составлял без малого 6 тонн, т.е в четыре раза превосходил соответствующий показатель пехотной дивизии вермахта. Д. Павлов мог с чувством законной гордости за Красную Армию докладывать в декабре 1940 г. участникам Совещания высшего комсостава:

«...Переходя к огневым средствам танкового корпуса, я позволю себе огласить вам некоторые итоги. Всего в корпусе имеется орудий всяких калибров и минометов 1466. Как видите, если этот корпус будет действовать даже на 10-км фронте (средняя ширина полосы обороны пехотной дивизии. — *М.С.), то он один по насыщенности огнем может нанести сокрушительный удар... Танковые корпуса, поддержанные массовой авиацией, врываются в оборонительную полосу противника, ломают его систему ПТО, бьют попутно артиллерию и идут в оперативную глубину. Впереди их, в соответствии с тактической и оперативной обстановкой, выбрасываются парашютные десанты, которые в дальнейшем будут подчинены этим танковым корпусам. За танковыми корпусами устремляются со своими танками мотопехота и стрелковые корпуса... При таких действиях мы считаем, что как минимум пара танковых корпусов в направлении главного удара должна будет нанести уничтожающий удар в течение пары часов и охватить всю тактическую глубину порядка 30—35 км. Это требует массированного применения танков и авиации; и это при новых типах танков возможно...»* (14)

Для полного укомплектования танками девяти мехкорпусов и двух отдельных танковых дивизий, решение о развертывании которых было принято летом 1940 г., требовалось «всего» 10 тыс. танков. Эту отметку Красная Армия «проскочила» еще в 1937 году, а 15 сентября 1940 г. на вооружении армии числилось 17,7 тыс. танков (опять же не считая легкие танкетки Т-27 и плавающие танки). Проблема заключалась не в количестве, а в качестве: серийное производство танков новых типов только-только начиналось, а для полного укомплектования всех 20 танковых дивизий требовалось **1260 КВ и 4200 Т-34**. Разумеется, танки Т-28, Т-26, БТ, которыми временно вооружались новые мехкорпуса, были по меньшей мере лучше немецких фанерных макетов: на них можно было не только обучать личный состав, проводить сколачивание частей и подразделений, но при необходимости и воевать. Еще раз повторим, что «технически устаревшими» эти танки могли считаться только по сравнению с уникальными характеристиками Т-34 и КВ, а вовсе не в сравнении с танками противника.

Все вышесказанное отнюдь не означает, что с перевооружением на новейшие, лучшие в мире танки не надо было спешить. Поэтому советская танковая промышленность работала не покладая рук. По состоянию на 31 декабря 1940 г. в войска уже поступили первые 196 КВ и 97 Т-34. План производства танков в 1941 г. непрерывно менялся (естественно, в сторону увеличения) и предусматривал выпуск порядка 5,5 тыс. танков новых типов. Фактически в 1941 году было выпущено **1358 КВ и 3014 Т-34** (1, стр.598, 38, стр. 18) Причем этот объем производства был обеспечен в таких «условиях», которые летом 40-го г. могли привидеться только в кошмарном сне: один из основных производителей бронекорпусов танков в г. Мариуполе был потерян, два важнейших предприятия (завод № 183 и единственный в стране производитель танковых дизелей завод № 75) пришлось под бомбами перевозить из Харькова на Урал, два огромных ленинградских завода (№ 185 им. Кирова и № 174 им. Ворошилова) оказались в кольце блокады. Нет никаких разумных оснований сомневаться в том, что в нормальных условиях советская промышленность смогла бы обеспечить к концу 1941 года полное укомплектование и перевооружение новыми танками всех девяти мехкорпусов, каждый из которых по числу танков превосходил любую из четырех танковых групп вермахта, причем при абсолютном превосходстве в ТТХ советской бронетехники.

Огромные «табуны» легких танков Т-26 также не были забыты, и переплавка в мартеновских печах им не грозила.

По принятым летом-осенью 1940 г. решениям танковые бригады не только не расформировывались, а напротив — их число решено было увеличить до 45. «Жалкие» 11,5 тыс. легких танков, необходимых для укомплектования танковых бригад, по большей части уже существовали. Предполагалось, что бригада легких танков будет оперативно подчиняться командиру стрелкового корпуса и использоваться им как для непосредственной поддержки пехоты на поле боя в наступлении, так и в качестве инструмента нанесения мощного контрудара по прорвавшейся в тактическую глубину обороны корпуса пехоте и танкам противника. Таким образом, вопрос, над которым десять лет ломали голову военные теоретики всего мира, был решен в Красной Армии самым радикальнейшим образом. Французы «размазали» три тысячи своих легких танков по пехотным частям, оставшись в результате без крупных ударных соединений. Немцы передали все имеющиеся у них танки в 10 (затем 20) танковых дивизий, оставив при этом сто дивизий своей пехоты без танков непосредственной поддержки. Советский Союз, официально сохраняющий строгий нейтралитет в начавшейся европейской войне, развертывал без малого полсотни танковых бригад для непосредственной поддержки пехоты и в то же время спокойно и уверенно создавал 9 мощнейших танковых «колунов», способных нанести «глубокие рассекающие удары» по любому противнику.

Два поколения советских (а теперь уже и российских) историков вели и ведут с советскими мехкорпусами 1941 года непримиримую борьбу. Оно и понятно: все эти годы официальная советская историческая наука, игнорируя очевидный и бесспорный факт беспримерного массового дезертирства, массовой сдачи в плен и перехода на сторону врага, должна была искать и находить все новые и новые «причины поражения Красной Армии в начальном периоде войны». Лучшие в мире танки (тяжелые КВ, средние Т-34, легкие БТ-7М) просто смешали с грязью (не на поле боя, разумеется, а на бумаге). Было «доподлинно установлено», что все эти танки были поломанные, безнадежно устаревшие, изношенные, с «ничтожным остатком» в 100—150 часов моторесурса (что, правда, означает 2000—3000 км пробега, достаточного для того, чтобы доехать от Белостока до Барселоны или Лиссабона). Шестеренки были слишком хрупкими, пальцы гусеничных траков — слишком мягкими, фильтры не фильтровали, перископы не перископили...

К счастью, борьба историков была бескровной. К несчастью, она имела вполне конкретные, ощутимые экономические последствия. Два поколения советских генералов было воспитано и обучено в военных академиях на мифе о том, что катастрофа 41-го года случилась из-за технической отсталости Красной Армии. Советские генералы не хотели повторения катастрофы и полвека давили на партийную верхушку, требуя окончательно и бесповоротно «перевооружить» советскую армию, да так, чтобы и друзья боялись. В результате Советский Союз рухнул и исчез с политической карты, имея на вооружении — кроме всего прочего — 30 тысяч лучших в мире танков.

Новое время — новые песни. Да и читатель нынче новый, молодой и гораздо более требовательный. Посему и нынешние продолжатели славных традиций советской историографии делают свое дело гораздо качественнее. Умнее. Они уже не «подставляют» себя заведомо ложными измышлениями о «многократном численном превосходстве вермахта», а предлагают образованному читателю чисто научные, со множеством «немецких» букв объяснения военной катастрофы 1941 года. Самый изящный (на мой, сугубо субъективный, взгляд) образец псевдонаучного замусоривания мозгов предложил публике А. Исаев. Примечательно, что в данном случае мое мнение полностью совпало с оценкой самого Махмуда Ахметовича! Товарищ М.А. Гареев недавно публично заявил: *«Если будут такие люди, как Алексей Исаев, наше дело небезнадежно!»* Будут, Махмуд Ахметович, будут. Не сомневайтесь. Mala herba cito crescit («сорная трава быстро растет»).

Начинает свои построения г. Исаев с абсолютно верного утверждения:

«...Не стоит преувеличивать роль техники... Истоки недоумения — «Как мы могли проиграть с такими хорошими «шиши» (дикарские амулеты. — *М.С.*), *как КВ и Т-34?» — именно в языческом преклонении перед божествами, трансформиро-*

вавшемся в новейшей истории в преклонение перед техникой. Любая техника — это всего лишь бездушный механизм, который сам по себе не гарантирует успех или поражение».

Золотые слова. Золотые. Дальше — еще лучше:

«Основная ошибка, которую допускают, — это сравнение только танков противоборствующих сторон. Но сражения происходят не между толпами танков на заранее выбранном поле — воюют в реальности организационные структуры, сложные механизмы, собранные из разных родов войск. Танки в них — лишь один из составляющих «кубиков». Знаковый, но не единственно значимый... Обеспечение танковой дивизии непробиваемыми танками, конечно, хорошо, но это только полдела. Танки надо заправлять, чинить, снабжать боеприпасами, обеспечивать разведкой, артиллерийской и пехотной поддержкой... Но для всего этого нужна примерно равная подвижность «кирпичиков» мехсоединения, когда и танки, и артиллерия, и пехота, топливо, боеприпасы для них двигаются со сравнимой скоростью, обеспечивая самостоятельные действия в глубине обороны противника...» (33)

Как можно с этим не согласиться? С этим не согласиться нельзя. Очарованный таким серьезным разговором (и вправду диковинным на фоне общего пещерного уровня «традиционной» отечественной историографии войны), читатель не замечает, как его начинают легонечко сталкивать с верного пути в заранее подготовленную яму-ловушку:

«Можно и из хорошего кирпича сложить сарай или, напротив, создать шедевр архитектуры из посредственных строительных материалов». Стоп — здесь уже явная передержка. Из плохих материалов (например, из миллиона томов произведений Гареева и Исаева) шедевр архитектуры не сложишь — сгниет от снега с дождем и рухнет. Это очевидно. Менее очевидно, но очень важно для дальнейшего изложения понимание того простого факта, что разные «кирпичики» предполагают и разную конструкцию здания (из кирпича складывают купольный свод, из деревянного бруса — двускатную крышу, из железобетонной панели — плоское перекрытие). Но тезис о возможности создания шедевров из по-

средственных стройматериалов очень нужен г. Исаеву — и вот для чего:

«В середине 30-х в Германии был разработан принципиально новый организационно-штатный механизм для использования танков, который стал своего рода «мечом-кладенцом» вермахта в кампаниях 1939—1942 гг. Первый шаг к этому «мечу-кладенцу» был сделан 12 октября 1934 г., когда в Германии была завершена разработка схемы организации первой танковой дивизии. 18 января 1935 г. инспектор моторизованных войск генерал Лютц выпустил приказ на формирование трех танковых дивизий. Этот день можно условно считать датой рождения нового механизма ведения войны. Они должны были комплектоваться жалкими Pz-I с двумя пулеметами, но на свет появилось сооружение, способное на нечто большее, чем просто взлом обороны противника. Вместо Pz-I ***могли быть хоть автомашины, зашитые фанерой*** (подчеркнуто мной. — *М.С.*) *под танки. Произвести танки и наполнить форму соответствующим содержанием было уже делом техники и времени...»* (67)

Кто бы спорил — тот день, когда неизвестный древний китаец запустил в древнекитайское небо первую пороховую ракету, может считаться днем рождения космонавтики. Пилотируемый полет на Марс стал после этого всего лишь «делом техники и времени». Но, видимо, г. Исаев предлагает нам поспорить на тему о том, кто ближе подошел к пилотируемому полету на Марс: Америка, которая уже успешно отправляла своих астронавтов на Луну, Россия, которая серийно производит мощные (хотя еще и недостаточные для марсианской экспедиции) ракетоносители, или, скажем, Бирма, в которой дальше праздничных петард «техника и время» пока еще не продвинулись? В 1935 году в Германии родилась очередная бюрократическая бумажка, на которой были нарисованы квадратики со стрелочками, обозначающие полки и батальоны несуществующей танковой дивизии, вооружать которую предстояло фанерными макетами танков. Учебно-боевые танкетки Pz-I, как убедительно показал практический опыт войны в Испании, не только не были способны *«на нечто большее, чем просто взлом обороны противника»*, но и вообще не годились для использования в качестве линейного танка. В Советском Союзе в это время было уже 3,5 тысячи танков с пушечным вооружением, а к концу 1935 года в Красной Армии было сформировано 18 танковых бригад. В чем же состоит то великое преимущество рожденной в Германии бумажки, в силу которого она весит больше, чем 3,5 тысячи танков? А вот в чем:

«Главное — новаторская идея использования танковых войск — уже было в наличии... В чем же была суть новшества? Создание организационной структуры, включающей танки, моторизованную пехоту, артиллерию, инженерные части и части связи, позволяло не только осуществлять прорыв обороны противника, но и развивать его вглубь, отрываясь от основной массы своих войск на десятки километров. Танковое соединение становилось в значительной мере автономным и самодостаточным... Танки становились стратегическим средством борьбы. Теперь появилась возможность реализации на практике «философского камня» военного искусства, проведение молниеносной войны против сильного противника...» (67)

Как говорил классик: «Остапа несло». Именно потому, что в Красной Армии была не только «новаторская идея», но и реально существующие танковые части и соединения, идею удалось проверить на практике. Получен ценный отрицательный результат: такие танковые соединения на такой материальной базе (легкие танки с противоснарядным бронированием и малокалиберным вооружением) не могут быть ни автономными, ни самодостаточными. Казалось бы, точно такой же вывод следовало сделать и применительно к танковой дивизии вермахта. Без танков с нормальным артиллерийским вооружением и противоснарядным бронированием, без должного количества гусеничных тягачей для артиллерии и вездеходных транспортеров для солдат и боеприпасов немецкий «меч-кладенец» был бы еще более беспомощным в глубине обороны **упорно обороняющегося противника**, нежели советские танковые бригады. Высказать «новаторскую идею» о том, что все «кирпичики» ударного механизированного соединения должны обладать равной подвижностью, хорошо. Но мало. Надо еще эту идею реализовать материально-технически. Сделать это в полном объеме к 1941 году не смог даже Советский Союз. Тем более не успела это сделать и гитлеровская Германия, которой история отпустила ничтожно мало времени (с 1935 по 1941 г.). Но г. Исаев объявил технику языческим идолом («шиши»), как выясняется, лишь для того, чтобы сотворить нового кумира из организационных структур! 48-тонный танк KB объявлен жалким дикарским амулетом, зато бумажный листочек со схемой организационной структуры немецкой танковой дивизии — «философским камнем» и «мечом-кладенцом». Пренебрежительное замечание — *«обеспечение танковой дивизии непробиваемыми танками, конечно, хорошо, но это только полдела»* — оказалось всего лишь подготовительной ступенью к тому, чтобы объявить отсутствие в вермахте «непробиваемых танков» венцом дела.

И вот, наконец, появляется тот вожделенный конечный пункт, к которому так затейливо вели читателя:

«В Киевском ОВО имеется 6 соединений, которые можно использовать как самостоятельные... В Одесском ВО — три. Итого 6 танковых и 3 моторизованные дивизии... Если мы сравним не брутто-количество танков противоборствующих сторон, а организационные структуры, то количество самостоятельных механизированных соединений Киевского ОВО, Одесского ВО и 1-й танковой группы вермахта вполне соразмерны друг другу. Остальной танковый парк советской стороны объединен в организационные структуры, не обладающие вследствие недостатка транспорта нужной подвижностью для ведения маневренной войны». (33, стр. 75)

5826 советских танков (в том числе 818 KB и Т-34) = 728 немецким (из них 373 легкие танки и танкетки).

20 танковых + 11 моторизованных дивизий Красной Армии = 5 танковым + 3 моторизованным немецким дивизиям.

Что и требовалось доказать. Впрочем, на стр. 663, в завершение своей книги, г. Исаев объявляет, что и шести-то танковых дивизий в Красной Армии не было:

«Если называть вещи своими именами, то эффективная ор-

ганизационная структура типа «танковая дивизия» у советской стороны отсутствовала. Наличие организационных структур с названием «танковая дивизия» не должно вводить в заблуждение — решать задачи самостоятельного танкового соединения они были неспособны... Дивизии эти ***были перегружены танками*** (подчеркнуто мной. — ***М.С.***) *и недогружены мотопехотой и артиллерией».* (33, стр. 663)

Феерическая фраза про «перегруженность танковых дивизий танками» могла бы показаться опечаткой (или намеренно выхваченным мною из текста книги Исаева неудачным выражением), если бы эта идея не проводилась настойчиво на десятках страниц. Мощнейшие танковые войска мира объявляются несуществующими только на том основании, что структура (соотношение числа танковых, артиллерийских, пехотных частей) танковой дивизии Красной Армии отличалась от соответствующей структуры немецкой танковой дивизии, причем последняя объявляется высшим идеалом, неким «золотым сечением», позволяющим творить чудеса:

«...Немцы пришли к своему «золотому сечению» организации танковых войск: на 2—3 батальона танков в танковой дивизии вермахта было 4 (или 5, если считать с мотоциклетным) батальона мотопехоты... Именно ***такая организация танковых войск позволила немцам*** (подчеркнуто мной. — ***М.С.***) *дойти до стен Москвы, Ленинграда и Киева...»* (33, стр. 66)

Да, восхищение товарища Гареева можно понять — он и его коллеги до такого за полвека не додумались... Вопрос о том, почему в 1941 году мехкорпуса Красной Армии не дошли до Берлина, Праги и Будапешта, г. Исаев в явном виде даже не обсуждает, но дает понять: не было у нас «золотого сечения». А без «сечения» да «кладенца» много не навоюешь:

«...С «золотым сечением» дела у советской танковой дивизии были откровенно плохи. Если сравнить танковую дивизию советского мехкорпуса и танковую дивизию вермахта, то видно, что, например, противотанковые орудия в советской дивизии отсутствуют вовсе, количество легких гаубиц в немецкой дивизии вдвое больше, полковых орудий в немецкой танковой

дивизии больше в пять раз, минометов среднего калибра — почти в полтора раза. Но, конечно, наиболее ощутимой была разница в численности мотопехоты в сравнении с количеством танков... На 375 танков советской танковой дивизии приходилось примерно 3 тыс. человек мотопехоты, а на 150—200 танков танковой дивизии вермахта приходилось 6 тыс. человек мотопехоты... Поэтому немецкой танковой дивизии было легче и наступать и обороняться. У нее было больше пехоты, двигающейся вместе с дивизией и способной занять и удержать местность». (33, стр. 72)

Всю эту дискуссию можно было бы «закрыть» одним простым напоминанием о том, что и в Красной Армии была дивизия самого что ни на есть «золотого сечения». И не одна, а тридцать одна. Разумеется, речь идет о моторизованной дивизии штата июля 1940 г. Все в ней структурно точно так, как в танковой дивизии вермахта: один танковый, два мотострелковых и артиллерийский полк. На 3 батальона танков 6 батальонов мотопехоты. И отдельный дивизион ПТО в ней есть (36 противотанковых «сорокапяток»). И состав вооружения артиллерийского полка вполне сопоставимый. Одна беда — даже советская моторизованная (не говоря уже про танковую) дивизия штатно «перегружена» танками: 258 скоростных танков БТ-7 на 5904 человека в двух мотострелковых полках. Но если с самого начала полсотни «лишних» танков бросить на обочине, то и получится самый настоящий «меч-кладенец». С таким хоть на Москву, хоть на Берлин. Позволит дойти...

Фактически не только моторизованные, но и танковые дивизии Красной Армии к 22 июня 1941 г. не были, к огромному сожалению, «перегружены» танками. Несколько забегая вперед в изложении исторических событий, отметим, что весной 41-го развертывалось не 9, а 29 мехкорпусов, что и привело к огромной (огромной относительно штатного расписания, а не численности противника!) нехватке танков. Конкретно в составе 20 мехкорпусов (не считая формирующиеся 17 МК и 20 МК Западного фронта), принявших участие в боевых действиях первых недель войны, было порядка 12,5 тыс. танков, т.е. в среднем **по 208 танков** на одну (танковую или моторизованную) дивизию. Так называемые «безлошадные» (не получившие танков) танковые полки решено было временно вооружить пушками (24 «дивизионки» 76-мм + 18 противотанковых 45-мм на один полк) на автомобильной (грузовики ГАЗ-АА и ЗИС-5/6) тяге. В результате фактический состав большей части советских танковых дивизий оказался перегружен артиллерией и недогружен танками. В лучшем «золотосеченном» виде...

Если бы г. Исаев сам верил в то, что он пишет (а не морочил голову доверчивым читателям по худшим рецептам психологической войны), то он бы начал с главного вопроса — настолько ли значим фактор организационной структуры, что не соответствующие некому произвольному нормативу («золотому сечению») танковые дивизии теряют свою боеспособность **до нуля**? Этот вопрос немедленно привел бы его к следующим: «А что делает батальон пехоты мотопехотным батальоном танковой дивизии? Утвержденная неким генералом *«схема организации»,* или прежде всего и главным образом **реальное наличие транспортных средств**, позволяющих двигаться **с той же скоростью и той же проходимостью,** что и танки?» Включить в состав танковой дивизии можно что угодно. На бумаге. Не секрет, что накануне 22 июня 1941 г. немецкое командование включило в состав танковых групп вермахта пехотные дивизии. Не мотопехотные, а самые обыкновенные пехотные дивизии. С артиллерией на конной тяге и солдатами на двух ногах каждый. Чуда, однако же, не произошло, и через несколько дней безнадежно отставшая пехота не слышала даже грохота канонады ушедших на сотню километров вперед танковых дивизий.

Гораздо более разумным было принятое в Красной Армии (и в теории, и на практике) создание так называемых «конно-механизированных групп». Разумеется, речь идет не о том, чтобы вместе с танками атаковать конной лавой укрепленную полосу противника. Лошадь в кавдивизиях Второй мировой войны выполняла главным образом роль транспортного средства, повышающего подвижность соединения (в сравнении с обычной пехотой) во много раз. Непосредственно в бой кавалеристы шли, как правило, в пешем строю. Среди лесов и болот Белоруссии и северо-запада России советская кавалерия по своей подвижности как минимум не уступала немецкой мотопехоте. Двигаясь с темпом 50—60 км в день (что для конницы вполне доступно), кавалерийские дивизии могли не отставать от танков даже в условиях самого успешного, стремительного наступления. Конечно, никакая лошадь не может соревноваться с мотором в способности к непрерывному, многочасовому и многодневному движению. Следует принять во внимание и исключительную уязвимость конницы для ударов с воздуха. Разумеется, создание конно-механизированных групп было вынужденным паллиативом, но для того времени, когда ни гусеничных бронетранспортеров, ни даже сотни тысяч трехосных американских «студебекеров» с их фантастической проходимостью и надежностью в Красной Армии еще не было, объединение танковых и кавалерийских дивизий во временные оперативные группы было адекватным и достаточно эффективным решением. К слову сказать, даже в освобождении Праги в мае 1945 г. приняли участие девять (!) советских кавалерийских дивизий...

История с включением в июне 41-го пехотных дивизий в состав танковых групп вермахта является крайним примером бюрократического фетишизма. Но и в мотопехотных полках танковых и моторизованных дивизий вермахта проблема обеспечения хотя бы сопоставимой с танками проходимости не была решена. Основная масса этой пехоты передвигалась вовсе не на бронетранспортерах (как показывали в старом советском «кино про войну»), а на разномастных трофейных грузовиках и автобусах. Начальник генерального штаба вермахта Гальдер в своем знаменитом дневнике отмечает (запись от 22 мая 1941 г.), что в 17-й тд (2-я танковая группа Гудериана) насчитывается 240 разных типов автомашин. 17-й танковой дивизии предстояло начать наступление на правом фланге группы армий «Центр», среди болот белорусского Полесья. На такой местности трофейный бельгийский автобус или французский хлебный фургон быстро превращался из средства передвижения в предмет для толкания. 3-я танковая группа в первые дни войны двигалась по лесным дорогам южной Литвы. Там вроде бы песочек, а не болота. Тем не менее командующий группой Г. Гот описывает события второго дня войны так:

«Машины все время застревали и останавливали всю следующую за ними колонну, так как возможность объезда на лесных дорогах полностью исключалась... Пехотинцы и артиллеристы вынуждены были все время вытаскивать застрявшие машины... Для командования было настоящим мучением видеть, как задыхаются его «подвижные» войска...

В полдень 23 июня танковый полк 7-й тд вышел на дорогу Лида — Вильнюс, колесные машины дивизии остались далеко позади...» (13)

20 июля 1941 года, после теплого летнего дождика, месяца за три до наступления настоящей осенней распутицы, Ф. Гальдер записывает в своем дневнике:

«...11-я танковая дивизия движется на Умань тремя подвижными эшелонами: 1) гусеничные машины с посаженной на них пехотой; 2) конные повозки с пехотой, которые следуют за гусеничными машинами; 3) колесные машины, которые не могут двигаться по разбитым и покрытым грязью дорогам и поэтому вынуждены оставаться на месте...»

Запись от 3 августа: *«Паршивая погода! Сулившие вначале успех бои по окружению группировки противника* (в районе Умани. — **М.С.**) *задерживаются ливнями, которые повлекли за собой уменьшение подвижности моторизованных соединений...»*

Для реального обеспечения взаимодействия танков и мотопехоты 20 немецким танковым дивизиям 1941 года — наряду с самой «правильной» организационной структурой — нужно было еще порядка 10 тыс. полугусеничных бронетранспортеров «Ханомаг» (Sd.Kfz. 251). Такого количества не было произведено и за пять лет войны (реальный выпуск на конец 1943 г. составил 6,5 тыс., в том числе **в 1939—1940 гг. — всего 569 единиц**). (80, стр. 262) Фактически к началу вторжения в СССР далеко не в каждой танковой дивизии вермахта была **хотя бы одна мотопехотная рота**, оснащенная штатным количеством (26 штук) бронетранспортеров. В скобках заметим, что корень «броне» в слове «бронетранспортер» применительно к Sd.Kfz. 251 скорее вводит в заблуждение. Для того чтобы убедиться в этом, достаточно посмотреть на любую фронтовую фотографию «Ханомага» — не красочную иллюстрацию в журнале, а именно фотографию. Внимательно всмотревшись в фотографию, мы увидим поясные ремни сидящих в этом бронетранспортере солдат. И это не потому, что в вермахте служили 2-метровые гиганты, а потому, что борта у «Ханомага» были очень низкие и закрывали они от огня противника только нижнюю часть немецкой мотопехоты. А низкие они были потому, что платформа была высокая, а высокая платформа досталась ему в наследство от полугусеничного артиллерийского тягача Sd.Kfz-11, на шасси которого он и был сделан...

Разумеется, ехать на автобусе (даже если он и застревает на проселочных дорогах после первого же дождя) все равно гораздо быстрее и удобнее, нежели идти пешком. И при определенных условиях — главным из которых является отсутствие организованного сопротивления противника — мотопехотные подразделения могут не отрываться от танков, двигаясь по дорогам на самых обычных грузовиках. Правда, тут возникает другой вопрос: а нужно ли танковым соединениям в подобной ситуации стремительного рейда по тылам охваченного паникой противника «занимать и удерживать местность»? Или важнее удержать инициативу, мосты, переправы, узловые железнодорожные станции, передав следующей по следам танков пехоте обязанность собрать трофеи и согнать пленных в маршевые колонны?

«Только преследование может закрепить успехи, достигнутые в предыдущих боях. Поэтому каждый танковый командир должен стремиться продолжать наступление всеми боеспособными машинами и вести его до тех пор, пока хватает горючего... Только таким образом можно облегчить последующие бои или совсем их избежать... Каждая выигранная четверть

часа ценна и может оказать решающее влияние на боевые действия» — так пишет Г. Гудериан, выдающийся теоретик танковой войны, многократно проверявший правоту своих теорий на практике. (16) *С ним полностью согласен и Г. Гот: «Успех, достигнутый благодаря смелым и стремительным действиям танковых соединений, необходимо использовать для того, чтобы удержать за собой оперативную инициативу (а не местность. —* ***М.С.****). Сковывание подвижности танковых соединений, которая является их лучшей защитой, удержание их в течение длительного времени на одном месте противоречит самому характеру и назначению этого рода войск...»* (13)

Скорее всего, и мифическая «перегруженность» советских танковых дивизий танками, равно как и «перегруженность» пехотой немецких танковых дивизий, и полное отсутствие танков в составе моторизованных дивизий вермахта **не было ни достоинством, ни недостатком**. Это их **особенности**, каковые должны были учитываться при разработке (а самое главное — при реализации) тактики применения этих соединений в бою и в операции. Вот и все. Нет никаких разумных оснований (кроме большого и бескорыстного желания придумать что-то новенькое в замену заезженным домыслам о «безнадежно устаревших советских танках») для того, чтобы объявлять несуществующими механизированные (танковые) соединения на том основании, что их организационная структура не соответствует какому-то высосанному из пальца «сечению».

Переходя от абстрактных схем и рассуждений к трагической реальности июня 1941 г., мы вынуждены констатировать **самый главный факт**: ни одной танковой дивизии, ни одному мехкорпусу Красной Армии не пришлось в ходе стремительного наступления оторваться от собственной «тихоходной» пехоты. Ни одному и ни одного раза. Пехоты при этом было очень много, часто танковые подразделения вели бой в сплошном «окружении» беспорядочно отступающей пехоты. Никакого взаимодействия — за редкими счастливыми исключениями — налажено не было, но «схемы организации» и пресловутые «золотые сечения» ко всему этому никакого отношения не имели:

«...в связи с отходом стрелковых частей 4СК вся тяжесть боевых действий легла на части 11МК, как по прикрытию отхода частей стрелкового корпуса, так и задержке продвижения немцев...

***...** 795-й стрелковый полк 228-й стрелковой дивизии, оторвавшись от дивизии, отходил в беспорядке в восточном направлении. 228-я стрелковая дивизия и ее 485-й гаубичный артиллерийский полк без предупреждения оставили фронт и в беспорядке отошли, полностью открыв наш левый фланг. В такой обстановке 43-й танковая дивизия вступила в бой без достаточной рекогносцировки и увязки взаимодействия с артиллерией и соседями...*

...в дальнейшем 12 МК десятки раз вел частые контратаки и в основном вынес на себе всю тяжесть по прикрытию войск 8-й армии при ее беспрерывном отходе на север. Корпус, жертвуя собой, спасал пехоту от полного уничтожения и разгрома. Задачу выполнил хорошо, но сам обескровлен и требует немедленного отвода в тыл и доукомплектования...

...в 10 часов 32-я танковая дивизия получила приказ командира 4-го механизированного корпуса, по которому дивизия должна была развить удар 6-го стрелкового корпуса в его наступлении, но штаб 6-го стрелкового корпуса поставил танковой дивизии самостоятельную задачу — атаковать в направлении сильно укрепленного противотанкового района с наличием реки и болотистой местности, не поддержав действий дивизии ни пехотой, ни артиллерией...

...группа танков капитана Карпова в 20 часов атаковала противника в направлении Ольшанка, но, не поддержанная пехотой, в 23 часа отошла. В течение последующего дня группа вела непосильный бой в этом же районе и в результате бегства с фронта 32-го мотострелкового полка была уничтожена и оставлена на поле боя, за исключением одного танка...

...на всем протяжении боевых действий обеспечение стрелковых частей абсолютно не было организовано, а поэтому для того, чтобы удержать пехоту хотя бы на первый период боя,

на танковых начальников ложилась обязанность из своих средств обеспечивать ее продовольствием и огнеприпасами. Все вышеизложенные причины делали пехоту неустойчивой, и при малейшем натиске противника она, как правило, в панике отходила, оставляя на поле боя одни танки...»

Особого внимания заслуживает последний из вышеприведенных отрывков из боевых донесений командиров танковых соединений Красной Армии (это строки из доклада командира 1-й танковой дивизии, Героя Советского Союза, участника войны в Испании и Финляндии генерала В.И. Баранова). (81) Оказывается, для стопроцентно «золотого сечения» в организационных структурах Красной Армии образца лета 1941 года важно было отметить место кухни и запасов перловой каши, без каковой *«удержать пехоту хотя бы на первый период боя»* не представлялось возможным...

Вторым по счету «обвинением» г. Исаева в адрес структуры советских танковых дивизий является «недогруженность» их артиллерией (в том числе — полное отсутствие противотанковой артиллерии). Вот это уже серьезно, и такой недостаток (если только он существует на самом деле!) в разряд «особенностей» не спишешь. Тактика применения танковых соединений не может строиться в расчете на один только психологический эффект от появления грохочущей стальной лавины. Серьезные планы Большой Войны не разрабатывают в надежде «взять на понт». И товарищ Сталин это отлично понимал. Еще 17 апреля 1940 г. он говорил своим военачальникам: *«Фокус — хорошее дело — хитрость, смекалка и прочее. Но на фокусе прожить невозможно. Раз обманул — зашел в тыл, второй раз обманул, а третий раз не обманешь. Не может армия отыграться на одних фокусах...»*. (68) Сущая правда — армия (и танковые соединения в том числе) должна быть готова не только гнать бегущих, но и вести бой с упорно обороняющимся противником. А для этого одной смелости мало, нужна еще подавляющая огневая мощь. Как в Уставе сказано: *«Бой является в значительной части огневым состязанием борющихся сторон»* (ПУ-39, ст.19).

Каким же образом г. Исаев доказывает «недогруженность» советских танковых дивизий артиллерией? С ловкостью «наперсточника» он подменяет действительно важную категорию «огневая мощь дивизии» отнюдь не тождественным ей понятием «количество стволов буксируемой артиллерии» (*«количество легких гаубиц в немецкой дивизии вдвое больше, полковых орудий в немецкой танковой дивизии больше в пять раз, минометов среднего калибра — почти в полтора раза»*). Но мы не будем, конечно, поддаваться столь примитивному надувательству и в очередной раз воспользуемся карандашом и исправным калькулятором:

калибр орудия, мм	танковые 37	танковые 45/50	танковые 76/75	полевые 76/75	гаубицы 122/105	гаубицы 152/150
советская **тд**	0	104	273	4	12	12
немецкая **тд**	61	42	26	20	24	16

Примечание: количество танковых орудий различных калибров для «немецкой **тд**» приведено как среднестатистическое по 17 танковым дивизиям вермахта на Восточном фронте 22 июня 1941 г.

Итак, что мы видим? Огневая мощь советской танковой дивизии огромна, и она **сосредоточена в вооружении самих танков**. А это значит, что большая часть артиллерийских стволов советской танковой дивизии закрыта броней, движется на вездеходном гусеничном шасси танка и поэтому имеет возможность расстреливать огневые точки противника прямой наводкой, с предельно близкого расстояния, т.е. с максимальной эффективностью. Говорить о том, что *«полковых орудий в немецкой танковой дивизии больше в пять раз»*, просто смешно, учитывая, что точно такие же «трехдюймовки», но в количестве 273 единиц находятся в броневых башнях танков КВ и Т-34. По той же самой причине — наличие

273 танковых орудий калибра 76 мм, способных (повторим это еще раз) пробить лобовую броню любого немецкого танка на километровой дальности, — в составе советской танковой дивизии не нашлось места для противотанкового дивизиона. Советская танковая дивизия «недогружена» малокалиберными противотанковыми пушками по той же причине, по которой всякий здоровый человек «недогружен» костылем и деревянным протезом.

Из разных материалов строят разные по конструкции здания. Летом 41-го единственным в вермахте типом танка с «трехдюймовой» пушкой по-прежнему оставался Pz-IV. Эти «тяжелые» танки были распределены в количестве 10 штук на каждый танковый батальон, соответственно 20 или 30 штук на танковую дивизию. Всего в составе 17 танковых дивизий, с которыми вермахт 22 июня 1941 г. начал «восточный поход», было:

— 439 танков Pz-IV, вооруженных 75-мм пушкой;

— 707 танков Pz-III с 50-мм пушкой и

— 1039 танков с почти бесполезной для борьбы с пехотой 37-мм пушкой (Pz-III ранних серий и чешские Pz-38(t)).

Еще 1081 танк армии вторжения был вооружен 20-мм пушкой или одними только пулеметами. Вот так «на Гитлера работала вся Европа...». Неудивительно, что в попытке хоть чем-то компенсировать очевидную слабость вооружения немецких танков, две трети которых летом 41-го года были вооружены малокалиберными пушками (37-мм или даже 20-мм), командование вермахта включило в состав танковой дивизии полноценный артиллерийский полк, число орудий в котором приближалось к численности артполка пехотной дивизии (в которой, напомним, было 36 гаубиц калибра 105 мм и 18 артсистем калибра 150 мм). Но и эта попытка сравняться по огневой мощи с танковой дивизией Красной Армии, вооруженной значительно большим числом несравненно лучших танков, оказалась несостоятельной. Что отчетливо видно из приведенной ниже таблицы веса совокупного залпа:

пушки (гаубицы)	танковые 37-мм	танковые 45/50-мм	танковые 76/75-мм	Итого танковые пушки	полевые 76/75-мм	гаубицы 122/105	гаубицы 152/150	ВСЕГО
советская тд	0	208	1693	**1901**	25	260	480	**2670**
немецкая тд	44	76	151	**271**	124	360	688	**1443**

Якобы «недогруженная артиллерией» **советская танковая дивизия по своей огневой мощи почти в два раза превосходит немецкую танковую дивизию,** причем 71% совокупного залпа советской дивизии приходится, говоря современным языком, на «высокоточное оружие» (стреляющие прямой наводкой танковые пушки, наводчик которых надежно прикрыт стальной броней). По весу совокупного залпа танковых орудий советская танковая дивизия превосходит немецкую **в семь раз**. А это уже такое количество, которое могло бы создать новое качество. Вот как об этом докладывал на декабрьском (1940 г.) Совещании высшего комсостава «главный танкист» Красной Армии (начальник Главного автобронетанкового управления) Д. Павлов:

«...Если для подавления одного пулеметного гнезда в полевой обстановке требуется 120 снарядов 76-мм или 80 снарядов 122-мм гаубицы, то я прошу вас подсчитать, сколько потребуется танку выстрелов для того, чтобы уничтожить одно пулеметное гнездо? Или ни одного, или с дистанции 1—1,5 км 2—3 снаряда. Для уничтожения пушки ПТО, как правило, применяется 122-мм гаубица. Нужно 70—90 снарядов. Я спрашиваю вас: сколько потребуется тяжелому танку снарядов для того, чтобы подавить одну пушку ПТО? Или ничего, или один выстрел... Я утверждаю, что наличие большого количества тяжелых танков сильно поможет артиллерии в ее работе и сократит расход снарядов...» (14)

Приведенные выше показатели огневой мощи относятся

к полностью укомплектованной по штатному расписанию танковой дивизии. Но в начале войны таких дивизий не было. Ни одной. Принятое в феврале-марте 1941 г. решение о развертывании 29 мехкорпусов привело к формированию десятков новых танковых и моторизованных дивизий, общее количество которых к началу войны выражалось немыслимым ни для одной страны мира числом 92 (61 танковая и 31 моторизованная). Имевшиеся на вооружении Красной Армии танки были «размазаны» по десяткам дивизий, в результате чего большая часть дивизий и мехкорпусов были «недогружены» танками, особенно — новых типов (КВ, Т-34), вооруженных 76-мм орудием. Как следствие, реальная огневая мощь дивизии оказалась меньше расчетной. Не будем, однако же, упускать из виду (а советские «историки» были очень склонны к этому), что воевать предстояло не с канцелярскими «процентами от штатной численности», а с противником. Соответственно и мощность вооружения советских механизированных соединений следует сопоставить с аналогичными характеристиками танковых соединений вермахта, а вовсе не с написанным в высоких штабах штатным расписанием.

Корректное сравнение достаточно непросто. Что с чем сравнивать? Если летом 1941 г. на Восточном фронте встретились 17 танковых дивизий вермахта и 20 мехкорпусов Красной Армии, если фактически танковой дивизии вермахта ставились такие же задачи, какие на другой стороне фронта поручалось решить мехкорпусу, то не будет ли уместным сравнивать количественные показатели именно этих соединений? Результат сравнения показателей огневой танковой дивизии вермахта с мехкорпусом Красной Армии очевиден. Разумеется, корпус будет мощнее — по всем параметрам. Не будем даже утомлять читателя столь очевидной арифметикой. Среднестатистический мехкорпус (из числа тех 20, которые приняли участие в боевых действиях первых недель войны) имел в своем составе 100 танков, вооруженных 76-мм пушкой (Т-28, Т-34, КВ, Т-35), и порядка 500 легких танков, вооруженных 45-мм пушкой. Состав артиллерийского вооружения в среднем составлял не менее половины от штатной, т.е. порядка 20 гаубиц калибра 122 мм и 18 гаубиц калибра 152 мм на один мехкорпус. Вооруженный таким образом мехкорпус по числу танков — в три раза, а по совокупному весу артиллерийского залпа — в два раза превосходил немецкую танковую дивизию. И по средней численности личного состава (25,5 тыс. человек по состоянию на 1 июня 1941 г.) неукомплектованный мехкорпус вдвое больше полностью укомплектованной танковой дивизии вермахта.

И тем не менее, скажет самый требовательный читатель, «ни один род войск не заменяет другой». Спорить с этим не приходится. К сожалению, приходится спорить, доказывая тот очевидный факт, что отсутствие полноценного гаубичного полка в структуре советской танковой дивизии не говорит еще об отсутствии такового полка на поле боя. Для того чтобы тяжелый гаубичный полк поддержал своим огнем наступление танковой дивизии, совсем не обязательно навечно включать его в «организационную структуру», каковую г. Исаев предлагает превратить в предмет языческого культа. Достаточно того, чтобы этот полк существовал в реальности и имел средства мехтяги, позволяющие ему двигаться вслед за танками.

Отдельные тяжелые артиллерийские полки (корпусные и полки РГК) в Красной Армии были. Гусеничных тягачей (или, в худшем случае, тракторов) даже до начала открытой мобилизации было уже больше, чем орудий. Большая часть от общего числа в 94 корпусных полка и 74 полка РГК к июню 41-го уже находилась в западных приграничных округах. В Западном и Киевском округах к началу войны количество корпусных полков (КАП), даже не считая артполки РГК, превосходило общее количество корпусов, так что для того, чтобы передать в оперативное подчинение командиру мехкорпуса тяжелый гаубичный полк, вовсе не требовалось «разоружать» соседний стрелковый корпус.

	стрелковые корпуса	механизир. корпуса	КАП	Артполки РГК
Прибалтийский ОВО	семь	два	8	3
Западный ОВО	восемь	четыре	15	10
Киевский ОВО	одиннадцать	восемь	22	13
Одесский ВО	три	два	4	2

Использование этих артполков во взаимодействии с танковыми (механизированными) соединениями было вполне нормальной, штатной схемой взаимодействия. Артиллерийские полки и отдельные дивизионы РГК именно для того и передавались в оперативное подчинение командующих фронтами и армиями, чтобы мощным огневым смерчем поддержать наступление своих войск на направлении главного удара. Что касается состава, структуры и вооружения корпусных артполков и полков РГК, то они были самыми разными. Как минимум эти полки могли быть вооружены 152-мм гаубицами. В таком случае в составе четырех дивизионов артполка насчитывалось 48 орудий, и по весу совокупного залпа (1920 кг) уже один такой полк значительно превосходил немецкую танковую дивизию. Два корпусных полка (например, приданные в первые дни войны 4-му мехкорпусу 441-й и 445-й, вооруженные новейшими 152-мм пушками-гаубицами МЛ-20) могли и должны были смести с лица земли все живое в полосе прорыва мехкорпуса.

152-мм гаубицами корпусных артполков наличный состав артиллерии первого эшелона войск Юго-Западного фронта отнюдь не исчерпывался. Так, в г. Дубно (а именно этому старинному городу, у стен которого Тарас Бульба порешил собственного сына, предстояло стать эпицентром грандиозного танкового сражения в Западной Украине) дислоцировался 330-й гаубичный полк РГК. Полк был вооружен 203-мм гаубицами да еще дополнительно получил накануне войны 24 гаубицы калибра 203-мм. (90) В целом войска Киевского ОВО (Юго-Западного фронта) к началу июня 1941 г. имели 192 гаубицы такого калибра. Эта артсистема стреляла 100-кг снарядом (что соответствует весу наиболее массовой фугасной авиабомбы) на дальность в 18 км. 20 залпов 330-го ГАП соответствовали массированному налету бомбардировочного авиаполка. Нехватка средств мехтяги никакого практического значения для 330-го ГАП не имела, поскольку танковые (а затем и пехотные) дивизии противника сами пришли к г. Дубно. И если бы, как без тени смущения утверждает г. Исаев, *«несмотря на значимость качеств танков* (и вправду, зачем придавать большое значение некоторой разнице в «качестве» немецких танкеток и советских КВ?)*, ход сражения механизированных соединений определялся результатами артиллерийской дуэли»,* то исход сражения у Дубно был бы предрешен — один только 330-й ГАП по огневой мощи превосходил две танковые дивизии вермахта.

В реальности 11-я танковая дивизия вермахта заняла 25 июня 1941 г. Дубно, даже не заметив существование 330-го гаубичного артполка РГК. Никакого участия полсотни мощнейших гаубиц не приняли и в дальнейших боях в окрестностях Дубно, которые вели части 43-й, 12-й и 34-й танковых дивизий Красной Армии. Почему? Помешало недостаточно «золотое сечение» оргструктур? Отсутствие тягачей? Внезапность вероломного нападения?

«...Не изжиты еще случаи паники, трусости, неорганизованности и дезертирства. Эти позорные явления имеют место в ряде частей фронта. Масса бойцов и командиров группами и поодиночке, с оружием и без продолжают двигаться по дорогам в тыл и сеять панику. Так, командир 330-го тяжелого артполка РГК и батальонный комиссар во время налета немецкой авиации на Дубно и мнимого движения танков противника приказали бросить материальную часть, имущество и выступить из города. Уже в пути командиры предложили возвратиться и забрать материальную часть и боеприпасы. Не дойдя 1,5 км к брошенному имуществу, командир полка принял разрывы снарядов нашей зенитной артиллерии за парашютистов (этими «парашютистами» и по сей день наполнена отечественная военно-историческая литература. — *М.С.*) *и приказал вернуться назад...»* (92)

Еще одной печальной реальностью июня 41-го была ситуация, когда не тяжелые артполки передавали в оперативное подчинение танковых командиров, а, напротив, мехкорпуса раздирали на части, передавая входящие в их состав дивизии в подчинение командиров стрелковых корпусов. Едва ли такое «оперативное искусство» было оптимальным способом использования механизированных соединений, но зато мифическая проблема «недогруженности» советских танковых соединений пехотой и артиллерией решалась при этом самым радикальным образом.

Например, в 100 км к северу от Дубно, в полосе Владимир-Волынский—Ровно развертывался 22-й мехкорпус.

В его состав входили две танковые дивизии: 19-я и 41-я. 19-я тд свой первый и фактически последний бой (после которого от дивизии остался номер, раненый командир, 4 танка и два батальона мотопехоты) провела 24 июня у поселка Войница (на шоссе Вл.-Волынский—Луцк) в составе оперативной группы 27-го стрелкового корпуса. Корпусу было придано два артполка: 21-й (48 гаубиц-пушек МЛ-20 калибра 152 мм и 20 дальнобойных пушек калибра 122 мм) и 460-й корпусной артполк, которые теоретически должны были бы обеспечить подавляющее огневое превосходство над противником (14-я танковая дивизия вермахта). Более того, на том же шоссе и в том же районе вела бой с немецкими танками полнокомплектная 1-я противотанковая артбригада РГК (120 пушек калибра 76 мм и 85 мм). В скобках отметим, что после этого и многих-многих последующих боев к 6 сентября 1941 г. безвозвратные потери 14-й танковой дивизии вермахта составили 27 танков (6 Pz-IV, 17 Pz-III и 4 Pz-II), кроме того, 18 танков были временно неисправны. (10, стр. 206)

В 41-й танковой дивизии 22-го мехкорпуса изначально было необычно много танков (425 единиц), в том числе — 31 танк КВ-2, вооруженный 152-мм гаубицей (была и такая, достаточно редкая, модификация этого тяжелого танка).

С учетом 4 буксируемых гаубиц калибра 152 мм (дивизия была недоукомплектована до штатной численности) и 12 гаубиц калибра 122 мм в артиллерийском полку — и даже не принимая в расчет сотни 45-мм танковых пушек — по весу артиллерийского залпа (1660 кг) 41-я тд превосходила любую немецкую танковую дивизию. Действовала же (точнее говоря — блуждала по заболоченным лесам украинского Полесья) эта дивизия, будучи передана в оперативное подчинение 15-го стрелкового корпуса, артиллерия которого (опять же не считая полторы сотни дивизионных пушек калибра от 45 мм до 107 мм) насчитывала 60 гаубиц калибра 122 мм и 67 гаубиц калибра 152 мм. А. Исаев сопровождает эти гигантские показатели огневой мощи таким «научным» комментарием: *«15-й стрелковый корпус обладал довольно скромными боевыми возможностями, соответствующими одной усиленной немецкой пехотной дивизии...»* (33, стр. 235). Такая оценка вполне соответствует научной школе товарища Гареева, основанной на использовании поломанных арифмометров, но исправный калькулятор сообщает, что по огневой мощи (вес совокупного артиллерийского залпа 4580 кг) 15-й СК в 3,3 раза превосходил штатно укомплектованную пехотную дивизию вермахта. Что такое «усиленная дивизия» — судить не берусь...

Настоящая глава была уже закончена, когда мне попалась на глаза следующая информация:

«23 ноября в РГГУ в рамках университетского проекта «Высшая школа политики» состоялась публичная лекция военного историка, писателя Алексея Исаева на тему: «Политический аспект в фальсификациях истории».

...На примере интерпретаций истории ВОВ лектор рассказал о существующих технологиях фальсификации и политических причинах этого явления...»

Что ж, нам остается только позавидовать студентам и преподавателям РГГУ: они получили возможность услышать рассказ о грязном ремесле фальсификации истории, а самое главное — о политических причинах этого явления — из уст одного из ведущих мастеров этого жанра...

Глава 5

ЗАГАДОЧНЫЙ МП-41

Возвращаясь от схем организационных структур к реальным историческим событиям, мы обнаруживаем, что весной-летом 1940 года в персональном составе высшего военного руководства СССР произошли большие перемены. Точнее будет сказать: завершилась крупномасштабная «смена поколений», начавшаяся в 1937 году. Прежние руководители, выдвинувшиеся в годы Гражданской войны, были либо физически уничтожены (Белов, Блюхер, Дыбенко, Дубовой, Егоров, Примаков, Тухачевский, Уборевич, Федько, Якир), либо оттеснены на формально почетные, но второстепенные роли (Апанасенко, Буденный, Ворошилов, Городовиков, Кулик, Тюленев). 8 мая 1940 г. Клим Ворошилов, «первый красный офицер», был смещен с поста наркома обороны СССР. На место, которое 15 лет бессменно занимал этот политкомиссар Гражданской войны, был назначен С.К. Тимошенко, командир с большим боевым опытом. В годы Первой мировой войны Тимошенко был рядовым пулеметчиком, в Гражданскую командовал кавалерийскими дивизиями (6-й, а затем 4-й), во время короткой войны с Польшей (сентябрь 1939 г.) он был командующим Украинским фронтом. 7 января 1940 г. Тимошенко был назначен командующим Северо-Западным фронтом, развернутым на Карельском перешейке. Под его личным руководством была проведена грандиозная — как по количеству привлеченных войск (21 стрелковая дивизия, 8 танковых бригад, 13 артполков РГК, 40 тыс. автомобилей, 7,1 тыс. орудий и минометов, 3 тыс. танков), так и по числу потерь (40 тыс. убитых, 150 тыс. раненых) — операция по прорыву «линии Маннергейма». В августе 1940 г. новым начальником Генерального штаба Красной Армии стал К.А. Мерецков. Достаточно молодой (43 года) генерал армии успел уже послужить военным советником при начальнике Генерального штаба Испанской армии, заместителем начальника Генштаба Красной Армии, командующим войсками Ленинградского ВО. Именно он руководил оперативным планированием войны с Финляндией и подготовкой театра военных действий, а с началом наступления командовал войсками самой крупной 7-й Армии. 1 февраля 1941 г. руководство Генерального штаба снова сменилось — начальником Генштаба стал Г.К. Жуков, в активе которого уже была успешно проведенная операция по разгрому японских войск в монгольских степях у реки Халхин-Гол.

Дней через 10 после своего назначения на пост начальника Генштаба Жуков совместно с Тимошенко подписывает документ исключительной важности и высшей категории секретности: мобилизационный план 1941 года («Схема мобилизационного развертывания Красной Армии»), кратко именуемый «МП-41» (точная дата подписания документа неизвестна, обычно он датируется как «не позднее 12 февраля 1941 г.»). Кроме самих составителей документа, его должны были увидеть еще два человека: Сталин и Молотов, которых военные в конце докладной записки просили *«утвердить количество формирований и общую численность Красной Армии, развертываемой по мобилизационному плану 1941 года»*. (4, стр. 651) На полусотне страниц новые руководители военного ведомства просуммировали все, что, по их мнению, было нужно Красной Армии для того, чтобы она могла на деле стать *«самой нападающей из всех когда-либо нападавших армий»*. В частности, ударная компонента — танковые войска — должна была увеличиться в ТРИ РАЗА. По плану МП-41 должно было быть сформировано **30 (тридцать) механизированных корпусов**, т.е. 60 танковых и 30 моторизованных дивизий. Необходимое для развертывания Красной Армии количество бронетанковой техники и гусеничных тягачей было определено такими цифрами:

— 3907 тяжелых танков (главным образом KB и 56 пятибашенных Т-35);

— 12 843 средних танка (главным образом Т-34 и 411 трехбашенных Т-28);

— 10 942 легких танка БТ;

— 5118 легких танков Т-26 (в том числе 3546 огнеметных);

— 4069 плавающих танков Т-37/38/40;

всего **36 879 танков**.

— 6373 средних бронеавтомобиля (пушечные БА-10, БА-11);

— 4306 легких бронеавтомобилей (пулеметные БА-20);

всего **10 679 бронеавтомобилей**.

— 2693 тягача «Ворошиловец»;

— 25152 тягача С-2 и «Коминтерн»;

— 7802 бронированных тягача ПТО «Комсомолец»;

— 55 200 тягачей СТЗ-5 и тракторов;

всего **90 847 тягачей и тракторов**.

Подробно сравнивать ЭТО с количественными параметрами вооружения других армий мира излишне. В любой стране начальник Генштаба, запросивший 37 тыс. танков и 11 тыс. бронемашин, был бы немедленно освобожден от своей работы и отправлен на лечение. Главный потенциальный противник СССР, гитлеровская Германия (уже находящаяся в состоянии войны с Британской империей и стоящей за ее спиной мощнейшей индустриальной державой мира — США) в июне 1941 г. имела всего 6,58 тыс. танков и самоходных орудий всех типов (включая 1137 пулеметных танкеток Pz-I). Всего — т.е. на всех фронтах (а не на одном только Восточном фронте), в резерве, на ремонтных базах, в учебных заведениях, во вновь формирующихся в глубоком тылу частях и т.п. Лишь осенью 1944 г. количество танков и самоходных орудий, находящихся на вооружении вермахта, перевалила за отметку в 10 тыс. единиц. За все время пребывания Гитлера у власти было произведено 4,3 тыс. бронеавтомобилей всех типов (абсолютное большинство которых вооружалось обычным пулеметом ружейного калибра, т.е. относилось, по меркам Красной Армии, к категории «легких»), в том числе — порядка 1,5 тыс. до конца 1940 г. Полугусеничных артиллерийских тягачей всех типов — опять же за все время существования гитлеровского режима — было выпущено 38,3 тысячи. Жуков с Тимошенко хотели одномоментно иметь 35,7 тыс. специализированных артиллерийских гусеничных тягачей и еще 55 тысяч легких СТЗ-5 и тракторов!

Прервем на время утомительный поток цифр и зададим самый простой и самый значимый вопрос: «Зачем?»

Зачем, **для выполнения каких задач создавались такие циклопические вооруженные силы**? На просторах каких стран и континентов могли развернуться для нанесения «глубоких рассекающих ударов» тридцать мехкорпусов по тысяче танков в каждом? Считалось, что для проведения крупной фронтовой наступательной операции надо иметь 2—3—4 мехкорпуса. По принятому летом 40-го г. плану развертывания мехкорпусов (как уже было отмечено в предыдущей главе) в Западном ОВО формировалось два мехкорпуса, в Киевском — три. Понятные количества, достаточные для проведения двух крупных фронтовых операций. Но зачем же тридцать мехкорпусов? Неужели Жуков с Тимошенко планировали проведение 6—7 широкомасштабных стратегических операций одновременно? Конечно, звание «самой нападающей из всех когда-либо нападавших армий» обязывает, но надо бы и меру знать...

План мобилизационного развертывания является, конечно же, важным документом, но и он, по сути дела, служит лишь дополнением к определяющему все остальное оперативному плану. Поясним эту мысль простым, бытовым примером. Нормальные туристы сначала решают вопрос о том, кто, куда и на сколько дней идет. После этого и на основании этого решения составляют список потребного количества рюкзаков, шампуров, палаток, байдарок и пр.

МП-41 рассекречен и опубликован. Об оперативных же планах высшего военно-политического руководства СССР нам остается только строить более или менее правдоподобные догадки. Мы не знаем, куда, когда и зачем собиралась идти Красная Армия. МП-41 можно сравнить с «тенью от пролетевшей гигантской птицы». Мы не увидели (и, скорее всего, никогда уже не увидим) эту птицу, но по размерам тени можем судить о размахе ее крыл. Переходя от сложных метафор к простым и доступным фактам, мы должны обратить внимание на две оперативно-стратегические игры на картах, проведенные 2—11 января 1941 г. под общим руководством наркома обороны Тимошенко и начальника Генштаба Мерецкова. Фронтами условных противников командовали Г.К. Жуков, Д.Г. Павлов, Ф.И. Кузнецов, на тот момент — реальные командующие войсками трех важнейших приграничных округов (Киевского, Западного и Прибалтийского).

В первой игре отрабатывалась наступательная операция «восточных» на территории Восточной Пруссии и Польши, в полосе от Варшавы до Кенигсберга, во второй игре — наступление «восточных» с рубежа рек Висла и Дунаец (южная Польша) на Краков—Будапешт—Тимишоара. Боевые действия на собственной территории с целью отражения агрессии **не были интересны советскому руководству даже как тема для оперативной игры**. Подробный анализ январских (1941 г.) игр выходит за рамки нашей темы. Отметим лишь один, но весьма примечательный момент: ход игр был привязан к конкретным числам августа (правда, неизвестно какого года), а не к условным «первый день операции», «второй день операции» и т.д. (37) Главное же, что нас интересует в январских играх, — это состав группировок противоборствующих сторон.

В первой игре «восточные» располагали 9 танковыми и 4 моторизованными дивизиями (т.е. четырьмя мехкорпусами и одной отдельной танковой дивизией) и 15 танковыми бригадами непосредственной поддержки пехоты. Всего у «восточных» было **8811 танков**. Противник («западные») имел в составе своей группировки 3 танковые дивизии и 6 танковых бригад (соединение, которого в вермахте фактически не существовало), на вооружении которых почему-то оказалось невероятно большое число танков — 3512 (в среднем по 600 танков на одну «расчетную танковую дивизию», т.е. в три раза больше реального числа танков в танковой дивизии вермахта). Начав наступление 5 августа с рубежа реки Неман, «восточные» продвинулись вперед, но завязли на долговременных укреплениях «западных» и поставленную задачу — к 3 сентября выйти на рубеж реки Висла от Варшавы до Балтики — не выполнили.

Гораздо успешнее развивалось наступление «восточных» во второй игре. С 12 по 20 августа они «окружили» и частично «уничтожили» основные силы «западных», «юго-западных» и «южных» (нетрудно догадаться, что имелись в виду войска немецкой, венгерской и румынской армий). «Восточные» заняли Катовице (Польша), Кошице (Словакия) и развивали прорыв на Будапешт. Игра была остановлена гораздо раньше запланированного срока окончания операции (16 сентября), так как сокрушительный успех «восточных» стал уже совершенно очевиден. Этот успех «восточные» достигли в следующей группировке: 4 мехкорпуса, 2 отдельные танковые дивизии, 12 танковых бригад, 81 стрелковая и 6 кавалерийских дивизий. У «восточных» было **8840 танков**, что вполне соответствует штатной численности указанных соединений. В составе войск «противника» было 100 пехотных и 4 кавалерийские дивизии, 5 танковых дивизий (что, по странному совпадению, точно соответствует реальному числу танковых дивизий вермахта, которые 22 июня 1941 г. были в составе группы армий «Юг»), в которых опять же обнаружилось невероятное количество танков — 3311. (37)

Таким образом, «восточные» более или менее успешно громили противника на «чужой земле», имея в своем составе примерно 20—25 «расчетных» танковых и моторизованных дивизий (принимая 2 бригады за одну дивизию). И это при том, что по условиям игры танковый парк противника был завышен в несколько раз. Как видим, ход и исход январских игр не дает никакого вразумительного ответа на вопрос о том, для чего потребовалось срочно принимать решение о развертывании 30 мехкорпусов в составе 60 танковых и 30 моторизованных дивизий.

Еще более показательным является опыт реальной войны и реальных наступательных операций 1944—1945 годов, в ходе которых Красная Армия дошла и до Кракова, и до Будапешта, и до Берлина. Численность танков и САУ, стоящих на вооружении Красной Армии (включая и временно неисправные машины!), по состоянию на 1 января 1943, 1944 и 1945 годов составляла соответственно **8100, 5800, 8300. В пять-шесть раз меньше**, чем требовали составители МП-41. На заключительном этапе Великой Отечественной войны крупным танковым соединением, аналогичным мехкорпусу образца 1940 г., стали танковые армии (аналогами танковых и моторизованных дивизий 40—41-х годов стали танковые и механизированные корпуса). В состав танковой (гвардейской танковой) армии 44-го года входили, как правило, два танковых (по 258 танков и САУ в каждом) и один механизированный (246 танков и САУ) корпус, отдельные артиллерийские полки и бригады, части боевого обеспечения. По сравнению с мехкорпусом 1940 года танков в танковой армии стало немного меньше (800 против 1031), личного состава — в полтора раза больше, артиллерии и минометов — во много раз больше. (38, стр. 26) Полной укомплектованности танками — даже перед началом крупнейших стратегических наступательных операций — никогда не было. Так, перед началом Берлинской операции в составе четырех танковых армий (1-я, 2-я, 3-я, 4-я Гвардейские танковые) числилось соответственно 709, 672, 572 и 395 танков. Возвращаясь в район «боевых действий» второй стратегической игры января 1941 г., мы можем отметить, что Львовско-Сандомирскую наступательную операцию (июль-август 1944 г.) три танковые армии (1-я, 3-я, 4-я) начали, имея соответственно 419, 490 и 464 танка, т.е. примерно половину от штатной численности. В начале Ясско-Кишиневской операции (август 1944 г.) в 6-й танковой армии насчитывалось всего 560 танков. (38) Таких танковых армий (по фактическому числу танков, **вдвое уступающих мехкорпусу образца 1941 года**) в январе 1944 года во всей Красной Армии было шесть. **Не 30, как просили Жуков и Тимошенко в феврале 41-го года, а всего 6**.

К счастью для историков, один из главных героев этой истории оставил мемуары. И не просто «воспоминания», а «Воспоминания и размышления». Открываем и читаем:

«...В 1940 году начинается формирование новых мехкорпусов, танковых и механизированных дивизий. Было создано 9 мехкорпусов. В феврале 1941 года Генштаб (т.е. сам автор воспоминаний. — ***М.С.***) *разработал еще более широкий план создания бронетанковых соединений, чем это предусматривалось решениями правительства в 1940 году. Учитывая количество бронетанковых войск в германской армии, мы с наркомом просили при формировании механизированных корпусов использовать существующие танковые бригады и даже кавалерийские соединения как наиболее близкие к танковым войскам по своему «маневренному духу». И.В. Сталин, видимо, в то время еще не имел определенного мнения по этому вопросу и колебался. Время шло, и только в марте 1941 года было принято решение о формировании просимых нами 20 механизированных корпусов. Однако мы не рассчитали объективных возможностей нашей танковой промышленности...»* (15, стр. 215)

И это — все. Никакими другими размышлениями на тему о **причинах принятия решения** о развертывании тридцати мехкорпусов Г.К. Жуков с потомками не поделился. Понять смысл сказанного Великим Маршалом мне не удалось. «Учитывая количество бронетанковых войск в германской армии», надо было не увеличивать, а, возможно, даже подсократить количество мехкорпусов в Красной Армии, уделив первоочередное внимание оснащению и обучению личного состава уже имеющихся танковых соединений. Ни рассуждения об «объективных возможностях нашей промышленности», ни «дух кавалерийских соединений» не имеют никакого отношения к главному вопросу: «Зачем?» Примечательно, что в 1998 г. в «малиновке» был опубликован (со ссылкой на: РГВА. ф. 41107, оп. 1, д. 48. л. 1-58) фрагмент неких неопубликованных воспоминаний Г.К. Жукова. Из приведенного текста следует, что еще весной 41-го непомерные запросы военного руководства вызывали, мягко говоря, удивление не только у дилетантов:

«...Несмотря на неоднократные наши просьбы рассмотреть и утвердить разработанный Генштабом и в основном согласованный с наркомами промышленности план промышленности

страны на первый год войны, он так и не был утвержден правительством, в чем большая доля ответственности лежит на председателе Госплана Н.А. Вознесенском и председателе Комитета обороны при СНК СССР К.Е. Ворошилове. Они ***ужасались и разводили руками*** *(подчеркнуто мной. — М.С.) от мобилизационных заявок Генштаба...»* (6, стр. 508)

В каноническом тексте воспоминаний и размышлений Жукова читаем: *«Вспоминая, как и что мы, военные, требовали от промышленности в самые последние мирные месяцы, вижу, что порой мы не учитывали до конца все реальные экономические возможности страны. Хотя со своей, так сказать, ведомственной точки зрения мы и были правы».* (15, стр. 209) Не уверен, что современный читатель сможет хотя бы понять, что сказал товарищ Жуков. Слова «ведомственность», «ведомственный подход к делу» были известными эвфемизмами советского «новояза». Помню, как я долго не мог понять их смысл, точнее говоря — почему их принято произносить с осуждающей интонацией?

Что плохого в том, что сапожник считает свое ремесло самым главным на свете, а пирожник — свое? На самом же деле словосочетание «ведомственный подход» заменяло другое, гораздо менее благозвучное выражение: «прикрыть собственную задницу». Предъявляя непомерные, ничем не обоснованные и заведомо невыполнимые требования к военной промышленности, руководители военного «ведомства» заранее готовили себе оправдание на случай будущего провала: «Что же мы могли сделать при такой неготовности к войне?» И в этом «ведомственном смысле» они были совершенно правы.

Если же исходить из интересов дела, делать которое было поручено наркомату обороны, то задача становится совершенно другой и значительно более сложной. Исходя из наличных ресурсов сырья, квалифицированной рабочей силы и производственных мощностей, надо было определить тот перечень вооружений, военной техники, снаряжения и боеприпасов, производство которых обеспечивало максимально возможную боеспособность армии. Задача очень непростая. Особенно если принять во внимание уровень общего образования людей, которым эту задачу предстояло решать. Ворошилов начал учиться в 12 лет и окончил свое образование двумя классами сельской школы. На посту наркома обороны СССР его сменил выпускник церковно-приходской школы Тимошенко. Наркомом оборонной промышленности трудился М. Каганович (родной брат более живучего Л. Кагановича) с двумя классами низшей школы. Вдвое более образованным (четыре класса сельской школы) был заместитель наркома обороны, начальник Главного артиллерийского управления Г. Кулик. Тремя классами церковноприходской школы ограничилось общее образование начальника Генштаба Жукова. На таком фоне просто неприлично интеллигентно смотрится предшественник Жукова на посту начальника Генштаба — у К. Мерецкова в образовательном багаже было четыре класса сельской школы и вечерняя школа для взрослых в Москве. Поэтому не стоит удивляться тому, что, например, гигантское запланированное количество танков сочетается в МП-41 с отсутствием самоходных орудий, что 11 тысяч бронемашин соседствуют в плане с полным отсутствием бронетранспортеров для пехоты, что на создание танковой орды, в которой танкистов больше, чем конников у Чингисхана, ресурсы (хотя бы теоретически) нашлись, но при этом половина планового числа автомобилей находится в народном хозяйстве, и в армии они появятся (если все пойдет по плану) только после объявления открытой мобилизации... Решение задачи оптимального распределения сырьевых и производственных ресурсов требовало, конечно же, других интеллектуальных ресурсов на ближней и дальней даче Сталина. Но есть в плане МП-41 и такие пробелы, которые трудно объяснить даже двухклассным образованием разработчиков мобплана.

Военные практики (Тимошенко, Мерецков, Жуков) не могли не знать, что для ведения боевых действий нужны боеприпасы. В конечном итоге именно снаряд (мина, пуля) и является той «полезной нагрузкой», для доставки которой к цели работает весь огромный комплекс, состоящий из танков, бронемашин, пушек, тягачей, автомобилей... Что же было сказано по поводу производства и накопления боеприпасов в мобилизационном плане? Поверить в это невозможно, но НИЧЕГО. Нет в мобилизационном плане МП-41 такого раздела, подраздела, нет хотя бы единой строки. Фляжки, портянки, шаровары ватные, кальсоны нательные, лопаты тракторные есть, количество отдельных вьючно-ишачьих и вьючно-верблюжьих рот указано. Упомянута *«Центральная школа связи собаководства и голубеводства»*. Отмечено, что *«при зачете на мобобеспечение 50% вещевого имущества, обуви и белья, состоящего в повседневной носке на кадре, обеспеченность Красной Армии основными предметами вещевого и обозного снабжения по мобплану 1941 года будет составлять на 1.01.1942 года от 70 до 100%»*. А вот про боеприпасы — ни слова.

Разумеется, не только производство кальсон нательных, но и производство боеприпасов в СССР планировалось. Иначе и быть не могло в стране, которая революционным путем покончила с «анархией капиталистического рынка».

Были планы производства боеприпасов, были постановления Политбюро, которыми эти планы утверждались и вводились в действие, был даже отдельный наркомат боеприпасов. То, что наличие запасов, плановый расход и производство боеприпасов не были включены в состав основополагающего документа, каковым для военного ведомства является мобилизационный план, можно в принципе назвать «канцелярской недоработкой». Однако изучение других документов вызывает еще большие вопросы.

14 февраля 1941 г., т.е. всего через несколько дней после подписания мобилизационного плана МП-41, было принято Постановление СНК СССР и ЦК ВКП (б) № 305145 «О плане военных заказов на 1941 г. по боеприпасам». (84)

Длинный-длинный перечень, и все в миллионах штук:

— 4 млн. осколочно-трассирующих выстрелов к 37-мм зенитной пушке;

— 10,47 млн. выстрелов к 45-мм пушке, **в том числе 2,3 млн. бронебойных** выстрелов;

— 4,2 млн. выстрелов к 76-мм (полковым, горным, дивизионным) пушкам;

— 2,5 млн. выстрелов к 76-мм зенитной пушке;

— 2,5 млн. выстрелов к 85-мм зенитной пушке;

— 2,6 млн. выстрелов к 122-мм гаубице образца 1938 г.;

— 1,0 млн. выстрелов к 122-мм гаубице образца 1910/1930 г...

В общем итоге **17,3 млн. артиллерийских выстрелов** среднего и крупного калибра (76-мм и более), а с учетом мин — 22,8 млн. выстрелов калибра 76 мм и более. Цифры астрономические. На первый взгляд. На второй взгляд — после сравнения с объемом производства прежних лет — они покажутся еще большими. Так, за четыре года (с 1936 по 1939-й) было выпущено «всего» 13,52 млн. артвыстрелов среднего и крупного калибра. (85, стр. 191). Впечатление космических масштабов исчезает, стоит лишь разделить астрономические цифры производства боеприпасов на ничуть не менее гигантские цифры наличного количества артсистем:

	Количество артсистем, шт	**План производства 41 г. артвыстрелов, млн. шт**	**На одно орудие, шт**	**На одно орудие в месяц, шт.**
50-мм минометы	36 324	16,0	440	37
82-мм минометы	14 524	4,0	275	23
120-мм минометы	3 872	0,915	236	20
76-мм полевые пушки	15 298	4,2	275	23
76-мм зенитные пушки	4 571	2,5	547	46
122-мм гаубицы	8 124	3,6	443	37
152-мм гаубицы	3 817	0,565	148	12

От 12 до 46 выстрелов на один ствол в месяц. Вот что стоит в реальности за многомиллионными цифрами плана производства боеприпасов на 1941 год. Какими бы шокирующими ни казались эти цифры, они не только точны, но и вполне логичны. Производство боеприпасов — самая (не «одна из самых», а просто и коротко — самая) ресурсоемкая составляющая подготовки к войне. По крайней мере, именно так обстояло дело в армиях первой половины XX века, когда низкая точность стрельбы имеющихся систем вооружения компенсировалась гигантским расходом боеприпасов (вспомните приведенные в предыдущей главе цифры: *«для подавления одного пулеметного гнезда в полевой обстановке требуется 120 снарядов калибра 76 мм»*). В целом за годы Великой Отечественной войны совокупный вес произведенных артиллерийских боеприпасов в 10 раз превысил совокупный вес всего выпуска артиллерийских орудий. При этом еще следует принять во внимание, что если тяжеленные станины и лафет орудия делаются из простой стали, то на производство артвыстрела расходуется дефицитнейшие латунь, медь, бронза и дорогостоящие пороха. Вот почему к большой войне готовятся заранее, отнюдь не надеясь покрыть боевой расход артвыстрелов текущим производством.

В деле накопления боеприпасов для будущей войны Германия находилась в особо тяжелом положении. По условиям Версальского мирного договора страны-победители установили для нее жесткие ограничения: по 1000 артвыстрелов на каждое из 204 орудий калибра 75 мм и по 800 выстрелов на каждую из 84 гаубиц калибра 105 мм. И это — все. Орудий большего калибра Германии иметь не разрешалось. В итоге — 0,27 млн. выстрелов среднего калибра и ноль выстрелов крупного калибра. Только весной 1935 г. Гитлер заявил о выходе Германии из подчинения условиям Версальского договора. До начала мировой войны оставалось чуть более 4 лет. История отпустила Гитлеру мало времени, а природа — еще меньше сырьевых ресурсов. С добычей меди, свинца, олова в Германии, как известно, не густо. Теперь остается только сравнить — как два тоталитарных режима использовали отпущенные им время и ресурсы: (9, стр. 263)

Боеприпасы к:	Германия	Германия	СССР	СССР
	Общее кол-во, млн.	На один ствол, шт.	Общее кол-во, млн.	На один ствол, шт.
81-мм (82-мм) минометам	12,7	1100	11,3	781
75-мм (76-мм) полевым пушкам	8,0	1900	16,4	1100
105-мм (122-мм) гаубицам	25,8	3650	6,7	800
150-мм (152-мм) гаубицам	7,1	1900	4,6	700
Всего артвыстрелов	40,9	2729	29,8	999
Всего артвыстрелов и мин	53,6	2004	41,1	1000

Примечание: без учета выстрелов корпусной артиллерии (152-мм гаубицы-пушки МЛ-20 и 122-мм пушки А-19).

Приведенные в таблице цифры — **40,9 млн.** артиллерийских выстрелов полковой и дивизионной артиллерии, накопленных к 1 июня 1941 г. в Германии, **и 29,8 млн. в СССР** — не отражают еще всей картины. Снаряд снаряду рознь. Самым массовым боеприпасом в Германии был артвыстрел к 105-мм полевой гаубице, вес снаряда которой составляет 14,81 кг. Самым массовым боеприпасом в СССР был артвыстрел к 76-мм пушке, вес снаряда которой значительно меньше — 6,23 кг. Если от количества артвыстрелов перейти к суммированию веса снарядов, то получается, что Германия накопила **716 килотонн** «полезной нагрузки» артиллерии средних калибров (от 75-мм до 150-мм), а Советский Союз — **432 килотонн**. В 1,66 раза меньше. И это при том, что по числу орудий всех калибров у Красной Армии было значительное численное превосходство над вермахтом (см. гл. 2).

Ситуация, как видим, достаточно парадоксальная. Общепринятым, устоявшимся в отечественной историографии является такое представление: Германия обладала огромным производственным и научно-техническим потенциалом, но была ограничена в сырьевых ресурсах, в то время как «молодая республика Советов» только-только вступила на путь индустриализации и поэтому не могла на равных соревноваться в области «высоких технологий» с германской промышленностью. На деле все было точно наоборот: Советский Союз произвел значительно большее количество несравненно более совершенных танков, обогнал Германию в количестве орудий и минометов, но при этом значительно отставал в деле рутинного массового производства боеприпасов, хотя и обладал несравненно большими запасами цветных металлов и сырья для химического производства.

Генерал-полковник (позднее — маршал артиллерии) Н.Д. Яковлев, ставший за несколько дней до начала войны начальником Главного артиллерийского управления Красной Армии, в своих мемуарах роняет такую загадочную фразу: *«Прямо скажу, столь остро вставшие вопросы обеспечения войск вооружением и боеприпасами для многих из нас явились прямо-таки неожиданными. Да, ресурсы оказались незначительными. Но почему? Разбираться в этом очень деликатном, к тому же сулившем большие неприятности, деле мало кому хотелось...»* (90, стр. 79)

У меня, к сожалению, тоже нет ни одного рационального объяснения причин, по которым сложилась такая странная ситуация. В любом случае товарищ Сталин в данном вопросе — вне всяких подозрений. Уж он-то понимал и настойчиво объяснял своим полководцам роль и значение артиллерийских боеприпасов в войне:

«...Артиллерия решает судьбу войны, массовая артиллерия. И поэтому разговоры, что нужно стрелять по цели, а не по площадям, жалеть снаряды, это несусветная глупость, которая может загубить дело. Если нужно в день дать 400—500 тыс. снарядов, чтобы разбить тыл противника, передовой край противника разбить, чтобы он не был спокоен, чтобы он не мог

спать, нужно не жалеть снарядов и патронов. Больше снарядов, больше патронов давать, меньше людей будет потеряно. Будете жалеть патроны и снаряды — будет больше потерь. Надо выбирать. Давать больше снарядов и патронов, жалеть свою армию, сохранять силы, давать минимум убитых, или жалеть бомбы, снаряды... Нужно давать больше снарядов и патронов по противнику, жалеть своих людей, сохранять силы армии... Не жалеть мин! Вот лозунг. Жалеть своих людей. Если жалеть бомбы и снаряды — не жалеть людей, меньше людей будет. Если хотите, чтобы у нас война была с малой кровью, не жалейте мин...» (68)

И вот так на протяжении всей своей речи на апрельском (1940 г.) Совещании высшего комсостава: «Не жалейте снаряды, жалейте людей...» Не помогло. Полководцы (включая будущего Маршала Победы) планировали развернуть 30 мехкорпусов по тысяче танков в каждом, но при этом на один орудийный ствол накопили снарядов в 2—3 раза меньше, чем в нищем вермахте. Кроме всего прочего, ограниченный ресурс боеприпасов неизбежно ограничивал и обучение артиллерийских расчетов. По планам наркомата обороны в 1941 г. на практические стрельбы в войска было отпущено 1,51 млн. артвыстрелов и 0,66 млн. мин. (9, стр. 257) В пересчете на единицу вооружения (с учетом 76-мм зенитных и танковых пушек) это означает: **22 снаряда на одно орудие и 12 мин на один миномет. В год.** Разумеется, число орудийных расчетов, которые должны обучаться практической стрельбе, значительно меньше общего балансового числа орудий и минометов, но и это не сильно улучшает общую картину огромной, до зубов вооруженной армии, не умеющей стрелять...

Во избежание недопонимания следует уточнить — речь идет не о том, что Красная Армия была совсем безоружна.

Более того, она и после максимально возможного развертывания военного производства (да еще и с учетом поставки порохов от западных союзников) никогда не была так хорошо обеспечена боеприпасами, как в июне 1941 г. В приведенной ниже таблице указаны наличные запасы боеприпасов, выраженные в боекомплектах на одну единицу вооружения: (9, стр. 432)

	На 22.06.41 г.	На 1.01.43 г.
минометы 50-мм	3,3	1,4
минометы 82-мм	8,7	1,7
45-мм противотанковые пушки	4,2	2,8
76-мм полковые пушки	7,0	2,0
76-мм дивизионные пушки	6,5	2,0
122-мм гаубицы	10,0	4,1
152-мм гаубицы-пушки	12,2	3,6
76-мм зенитные пушки	7,3	3,5

Поясним несколькими конкретными примерами и абсолютные цифры накопленных к началу войны боеприпасов.

По установленным на основании практического опыта войны нормативам (причем нормативы эти были весьма «щедрыми», немцы воевали со значительно меньшими артиллерийскими плотностями) для уничтожения всех огневых точек пехотной дивизии вермахта, занявшей оборудованную полевыми укреплениями оборону, требовалось 50 тыс. снарядов 122-мм гаубицы. (86) Накопленного к 1 июня 1941 г. запаса 122-мм гаубичных выстрелов (6,7 млн.), условно говоря, хватало на 134 дивизии. Это как раз вся армия вторжения. Разумеется, подобный «расчет» является очень грубой прикидкой, но оценить порядок величин он позволяет. За весь период Сталинградской битвы (201 день) было израсходовано 15,2 млн. мин и снарядов всех калибров, за 50 дней сражения на Курской дуге — 14 млн. (90) Перед началом войны было накоплено втрое большее количество боеприпасов (41,1 млн.), и это не считая крупных калибров корпусной артиллерии. Еще одной примечательной цифрой можно считать расход боеприпасов вермахта в ходе кампании на Западном фронте в мае-июне 1940 года. Францию и ее союзников немцы разгромили, израсходовав «всего» 88 килотонн боеприпасов. (31) Очень скромный расход. Правду сказать, французская армия и не сильно сопротивлялась... Красная Армия сопротивлялась сильнее, поэтому вермахт израсходовал на Восточном фронте 583 тыс. тонн боеприпасов всех типов. Красная Армия, как показано выше, вступила в войну, имея 432 килотонны боеприпасов полковой и дивизионной артиллерии. Не следует забывать и о том, что кроме ствольной артиллерии были минометы, пулеметы, авиационные бомбы...

Вызывает недоумение лишь принятое в СССР накануне войны **распределение ресурсов** между производством вооружения и боеприпасов к нему. Возможно, более оптимальным был бы выпуск меньшего числа орудий, но с большим запасом боеприпасов для войны и большим расходом боеприпасов на боевую подготовку войск в мирное время. Но в любом случае с тем количеством боеприпасов, которые были накоплены к июню 41-го, «снарядный голод» Красной Армии не грозил.

Если только эти боеприпасы существовали в натуре.

Здесь мы подходим (первый и единственный раз в этой книге) к одной странной теме, впервые (насколько мне известно) обозначенной Евгением Темежниковым, а затем развитой доктором филологических наук Б. Соколовым. Были ли в реальности те горы оружия, которые обозначены во всех докладах, отчетах, статистических сборниках, научных монографиях? Уместность такого провокационного вопроса становится очевидной из нижеследующей таблицы: (9, стр. 399—403)

Боеприпасы к:	**Боевой расход 41 г., млн. шт.**	**наличие на 01.01.42 г.**	**k =**
минометам 50-мм	4,06	14,74	3,63
минометам 82-мм	3,80	6,95	1,83
45-мм противотанковым пушкам	4,74	20,80	4,39
76-мм полковым пушкам	2,21	1,71	0,77
76-мм дивизионным пушкам	2,47	5,99	2,43
122-мм гаубицам	1,78	5,08	2,85
152-мм гаубицам	0,63	2,33	3,70
76-мм зенитным пушкам	0,59	5,30	8,98

Итак, официальная статистика (использован справочник Главного артиллерийского управления) свидетельствует о том, что во втором полугодии 1941 г. артиллерия Красной Армии просто **не успевала расходовать** имеющиеся в избытке боеприпасы. **Боевой расход** за шесть месяцев войны оказался (за единственным исключением боеприпасов к полковой 76-мм пушке) **меньше остатка** на конец года. Причем меньше не на чуть-чуть, не на единицы процентов, а во много раз. В данном случае совершенно неважно, что именно послужило причиной такого переизбытка боеприпасов — отсутствие достойного противника, или огромные объемы производства, или мизерное количество самих пушек и гаубиц, или еще что-то. Главное — это то, что фактический (лучше сказать — отчетный) остаток в разы больше боевого расхода, т.е имеющиеся в наличии орудия могут стрелять, стрелять и стрелять... Увы, сам начальник Генштаба, ставший в октябре 1941 г. командующим Западным фронтом, в своих воспоминаниях напрочь разрушает такую благостную картину:

«...Особенно плохо обстояло дело с боеприпасами. Так, из запланированных на первую декаду января 1942 г. боеприпасов нашему Западному фронту было предоставлено: 82-мм мин — 1 процент, артиллерийских выстрелов — 20—30 процентов... Из-за отсутствия боеприпасов для реактивной артиллерии ее пришлось частично отводить в тыл. Вероятно, трудно поверить, что нам приходилось устанавливать норму расхода боеприпасов 1—2 выстрела в сутки на орудие. И это, заметьте, в период наступления!»

Предшественник Жукова на посту начальника Генштаба К.А. Мерецков зимой 1941/42 гг. командовал Волховским фронтом. Как там обстояли дела с фиксируемым статистически многократным превышением наличных ресурсов боеприпасов над боевым расходом?

«...Моя записная книжка свидетельствует, что запасы армии по боеприпасам позволяли нам расходовать ежедневно в среднем 7 выстрелов на 120-мм миномет и 122-мм гаубицу и 14 мин на 82-мм миномет...» (89)

Маршал Яковлев (начальник ГАУ в годы войны) в своих

мемуарах описывает, в частности, и такой эпизод, имевший место быть в конце ноября 1941 года:

«...Жуков в то время был уже командующим Западным фронтом. А как бедствовал этот фронт с боеприпасами в тяжелые первые месяцы войны — известно (судя по официальной статистике расхода и наличия боеприпасов, ни Красная Армия в целом, ни важнейший из фронтов, защищающий Москву, не должны были «бедствовать». — *М.С.*) *Это, к глубокому сожалению, было горькой правдой. И вот под впечатлением очередных трудностей Жуков прислал на мое имя довольно резкую телеграмму, в которой обвинял меня в мизерном обеспечении 82-мм и 120-мм минометов минами. Раздражение командующего фронтом было понятным. Но Г.К. Жуков, однако, не знал, что по установленному порядку телеграммы с заявками на вооружение и боеприпасы одновременно с адресатом рассылались по разметке как Верховному, так и ряду членов ГКО. И вот звонок Поскребышева. Еду в Кремль, готовый ко всему. Сталин, сухо поздоровавшись, спросил меня, знаком ли я с телеграммой Жукова. Я ответил утвердительно... И тут случилось непредвиденное. Верховный вдруг взял со стола телеграмму и разорвал ее. Немного помедлив, сказал, что комфронтом Жуков просто не понимает обстановку, сложившуюся с боеприпасами...»* (90, стр. 73)

Понять эту «обстановку» действительно сложно. Разумеется, на реальной подаче боеприпасов в действующую армию сказывались и транспортные затруднения поздней осени 1941 года, и неизбывные российское разгильдяйство и головотяпство. Дураки и дороги могли оставить фронт без боеприпасов даже при наличии миллионов артвыстрелов на тыловых складах. И тем не менее вопросы остаются... Не пытаясь разобраться в том, чего не понимал генерал армии, бывший в недалеком прошлом начальником Генштаба, перейдем к другому вопросу, существо которого четко документировано, подтверждено многими свидетелями и посему сомнению не подлежит.

К началу войны **почти не было бронебойных выстрелов к 76-мм пушке**. Конкретно это «почти» выражается цифрой в

132 тыс. выстрелов, имевшихся в наличии по состоянию на 1 мая 1941 г. (9, стр. 261) Это и на самом деле почти ничего. В расчете на одно дивизионное и танковое 76-мм орудие это означает 12,5 выстрела на один ствол. Даже если распределить имеющиеся крохи предельно экономно, оставив в числе «потребителей» бронебойных 76-мм снарядов только танки Т-34 и КВ (примерно 1,5 тыс. единиц), 10 формирующихся противотанковых артиллерийских бригад РГК (1,2 тыс. орудий) и дивизионные пушки примерно ста стрелковых дивизий западных военных округов (1,6 тыс. орудий), то мы получим смехотворную (а на самом деле — страшную в преддверии большой войны) цифру в 31 бронебойный выстрел на орудие. Это все — в среднем. Средняя температура по больнице является, как известно, величиной обманчивой. Если теоретически бронебойные 76-мм выстрелы — хотя бы в количестве десяти штук на ствол — существовали, то это еще не значит, что они были во всех боевых частях. Так, 7-я танковая дивизия (6-й МК) имела на вооружении 200 новейших танков Т-34 и КВ, но в докладе командира отмечается полное отсутствие бронебойных 76-мм снарядов. 10-я танковая дивизия (15-й МК) на сто танков (63 КВ и 37 Т-34) имела к началу боевых действий всего 192 бронебойных снаряда. Менее 2 штук на ствол. Понятно, что при таком катастрофическом положении с боеприпасами о расходовании бронебойных выстрелов на обучение наводчиков танковых и противотанковых 76-мм орудий не приходилось и мечтать. Сразу же отметим, что дилетантское предложение об использовании в учебных целях осколочно-фугасных 76-мм снарядов (запас которых в Красной Армии измерялся десятками миллионов единиц) не проходит — метательный заряд в ОФ выстреле значительно слабее, соответственно начальная скорость снаряда ниже, и все прочие баллистические характеристики значительно отличаются от характеристик бронебойного выстрела. Так учить — только портить...

Отсутствием бронебойных 76-мм выстрелов были просто и незатейливо **сведены к нулю два важнейших военно-технических преимущества Красной Армии**: длинноствольная «трехдюймовая» пушка на танках Т-34 и КВ и наличие в составе вооружения стрелковой дивизии 16 «дивизионок» Ф-22 или УСВ, способных выполнять роль мощного противотанкового орудия. Без бронебойных снарядов новейшие советские танки «опускались» до уровня немецкого Pz-IV с короткоствольным 75-мм «окурком». Без бронебойных снарядов к 76-мм пушке выбор именно такого орудия в качестве основного дивизионного (вместо легкой 105-мм гаубицы, как это было в вермахте) превращался в явный недостаток: для борьбы с пехотой противника осколочный 76-мм снаряд был значительно слабее снаряда немецкой гаубицы, а использование дивизионной пушки в качестве противотанковой становилось невозможным в силу отсутствия боеприпасов.

Чего не хватило для организации массового производства 76-мм бронебойных выстрелов? Времени? Ресурсов?

Производственных мощностей?

Танки Т-34 и КВ были приняты на вооружение Красной Армии 19 декабря 1939 г. Как минимум с этого момента следовало озадачиться производством боеприпасов, позволяющих реализовать уникальный боевой потенциал этих машин. Дивизионная 76-мм пушка Ф-22 была принята на вооружение еще раньше, в 1936 году. Таким образом, время было. Производственные мощности советской военной экономики реально позволили накопить к июню 1941 года 16,4 млн. осколочно-фугасных выстрелов к 76-мм полковым, дивизионным и горным пушкам и еще 4,9 млн. выстрелов к 76-мм зенитным пушкам. Итого — 21,3 млн. 76-мм артвыстрелов. При этом следует принять во внимание, что если ОФ и бронебойный выстрел по стоимости и ресурсоемкости примерно сопоставимы, то зенитный выстрел значительно сложнее и дороже (больший расход пороха на мощный метательный заряд, корпус снаряда из высокопрочной стали, прецизионная механика в конструкции взрывателя). Впрочем, самым убедительным ответом на вопрос о возможностях советской экономики является наличие к началу войны 12,13 млн. бронебойных выстрелов к 45-мм танковым и противотанковым пушкам. И это количество было еще признано недостаточным, и в плане выпуска боеприпасов на 1941 г. было отдельной строкой прописано производство 2,3 млн. бронебойных 45-мм выстрелов. А о производстве 76-мм бронебойных — ни слова.

Лишь 14 мая 1941 г. чрезвычайная ситуация с отсутствием 76-мм бронебойных выстрелов была осознана руководством страны. В этот день было принято соответствующее Постановление СНК и ЦК ВКП(б). Еще через месяц, 18 июня 1941 г., начальник ГАУ, заместитель наркома обороны маршал Кулик докладывал Сталину о крайне неутешительных итогах выполнения этого постановления:

«...Истекший месяц работы наркоматов и заводов со всей очевидностью показал, что, несмотря на особую важность этого заказа и особенно резкую постановку вопроса об его обеспечении, ни наркомат боеприпасов, ни директора заводов, ни обкомы партии не обеспечивают указанного постановления, и дело явно клонится к срыву заказа... Завод № 73 НКБ имел на май задание на 21 000 бронебойно-трассирующих 76-мм снарядов и на июнь — 47 000 (цифры достаточно скромные, принимая во внимание, что в целом в стране выпускалось по полмиллиона 76-мм выстрелов в месяц. — *М.С.*) *Завод не сдал ни одного снаряда в мае и срывает также задание на июнь. В то же время этот завод обеспечен и металлом, и оборудованием, имеет опыт по производству 76-мм бронебойных снарядов с 1939 г. и находится в самых благоприятных условиях в производственном отношении по сравнению с другими заводами... Самая худшая организация производства на этом заводе, который должен был быть ведущим в производстве бронебойных снарядов, заставляет считать, что главной причиной срыва заказа является саботаж директора и руководства завода...»* (91)

Что это было: глупость или измена? Можно предположить, что такой вопрос был задан. На следующий день после написания этого письма Кулик был снят с должности начальника ГАУ. Еще раньше, 30 мая, были арестованы нарком боеприпасов И.П. Сергеев и заместитель наркома А.К. Ходяков, 7 июня арестован Б.Л. Ванников — нарком вооружений (и будущий руководитель советского Атомного проекта). В те же дни арестован Г.К. Савченко — заместитель начальника ГАУ. Наконец, 24 июня арестован бывший начальник Генерального штаба, генерал армии К.А. Мерецков (на момент ареста — заместитель наркома обороны СССР). Судьба всех арестованных по «делу боеприпасов» (каковое дело неразрывно переплелось с еще более масштабным «заговором авиаторов») была очень различной. Ванникова освободили 20 июля и прямо из тюремной камеры вернули в рабочий кабинет заместителя наркома вооружений (позднее он был назначен наркомом боеприпасов). Мерецкова освободили в начале сентября и сразу же назначили представителем Ставки ВГК на Северо-Западном и Карельском фронтах. Савченко был расстрелян 28 октября 1941 г. вместе с группой высших командиров советских ВВС (Рычагов, Смушкевич, Проскуров). 23 февраля 1942 г. вместе с самой большой группой арестованных в июне 1941 г. генералов и руководителей военной промышленности были расстреляны Сергеев и его заместители.

Что тут было причиной, а что — следствием? Репрессии стали суровым наказанием за преступную халатность, или сама обстановка всеобщего страха и неуверенности парализовала осмысленную деятельность руководителей военного ведомства? В версию «заговора темных сил» я не верю. Просто и коротко — не верю. При том уровне доступности (точнее говоря — тотальной засекреченности) документов НКВД/НКГБ, который существует по сей день, ничего другого, кроме «верю — не верю», добросовестный исследователь предложить публике и не может. Впрочем, и тогда, когда наши правнуки доживут до рассекречивания лубянских архивов, ничего большего, чем «верю — не верю», узнать не удастся — принимая во внимание те «массовые нарушения социалистической законности», с которыми велось дознание и писались протоколы допросов. Пока же совершенно точно можно отметить тот факт, что в СССР производством артиллерийского вооружения и боеприпасов к нему руководили:

— наркомат обороны и Генеральный штаб;

— Главное артиллерийское управление Красной Армии;

— отдельная от ГАУ система начальника артиллерии Красной Армии (или инспекция артиллерии);

— наркомат вооружений (предприятия которого, однако, выпускали и все виды патронов к стрелковому оружию);

— наркомат боеприпасов;

— «минометный» наркомат (название этого ведомства постоянно менялось).

К этому перечню можно еще добавить и пару-тройку конструкторов артиллерийского вооружения, которые были вхожи к Хозяину и порою ставили всех вышеперечисленных генералов и маршалов перед фактом принятых в кабинете у Сталина решений. При таком количестве «нянек» не нужно было никакого «заговора», для того чтобы «дитя» оказалось без глаза...

Отсутствие бронебойных 76-мм артвыстрелов было вопиющей, но отнюдь не единственной несуразностью предвоенного мобилизационного планирования. Непомерные размеры военного заказа по танкам, тягачам, бронемашинам также вызывали вопросы. Тем, кому не повезло, эти «вопросы» были заданы — причем в самой нелицеприятной форме. 22 июля 1941 г. в ходе заседания Военной коллегии Верховного суда СССР (это очень важное обстоятельство — вопрос был задан не в пыточном подвале, а на суде, где Павлов отказался от некоторых, выбитых из него «следователями», показаний) подсудимому Д.Г. Павлову, бывшему командующему войсками Западного фронта, бывшему начальнику Главного автобронетанкового управления Красной Армии, бывшему герою обороны Мадрида, был задан такой вопрос:

«...На предварительном следствии (л.д. 88, том 1) Вы дали такие показания: Для того чтобы обмануть партию и правительство, мне известно точно, что Генеральным штабом план заказов на военное время по танкам, автомобилям и тракторам ***был завышен раз в 10*** (подчеркнуто мной. — *М.С.*). *Генеральный штаб обосновывал это завышение наличием мощно-*

стей, в то время как фактически мощности, которые могла бы дать промышленность, были значительно ниже. Этим планом Мерецков имел намерение на военное время запутать все расчеты по поставкам в армию танков, тракторов и автомобилей».

— Эти показания вы подтверждаете?

Подсудимый Павлов:

— В основном — да. Такой план был. ***В нем была написана такая чушь*** (подчеркнуто мной. — *М.С.*). *На основании этого я и пришел к выводу, что план заказов на военное время был составлен с целью обмана партии и правительства...»* (25, стр. 99)

Мерецков, конечно же, имел самое прямое отношение к разработке МП-41, но все-таки подписывал «такую чушь» не он, а Тимошенко и Жуков. Павлова расстреляли. Мерецкова чудесным образом выпустили на условную «свободу». После пыток в подвалах НКГБ здоровье бывшего начальника Генштаба было сильно подорвано, и заботливый Сталин, как гласит легенда, даже позволял Мерецкову докладывать сидя. Жуков же оказался ни в чем не виноват и по сей день гарцует на бронзовом коне в центре Москвы.

Попробуем сами разобраться в загадочных цифрах мобплана МП-41. Да, я понимаю, что не положено старшему лейтенанту-инженеру запаса обсуждать мобилизационный план, подписанный маршалом и генералом армии. Если уж Тимошенко и Жуков доложили Сталину о том, что без тридцати мехкорпусов по тысяче танков в каждом они не могут спасти отечество мирового пролетариата — и великий вождь с ними согласился, — значит, спорить тут не о чем. Работать надо. Руководствуясь этим нестареющим призывом, возьмем в руки калькулятор и просто пересчитаем МП-41 в некоторых его составляющих. Считать же мы можем не хуже маршалов?

Артиллерийских систем калибра 122 мм и более («трехдюймовки» и минометы перевозились автомобилями или гужевым транспортом) по МП-41 должно было быть 19 451 (фактически к июню 1941 г. было порядка 16,8 тыс. орудий). Добавим к этому числу еще 5151 зенитное орудие калибра 76 мм и 2286 зениток калибра 85 мм. Итого плановое количество объектов для буксировки составляет по МП-41 26 888 единиц. Даже по принятым в Красной Армии суперщедрым нормам в **два тягача на одну пушку** требуется «всего лишь» **53 776** тракторов и тягачей. Составители МП-41 требуют **83 045** единиц (не считая «Комсомольцев»). Тяжелых артсистем (пушки калибра 122 мм, 152 мм, 207 мм, гаубицы калибра 203 мм, 280 мм, 305 мм) весом в 7 и более тонн по плану должно было быть 6088 единиц. Тяжелых гусеничных тягачей (С-2, «Коминтерн», «Ворошиловец») запланировано в четыре раза больше (27 818 машин). Даже если считать нормой двойное резервирование средств мехтяги, то и тогда получается **в два раза больше реальной потребности.**

Да, разумеется, «так не считают». Артиллерийский полки были основным, но не единственным «потребителем» тракторов и тягачей. Нужны были тягачи и для передвижных ремонтных мастерских, и для отдельных саперно-мостовых батальонов, и для эвакуации с поля боя подбитых танков. Поэтому посчитаем по-другому, посчитаем правильно, т.е. отталкиваясь от запланированной численности частей и соединений.

По штатному расписанию апреля 1941 г. противотанковому дивизиону стрелковой или моторизованной дивизии на 18 противотанковых пушек полагалось иметь 21 бронированный гусеничный тягач «Комсомолец». Таким образом, для полного укомплектования по штатной потребности 210 таких дивизий требовалось 4410 «Комсомольцев». В МП-41 стоит цифра 7802. Запас карман не тянет? Отлично, продолжим наши арифметические упражнения и оценим размер запланированного «запаса» по другим категориям боевой техники.

По МП-41 в Красной Армии развертывалось 30 механизированных корпусов. По штату мехкорпусу полагалось 352 трактора (тягача). Таким образом, для полного укомплектования всех мехкорпусов требуется 10 560 тягачей. Еще один первоочередной получатель средств мехтяги — противотанковые артиллерийские бригады РГК. К 1 июля 1941 г. планировалось развернуть 10 таких бригад, в каждой — по 120 мощных 76, 85 и 107-мм пушек, для транспортировки которых по штату полагалось 165 тягачей. Соответственно на все ПТАБРы надо еще 1 650 единиц мехтяги. Корпусные артполки и артполки РГК имели разную численность и организацию в зависимости от того, какими системами они вооружались. В одном полку могло быть и 24, и 36, и 48 орудий. Принимая среднюю численность в 36 орудий, мы получаем цифру порядка 6 тыс. тяжелых артсистем в 94 корпусных и 74 полках РГК. Следовательно, для всей тяжелой артиллерии с учетом опять же двойного резервирования нужно порядка 12 100 тягачей. И, наконец, главная труженица войны — пехота. Для каждой из 179 стрелковых дивизий (горнострелковым дивизиям тягачи по штату не полагались) надо 99 тракторов. Итого на все боевые части и соединения всей Красной Армии (включая Уральский, Сибирский и Среднеазиатский военные округа) по немыслимым ни для одной армии мира нормам «два тягача на один объект» требовалось порядка **42 тыс. тягачей (тракторов). Составители МП-41 затребовали в два раза больше (90,8 тыс.).**

Не будем лениться и проделаем такой же расчет применительно к автомобилям. Итак, для всех 30 мехкорпусов (при штатной норме 5165 автомобилей в корпусе, что означает 1 автомобиль на 6 человек личного состава) требуется 155 тыс. автомашин. Для каждой из 179 стрелковых дивизий надо по 558 легковых и грузовых машин, это еще порядка 100 тысяч автомобилей. Для 10 ПТАБРов при штатном расписании 718 автомобилей на бригаду надо 7180 машин. Не забудем и горных стрелков — по штату военного времени каждой из 19 горно-стрелковых дивизий требовалось 340 машин, всего — 6460. Общая сумма составляет 269 тыс. автомобилей. В плане МП-41 записано 595 тысяч. Опять же — **в два раза больше штатной потребности**, потребной для укомплектования самой большой и самой моторизованной армии мира!

Трудно сказать — что изменилось бы в реальном ходе событий, если бы к началу боевых действий мобилизационный план МП-41 был выполнен. Выполнен по всем показателям, до последнего трактора и последней пары шаровар ватных включительно. У меня нет точного ответа на этот вопрос. Есть только гипотеза, предположение, что не изменилось бы ничего. Зато каждый, кто хотя бы один раз взял в руки любую книжку советских военных историков, точно знает: какой великолепный подарок сделали им Жуков с Тимошенко.

Нет и не было ни одной статьи, ни одной книги, ни одного «ток-шоу», в котором бы коммунистические агитаторы с горестным всхлипом не сообщили: *«История отпустила нам мало времени. Не получившая положенного по мобплану вооружения и боевой техники Красная Армия была совершенно не готова к войне. В лучшем случае — лет через пять... Тракторами и автомашинами стрелковые дивизии округа были укомплектованы всего на 30—40 процентов... Отсутствие положенных средств мехтяги неизбежно вело к... Тяжелыми и средними танками мехкорпус был укомплектован всего на 20 процентов...»* Советские (а теперь уже и российские) историки более полувека спорят — как такое могло случиться? Высказана масса версий: *«Сталин был наивный и доверчивый, он поверил на слово Риббентропу... Сталин был злой и недоверчивый, он не поверил предупреждениям Зорге и Черчилля... Лапотная Россия не смогла произвести необходимое количество вооружения... История отпустила нам мало...»*

Правда, о пресловутой «неготовности» советские историки рассуждают всегда в процентах. В процентах от того самого мобилизационного плана, который Военная коллегия Верховного суда пыталась представить как «вредительство», но обвиняемый генерал армии готов был согласиться лишь с тем, что в плане была написана «чушь». И что самое смешное — советские историки совершенно правы. Положенных по плану — не было. Значит, «вопиющая неготовность» налицо. Зато противник был «готов к войне» на все сто. Не открывая ни одного справочника, можете смело утверждать: 22 июня 1941 г. тяжелыми и средними танками с противоснарядным бронированием немецкие танковые дивизии были укомплектованы полностью. И бронированными гусеничными тягачами для противотанковой артиллерии вермахт был обеспечен в точном, абсолютном соответствии со штатным расписанием и мобилизационным планом. И бронеавтомобилями, вооруженными 45-мм танковой пушкой. И дивизионными пушками, пробивающими лобовую броню самых тяжелых танков противника. И реактивными установками залпового огня... Ноль в наличии, ноль по плану, процент укомплектованности — 100. Вот это и есть прославленная немецкая аккуратность и педантичность. В танковых дивизиях Красной Армии в начале войны было уже более 1500 танков КВ и Т-34. Благодаря мудро составленному МП-41 это с чистой совестью можно определить словами «жалкие 9% от штатной численности». В вермахте — ни одного танка с таким вооружением, с таким бронированием, с дизельным мотором такой мощности. В вермахте дивизионные гаубицы таскают шестеркой лошадей. И это называется «полностью отмобилизованная армия, на которую работала промышленность всей Европы». Да, не догадались Гальдер и Йодль составить мобилизационный план «по-умному», не пришло им в голову включить в штатный состав своих войск несуществующую технику, потребовать у Гитлера 4 тягача на одну пушку... Вот поэтому их советские историки иначе чем «битые гитлеровские генералы» и не зовут.

И последний штрих к обсуждению мобилизационного плана МП-41. Потребовав обеспечить такой феноменальный уровень технической оснащенности Красной Армии, будущий Маршал Победы записал в мобплан следующую фразу: ***«Потребность на покрытие предположительных потерь на год войны в младшем начальствующем и рядовом составе рассчитана исходя из 100% обновления состава армии»***. 100-процентное обновление рядового состава. За один год. За один год успешной войны — про 22 июня тогда еще никто ничего не знал...

Часть 2
«КОГДА НАС В БОЙ ПОШЛЕТ ТОВАРИЩ СТАЛИН...»

Глава 6

ГИПОТЕЗА № 1

Разумеется, когда Жуков и Тимошенко подписывали предложения по МП-41, они меньше всего думали о создании максимальных удобств для будущих поколений советских историков. Руководствовались они какими-то другими соображениями. Какими? Отнюдь не претендуя на ясновидение, я готов предложить читателям свою гипотезу произошедшего. Для самых невнимательных повторю еще раз — **гипотезу**. **Это не есть достоверный факт**. Достоверные факты были приведены в предыдущих главах. В настоящей (и следующей) главе я лишь делюсь своим субъективным **мнением.**

Непомерно завышенные (завышенные по отношению к возможностям советской промышленности, завышенные по сравнению с реальной численностью войск потенциальных противников, завышенные по отношению к возможности рационального использования вооруженных сил) требования мобилизационного плана МП-41, равно как и сам факт принятия в феврале 1941 г. программы широкомасштабной реорганизации механизированных войск, имеют большое «диагностическое» значение. В отсутствие прямых документальных свидетельств они позволяют высказать обоснованные предположения как о стратегических планах Сталина, так и о настроениях в высшем эшелоне военного руководства.

Но прежде всего следует четко обозначить и разделить **два очень важных момента**.

Первое. Наступательная направленность военной доктрины сталинского государства является несомненным, бесспорным фактом. **Это — не гипотеза. Это уставная норма**, «категорически и выпукло» выраженная в первых же параграфах Полевого устава ПУ-39. *«Если враг навяжет нам войну, Рабоче-Крестьянская Красная Армия будет самой нападающей из всех когда-либо нападавших армий. Войну мы будем вести наступательно, с самой решительной целью полного разгрома противника на его же территории»*.

Второе. Наступательная направленность планов и системы боевой подготовки Красной Армии **ни в коей мере не может служить доказательством агрессивности** внешней политики сталинской империи. Ни в коей мере. Армия любой великой державы создается именно для того, чтобы разгромить (или по меньшей мере значительного ослабить) вооруженные силы противника. Самым эффективным способом решения этой задачи было, есть и будет наступление (*«только решительное наступление на главном направлении, завершаемое окружением и неотступным преследованием, приводит к полному уничтожению сил и средств врага»*). Что делать потом с этим противником, с его территорией, с его материально-производственными ресурсами, с остатками его армии — это уже вопрос политики. Вопрос, для решения которого оперативные принципы ведения войны не имеют практически никакого значения. Не только агрессивное, но и не желающее ничего иного, кроме мира и спокойствия, государство должно стремиться к тому, чтобы победа была завоевана «малой кровью», с минимальными разрушениями собственной территории и минимальными жертвами среди собственного населения. Другого пути к этому идеалу, кроме решительного наступления с целью «разгрома противника на его же территории», нет. Из множества примеров, подтверждающих эту военную аксиому, приведем хотя бы один. Армия Обороны Израиля (таково официальное наименование вооруженных сил этого государства) даже и не пыталась стать в самоубийственную при имеющихся географических условиях (минимальная ширина территории страны в границах, установленных резолюцией ООН 1947 г., составляет 18 км) позиционную оборону. И в 1948, и в 1967, и в

1973 годах стратегическая задача обороны страны решалась решительными и смелыми (на грани безрассудства) наступательными действиями. Глубина ударов при этом во много раз превышала размеры территории самого Израиля. Затем, после окончания активной фазы боевых действий, достигнутое значительное ослабление вооруженных сил противника использовалось для принуждения его к отказу (сначала — временному, затем и постоянному) от агрессивных намерений. Захваченная же территория (Синайский полуостров) была немедленно возвращена Египту после заключения мирного договора.

Предельная и неизменная агрессивность сталинской империи находила свое выражение и подтверждение не в параграфах Полевого устава (эти параграфы были просто разумны, и не более того) и даже не в огромной численности Красной Армии (фашистская Италия совершала многочисленные акты агрессии, имея вооруженные силы смехотворно малые в сравнении с численностью советской армии), а совсем в других событиях и фактах. Например, в Государственном гербе СССР, на котором серп с молотом накрывали весь земной шар, на каковом шаре границы «пролетарского государства» не были обозначены даже тончайшей линией. Тех, кто считает этот факт малозначимой деталью, я попрошу назвать мне хотя бы еще одно государство с подобными претензиями в официальной символике. Я другой такой страны не знаю.

Агрессивность созданного Лениным — Сталиным государства вырастала из откровенного, демонстративного произвола и беззакония во внутренней политике (*«диктатура пролетариата есть власть, завоеванная и поддерживаемая насилием пролетариата над буржуазией, власть, не связанная никакими законами»* — В.И. Ленин), из неприкрытых мессианских амбиций коммунистических лидеров: вооруженный переворот, приведший их к власти, объявлялся «величайшим событием мировой истории», созданный на развалинах России тоталитарный монстр был назван «осуществленной мечтой человечества». Агрессивность сталинской империи формировалась всепроникающей официальной пропагандой, которая денно и нощно внушала населению (и прежде всего — бойцам и командирам Красной Армии) тезис о том, что они не только имеют право, но даже обязаны («наш интернациональный долг») вооруженным путем «помочь» установить советские порядки в любой стране, на которую им укажет начальство. Впрочем, с началом мировой войны лицемерные разглагольствования об «интернациональном долге» начали сменяться откровенно имперскими призывами. *«Наша партия и Советское правительство борются не за мир ради мира, а связывают лозунг мира с интересами социализма, с задачей обеспечения государственных интересов СССР... Где и при каких бы условиях Красная Армия ни вела войну, она будет исходить из интересов своей Родины, из задач укрепления силы и могущества Советского Союза. И только в меру решения этой основной задачи Красная Армия выполнит свои интернациональные обязанности».* (4, стр. 578) К началу лета 1941 г. советская военная пропаганда практически сбросила всякий камуфляж и начала прямую подготовку армии и народа к широкомасштабной захватнической войне. Подготовленная в начале июня 1941 г. лично секретарем ЦК ВКП(б) А.С. Щербаковым Директива «О состоянии военно-политической пропаганды» была уже составлена в таких выражениях:

«...Внешняя политика Советского Союза ничего общего не имеет с пацифизмом, со стремлением к достижению мира во что бы то ни стало... Ленинизм учит, что страна социализма, используя благоприятно сложившуюся международную обстановку, должна и обязана будет взять на себя ***инициативу наступательных военных действий*** (подчеркнуто мной. — *М.С.*) *против капиталистического окружения с целью расширения фронта социализма. До поры до времени СССР не мог приступить к таким действиям ввиду военной слабости. Но теперь эта военная слабость отошла в прошлое... В этих условиях ленинский лозунг «на чужой земле защищать свою землю» может в любой момент обратиться в практические действия...»* (6, стр. 302)

Агрессивность сталинской империи находила свое ежедневное подтверждение в деятельности глобальной подрывной организации, которая, игнорируя государственные границы и элементарные нормы международного права, непосредственно из Москвы пыталась (к счастью — безуспешно) организовать насильственное свержение власти и насадить контролируемую Сталиным диктатуру в любой стране мира. Причем еще до достижения каких-либо успехов контроль НКВД над деятельностью Коминтерна был уже настолько полным, что любой нерадивый, неисполнительный, непослушный функционер этой организации мог быть физически уничтожен.

Наконец, в 1939—1940 годах **агрессивная внешняя политика сталинской империи нашла свое прямое выражение в захвате и аннексии территорий, свержении конституционной власти, осуществленных вооруженным насилием** (или угрозой его применения) по отношению к Финляндии, Эстонии, Латвии, Литве, Польше и Румынии. После этих событий фиговый листочек вступительной фразы 2-го параграфа Полевого устава («*Если враг навяжет нам войну*») мог ввести в заблуждение только тех, кто упорно не желает знать и видеть реальные факты. Кремлевские правители откровенно показали, что толковать эту фразу они будут безгранично широко.

17 сентября 1939 г. Польша «навязала войну» и «вынудила» Советский Союз в одностороннем порядке разорвать Договор о ненападении (заключен 25 июля 1932 г., затем в 1937 г. пролонгирован до 1945 г.) тем, что превратилась — по официальному заявлению главы правительства Молотова — в «*удобное поле для всяких случайностей и неожиданностей, могущих создать угрозу для СССР*».

В конце сентября 1939 г. Эстония и Латвия «вынудили» Советский Союз прибегнуть к угрозе вооруженного вторжения тем, что на их суверенной территории, границы которой были определены в 1920 г. мирными договорами с советской Россией, находились морские порты, которые Сталину и Молотову очень понравились. 24 сентября 1939 г. Молотов так прямо и говорил министру иностранных дел Эстонии

К.Сельтеру: *«Советскому Союзу необходим выход к Балтийскому морю* (Ленинград таковым «выходом» уже не считался? — *М.С.*). *Если вы не пожелаете заключить с нами пакт о взаимопомощи, то нам придется искать для гарантирования нашей безопасности другие пути... Советую вам пойти навстречу пожеланиям Советского Союза, чтобы избежать худшего...»*. (1, стр. 179) Обещанное «худшее» было близко и возможно. Директива наркома обороны СССР № 043/оп от 26 сентября 1939 г. требовала *«немедленно приступить к сосредоточению сил на эстоно-латвийской границе и закончить таковое к 29 сентября»*. Войскам была поставлена задача *«нанести мощный и решительный удар по эстонским войскам... разбить войска противника и наступать на Юрьев и в дальнейшем — на Таллин и Пярну... быстрым и решительным ударом по обеим берегам реки Двина наступать в общем направлении на Ригу...»*. 28 сентября 1939 г. командование Краснознаменного Балтфлота получило приказ привести флот в полную боевую готовность к утру 29 сентября. Перед флотом была поставлена задача *«захватить флот Эстонии, не допустив его ухода в нейтральные воды, поддержать артогнем сухопутные войска на побережье Финского залива, быть готовым к высадке десанта...»*. (1, стр.180) Лишь «добровольное» согласие правительств Эстонии и Латвии на заключение договоров с СССР сделало запланированную военную акцию излишней.

Финляндия «навязала войну» Советскому Союзу и «вынудила» его неизменно миролюбивое правительство нарушить Договор о мире, подписанный в 1920 г., и Договор о ненападении, заключенный между Финляндией и СССР в 1932 г. и пролонгированный в 1936 году, *«возмутительными провокациями финляндской военщины, вплоть до артиллерийского обстрела наших воинских частей под Ленинградом, приведшего к тяжелым жертвам в красноармейских частях»* (речь Молотова от 29 ноября 1939 г.). Как теперь известно, использование Молотовым множественного числа было чистым (т.е. грязным) враньем: имела место только одна провокация и один обстрел одной красноармейской части (68-го стрелкового полка 70-й стрелковой дивизии у деревни

Майнила), в каковой части, однако, никаких жертв (судя по подлинным документам полка и дивизии, введенным в научный оборот П. Аптекарем) вообще не было. Дискуссионным остается лишь вопрос о том, был ли в реальности этот «обстрел» (т.е. провокация, организованная сталинскими спецслужбами) или же весь «майнильский инцидент» вымышлен от начала и до конца.

Еще более зверскими были «провокации литовской военщины», которая «похищала и пытала» с целью получения военных тайн рядовых красноармейцев из состава расквартированных в Литве с осени 1939 г. советских воинских гарнизонов. 30 мая 1940 г. в газете «Известия» было опубликовано официальное сообщение Наркомата иностранных дел СССР об этих возмутительных преступлениях. Правда, фамилии «похищенных красноармейцев» советская сторона все время путала. (1, стр. 195) Предложение литовской стороны о проведении совместного расследования было с гневом отклонено (*«литовские власти под видом расследования и принятия мер по отношению к виновным расправляются с друзьями СССР»* — директива Политуправления РККА № 5258 от 13 июня 1940 г.). 15—17 июня 1941 г. все три прибалтийских государства (Литва, Латвия и Эстония) были полностью оккупированы Красной Армией, а спустя месяц — аннексированы. Самое же удивительное заключается в том, что судьба «похищенных красноармейцев» так никогда и не была выяснена! О них просто забыли — причем именно тогда, когда установление полного военного контроля над Прибалтикой открыло неограниченные возможности для «поиска похищенных», для предания виновных суду, а тел «замученных литовской военщиной красноармейцев» — земле. Ни советская пресса, ни секретные приказы советского военного командования так ничего и не сообщили бойцам и командирам РККА о судьбе их «пропавших» товарищей...

Что же касается Буковины, которая даже никогда не входила в состав Российской империи (и никак не была упомянута в секретном протоколе о разделе сфер влияния в Восточной Европе между Гитлером и Сталиным), то в качестве причины, «вынуждающей» советское правительство требовать от Румынии передачи этой территории и угрожать при этом вооруженной интервенцией, Молотов 26 июня 1940 г. сослался на то, что *«военная слабость СССР отошла в область прошлого, а сложившаяся международная обстановка требует быстрейшего разрешения нерешенных вопросов»*. После этого Молотов выразил надежду на то, что *«ответ будет дан без опозданий, и* ***если он будет положительным*** (подчеркнуто мной. — *М.С.), то вопрос будет решен мирным путем»*.

Стоит отметить и то, что единственный из «уцелевших» западных соседей Советского Союза (Турция) был на самом деле очень близок к тому, чтобы пополнить список жертв агрессии. 25 ноября 1940 г. глава правительства СССР и нарком иностранных дел В.М. Молотов сообщил послу Германии в Москве графу Шуленбургу условия, при которых *«СССР согласен принять в основном проект пакта четырех держав об их политическом сотрудничестве и экономической взаимопомощи, изложенный г. Риббентропом в его беседе с В.М. Молотовым в Берлине 13 ноября 1940 года»*. В качестве одного из условий присоединения СССР к так называемой «оси Рим—Берлин—Токио» были названы *«организации военной и военно-морской базы СССР в районе Босфора и Дарданелл»*. При этом должно было быть оговорено, что *«в случае отказа Турции присоединиться к четырем державам Германия, Италия и СССР договариваются выработать и провести в жизнь необходимые* ***военные*** (подчеркнуто мной. — *М.С.*) *и дипломатические меры, о чем должно быть заключено специальное соглашение»*. (4, стр. 417)

Прежде чем вернуться к обсуждению сугубо военных вопросов, остается только отметить, что вся дискуссия о «превентивной войне», которую готовил то ли Гитлер, то ли Сталин, то ли они оба одновременно, является дискуссией совершенно беспредметной. Ни сталинская империя, ни гитлеровский Третий рейх не могли — в силу агрессивного и преступного характера самих этих режимов и проводимой ими внутренней и внешней политики — готовить и вести «превентивную войну». Два величайших преступника готовили и вели агрессивные, захватнические войны, результатом которых был захват чужих территорий, разрушение государственности других народов, грабеж, насилие и массовые внесудебные репрессии по отношению к целым группам населения (национальным или социальным) порабощенных стран. Тот факт, что большая (большая по продолжительности и числу жертв) часть войны прошла на территории Советского Союза, **говорит лишь о слабости сталинского режима, а вовсе не о его большем «миролюбии».**

Обратимся теперь к гипотезе № 1. Я предполагаю, что в феврале-марте 1941 г. Сталин **НЕ планировал начать большую войну в Европе летом 1941 г.** В противном случае он не стал бы затевать крупномасштабную перестройку армии, не стал бы расформировывать и переформировывать имеющиеся мехкорпуса и танковые бригады. Еще одним из многих показательных примеров является и грандиозная программа аэродромного строительства, утвержденная Политбюро ЦК ВКП(б) 24 марта 1941 г., в соответствии с которой на 194 аэродромах (из них 61 — в Западном ОВО и 63 — в Киевском ОВО) должны были быть построены бетонные ВПП длиной в 1200 м и шириной 100 м, подземные бетонированные бомбохранилища на 300 т и бензохранилища на 225 т на каждом. (41) В скобках отметим, что основные типы бомбардировщиков советских ВВС (СБ, Ар-2, ДБ-3ф), не говоря уже про гораздо более легкие самолеты-истребители, нуждались в ВПП длиной никак не более 500—600 метров. Для осуществления такой «стройки века» 27 марта 1941 г. было создано Главное управление аэродромного строительства (ГУАС), причем это ГУАС с нескрываемым цинизмом создавалось в рамках НКВД СССР, т.е. с изначальным расчетом на массовое использование рабского труда заключенных. Практическую отдачу от всех этих мероприятий можно было получить не ранее 1942 года. Непосредственно весной 1941 г. они лишь вносили хаос в работу промышленности, в организацию и боевую подготовку войск. Ни один разумный человек — а Сталин, без сомнения, был человеком трезвомыслящим и чрезвычайно осторожным — не стал бы затевать такой грандиозный «капитальный ремонт Вооруженных сил» за несколько месяцев до Большой Войны. Таким образом, в постоянных заверениях советской историографии о том, что Сталин надеялся и старался «оттянуть нападение Германии до лета 1942 года» есть доля истины. Правда, истины причудливо искаженной. Сталин не для того создавал крупнейшую армию мира, чтобы с замиранием сердца гадать: «нападет — не нападет, нападет — не нападет...» Сталин вел свою собственную, активную и целеустремленную политику, он не ждал нападения Гитлера, а выбирал оптимальный момент для нанесения сокрушительного удара по противнику. В феврале 1941 г. этот момент, вероятно, был отнесен им к 1942 или даже 1943 году.

Еще одним основанием для такого предположения может служить и многократно упомянутая программа развертывания 30 мехкорпусов. *«Мы не рассчитали объективных возможностей нашей танковой промышленности,* — горько сетует в своих мемуарах Великий Маршал Победы, — *для полного укомплектования мехкорпусов требовалось 16 600 танков только новых типов... такого количества танков в течение одного года практически при любых условиях взять было неоткуда»*. Г.К. Жуков напрасно так прибедняется. Считать в столбик и он, и его заместители по Генеральному штабу все же умели. Соотнести план производства танков с календарным планом комплектования мехкорпусов было совсем не сложно. Что и было ими сделано. 22 февраля 1941 г. начальник Генерального штаба Красной Армии Г.К. Жуков утвердил программу развертывания мехкорпусов. Все они были разделены на 19 «боевых», 7 «сокращенных» и 4 «сокращенных второй очереди». Был установлен четкий план комплектования танками по каждому корпусу и каждой дивизии. Всего к концу 1941 г. планировалось иметь в составе танковых войск 18 804 танка, в том числе — 16 655 танков в «боевых» мехкорпусах. (4, стр. 677) Про планы укомплектования

42-го года мне ничего не известно. Учитывая, что фактически за два года (41-й и 42-й) было произведено **3911 танков КВ и 15 541 танк Т-34** (в 30 полностью укомплектованных мехкорпусах в строю должно было быть **3780 КВ и 12 600 Т-34**), можно предположить, что завершение программы развертывания танковых войск по плану МП-41 было отнесено на конец 1942 или даже на начало 1943 года.

Как известно, слово «рассчитывать» имеет в русском языке два значения: считать что-либо в арифметическом значении этого глагола или же «предполагать», «надеяться», «прогнозировать». Если бы Жуков хотел сказать правду, он должен бы был просто признать, что воевать с Германией летом 1941 года он не предполагал. К слову сказать, в феврале 1941 года конкретные планы Гитлера на 1941 год не были еще известны и самому Гитлеру. Директива верховного командования вермахта № 050/41 от 31 января 1941 г. была сформулирована в самых осторожных и неопределенных выражениях: *«В случае, если Россия изменит свое нынешнее отношение к Германии, следует в качестве меры предосторожности осуществить широкие подготовительные мероприятия, которые позволили бы нанести поражение Советской России в быстротечной кампании еще до того, как будет закончена война против Англии»*. (4, стр. 576) Что же касается собственных планов Жукова и Тимошенко, то эти планы (по моему личному мнению) **были направлены к максимально возможному «оттягиванию» вторжения Советского Союза в Европу**. Это исключительно важный момент, и его следует разобрать подробнее.

— «Броня крепка»

— «И танки наши быстры»

— «И наши люди мужеством полны»

Вот триединая формула победы в бою, в операции, в войне. Ничуть не менее образно эта же мысль была выражена в Полевом уставе Красной Армии ПУ-39. Параграф 6 гласил:

«Самым ценным в РККА является новый человек Сталинской эпохи. Ему принадлежит в бою решающая роль. Без него

все технические средства борьбы мертвы, в его руках они становятся грозным оружием».

Подвергнуть вслух малейшему сомнению готовность «нового человека Сталинской эпохи» немедленно отдать свою жизнь за дело партии Ленина—Сталина не осмеливался никто. Даже в укрытых под грифом «секретно», предназначенных только для командного состава книгах единственно возможным языком для обсуждения этой темы был такой: *«Бойцы и командиры Красной Армии, отлично овладевшие передовой военной техникой, политически сознательные, полные ненависти к врагу, физически крепкие, выносливые и ловкие, прекрасно знающие военное дело, беззаветно преданные своей социалистической родине и партии Ленина—Сталина, в будущих схватках социализма с капитализмом будут творить чудеса, каких не знает еще военная история».* (34)

Ни Жуков, ни Тимошенко не решались высказать Сталину даже малейшие сомнения по поводу того, какие «чудеса в будущих схватках с капитализмом» могут сотворить «новые люди Сталинской эпохи». Вместо этого они настойчиво убеждали «вождя» в том, что и броня недостаточно крепка, и танки не совсем быстры, а самое главное — всего мало. Мало танков, мало пушек, мало тягачей для буксировки пушек... Так и появился план МП-41 с фантастическими заявками на вооружение и боевую технику. Составляя такой документ, записывая в него невообразимые цифры, советские полководцы **надеялись решить сразу три задачи**. Во-первых, компенсировать — насколько это вообще возможно — огромным количеством наиновейшей техники низкий боевой дух армии, отсутствие мотивации и должной военной подготовки личного состава. Другими словами — укрепить армию. Не буду подвергать даже малейшему сомнению искреннее желание Жукова и Тимошенко как-то исправить ситуацию.

Во-вторых, навязывая Сталину грандиозную программу реорганизации и перевооружения армии, они тем самым подталкивали его к переносу сроков вторжения в Европу на все более и более поздние сроки. И это вполне понятная логика поведения (как говаривал Ходжа Насреддин: «Через 10 лет или мулла умрет, или осел сдохнет»). На рубеже 1940—1941 гг. еще могли быть надежды на то, что война Германии с Британской империей разгорится с новой и несравненно большей силой, что война эта затянется на долгие годы, разорит и обескровит противников, а Советский Союз сможет прийти на пепелище Европы в роли верховного арбитра где-нибудь году в 44-м. В-третьих, по слабости человеческой, Жуков и Тимошенко, запрашивая 37 тысяч танков и 90 тысяч гусеничных тягачей, готовили себе оправдание на случай будущего поражения («что же мы могли сделать с неукомплектованной и почти безоружной армией?»).

Не берусь судить о том, предполагали ли они в феврале катастрофу того масштаба, которая в реальности произошла летом 41-го года, но и надежды на то, что Красная Армия сможет успешно бороться с вермахтом, у них было мало. О том, как низко оценивал товарищ Жуков боеспособность Красной Армии, можно судить по нескольким строкам, которые он написал 6 декабря 1965 г. на рукописи так и не опубликованной в «Правде» статьи маршала А.М. Василевского:

«...Думаю, что Сов. Союз был бы скорее разбит, если бы мы все свои силы накануне войны развернули на границе, а немецкие войска имели в виду именно по своим планам в начале войны уничтожить их в районе гос. границы.

Хорошо, что этого не случилось, а если бы главные наши силы были разбиты в районе гос. границы, тогда бы гитлеровские войска получили возможность успешнее вести войну, а Москва и Ленинград были бы заняты в 41 г.» (43)

В высшей степени ценное признание бывшего начальника Генштаба. Красная Армия расценивается им только в качестве «мальчика для битья» — чем больше войск соберешь, тем больше их и перебьют. Такой вариант развития событий, при котором советские войска — при условии еще большего численного превосходства над противником — могли бы переломить ситуацию на фронте, Жуков даже не рассматривает...

«Главное, конечно, что довлело над ним, над всеми его мероприятиями, которые отзывались и на нас, — это, конечно,

страх перед Германией. Он боялся германских вооруженных сил, которые маршировали легко по Западной Европе, и громили, и перед ними все становились на колени. Он боялся». Эти слова Жуков произнес про Сталина, но на самом деле перед нами вполне точная, аутентичная характеристика настроений в высшем эшелоне советского военного руководства. С тем только уточнением, что глагол «боялся» в данном случае вряд ли уместен. Любой из нас «боится» лечь на рельсы перед идущим поездом, но эту «боязнь» следует считать проявлением элементарного благоразумия, а вовсе не трусости. В отличие от комиссаров и карателей эпохи Гражданской войны (Сталина, Ворошилова, Тухачевского, Якира, Блюхера, Городовикова) новые руководители военного ведомства (Тимошенко, Мерецков, Жуков, Воронов) видели реальное положение дел в армии с близкого расстояния. Прежде всего это относится к «первой паре» (Тимошенко и Мерецкову), ставшей летом 1940 года у руля наркомата обороны. Оба они приняли самое непосредственное участие в войне с Финляндией. Военные результаты финской кампании повергли тогда в шок как друзей, так и врагов Советского Союза. Огромная мировая держава бросила в бой 900-тысячную армию, оснащенную тысячами танков и самолетов, но при этом так и не смогла — выражаясь языком газеты «Правда» ноября 1939 года — *«обуздать ничтожную блоху, которая прыгает и кривляется у наших границ»*.

Задним числом была придумана легенда о «несокрушимых укреплениях к линии Маннергейма», которые не смогла бы прорвать ни одна армия мира. Кроме «непобедимой и легендарной». Не говоря уже о том, что любой из десятков укрепрайонов на старой и новой советской западной границе (через которые летом 41-го года немцы прошли или вовсе не обратив на них внимание, или прорвав их оборону за несколько дней боев) не уступал пресловутой «линии Маннергейма» по количеству дотов, по составу вооружения, по качеству железобетона, по оснащенности специальным оборудованием, не говоря обо всем этом, следует вспомнить, что война с Финляндией отнюдь не сводилась к боям на Карельском перешейке. Протяженность советско-финляндской границы составляла порядка 1350 км. Линия долговременных финских укреплений на Карельском перешейке прикрывала участок границы протяженностью порядка 100 км, т.е менее одной десятой общей протяженности. На расстоянии в десятки и сотни километров от ближайшего дота «линии Маннергейма», в Северной и Приладожской Карелии, действовала огромная группировка советских войск (8-я, 9-я, 15-я Армии), среднемесячная численность которых составляла 350 тыс. человек. (2, стр. 99) Каков же был результат этих «действий»?

Ни одна из поставленных задач не была выполнена. За три месяца боевых действий войска 8-й Армии продвинулись вперед на расстояние 0—70 км от линии госграницы, войска 9-й Армии были практически повсеместно отброшены назад, на исходные позиции. За такие мизерные результаты была заплачена огромная цена. Общие потери 8-й, 9-й и 15-й Армий составили 141 тыс. человек, в том числе 45 тыс. человек — безвозвратно. (2, стр. 112—119) Три стрелковые дивизии (18-я, 163-я, 44-я) и 34-я танковая бригада были окружены и полностью разгромлены. Четыре другие дивизии (75-я, 139-я, 168-я, 54-я) потеряли 50—60% личного состава.

«Надо сказать прямо, что на петрозаводском направлении финны взяли в середине декабря инициативу в свои руки и держали ее почти до конца войны», — вынужден был признать начальник Генерального штаба Шапошников, выступая на Совещании высшего комсостава РККА 16 апреля 1940 г. (39) Серьезное заявление, принимая во внимание соотношение сил и состав вооружения сторон. Среди множества выступавших на этом Совещании был и корпусной комиссар Вашугин (один из очень немногих высших командиров Красной Армии, кто сам вынес себе летом 41-го года беспощадный приговор). Комиссар Вашугин уже весной 1940 г. отметил поведение бойцов и командиров, совсем не похожее на ожидаемое:

«Финны окружали наши дивизии небольшими частями. Мне представлялось, что для того чтобы дивизию окружить, нуж-

но иметь три дивизии. А как там получилось? Я очень подробно выяснил окружение 97-го стрелкового полка 18-й дивизии. Что из себя представляло это окружение? Командир полка заявил, что с запада было около роты противника, с востока было меньше усиленного взвода, с севера были регулярные войска — около батальона, который занимал укрепленные позиции в лагере, но в последнее время наши ходили в разведку в этот лагерь и не находили там вовсе противника. Они нигде противника не видели. С юга же противника никогда и не было. И считали себя в окружении... Мы его выводили очень просто. Пришла пара разведчиков, которые сказали, что полку приказано выйти из окружения. Гарнизон поднялся и ушел». (39) Не многим лучше обстояли дела и в «окруженной» 54-й дивизии (хотя это и была старая кадровая дивизия, специально подготовленная к действиям на северном театре военных действий). *«Гусевский* (командир 54-й дивизии) *каждый день, а иногда по несколько раз в день слал паникерские телеграммы... Под влиянием этих телеграмм угробили почти все резервы 9-й Армии, какие там были и подходили, туда бросали множество людей и не могли организовать никакого наступления по освобождению... Авиация обязана была бомбить, стрелять, охранять его в течение 45 дней. Дивизия кормилась 80-м авиаполком в течение 45 дней, и этот полк фактически спас ее, бездействующую дивизию, от голода и гибели, не давая финнам покоя день и ночь. Ежедневно при малейшей активности финнов там поднималась паника, туда давали все постепенно прибывавшие эскадроны и батальоны лыжников... На самого Гусевского повлиять никак не могли, а порядка в осажденном гарнизоне не было».* (39) Порядок пытались навести традиционным способом. Далеко не полный список расстрелянных (или застрелившихся) за три месяца «зимней войны» командиров включает в себя: командира 44-й дивизии Виноградова, начальника штаба и начальника политотдела этой дивизии Волкова и Пахоменко, командира и комиссара 662-го полка 163-й дивизии Шарова и Подхомутова, командира 18-й дивизии Кондрашева, командира 34-й танковой бригады Кондратьева, начальника штаба бригады Смирнова и начальника Особого отдела бригады Доронина, командира 56-го стрелкового корпуса Черепанова...

В холодных водах Балтики также не было обнаружено никакой «плавучей линии Маннергейма». Тем не менее результативность действий Краснознаменного Балтийского флота (КБФ) оказалась изумительно низкой. В порты Финляндии с начала декабря 1939 г. до середины января 1940 г. благополучно прошло 349 (триста сорок девять) транспортных судов. Из 49 подводных лодок, входивших в боевой состав КБФ, к участию в военных действиях оказались способны только 27. Из 27 подводных лодок КБФ хотя бы один раз атаковали противника только 8. Восемь подводных лодок атаковали в общей сложности 11 судов, из которых 10 не имели охранения и какого-либо вооружения. Из 11 атакованных судов уничтожено всего 5 (пять), включая эстонский теплоход «Кассари», затопленный вне зоны официально объявленной морской блокады. Таким образом, практически не встречая вооруженного противодействия ни в море, ни в небе над Балтикой, подводные силы КБФ смогли потопить лишь 1,1% от общего числа прошедших в порты Финляндии судов. (40, стр. 120) И летающей «линии Маннергейма» никто еще не придумал, а зря. Надо же как-то объяснить тот факт, что при финальном соотношении численности боевых самолетов 26 к 1 в пользу советских ВВС соотношение боевых (не считая технических) потерь составило 8 к 1 в пользу крохотной финской авиации.

Такие «чудеса» показали вооруженные силы сталинской империи, имея перед собой малочисленную, плохо вооруженную, практически лишенную танков и бомбардировочной авиации финскую армию. Чего же можно было ожидать от Красной Армии в случае вооруженного столкновения с немецким вермахтом и люфтваффе?

На этот ключевой вопрос было дано как минимум три разных ответа.

Гитлер был убежден (и он уверил в этом своих генералов), что Красная Армия — это «глиняный колосс без головы», который рассыплется после первого же удара. Достаточно вспомнить о том, что Директива № 32, определяющая действия германских вооруженных сил *«после того, как крах Советского Союза создаст соответствующие условия»*, была подписана им 11 июня 1941 г. Это не опечатка — 11 июНя! За 11 дней до начала войны уже формулировались *«стратегические задачи, которые в результате победоносного завершения похода на Восток могут быть поставлены перед вооруженными силами на конец осени 1941 г. и зиму 1941/42 года»*.

Жуков и Тимошенко, надо полагать, все еще надеялись на то, что Красная Армия «ремонтопригодна», и поэтому настойчиво рекомендовали Сталину начать крупномасштабный «капитальный ремонт», раздутую «смету» которого они представили ему в виде мобилизационного плана МП-41.

Сталин — насколько можно судить по его выступлениям на многодневном Совещании высшего комсостава РККА в апреле 1940 года — вовсе не был удручен, потрясен или хотя бы просто огорчен уровнем боеспособности своей армии.

По крайней мере именно такую линию поведения, такой характер обсуждения он задал высокому собранию. Сталин отечески журил провинившихся, хвалил Красную Армию в целом, не забывая мягко указать на отдельные недостатки, охотно и много шутил. Обстановка была сугубо семейная — встреча строгого отца с любимыми и любящими сыновьями. Ну а финальные аккорды выступления Сталина и вовсе загремели триумфальной медью:

«...Наша армия стала крепкими обеими ногами на рельсы новой, настоящей советской современной армии... Мы победили не только финнов, мы победили еще их европейских учителей — немецкую оборонительную технику победили, английскую оборонительную технику победили, французскую оборонительную технику победили. Не только финнов победили, но и технику передовых государств Европы. Не только технику передовых государств Европы, мы победили их тактику, их стратегию... Мы разбили технику, тактику и стратегию передовых государств Европы, представители которых являлись учителями финнов. В этом основная наша победа». (Бурные аплодисменты, все встают, крики «Ура!» Возгласы: «Ура тов.

Сталину!» Участники совещания устраивают в честь тов. Сталина бурную овацию.) (39) Первым, главным и фактически единственным аргументом в пользу версии о том, что Сталин якобы был очень недоволен действиями Красной Армии в финской войне, является факт смены руководства Наркомата обороны (май 1940 г.), а затем и Генерального штаба (август 1940 г.). При этом странным образом игнорируется другой факт — на освободившиеся после отставки Ворошилова и Шапошникова места были назначены самые главные «герои» финской войны. Столь же странным образом из поля зрения историков выпал другой факт — куда именно Сталин «выгнал в шею» Ворошилова. А ведь достаточно открыть любой биографический справочник, чтобы узнать о том, что после освобождения от обязанностей наркома обороны тов. Ворошилов в тот же день, все в том же высшем воинском звании Маршала Советского Союза, стал председателем Комитета Обороны при правительстве СССР. 22 июня 1941 г. Ворошилов (вместе с Молотовым и Берия) последним вышел из кабинета Сталина. 30 июня 1941 г. Ворошилов вошел в состав Государственного комитета обороны, т.е. в число тех пяти человек (Сталин, Молотов, Ворошилов, Маленков, Берия), в руках которых была номинально сосредоточена вся власть в стране. Едва ли все это можно называть «опалой и изгнанием»...

Разительное несовпадение представлений Гитлера и Сталина о реальной боеспособности Красной Армии сыграло, без преувеличения, роковую роль в тот момент истории, когда стратегические планы Сталина радикально изменились. Весной 1941 г. Сталин принял решение значительно приблизить начало Большой Войны. Когда произошел этот резкий поворот в планах Сталина? Как ни странно, но мы можем определить этот момент времени с точностью до одного месяца (что в отсутствие прямых документальных свидетельств может считаться высокой точностью). **Не раньше 6 апреля — и не позже 5 мая 1941 г.**

6 апреля 1941 г. — один из наиболее загадочных дней в истории Второй мировой войны. Напомним основную канву

событий. Весной 1941 года центром острейшего военно-политического кризиса стали Балканы. В орбиту войны были втянуты Албания и Греция, Болгария под нажимом Берлина присоединилась к «оси» и разрешила ввод немецких войск на свою территорию. Затем наступила очередь Югославии, правительство которой 25 марта подписало в Вене протокол о присоединении к Тройственному союзу. В ночь с 26 на 27 марта в Белграде произошел военный переворот, инспирированный то ли английской, то ли советской разведслужбами. Новое правительство генерала Симовича заявило о своем намерении дать твердый отпор германским притязаниям и обратилось с просьбой о помощи к Советскому Союзу. 3 апреля (т.е. всего через неделю после переворота) югославская делегация уже вела в Москве переговоры о заключении договора о дружбе и сотрудничестве с самим Сталиным. Несмотря на то что Германия через посла Шуленбурга довела до сведения Молотова свое мнение о том, что «момент для заключения договора с Югославией выбран неудачно и вызывает нежелательное впечатление», в 2.30 ночи 6 апреля 1941 г. советско-югославский договор был подписан. Через несколько часов после его подписания самолеты люфтваффе подвергли ожесточенной бомбардировке Белград, и немецкие войска вторглись на территорию Югославии. Советский Союз никак и ничем не помог своему новому другу. 6 апреля, примерно в 16 часов по московскому времени, Молотов принял Шуленбурга и, выслушав официальное сообщение о вторжении вермахта в Югославию, ограничился лишь меланхолическим замечанием: *«Крайне печально, что, несмотря на все усилия, расширение войны, таким образом, оказалось неизбежным...»* (53, стр. 156)

Что это было? Зачем было демонстративно «дразнить» Гитлера, не имея желания (да и практической возможности) оказать Югославии действенную военную помощь? В любом случае в Берлине этот странный дипломатический демарш восприняли с крайним раздражением. Позднее (22 июня 1941 г.) именно события 5—6 апреля были использованы в германском меморандуме об объявлении войны Советскому

Союзу как главное свидетельство враждебной политики, которую Советский Союз якобы проводил в отношении Германии *(«С заключением советско-югославского договора о дружбе, укрепившем тыл белградских заговорщиков, СССР присоединился к общему англо-югославо-греческому фронту, направленному против Германии»).* Как бы то ни было, я считаю возможным предположить, что 6 апреля 1941 г. война против Германии еще представлялась Сталину делом будущего. Близкого, но будущего. В противном случае он не стал бы столь явно провоцировать Гитлера и будить в нем нехорошие подозрения. Перед самой войной Сталин проводил совсем иную линию, ласково оглаживая, как писал В. Суворов, «германского быка, приведенного к нему на бойню».

К 5 мая 1941 года ситуация полностью изменилась. 5 мая Сталин уже знал, что до начала Великого Похода остались считаные недели. Только этим и можно объяснить его удивившее весь мир решение занять пост главы правительства. Вряд ли надо объяснять, что и до 5 мая товарищ Сталин, будучи всего лишь одним из многих депутатов Верховного Совета СССР, обладал абсолютной полнотой власти. И до 5 мая 1941 г. товарищ Молотов, являясь номинальным Председателем СНК, согласовывал любой свой шаг, любое решение правительства с волей Сталина. Долгие годы Сталин управлял страной, не испытывая никакой потребности в формальном оформлении своего реального статуса единоличного диктатора. И если 5 мая 1941 г. такое странное действо было все же совершено, то этому трудно найти какое-либо иное объяснение, кроме нескромного желания Сталина оставить свою личную подпись на приказах и документах, которые навсегда изменят ход мировой истории.

Между 6 апреля и 5 мая был еще день 13 апреля 1941 г. В этот день произошло крупное событие мирового значения (в Москве был подписан Пакт о нейтралитете между СССР и Японией — соглашение, которое развязывало Сталину руки для действий на Западе), а также произошел небольшой эпизод на московском вокзале, привлекший, однако, к себе пристальное внимание политиков и дипломатов. В отчете, который посол Германии в тот же день с пометкой «Срочно! Секретно!» отправил в Берлин, этот странный эпизод был описан так:

«...Явно неожиданно как для японцев, так и для русских вдруг появились Сталин и Молотов и в подчеркнуто дружеской манере приветствовали Мацуоку и японцев, которые там присутствовали, и пожелали им приятного путешествия. Затем Сталин громко спросил обо мне и, найдя меня, подошел, обнял меня за плечи и сказал: «Мы должны остаться друзьями, и Вы должны теперь всё для этого сделать!» Затем Сталин повернулся к исполняющему обязанности немецкого военного атташе полковнику Кребсу и, предварительно убедившись, что он немец, сказал ему: «Мы останемся друзьями с Вами в любом случае». Сталин, несомненно, приветствовал полковника Кребса и меня таким образом намеренно и тем самым сознательно привлек всеобщее внимание многочисленной публики, присутствовавшей там». (53, стр. 157)

Демонстративные объятия были вскоре дополнены и другими, столь же демонстративными действиями. В Москве были закрыты посольства и дипломатические представительства стран, разгромленных и оккупированных вермахтом.

Не стало исключением и посольство той самой Югославии, на договоре о дружбе с которой, как говорится, «еще не просохли чернила». В мае 1941 г. Советский Союз с молниеносной готовностью признал прогерманское правительство Ирака, пришедшее к власти путем военного переворота. В самом благожелательном по отношению к Германии духе решались и вопросы экономического сотрудничества. В меморандуме МИДа Германии от 15 мая 1941 г. отмечалось:

«Переговоры с первым заместителем Народного комиссара внешней торговли СССР были проведены Крутиковым в весьма конструктивном духе... У меня создается впечатление, что мы могли бы предъявить Москве экономические требования, даже выходящие за рамки договора от 10 января 1941 года... В данное время объем сырья, обусловленный договором, доставляется русскими пунктуально, несмотря на то, что это стоит им

больших усилий; договоры, особенно в отношении зерна, выполняются замечательно...» (53, стр. 164)

Престарелый граф Шуленбург был совершенно очарован объятиями гостеприимных московских хозяев (к слову говоря, в 1944 г. бывший посол Германии в СССР был казнен за участие в заговоре против Гитлера, так что его «наивная доверчивость» могла быть и не столь наивной, как кажется). 24 мая 1941 г. в очередном донесении в Берлин он пишет:

«...Наблюдения, сделанные здесь со времени принятия Сталиным высшей государственной власти, показывают, что Сталин и Молотов удерживают позиции, являющиеся самыми важными для внешней политики СССР. То, что эта внешняя политика прежде всего направлена на предотвращение столкновения с Германией, доказывается позицией, занятой советским правительством ***в последние недели*** (подчеркнуто мной. — *М.С.*), *тоном советской прессы, которая рассматривает все события, касающиеся Германии, в не вызывающей возражений форме, и соблюдением экономических соглашений...»* (53, стр. 165)

Гитлер, к несчастью, не был столь доверчив. Он соотнес поступающую к нему по разведывательным каналам информацию о развертывании Красной Армии с неожиданно развившейся лояльностью Москвы и оценил этот поворот по достоинству. 30 апреля 1941 г. Гитлер установил день начала операции «Барбаросса» (22 июня) и дату перехода железных дорог на график максимальных военных перевозок (23 мая). 8 июня задачи по плану вторжения были доведены до командующих армиями, 10 июня им сообщили дату начала операции. Вечером 21 июня в письме к Муссолини Гитлер обрисовал свое решение в таких словах: *«После долгих размышлений я пришел к выводу, что лучше разорвать эту петлю до того, как она будет затянута»*. Впрочем, раздумья Гитлера об ту пору не были столь мучительными, да и вся фраза про «петлю на шее» была скорее данью дешевой театральности, которую так любил итальянский «дуче». Сомнений в быстром и крупном успехе у Гитлера не было. Ни малейших.

Таким оптимистичным прогнозам способствовало не

только общее представление о Советском Союзе, как о «глиняном колоссе без головы», но и более чем странная работа немецких разведывательных служб. Если советская разведка постоянно завышала и общее количество дивизий вермахта, и количество танков в танковых дивизиях, и тактико-технические характеристики немецких танков, то ведомство загадочного адмирала Канариса (руководителя военной разведки Германии и агента английских спецслужб по совместительству) систематически занижало все оценки военного потенциала Советского Союза. 3 февраля 1941 г. на совещании Гитлера с высшим генералитетом состав Красной Армии оценивался следующим образом: *«100 пехотных дивизий, 25 кавалерийских дивизий; примерно 30 механизированных дивизий»*. Как видим, общая численность занижена вдвое, доля кавалерии непомерно завышена, о существовании в структуре Красной Армии механизированных (танковых) корпусов нет даже малейших упоминаний.

Еще дальше пошел генерал-лейтенант Кёстринг, военный атташе Германии в СССР, доложивший в марте 1941 г. в Берлин, что на вооружении Красной Армии имеется всего 6 тыс. танков, которые распределены в виде одной танковой роты (30 танков) на каждую из 200 стрелковых дивизий. (42, стр. 69) О танках Т-34 и КВ, принятых на вооружение еще 19 декабря 1939 г., немецкое командование вплоть до начала войны имело лишь самые смутные догадки. Перечень подобных примеров можно продолжать и далее, но мы сразу перейдем к результату столь всеобъемлющей недооценки противника. А результат был таков, что **силы, выделенные для «Барбароссы», были настолько малы, что Сталин никак не мог поверить в то, что Гитлер принял решение о вторжении.**

В самом деле, фактически в составе трех групп армий («Север», «Центр», «Юг») на западной границе Советского Союза сосредотачивались: 84 пехотные дивизии, 17 танковых и 14 моторизованных дивизий (в общее число «84 пехотные дивизии» мы включили также 4 легкопехотные, 1 кавалерийскую и 2 горно-стрелковые дивизии, в общее число 14 мотодивизий включены части войск СС, соответствующие

5 «расчетным дивизиям»). **Всего — 115 дивизий**. Как мог Сталин поверить в то, что такими силами Гитлер рискнет начать наступление против Красной Армии, которая еще в мирное время насчитывала более 300 дивизий? Причем и этих-то 115 дивизий в мае 1941 г. на границах СССР еще не было. Фактически 15 мая 1941 г. на Востоке было сосредоточено 66 пехотных, 3 танковые и 1 моторизованная дивизия вермахта. (1, стр. 304) Советская разведка оценивала (с традиционным завышением) состав группировки противника в 119 дивизий, но и это было меньше половины от общей численности вермахта, каковую численность советская разведка определяла (опять же завышая реальную величину процентов на 25—30) в 260—285 дивизий. Как же мог Сталин поверить в то, что Гитлер начнет вторжение, не собрав на советской границе хотя бы две трети своей армии?

Как было уже отмечено в первой главе, советская разведка и высшее командование Красной Армии ожидали увидеть в составе немецкой группировки на Восточном фронте 175—200 дивизий с 10 тысячами танков. Ничего подобного, ничего близко похожего на такую концентрацию сил в мае 1941 года еще не было. На огромном пространстве от Балтики до Карпат сосредотачивались немецкие войска, численно меньшие, чем группировка вермахта на границе с Бельгией и Голландией 10 мая 1940 года. Поэтому Сталин, не обращая особого внимания на странные метания своего берлинского конкурента, продолжил форсированную подготовку к Великому Походу.

Глава 7

ГИПОТЕЗА № 2

5 мая 1941 г. Сталин официально вошел в должность главы правительства СССР (Молотов стал его заместителем и сохранил за собой пост наркома иностранных дел). В тот же день, 5 мая 1941 г., в Большом Кремлевском дворце состоялся торжественный прием в честь выпускников военных ака-

демий РККА. Сталин выступил перед собравшимися с большой (она продолжалась примерно 40 минут, что для скупого на слова «Хозяина» было очень много) речью.

Значимость это выступления усиливается тем фактом, что она была произнесена в тот самый день, когда Сталин занял пост главы правительства, что, несомненно, привлекло внимание всех, в том числе — и участников торжественного собрания в Кремлевском дворце.

При жизни Сталина текст его речи от 5 мая 1941 г. никогда не публиковался — ни до начала войны, ни после ее победного завершения. Уже этот факт дает основания утверждать, что про возможность нападения Германии на СССР Сталин в своем выступлении перед выпускниками военных академий не сказал ни слова — в противном случае историю о «гениальной прозорливости великого вождя, который задолго до вероломного вторжения разгадал коварный замысел врага», заставили бы выучить даже младших школьников. В 1995 году МИД России в многотомном сборнике «Документы внешней политики» (т. 23, книга 2) опубликовал текст речи Сталина. В конце публикации стоит, как и положено, ссылка на источник информации: журнал «Искусство кино», № 5 за 1990 г. И это действительно «кино»! Министерство иностранных дел — самая официальная из всех официальных организаций. В сборнике документов, изданных МИДом, никаких других ссылок, кроме номеров архивных дел (или номеров газеты «Известия», которая была официальным местом публикаций правительственных сообщений), не может быть. Их там и нет — публикация со ссылкой на литературный журнал является единственным (по крайней мере во всем 23-м томе) исключением из правил. По сути дела, составители сборника мудро «умыли руки», переложив ответственность за достоверность текста речи Сталина на «Искусство кино».

С точки зрения искусства и литературного языка опубликованный текст явно неполон. Два последние фразы звучат так: *«Любой политик, любой деятель, допускающий чувство самодовольства, может оказаться перед неожиданностью, как оказалась Франция перед катастрофой. Еще раз поздравляю вас и желаю успеха»*. Нестыковка, на мой взгляд, очевиднейшая. Все речи и статьи Сталина отличались ясностью, четкостью, последовательностью, простотой (если не сказать — примитивностью) изложения. Вопрос-ответ, вопрос-ответ. Никакого постмодернистского «потока сознания». Упоминание про поражение Франции никак не могло оказаться последней (перед традиционным пожеланием успехов) содержательной фразой выступления Сталина перед командирами Красной Армии. Впрочем, и опубликованные фрагменты речи Сталина достаточно красноречивы:

«...Действительно ли германская армия непобедима? Нет. В мире нет и не было непобедимых армий. Есть армии лучшие, хорошие и слабые... С точки зрения военной, в германской армии ничего особенного нет ни в танках, ни в артиллерии, ни в авиации. Значительная часть германской армии теряет свой пыл, имевшийся в начале войны. Кроме того, в германской армии появилось хвастовство, самодовольство, зазнайство. Военная мысль Германии не идет вперед, военная техника отстает не только от нашей, но Германию в отношении авиации начинает обгонять Америка... В смысле дальнейшего военного роста германская армия потеряла вкус к дальнейшему улучшению военной техники. Немцы считают, что их армия — самая идеальная, самая хорошая, самая непобедимая. Это неверно. Армию необходимо изо дня в день совершенствовать».

И вот именно после этого пассажа и следовал многозначительный вывод о том, что *«любой политик, допускающий чувство самодовольства, может оказаться перед неожиданностью, как оказалась Франция перед катастрофой»*.

Даже не имея полного текста выступления Сталина, нетрудно догадаться — кого же он имел в виду под «самодовольным политиком», который может оказаться перед катастрофической «неожиданностью»... А можно и не гадать, а обратиться к показаниям пленных командиров Красной Армии, хранящимся в германских архивах. И. Гофман (немецкий историк, с 1960 по 1995 год проработавший в Исследовательском центре военной истории бундесвера и ставший в конце концов научным директором Центра) в своем исследовании (42) приводит многочисленные примеры того, как командиры разных возрастов и рангов, захваченные в плен в разное время и на различных участках фронта, практически в одинаковых словах передают высказывания Сталина о том, что «хочет того Германия или нет, но война Советского Союза с Германией будет». Не менее примечательна и информация, опубликованная в мемуарах советника посольства Германии в СССР Хильгера. Он приводит показания трех пленных советских офицеров, которые сообщили о том, как Сталин во время банкета (мероприятие, неизменно сопровождающее торжественные заседания в кремлевских дворцах) заявил примерно следующее: *«Эпоха мирной политики завершилась и настала эпоха насильственного расширения социалистического фронта. Кто не признает необходимости наступательных действий, тот обыватель или дурак».* (42, стр. 41) За исключением последней грубой фразы, эти — вызывающие понятное недоверие — показания пленных полностью совпадают с сохранившейся в РГАСПИ (ф. 558, оп.1, д. 3808, л. 11—12) записью тостов, прозвучавших на банкете. Согласно этой записи Сталин сказал:

«Мы до поры, до времени проводили линию на оборону — до тех пор, пока не перевооружили нашу армию, не снабдили армию современными средствами борьбы. А теперь, когда мы нашу армию реконструировали, насытили техникой для современного боя, когда мы стали сильны — теперь надо перейти от обороны к наступлению. Проводя оборону нашей страны, мы обязаны действовать наступательным образом. От обороны перейти к военной политике наступательных действий...» (6, стр. 163)

От обсуждения пьяных речей перейдем теперь к рассмотрению **конкретных оперативных планов** верховного командования Красной Армии. В первой половине 90-х годов были рассекречены и опубликованы (4, 6) следующие документы:

— Докладная записка наркома обороны СССР и начальника Генштаба Красной Армии в ЦК ВКП(б) И.В.Сталину и В.М.Молотову «Об основах стратегического развертывания Вооруженных Сил СССР на Западе и на Востоке», б/н, не позднее 16 августа 1940 г. (ЦАМО, ф. 16, оп. 2951, д. 239, л. 1—37);

— Документ с аналогичным названием, но уже с номером (№ 103202) и точной датой подписания (18 сентября 1940 г.) (ЦАМО, ф. 16, оп. 2951, д. 239, л. 197—244);

— Докладная записка наркома обороны СССР и начальника Генштаба Красной Армии в ЦК ВКП(б) И.В.Сталину и В.М.Молотову № 103313 (документ начинается словами *«Докладываю на Ваше утверждение основные выводы из Ваших указаний, данных 5 октября 1940 г. при рассмотрении планов стратегического развертывания Вооруженных Сил СССР на 1941 год»,* в связи с чем его обычно именуют «уточненный октябрьский план стратегического развертывания») (ЦАМО, ф. 16, оп. 2951, д. 242, л. 84—90);

— Докладная записка начальника штаба Киевского ОВО по решению Военного Совета Юго-Западного фронта по плану развертывания на 1940 г., б/н, не позднее декабря 1940 г. (ЦАМО, ф. 16, оп. 2951, д. 239, л. 245—277);

— Выдержки из доклада Генштаба Красной Армии «О стратегическом развертывании Вооруженных Сил СССР на Западе и на Востоке», б/н, от 11 марта 1940 г. (ЦАМО, ф.16, оп. 2951, д..241, л. 1—16);

— Директива наркома обороны СССР и начальника Генштаба Красной Армии командующему войсками Западного ОВО на разработку плана оперативного развертывания войск округа, б/н, апрель 1941 г. (ЦАМО, ф. 16, оп. 2951, д. 237, л. 48-64);

— «Соображения по плану стратегического развертывания Вооруженных Сил Советского Союза на случай войны с Германией и ее союзниками», б/н, не ранее 15 мая 1941 г. (ЦАМО, ф. 16, оп. 2951, д. 237, л. 1—15).

К документам, описывающим оперативные планы советского командования, следует отнести и материалы январских (1941 г.) оперативно-стратегических игр, проведенных высшим командным составом РККА. К такому выводу нас подводит не только простая житейская логика, но и опубликованная лишь в 1992 г. статья маршала А.М. Василевского (в качестве заместителя начальника Оперативного управления Генштаба он участвовал в разработке всех вышеуказанных оперативных планов), который прямо указывает на то, что «в январе 1941 г., когда близость войны уже чувствовалась вполне отчетливо, основные моменты оперативного плана были проверены на стратегической военной игре с участием высшего командного состава вооруженных сил». (43)

Строго говоря, информации для размышления предостаточно. В распоряжении историков имеется пять вариантов общего плана стратегического развертывания Красной Армии и материалы по оперативным планам двух важнейших фронтов: Юго-Западного и Западного. Содержание оперативно-стратегических планов советского командования было уже подробно проанализировано в работах П. Бобылева, В. Данилова, В. Киселева, М. Мельтюхова, Б. Петрова и других российских историков. Для целей нашего исследования достаточно отметить лишь несколько ключевых моментов.

Во-первых, оперативный план большой войны на Западе существовал («Оперативный план войны против Германии существовал, и он был отработан не только в Генеральном штабе, но и детализирован командующими войсками и штабами западных приграничных военных округов Советского Союза» — А.М. Василевский). Странно, что это надо особо подчеркивать, но иные коммунистические пропагандисты в своем «усердии не по разуму» доходили и до утверждения о том, что «наивный и доверчивый» Сталин заменил разработку планов боевых действий любовным разглядыванием подписи Риббентропа на пресловутом Пакте о ненападении. Разумеется, план войны с Германией существовал, и многомесячная работа над ним шла безо всяких оглядок на пакт. Примечательно, что все известные нам оперативные планы представляют собой фактически один и тот же документ, лишь незначительно изменяющийся от одного варианта к другому. Имеет место не только смысловое, но и явное текстуальное сходство всех планов. Круг лиц, допущенных к знакомству с этими документами, крайне ограничен и почти неизменен: Сталин, Молотов, Тимошенко, Василевский, Ватутин и три последовательно сменивших друг друга начальника Генштаба РККА (Шапошников, Мерецков, Жуков).

Во-вторых, **все без исключения планы представляют собой план наступательной операции, проводимой за пределами государственных границ СССР**, при этом главным противником неизменно называется Германия. Боевые действия на собственной территории **не рассматриваются даже как один из возможных вариантов** развития событий войны, вся топонимика театра предполагаемых военных действий представляет собой наименования польских и прусских городов и рек. Глубина наступления в рамках решения «первой» или «ближайшей» стратегической задачи составляет 250—300 км, продолжительность операции — 20—30 дней.

В-третьих, каждый из вариантов плана стратегического развертывания содержит в себе констатацию того прискорбного факта, что «документальными данными об оперативных планах вероятных противников как по Западу, так и по Востоку Генеральный штаб КА не располагает». Эта фраза по достоинству должна была бы занять место эпиграфа к разнообразным сочинениям как советских, так и новейших российских сочинителей на излюбленную ими тему «Секреты Гитлера на столе у Сталина».

В-четвертых, все варианты плана достаточно авантюристичны и, вероятно, отражают ту скрытую борьбу мнений между Сталиным и высшим военным руководством, о которой говорилось выше. Оценка численности войск противника, с которой начинается каждый из рассматриваемых документов, значительно завышена. В результате получается, что Красная Армия должна перейти в решительное наступление, имея крайне незначительное численное превосходство. Более того, по сентябрьскому (1940 г.) варианту плана стратегического развертывания Красная Армия даже уступала предполагаемой группировке немецких войск (не считая войск союзников Германии!) по числу стрелковых (пехотных) дивизий, но при этом все равно планировалось «мощным ударом в направлениях Люблин и Краков и далее на Бреслау в первый же этап войны отрезать Германию от Балканских стран и лишить ее важнейших экономических баз». Странная самонадеянность — особенно учитывая, что составленный в тот же самый день, 18 сентября 1940 г., план войны с Финляндией (4, стр. 254—260) предполагал создание трехкратного превосходства над финской армией по количеству дивизий и десятикратного превосходства в авиации. Создается впечатление, что военные (Тимошенко, Шапошников, Мерецков), целенаправленно завышая военный потенциал Германии, пытались склонить «Хозяина» к большей сдержанности, к переносу начала вторжения в Европу на более поздний срок, на то время, когда удастся создать значительное превосходство сил, но товарищ Сталин упрямо требовал смелых наступательных действий.

Пятое и, наверное, самое важное: только августовский (1940 г.) вариант плана ставит выбор направления главного удара Красной Армии в зависимость от вероятных планов противника (*«считая, что основной удар немцев будет направлен к северу от устья р.Сан, необходимо и главные силы Красной Армии иметь развернутыми к северу от Полесья»*). С очень и очень большой натяжкой эту логику можно еще назвать «планированием ответного контрудара». Все последующие варианты устанавливают направление главного удара исходя из соображений военно-оперативных и политических «удобств» для наступающей Красной Армии, а вовсе не из оценки планов противника. Конкретнее: начиная с сентября 1940 г. все варианты оперативного плана предусматривают нанесение главного удара в южной Польше, с территории так называемого «львовского выступа» в общем направлении на Краков—Катовице. Выбор именно такого направления составители документов обосновывают отсутствием у противника (в отличие от «северного варианта» наступления в Восточной Пруссии) долговременных оборонительных укреплений, характером местности, позволяющей в большей степени реализовать ударную мощь танковых (механизированных) соединений, возможностью уже на первом этапе войны отрезать Германию от ее основных союзников (Румынии, Венгрии и Болгарии), от сырьевых (нефть) и продовольственных ресурсов юго-восточной Европы. Оценка вероятных планов германского командования (нанесение немцами главного удара к северу или к югу от болот Полесья) при этом несколько раз меняется, но это уже никак не влияет на выбор направления главного удара Красной Армии.

В своей неопубликованной в 1965 г. статье маршал Василевский, фактический разработчик (именно его рукой они и были написаны) предвоенных планов стратегического развертывания Красной Армии, писал: *«Говоря об ошибках, надо прежде всего сказать об отсутствии прямого ответа на основной вопрос — о вероятности нападения на нас фашистской Германии, не говоря уже об определении хотя бы примерных сроков этого нападения»*. (43) Эту же мысль можно выразить яснее и проще: Сталин вел свою активную «игру» и отдавать противнику инициативу в выборе времени и места нанесения первого удара не собирался. Сегодня можно уже твердо утверждать, что включенное в Полевой устав положение о том, что *«войну мы будем вести наступательно, с самой решительной целью полного разгрома противника на его же территории»*, было отнюдь не пропагандистским лозунгом, а вполне адекватным отражением стратегических планов высшего военно-политического руководства СССР.

Стоит отметить еще одну, весьма примечательную деталь. Документы, составленные в округах (или адресованные командованию округов) содержательно, а во многом и текстуально, целыми абзацами совпадают с общим планом стратегического развертывания Красной Армии и общим планом первых наступательных операций.

Но есть и **важное отличие.** В первых строках «окружных документов» (записка начальника штаба Киевского ОВО декабря 1940 г. и Директива на разработку плана оперативного развертывания Западного ОВО апреля 1941 г.) содержится такая фраза:

«Пакты о ненападении между СССР и Германией, между СССР и Италией в настоящее время, можно полагать, обеспечивают мирное положение на наших западных границах». В документах же высшего руководства (докладных записках наркома обороны на имя Сталина и Молотова) **пресловутый пакт не упоминается ни разу**! Далее, в апреле 1941 г. Директива наркома обороны СССР так ориентирует командующего войсками Западного ОВО:

«СССР не думает нападать на Германию и Италию. Эти государства, видимо, тоже не думают напасть на СССР в ближайшее время. Однако, учитывая (далее идет перечень различных внешнеполитических событий. — ***М.С.***), *необходимо при выработке плана обороны СССР иметь в виду не только таких противников, как Финляндия, Румыния, Англия, но и таких возможных противников, как Германия, Италия и Япония».* (6, стр. 134)

И это при том, что в документах высшего командования Англия (по крайней мере — с августа 1940 г.) в качестве возможного противника СССР никогда не называлась, зато главным противником (с того же срока) неизменно называлась Германия, которую предположительно могли поддержать Италия, Венгрия, Румыния и Финляндия. Таким образом, **преднамеренная дезинформация собственных войск** (как важный элемент сокрытия реальных планов) поднималась даже до уровня командующих округами. Стоит ли после этого удивляться тому, что советские генералы и маршалы, встретившие войну в должностях командиров полков и дивизий, в своих мемуарах высказывают мнение (возможно — вполне искреннее) о том, что «Сталин поверил в подпись Риббентропа на Пакте о ненападении...».

Если научная дискуссия об общей направленности и конкретном содержании оперативных планов командования Красной Армии к настоящему времени может считаться в основном завершенной, то **вопрос о запланированном Сталиным моменте начала реализации этих планов по-прежнему остается дискуссионным**. И это неудивительно: если сам по себе факт разработки оперативных планов наступательных действий на чужой территории еще может быть с некоторой натяжкой назван рутинной работой, которую в качестве меры предосторожности ведет любой Генштаб, то установление конкретной даты запланированного вторжения в Европу заставляет по-новому оценить роль Советского Союза во Второй мировой войне. Понятно, что для сокрытия и извращения информации по этому вопросу официальная советская и постсоветская «историческая наука» приложили максимум усилий.

В целом ситуацию, сложившуюся в отечественной историографии начального периода Великой Отечественной войны, иначе как «театром абсурда» назвать нельзя. Внимательный читатель, вероятно, заметил, что все вышеуказанные документы стратегического военного планирования находятся в одном месте: ф.16, оп. 2951 Центрального архива Министерства обороны. Этот фонд не рассекречен, а значит, и никому, кроме ангажированных «историков от Главпура», не доступен. Таким образом, более 10 лет существует совершенно бредовая ситуация, когда ряд документов опубликован, но не рассекречен! Мы не можем ни проверить соответствие опубликованных текстов оригиналам документов, ни восполнить «забытые» публикаторами фрагменты. Хотя не кто иной, как сам Махмуд Ахметович сообщил в 1995 г., что в Докладе от 11 марта 1941 г. (в той его части, которая определяла порядок действий Юго-Западного фронта — и которая не была опубликована в «малиновке»!) рукой Ватутина была вписана фраза: *«Наступление начать 12.6»*. (44, стр. 93) Как это понимать? В отсутствие доступа к ф.16, оп. 2951 о достоверности этой информации остается только гадать...

Вернемся, однако, к опубликованным документам. В декабре 1940 года — насколько можно судить по Докладной записке начальника штаба Киевского ОВО — начало боевых действий представлялось еще отнесенным в неопределенное будущее («вооруженное нападение Германии на СССР наиболее вероятно при ситуации, когда Германия в борьбе с Англией будет победительницей и сохранит свое экономическое и военное господствующее влияние на Балканах»). Конца войны Германии с Англией не было видно, следовательно, у советского командования было еще достаточно много времени для подготовки и нанесения первого удара. Все другие планы стратегического развертывания 1940 года, перечисленные выше, и вовсе не содержат никаких прямых или косвенных указаний на дату начала развертывания. Тот факт, что ход оперативных игр января 1941 г. был привязан к августовским датам, привлекает внимание, но делать на этом основании далеко идущие выводы было бы опрометчиво. Доклад Генштаба Красной Армии от 11 марта 1941 г. приведен — вопреки всем писаным и неписаным правилам научной публикации исторических документов — в крайне усеченном виде. Фактически опубликован только подробный обзор предполагаемых планов и группировки противника. Собственные планы советского командования оставлены «за кадром».

Апрельская (1941 г.) Директива наркома обороны на разработку плана оперативного развертывания войск Западного ОВО, похоже, исходит еще из представлений о том, что наступать предстоит в 1942 году или даже позже.

В соответствии с этой Директивой сокрушительные рассекающие удары на Варшаву и Радом должны нанести **пять мехкорпусов**, из которых летом 1941 г. был полностью укомплектован **только один** (6-й МК), два других (11-й МК и 14-й МК) заканчивали формирование лишь в начале 1942 года, а еще два мехкорпуса (13-й МК и 17-й МК) входили в перечень «сокращенных», и на конец 1941 г. их плановая укомплектованность танками не превышала 25—30%. Едва ли в расчете на такие силы составлялись планы нанесения *«удара левого крыла фронта в общем направлении на Седлец, Радом с целью полного окружения, во взаимодействии с Юго-Западным фронтом, Люблинской группировки противника... овладеть на* *третий день операции Седлец и на пятый день — переправами на р. Висла...».*

Наибольший ажиотаж вызвала публикация майских (1941 г.) «Соображений по плану стратегического развертывания». Возможно, это было связано с тем, что данный документ был опубликован раньше всех остальных (в 1—2-м номерах «Военно-исторического журнала» за 1992 год). Возможно, не успевшая еще отвыкнуть от традиционных мифов советской псевдоисторической пропаганды публика была шокирована фразой: *«Считаю необходимым ни в коем случае не давать инициативы действий Германскому Командованию, упредить противника и атаковать германскую армию в тот момент, когда она будет находиться в стадии развертывания и не успеет еще организовать фронт и взаимодействие родов войск».* Мысль разумная, но при этом вполне очевидная и для советского военного руководства отнюдь не новая. Так, еще в апреле 1939 г. К.А. Мерецков (в то время командующий войсками Ленинградского ВО), выступая на разборе командно-штабной игры, проведенной Военным советом округа, говорил: *«В тот момент, когда наши противники будут отмобилизовывать свои армии, повезут свои войска к нашим границам, мы не будем сидеть и ждать. Наша оперативная подготовка, подготовка войск должны быть направлены так, чтобы обеспечить на деле полное поражение противника уже в тот период, когда он еще не успеет собрать все свои силы...»*

И тем не менее майские «Соображения» — полностью повторяющие все предыдущие варианты плана стратегического развертывания по целям, задачам, направлениям главных ударов, срокам и рубежам — действительно содержат некоторый **новый момент**. Этот новый момент выражен во фразе, предшествующей предложению *«упредить противника»*. А именно: *«Германия имеет возможность предупредить нас в развертывании и нанести внезапный удар»*. Во всех других известных вариантах плана стратегического развертывания Красной Армии подобной по содержанию фразы нет. Разумеется, речь идет не о «большей агрессивности» майских «Соображений» — необходимость опередить противника и «ни в коем случае не давать ему инициативы действий» является лишь элементарным требованием здравого смысла. Новизна заключается в том, что **в мае 1941 г. советское командование уже не столь уверено в том, что ему удастся это сделать**, и поэтому настойчиво предлагает Сталину незамедлительно провести необходимые мероприятия, «без которых невозможно нанесение внезапного удара по противнику как с воздуха, так и на земле». Все это дает основание предположить, что к середине мая 1941 г. советское военное руководство уже отчетливо поняло, что нападение Германии на СССР возможно, и это нападение возможно даже ДО победного для Гитлера окончания войны против Британской империи. Из осознания этого факта **пришло решение изменить (т.е. приблизить!) сроки нанесения собственного удара по немецким войскам.**

24 мая 1941 г. в кабинете Сталина состоялось многочасовое совещание, участниками которого, кроме самого Сталина, были:

— заместитель главы правительства и нарком иностранных дел Молотов;

— нарком обороны Тимошенко;

— начальник Генерального штаба Жуков и его первый заместитель, начальник Оперативного управления, Ватутин;

— начальник Главного управления ВВС Красной Армии Жигарев;

— командующие войсками пяти западных приграничных округов, члены Военных советов (комиссары) и командующие ВВС этих округов.

Все военные вышли из кабинета «Хозяина» в 21.20. Остался только Молотов, а через пять минут, в 21.25, в кабинет вошел чиновник очень скромного (в сравнении с вышеперечисленными) ранга: 1-й секретарь советского полпредства в Болгарии товарищ Лаврищев, который провел в обществе двух высших руководителей государства 55 минут!

Откуда мы это знаем? В начале «перестройки», в 1990 году, журнал «Известия ЦК КПСС» имел неосторожность опубликовать многостраничный «Журнал записи лиц, принятых тов. Сталиным», в котором изо дня в день, из года в год записывали всех, кто входил и выходил из кабинета вождя. В том году ЦК КПСС вообще много чего делал, не подумав... Только благодаря этому «Журналу записи лиц» и стал известен сам факт проведения Совещания 24 мая 1941 года, равно как и то, что других столь представительных собраний высшего военно-политического руководства СССР не было ни за несколько месяцев до 24 мая, ни после этой даты вплоть до начала войны. Вот, собственно, и весь «массив информации». Ничего большего не известно и по сей день. Ни советская, ни постсоветская официальная историография не проронила ни слова о предмете обсуждения и принятых 24 мая решениях. Ничего не сообщили в своих мемуарах и немногие дожившие до смерти Сталина участники Совещания. Составители «малиновки» сообщают в предисловии к этому двухтомному сборнику, что из 10 тыс. рассекреченных документов они отобрали «600 наиболее важных и интересных». Увы, протоколы Совещания 24 мая 1941 г., или хотя бы какие-то упоминания о принятых тогда решениях, в перечень «наиболее важных и интересных» не вошли. Рассекреченные уже в начале XXI века Особые Папки протоколов заседаний Политбюро ЦК ВКП(б) за май 1941 г. (РГАСПИ, ф. 17, оп. 162, д. 34—35) также не содержат даже малейших упоминаний об этом Совещании. И лишь Василевский в своей статье, пролежавшей в архивной тиши без малого 27 лет, вспоминает: «За несколько недель до нападения на нас фашистской Германии, точной даты, к сожалению, назвать не могу, вся документация по окружным оперативным планам была передана Генштабом командованию и штабам соответствующих военных округов». (43)

Не менее примечательным является и перечень тех лиц, которых на Совещании 24 мая 1941 г. не было. Не были приглашены:

— председатель Комитета Обороны при СНК СССР маршал Ворошилов;

— заместители наркома обороны маршалы Буденный, Кулик и Шапошников, генерал армии Мерецков;

— начальник Главного управления политической пропаганды РККА Запорожец;

— нарком ВМФ Н. Кузнецов;

— нарком внутренних дел Л. Берия;

— секретари ЦК ВКП(б) Жданов и Маленков, курировавшие по партийной линии военные вопросы и входившие в состав Главного Военного совета.

Итак, какие выводы можем мы сделать на основании имеющихся обрывков информации? 24 мая 1941 г. состоялось Совещание высшего военно-политического руководства страны. Обсуждались вопросы высочайшей степени секретности. Состав участников Совещания достаточно странный: отсутствуют маршалы, занимающие высокие и громкие по названию должности, присутствуют генерал-лейтенанты из округов. Если бы в кабинете у Сталина происходило обычное «дежурное мероприятие», что-нибудь вроде обсуждения итогов боевой подготовки войск и планов учений на летний период, то состав участников был бы иным. Остается предположить, что память не подвела Василевского, и 24 мая как раз и было тем днем, когда «вся документация по окружным оперативным планам была передана Генштабом командованию и штабам соответствующих военных округов». Если это так, то тогда становится совершенно понятным и подбор участников Совещания: только те, кто разрабатывал последний вариант оперативного плана войны, и кому этот план был доложен (Сталин, Молотов, Тимошенко, Жуков, Ватутин), а также те непосредственные исполнители, которым предстоит этот план выполнять. Партийным и военным бонзам с огромными звездами и лампасами эта сверхсекретная информация пока не нужна, поэтому их к участию в Совещании и не допустили. Появление в кабинете Сталина скромного товарища Лаврищева также не случайно. Насколько можно судить по всем доступным вариантам плана стратегического развертывания Красной Армии, главный удар предстояло нанести в южной Польше с последующим поворотом оси наступления на юг, через Венгрию на Балканы. Вероятно, поэтому, обсудив главные, т.е. военные, вопросы, Сталин и Молотов заслушали информацию о политическом положении на будущем театре военных действий, доложенную «дипломатом» (скорее всего — руководителем разведывательной резидентуры на Балканах).

Если это предположение верно и на Совещании 24 мая 1941 г. утвержденный Сталиным вариант оперативного плана был доведен до сведения командующих округами (т.е. до будущих командующих фронтами), то «диапазон возможных дат» запланированного начала войны сужается практически до двух месяцев: **ОТ НАЧАЛА ИЮЛЯ ДО КОНЦА АВГУСТА 1941 г.** Кратко поясним этот достаточно очевидный вывод.

Если бы вторжение в Европу по-прежнему планировалось начать в 1942 году, то в мае 41-го эту сверхсекретную информацию не стали бы еще сообщать командующим войсками округов. Рано. Опасно — увеличивается возможность утечки информации. Да и бессмысленно: за 8—9 месяцев ситуация может многократно измениться. Не только к 12, но и к 22 июня 1941 г. стратегическое развертывание было еще весьма далеко от завершения. В частности, не была начата открытая мобилизация, без проведения которой весь комплекс мероприятий по стратегическому развертыванию был невыполним в принципе. Да и на следующий день после объявления мобилизации крупномасштабное наступление начать не удастся. Так, в сентябрьском (1940 г.) варианте плана стратегического развертывания читаем: «При условии работы железных дорог в полном соответствии с планом перевозок войск днем перехода в общее наступление должен быть установлен 25-й день от начала мобилизации, т.е. 20-й день от начала сосредоточения войск». Аналогичный срок (20 дней), необходимый для «сосредоточения войск и до перехода их в наступление», указан и в декабрьском (1940 г.) плане штаба Киевского ОВО. Правда, в июне 1941 г. в рамках скрытой мобилизации удалось выполнить целый ряд важных этапов мобилизационного и стратегического развертывания (об этом пойдет речь в следующей главе), но завершить все без объявления открытой мобилизации было невозможно. Следовательно, названная М.А. Гареевым дата 12 июня (если эта информации вообще достоверна) отражает лишь один из предварительных этапов отработки плана войны. Реальный срок начала наступления, установленный 24 мая, никак **не мог быть раньше начала июля.**

Стоит сравнить ситуацию в Москве с тем, как хронологически шла подготовка к вторжению по другую сторону будущего фронта. В директиве № 21 (план «Барбаросса») Гитлер пообещал своим генералам: *«Приказ о стратегическом развертывании вооруженных сил против Советского Союза я отдам в случае необходимости за восемь недель до намеченного срока начала операции»*. Восемь недель. Это обещание, как и множество других, Гитлер выполнил — день начала операции (22 июня) был установлен и доведен до сведения верховного командования вермахта 30 апреля 1941 г. Отсчитав те же восемь недель от даты 24 мая, мы попадаем в 19 июля — вполне реалистичный срок завершения всех мероприятий по стратегическому и мобилизационному развертыванию Красной Армии.

С другой стороны, в южной Польше тоже бывает осень и зима — сырая, слякотная, с дождями, туманами и мокрым снегом. Для действий авиации и моторизованных войск это значительно хуже «нормальной» русской зимы с крепкими морозами, которая превращает все «направления» в сплошную дорогу с твердым покрытием и покрывает все реки и озера ледяным «понтонным мостом». Плановая продолжительность решения «первой стратегической задачи» составляла, как отмечено выше, 25—30 дней. Но не все на войне идет по плану, да и за первой задачей должна следовать следующая. Таким образом, **конец августа — начало сентября может считаться предельным сроком**, после которого начинать крупномасштабное наступление в южной Польше и на Балканах было бы слишком рискованно.

Косвенным подтверждением гипотезы о том, что установленный Сталиным момент начала войны приходился на июль-август 1941 г., могут служить и многочисленные жесты демонстративной лояльности по отношению к Германии, о которых говорилось в конце предыдущей главы. Как известно, в советской и постсоветской историографии имела широкое хождение версия о том, что Молотову было поручено дипломатическими средствами «оттянуть нападение Германии» до осени 1941 года. Вполне возможно, что такая задача была действительно поставлена — но отнюдь не для того, чтобы «выиграть еще один год для укрепления обороноспособности страны». Реальной задачей «политики умиротворения» было усыпить бдительность Гитлера, с тем чтобы летом 1941 года Красная Армия смогла внезапно нанести вермахту сокрушающий первый удар.

Авторы коллективной монографии «1941 год — уроки и выводы» в косвенном и завуалированном обычной демагогией виде также называют середину июля 1941 г. той датой, к которой должно было быть завершено стратегическое развертывание Красной Армии: *«В реальной обстановке того времени командиры соединений и командующие армиями и войсками округов исходили из других* (других по отношению к 22 июня. — **М.С.**) *сроков сосредоточения и развертывания войск, подготовки фронтов, огневых позиций артиллерии, маскировки аэродромов, складов и т.д. Считалось, что нападение противника может произойти* ***не ранее первой половины июля»***. (3, стр. 88)

В качестве предполагаемого срока начала войны называли июль-август 1941 г. и многие из захваченных в плен командиров Красной Армии. Разумеется, круг лиц, допущенных к военной тайне такой важности, как точная дата внезапного нападения, был крайне ограничен, поэтому приведенные ниже показания могут служить скорее отражением общих настроений, «общего духа», который витал в Красной Армии летом 41-го года. Так, военврач Котляревский, призванный 30 мая 1941 г. на 45-дневные «учебные сборы» в медсанбат 147-й стрелковой дивизии, сообщил, что *«7 июня медицинскому персоналу доверительно сообщили, что по истечении 45 дней увольнения не последует, так как в ближайшее время будет война с Германией»*. Капитан Краско, адъютант командира 661-го полка 200-й стрелковой дивизии, показал: *«Еще в мае 1941 г. среди офицеров высказывалось мнение о том, что война начнется после 1 июля».*

По словам майора Коскова, командира 25-го полка 44-й стрелковой дивизии, *«судя по масштабу и интенсивности подготовки к войне, русские напали бы на Германию максимум через 2—3 недели»* (после 22 июня. — *М.С.*). Полковник Гаевский, командир полка 29-й танковой дивизии (в документах 29-й тд нет упоминаний о полковнике с такой фамилией. — *М.С.*), показал: *«Среди командиров много говорили о войне между Германией и Россией. Существовало мнение, что война начнется примерно 15 июля»*. Майор Соловьев, начальник штаба 445-го полка 140-й стрелковой дивизии: *«В принципе конфликта с Германией ожидали после уборки урожая, примерно в конце августа — начале сентября. Поспешную передислокацию войск к западной границе можно объяснить тем, что срок нападения перенесли назад»*. Подполковник Ляпин, начальник оперативного отделения 1-й мотострелковой дивизии, заявил, что *«советское нападение ожидалось осенью 1941 г.»*. Генерал-майор Малышкин (перед войной — старший преподаватель, начальник курса в Академии Генерального штаба, затем начальник штаба 19-й Армии Западного фронта, пленен 11 октября в Вяземском «котле», один из главных сподвижников Власова, повешен 1 августа 1946 г.) заявил, что *«Россия напала бы в середине августа, используя около 350—360 дивизий»*. (42, стр. 84—85)

Показания, данные во вражеском плену, да еще и лицами, активно сотрудничавшими с оккупантами, могли бы вызвать большие сомнения, если бы они не подтверждались самым главным свидетельством — реальным ходом стратегического развертывания Красной Армии в мае-июне 1941 года.

Глава 8

СТРАТЕГИЧЕСКОЕ РАЗВЕРТЫВАНИЕ

Покончив (пока) со всеми гипотезами, вернемся снова к военной истории, т.е. точной науке цифр, дат, документов. Начнем, как по науке и положено, с терминов и определений. Что конкретно обозначают слова «стратегическое развертывание», которые столь часто встречались нам в прошлой главе? На языке военных академий ответ на этот вопрос звучит примерно так: *«Под стратегическим развертыванием понимается комплекс мероприятий и действий по переводу Вооруженных Сил с мирного положения на военное и созданию группировок ВС на театрах военных действий.*

Важнейшими составными элементами стратегического развертывания являются:

— перевод Вооруженных Сил с мирного положения на военное (мобилизационное развертывание),

— оперативное развертывание (создание и построение группировок войск на театрах военных действий),

— стратегические перегруппировки войск из внутренних районов страны на театры военных действий и между ними,

— развертывание первоочередных стратегических резервов».

В переводе с академического языка на человеческий стратегическое развертывание — применительно к Красной Армии образца 1941 года (а не вообще к любой другой армии мира) — состояло в том, что:

— во-первых, надо доукомплектовать армию мирного времени людьми и техникой до штатных норм военного времени;

— во-вторых, погрузить войска, технику и боеприпасы в железнодорожные эшелоны и отвезти их в западные районы СССР;

— в-третьих, выгрузить солдат, пушки и танки из эшелонов и вывести их в те районы, где они должны изготовиться к боевым действиям и ждать приказа.

Особенность стратегического развертывания Красной Армии заключалась главным образом в двух моментах.

Один из них мы уже обсуждали в главе 2, но в силу исключительной значимости этого не грех и повториться: число дивизий (полков, бригад) Красной Армии уже в ходе предвоенной скрытой мобилизации было почти полностью доведено до плановой численности армии военного времени. В первые три месяца после объявления открытой мобилизации планировалось сформировать лишь весьма ограниченное (30, т.е. порядка 15% от исходного) число стрелковых дивизий. Стрелковых. Все танковые и моторизованные дивизии, отдельные артиллерийские полки и бригады уже были сформированы в ходе двухлетней скрытой мобилизации (и содержались к тому же в штатах военного времени или так называемых «усиленных» штатах, составляющих 80% от штатов военного времени). Таким образом, мобилизационное развертывание Красной Армии на первом этапе сводилось лишь к **доукомплектованию имеющихся частей и соединений** личным и конским составом, автомобилями и тракторами.

Второй особенностью стратегического развертывания сухопутной армии Советского Союза были огромные размеры страны, в силу которых объем и продолжительность железнодорожных перевозок были необычайно велики. Огромные размеры страны являются несомненным и очень значимым для подготовки и ведения войны **преимуществом**. Немецкие генералы были бы очень рады, если бы они могли разместить танковые и артиллерийские заводы, химические комбинаты, производящие взрывчатку, и учебные центры, готовящие солдат и офицеров, за несколько тысяч километров от границы. Но географические условия страны не предоставляли им такой роскоши, поэтому сотни тысяч бомб англо-американской авиации высыпались на все промышленные центры Германии без исключения. То, что в Советском Союзе эшелон с танками должен был провести неделю в пути от завода в Челябинске до фронта, является всего лишь «особенностью», которую следует учитывать при составлении планов стратегического развертывания, а вовсе не «бедой», по поводу которой надо устраивать очередной «плач Ярославны» на страницах исторических книг.

В конкретных цифрах ситуация была такова. Весной 1941 г. во всех Вооруженных силах СССР (армия, авиация, флот) несли службу 4,8 млн. человек. В мае-июне в ходе так называемых «больших учебных сборов» (это была не импровизация, а изначально задуманная и заранее получившая такое наименование операция) было мобилизовано персональными повестками, без публичного объявления всеобщей мобилизации, еще 802 тыс. человек. Итого: **5,6 млн.** человек были поставлены под ружье до 23 июня 1941 г. Всего же, после полного отмобилизования всех военных округов Европейской части СССР (включая Уральский и Северо-Кавказский округа), общая численность вооруженных сил по плану МП-41 должна была составить **7,85 млн**. человек. (3, стр. 83, 4, стр. 643) Поделив одно число на другое, мы получаем так называемый «коэффициент развертывания», т.е. масштабный коэффициент роста численности армии. В СССР он был очень мал, всего 1,40. Или, другими словами, численность армии уже в мирное время составляла 71% от численности армии военного времени. В других странах Европы численность армии после мобилизации возрастала в разы. Так, в Германии к 25 августа 1939 г. (за пять дней до начала войны) было отмобилизовано лишь 35% дивизий сухопутных войск военного времени. Во Франции численность армии с начала мобилизации возросла в 4 раза, в нищей Финляндии, которая не могла в мирное время содержать большую армию, — в 9 раз.

Разумеется, имеющиеся людские контингенты не были распределены равномерно. Разумеется, войска западных приграничных округов были укомплектованы значительно лучше, нежели войска тыловых Уральского или Приволжского ВО. Еще 21 мая 1940 г. (это не опечатка — именно сорокового года) Постановлением Политбюро ЦК № 16/158 было решено содержать стрелковые дивизии мирного времени в такой численности: 98 дивизий западных округов по 12 и более тыс. человек, 3 дивизии — по 9 тыс. и 43 дивизии внутренних округов — по 6 тыс. человек. (6, стр. 617) Через год, в мае-июне 1941 г., мобилизованные в ходе «больших учебных сборов» (БУС) 802 тыс. человек были направлены именно для доукомплектования частей и соединений западных округов, а также выдвигающихся на Запад армий второго стратегического эшелона. ***«При этом состав стрелковых дивизий приграничных округов при штатной численности 14 483 человека был доведен: 21 дивизии — до 14 тыс. человек, 72 дивизий — до 12 тыс. человек и 6 стрелковых дивизий — до 11 тыс. человек».*** (3, стр. 83) Я специально привел полную цитату из коллективного труда военных историков Генерального штаба «1941 год — уроки и выводы» (1992 г.), ибо едва ли есть еще один факт в истории начала войны, который бы перевирали с такой силой и настойчивостью. Образцовым примером элегантного бесстыдства можно считать знаменитую, повторенную в сотнях публикаций фразу Жукова: *«Наши же дивизии, даже 8-тысячного состава, практически в два раза слабее немецких»*. Ну разве это не прелесть? Возразить нечего. Число 8 практически (и даже теоретически) в два раза меньше 16. Жукова еще понять можно — он писал свои мемуары в ту эпоху, когда предположить возможность рассекречивания подлинных документов кануна войны было просто невозможно. Странно другое: даже в 2004 г. выходили 700-страничные монографии, в которых численный состав стрелковых дивизий приграничных округов приводился в намеренно заниженном виде. (33)

Логично было бы сравнить степень укомплектованности дивизий Красной Армии с состоянием дел в войсках противника. К сожалению, за два десятка лет, проведенных за чтением военно-исторической литературы, мне так и не удалось найти ни одной цифры, характеризующей укомплектованность личным составом дивизий вермахта на Восточном фронте по состоянию на 22 июня 1941 г. Конечно, это моя недоработка. Признаю, но смею предположить, что и она не случайна. Немецких генералов и историков назойливый поиск хоть каких-нибудь «уважительных причин» поражения не интересовал — у них летом 1941 года поражений не было. Советские же историки, имевшие доступ к трофейным документам вермахта, не стали публиковать то, что они там увидели, потому как для немецкой дивизии, воюющей уже второй год, укомплектованность в 85% от штатной численности была, скорее всего, недосягаемым идеалом... Как бы то ни было, но 85 меньше, чем 100, а полная укомплектованность, несомненно, лучше, чем «почти полная». Для перехода от «почти полной» к полноценной «полной» нужно было время. Остается только выяснить количественную меру этого времени: недели, месяцы, годы? Воздержавшись от дальнейших дилетантских рассуждений, приведем большую цитату из монографии генерала Владимирского (в 1941 году — заместителя начальника оперативного отдела штаба 5-й Армии Киевского ОВО), знавшего по долгу службы о мобилизационной готовности своей армии почти все:

«...Мобилизационные планы во всех стрелковых соединениях и частях были отработаны. Они систематически проверялись вышестоящими штабами, уточнялись и исправлялись...

...С 20 мая 1941 г. в целях переподготовки весь рядовой и сержантский состав запаса привлекался на 45-дневные учебные сборы при стрелковых дивизиях. Это позволило довести численность личного состава каждой стрелковой дивизии ***до 12—12,5 тыс. человек****, или до 85—90 процентов штатного состава военного времени...*

...Предусмотренный порядок отмобилизования в основном сводился к следующему. Каждая часть делилась на два мобилизационных эшелона. В первый мобилизационный эшелон включалось 80—85 процентов кадрового состава части... ***Срок готовности первого эшелона*** *к выступлению в поход для выполнения боевой задачи* ***был установлен в 6 часов*** (подчеркнуто мной. — ***М.С.***) *Второй мобилизационный эшелон части включал в себя 15—20 процентов кадрового состава, а также весь прибывавший по мобилизации приписной состав запаса.* ***Срок готовности второму эшелону*** *был установлен: для соединений, дислоцированных в приграничной полосе, а также для войск ПВО и ВВС —* ***не позднее первого дня мобилизации****, а для всех остальных соединений —* ***через сутки****...*

...Всем соединениям и частям устанавливались ***укрытые от наблюдения с воздуха*** *районы отмобилизования вне пунктов их дислокации, а также определялся порядок выхода частей в эти районы и прикрытия их во время отмобилизования. По заключению комиссий штабов армии и округа, проверявших состоя-*

ние мобилизационной готовности стрелковых соединений и частей в мае-июне 1941 г., все стрелковые дивизии и корпусные части признавались ***готовыми к отмобилизованию в установленные сроки...»*** (28)

А теперь переведем дух и обдумаем прочитанное.

Традиционная версия советской историографии известна: Красной Армии был нужен как минимум целый год для того, чтобы «подготовиться к войне». Немцы не стали по-рыцарски ждать и вероломно напали на «мирно спящую страну». В несколько более облагороженном варианте эти басни звучали так: «Быстрое продвижение вермахта вглубь страны сорвало ход мобилизации. Это и послужило причиной...» На самом же деле **мобилизационное развертывание Красной Армии было близко к завершению**. Стрелковые дивизии западных округов (т.е. основной костяк армии той эпохи и, заметим, главная сила в обороне!) фактически закончили отмобилизование, и плановые сроки их готовности к ведению боевых действий исчислялись уже не днями, а часами. Небольшой «довесок» (второй мобилизационный эшелон) должен был быть приведен в полную готовность за один-два дня. С какой же скоростью должно было развиваться «быстрое продвижение вермахта», при котором Красную Армию можно было лишить этих считаных часов? Разве СССР по своим размерам был похож на Люксембург или Данию, которые вермахт смог занять за один день?

Все, что мы пока перечислили, относится к стрелковым дивизиям. Проще говоря — к пехоте, основным вооружением которой были винтовка и пулемет. Вспомнить, как этими предметами надо пользоваться, резервист, ранее отслуживший два (или три) года действительной службы, мог очень быстро. Действительно за считаные часы. Технически сложные рода войск (артиллерия, танки, авиация), где от личного состава требуется гораздо больший набор знаний и умений, уже в мирное время содержались по штатам, максимально приближенным к штатам военного времени. Даже до проведения БУС в моторизованных и танковых дивизиях, в артиллерийских полках РГК, в зенитных частях почти весь боевой состав был уже налицо. Так, утвержденное 6 июля 1940 г.

штатное расписание танковой дивизии предполагало наличие 10 493 человек в мирное время и 11 343 — в военное. Как видим, коэффициент развертывания ничтожно мал — 1,08. С объявлением мобилизации требовалось призвать только определенное количество политического, административно-технического и обслуживающего персонала. Такая же ситуация мобилизационной готовности была в авиации и частях ПВО.

«...Военно-воздушные силы находились в облегченных условиях отмобилизования, так как летный состав частей в основном содержался по штатам военного времени... Поэтому ***сроки боевой готовности авиаполков были не более 2—4 часов.*** *Батальоны аэродромного обслуживания и авиационные базы отмобилизовывались двумя эшелонами. Первый эшелон имел сроки готовности, соответствующие срокам обслуживаемой части, а второй укомплектовывался на* ***3—4-е сутки*** *мобилизации...*

...Отмобилизование войск ПВО планировалось также поэшелонно. Первый эшелон имел ***постоянную боевую готовность сроком до 2 часов.*** *Второй эшелон имел сроки готовности* ***на 1—2-е сутки*** *мобилизации....*

...Таким образом, ***из 303 дивизий, которые должны были отмобилизоваться по плану МП-41, — 172 дивизии имели сроки полной готовности на 2— 4-е сутки мобилизации, — 60 дивизий — на 4—5-е сутки, — остальные — на 6—10-е сутки****.*

Все оставшиеся боевые части, фронтовые тылы и военно-учебные заведения отмобилизовывались на 8—15-е сутки. Полное отмобилизование Вооруженных Сил предусматривалось на 15—30-е сутки». (3, стр.79)

К рассмотрению вопроса о мобилизационном развертывании можно подойти и с другой стороны. Для полного укомплектования личным составом 198 стрелковых, 13 кавалерийских, 61 танковой, 31 моторизованной дивизий надо иметь порядка **4 млн.** человек. А в составе Вооруженных Сил СССР уже к 22 июня числилось 5,6 млн. человек, из них **4,4 млн**. человек (79% общей численности) — в сухопутных войсках. На первый взгляд — «людей уже больше, чем надо». Для чего же призывать еще 2,25 млн. (7,85—5,6) человек? Куда их направить? Разумеется, люди эти для армии совсем не лишние, хотя и в простой арифметике мы не ошиблись. Все дело в том, что Вооруженные Силы — это сложный, многозвенный, «многоярусный» механизм. Выражение «поставить под ружье» является всего лишь устоявшейся метафорой. Даже на том «ярусе», который непосредственно обращен к противнику, т.е. в стрелковой дивизии действующей армии, далеко не все несут свою службу с «ружьем в руках». Так, по апрельскому (1941 г.) штату в стрелковой дивизии находятся:

— 22 сапожника (походные обувные ремонтные мастерские);

— 19 почтальонов (отделение полевой почты);

— 11 коновалов (отдельный ветеринарный госпиталь);

— 9 пастухов (гуртовщики конского состава);

— 11 пастырей (отдел политпропаганды).

Все эти службы и все эти люди нужны, хотя и без них дивизия все же может провоевать те 1—2—3 дня, которые ей требуются для полного доукомплектования. Численность (абсолютная и относительная) вспомогательных, административных, хозяйственных служб стремительно нарастает на других «ярусах» военной машины. В состав действующей армии, наряду с дивизиями и отдельными (главным образом артиллерийскими и зенитными) частями входят и многочисленные транспортные, санитарные, дорожные, ремонтно-технические, снабженческие службы и подразделения. Например, в 1941 году в действующей армии вермахта на Восточном фронте общая численность личного состава (3,3 млн. человек) в 1,5 раза превышала штатную численность всех дивизий, для действий на этом фронте выделенных. Но и действующая армия — это только часть Вооруженных Сил. Огромное количество людей несет свою воинскую службу в глубочайшем тылу. Так, в Советском Союзе на протяжении двух последних лет войны численность действующей армии (порядка 6,5 млн. человек) составляла **лишь 57—58% от общей численности** личного состава Вооруженных Сил. (2, стр. 138, 152) Именно вспомогательные, санитарные, тыловые службы — а вовсе не дивизии на западной границе — были главным «получателем» личного состава, прибывающего в рамках открытой мобилизации. Еще и еще раз повторим — в военной машине нет «лишних деталей». Все они нужны и созданы не зря. Однако некомплект личного состава танкового полигона под Челябинском или артиллерийского училища в Томске едва ли оказал какое-либо воздействие на ход и исход приграничного сражения в Западной Белоруссии.

Подведем первый итог. Никаких проблем с укомплектованием армии личным составом не было. В боевых частях западных округов к 22 июня 1941 г. это укомплектование было выполнено в том объеме, который, вне всякого сомнения, позволял вести организованные боевые действия. Значительно хуже обстояло дело с укомплектованием войск автотранспортом и средствами мехтяги артиллерии. И к тому было как минимум две серьезные причины.

Первая — это сталинская (а в более общем смысле — извечно присущая всем восточным деспотиям) гигантомания. Гигантомания во всем: и в количестве одновременно формирующихся моторизованных соединений (танковые и мотострелковые дивизии, противотанковые артиллерийские бригады, тяжелые артполки РГК), и в огромных, безумно завышенных нормах штатной численности средств мехтяги (о чем мы подробно говорили в главе 5). Может быть, в тот момент (в мае 1941 г.), когда было принято решение перенести срок вторжения в Европу с весны 1942 на конец лета 1941 года, стоило бы прекратить формирование 20 новых мехкорпусов, и все имеющиеся ресурсы использовать для полного укомплектования девяти уже имеющихся. А может быть, и нет — даже укомплектованный на одну треть мехкорпус представлял собой ударное танковое соединение, по большинству параметров превосходящее укомплектованную «до последней пуговицы» танковую дивизию вермахта. Вопрос этот сложный, и ответ на него требует специальных военных знаний. В любом случае такое решение принято не было, и имеющаяся техника продолжала распыляться по сотне моторизованных соединений. Во-вторых, скрытая мобилизация — благодаря которой дивизии западных округов удалось почти полностью укомплектовать личным составом — мало что дала в деле оснащения войск автотранспортом. Ресурсы

Советского Союза (как, впрочем, и любой другой страны того времени) не позволяли изъять из народного хозяйства сотни тысяч автомашин и десятки тысяч тракторов без очень серьезных и, что самое главное, заметных постороннему глазу последствий. Вероятно, сыграло свою роль и нежелание оставить колхозы без тракторов до завершения основных полевых работ.

В результате сложилась следующая ситуация. В феврале 1941 г. в Красной Армии уже числилось **34 тыс. тракторов** (гусеничных тягачей), **201 тыс. грузовых и специальных, 12,6 тыс. легковых** автомашин. (4, стр. 622) Что само по себе и немало. Как было выше отмечено, уже это количество тягачей вдвое превышало наличное число тяжелых орудий. Но до полной укомплектованности по требованиям мобилизационного плана МП-41 было еще далеко. С другой стороны, в феврале 1941 года оснащение Красной Армии военной техникой отнюдь не завершилось. Заводы работали в три смены, в 1940 г. советская промышленность выпустила 32 тыс. тракторов всех типов и назначений. Военный заказ 1941 года составлял 13 150 тягачей и тракторов. (4, стр. 617). Количество автомобилей в Красной Армии к июню 1941 г. выросло до 273 тысяч. (2, стр. 363) Наконец, 23 июня была объявлена открытая мобилизация, и, несмотря на весь хаос и неразбериху катастрофического начала войны, уже к 1 июля 1941 г. из народного хозяйства в Красную Армию было передано еще **31,5 тыс. тракторов и 234 тыс. автомобилей** (3, стр.115) В среднем на каждую из 303 советских дивизий (всех типов, по всем округам) теоретически приходилось **по 220 тракторов и 1670 автомобилей**. В среднем. Это значит, что в дивизиях западных приграничных округов техники должно было бы быть раза в два больше — не в Сибирский же округ отправляли мобилизованные автомобили и трактора...

Но отечественные военные историки никак не могут унять свои причитания: «Мало...мало... мало... Вопиющая неготовность... Отсутствие положенных средств мехтяги... в Уральском военном округе мобилизационная потребность обеспечивалась средствами мехтяги только от 9 до 45%...» (3) Страшное дело. Прочитаешь такое — и сразу же становится понятной причина небывалого разгрома: за Уралом тракторов не хватило. А теперь переведем проценты в штуки. Даже 9% от штата — это 6 тракторов в гаубичном полку, находящемся в глубочайшем тылу, за многие тысячи километров от любой границы. Шести тракторов вполне достаточно для того, чтобы механики-водители с утра до вечера упражнялись в практике буксировки орудий, а орудийные расчеты гаубичной батареи полного состава (4 орудия) отрабатывали марш и выход на огневые позиции. Все остальные орудия полка стоят там, где им положено: на охраняемом складе, в заводской смазке. Зачем их куда-то таскать? Ну, а 45% от штата — это уже 32 трактора. В таком виде полк можно грузить на железнодорожные платформы и отправлять из-за Урала на фронт. Четыре «безлошадные» гаубицы лишними не будут — их можно, например, использовать в качестве резерва для немедленного восполнения потерь. 122-мм гаубицу (вес которой примерно соответствует весу автомобиля «Волга») вполне мог буксировать грузовик типа ЗИС-5, в качестве тягача можно было использовать и легкие танки из состава разведбата стрелковой дивизии.

И тем не менее в данном случае советские историки совершенно правы. Даже после проведения открытой мобилизации Красная Армия так и не получила положенного количества средств мехтяги. По мобилизационному плану МП-41 Красной Армии требовалось **90,8 тыс. тракторов** и **595 тыс. автомобилей**. Такого количества в наличии не было. Некомплект и по автомобилям, и по тракторам составлял почти 28% от мобилизационной потребности. Потребности, в два раза превышавшей штатные нормы, предполагающие, в свою очередь, двойное резервирование средств мехтяги. По традиционной версии, именно эта «вопиющая неготовность к войне» и привела летом 41-го года к астрономическим потерям материальной части артиллерии.

Мобилизационное развертывание (мобилизация) является важной, но не единственной составляющей частью всего комплекса стратегического развертывания. Рассмотрим теперь, как осуществлялись три другие взаимосвязанные задачи (стратегические перегруппировки войск из внутренних районов страны на театры военных действий, создание и построение группировок войск на театрах военных действий, развертывание первоочередных стратегических резервов).

Последний из известных довоенных документов — справка «О развертывании Вооруженных Сил СССР на случай войны на Западе», подписанная заместителем начальника Генштаба Красной Армии Н.Ватутиным 13 июня 1941 г., — предусматривал следующее распределение сухопутных войск: (ЦАМО, ф. 16А, оп. 2951, д. 236, л. 65—69)

— 186 дивизий (из 303), 10 (из 10) противотанковых артиллерийских бригад, 5 (из 5) воздушно-десантных корпусов, 53 (из 74) артполка РГК в составе действующих фронтов;

— 51 дивизия в составе пяти (22, 19, 16, 24, 28) армий резерва Главного Командования, развертываемых в полосе от западной границы до линии Брянск—Ржев;

— 31 дивизия на Дальнем Востоке (в составе войск Забайкальского ВО и Дальневосточного фронта);

— 35 дивизий «на второстепенных участках госграницы» (так в тексте. — ***М.С.***), в том числе 3 дивизии в Крыму.

Из 186 дивизий, включенных в состав действующих на Западе фронтов, 100 (больше половины) разворачиваются в Украине, Молдавии и Крыму. Там же должна сосредоточиться и половина всех танковых (20 из 40) и моторизованных (10 из 20) дивизий, включенных в состав действующих фронтов. Из 51 дивизии резерва ГК непосредственно за Юго-Западным фронтом (Киевский ОВО) сосредотачиваются 23. (6, стр. 358—361)

Даже если бы этот документ был единственным источником информации о предвоенном Советском Союзе, то и тогда на его основании можно категорически отрицать какую-либо «стратегическую внезапность» начавшейся 22 июня 1941 г. войны. Красная Армия ждала войну, к войне готовилась, и эта подготовка приняла характер крупномасштабной стратегической перегруппировки сил. Расположение создаваемых группировок явно не случайно. Совершенно очевидна огромная концентрация сил на западном направлении, а в рамках этого направления — на южном (украинском) ТВД. Документ не дает еще оснований для предположения о направленности — наступательной или оборонительной — этой концентрации, но сам факт наличия некоего Большого Плана, для реализации которого и выстроена такая группировка, сомнений не вызывает.

Справка, подписанная Ватутиным 13 июня 1941 г., не содержит ни единого упоминания о задачах и планах действий войск. Только цифры, номера армий, станции выгрузки войск, потребное количество вагонов и эшелонов. Но у нас есть возможность сравнить фактическое развертывание июня 1941 г. с известными вариантами оперативного плана. Например, с майскими (1941 г.) «Соображениями по плану стратегического развертывания сил Советского Союза на случай войны с Германией и ее союзниками», об однозначно наступательном характере которых говорилось в предыдущей главе. Несколько нарушая хронологический порядок изложения, сразу же приведем и фактическое положение войск Красной Армии по состоянию на 22 июня 1941 г.

	«Соображения», май 41 г.	«Справка» от 13.06.	Фактическое сосредоточение на 22 июня 41 г.
Северный фронт	три армии, 21 / 4 / 2	—— 22 / 4 / 2	14-я, 7-я, 23-я армии, 21 / 4 / 2
Северо-Западный фронт	три армии, 23 / 4 / 2	—— 23 / 4 / 2	27-я, 8-я, 11-я армии, 25 / 4 / 2
Западный фронт	четыре армии, 45 / 8 / 4	—— 44 / 12 / 6	3-я, 10-я, 4-я, 13-я армии, 44 / 12 / 6
Юго-Западный фронт	восемь армий, 122 / 28 / 15	—— 100 / 20 / 10	5-я, 6-я, 26-я, 12-я, 18-я, 9-я армии, 80 / 20 / 10
Армии резерва ГК	пять армий, 47 / 12 / 8	пять армий, 51 / 11 / 5	22-я, 20-я, 21-я, 19-я, 16-я, 24-я, 28-я армии, 17 / 5/2

Примечания:

— первая цифра — общее количество дивизий, вторая цифра — в т.ч. танковые, третья — в т.ч. моторизованные;

— 21 июня войска, развернутые на южном ТВД, были разделены на два фронта: Юго-Западный и Южный, в таблице приведено общее число дивизий в двух фронтах и в Крыму;

— по плану прикрытия с началом боевых действий две дивизии С-З.ф., развернутые в Эстонии, передавались в состав С.ф., но в таблице это не отражено.

Нетрудно убедиться, что реальное сосредоточение войск в западных районах СССР происходило в прямом соответствии с майскими «Соображениями по плану стратегического развертывания». В трех округах (Ленинградском, Прибалтийском, Западном), которые превращались соответственно в Северный, Северо-Западный и Западный фронт, совпадение майского плана и июньского факта почти точное. Расхождение в 4 танковые и 2 моторизованные дивизии, т.е. кажущееся увеличение группировки Западного фронта на два мехкорпуса является, скорее всего, результатом чисто канцелярской операции. Никаких новых мехкорпусов в Белоруссии не появилось, просто формирующиеся 17-й МК-й и 20 МК, не учтенные в майских «Соображениях», вошли в общий перечень по Справке от 13 июня. Значительно большее несовпадение наблюдается на юге, хотя и там изменения произошли главным образом на бумаге, а не на местности. Основная ударная группировка Юго-Западного фронта создавалась не посредством ослабления трех других фронтов, а за счет передислокации в Киевский ОВО 20 дивизий из Харьковского, Орловского и Приволжского округов. Однако во второй половине июня было произведено очередное перераспределение сил между Первым и Вторым стратегическими эшелонами. Войска внутренних округов не передавались организационно в состав Киевского ОВО (Юго-Западного фронта), а использовались для развертывания армий резерва (Второго стратегического эшелона). Таким образом появились две новые армии, которые не были учтены в Справке от 13 июня: 20-я и 21-я. Общее число дивизий в армиях резерва ГК выросло с 51 до 77, зато группировка первого стратегического эшелона на южном ТВД (Юго-Западный и Южный фронты) оказалась на 20 стрелковых дивизий меньше, чем предполагалось 13 июня 1941 г. Тем не менее концентрация сил на южном направлении осталась столь же явно выраженной: в тылу Юго-Западного фронта развертывались теперь три армии резерва (16-я в районе Проскуров—Шепетовка, 19-я в районе Черкасс, 21-я в районе Чернигова).

Гораздо более значимым является не это бумажное перераспределение одних и тех же корпусов и дивизий из состава одной армии в другую, а фактический ход стратегической перегруппировки войск из внутренних районов страны на театр будущих военных действий. 22 июня он был еще далек от завершения. Из 77 дивизий второго стратегического эшелона в плановые районы оперативного развертывания прибыло не более 17—20 дивизий. *«Общий объем перевозок войсковых соединений составлял 939 железнодорожных эшелонов. Растянутость выдвижения войск и поздние сроки сосредоточения определялись мерами маскировки и сохранением режима работы железных дорог по мирному времени. К началу войны только 83 воинских эшелона прибыли в назначенные пункты, 455 находились в пути...»* (3, стр. 84) Фраза о **«мерах маскировки и сохранении режима работы железных дорог по мирному времени»** заслуживает особого внимания. Для многомиллионных армий первой половины XX века железные дороги стали важнейшим видом вооружения, во многом предопределившим исход главных сражений двух мировых войн. Соответственно все страны (особенно обладающие такими крупными вооруженными силами, как Германия и СССР) имели разработанные еще в мирное время планы перевода железнодорожного движения на режим «максимальных военных перевозок». Смысл термина и процесса достаточно понятен: все поезда, грузы и пассажиры стоят и ждут, пока эшелоны с войсками, техникой и боеприпасами не проследуют в нужном им направлении. Кроме того, разбронируются мобилизационные запасы угля, паровозов, вагонов, усиливается вооруженная охрана железнодорожных станций и перегонов. График военных перевозок в Европейской части СССР вводился (12 сентября 1939 г.) даже на этапе стратегического развертывания Красной Армии перед войной с полуразрушенной вторжением вермахта Польшей. (1, стр. 110) Однако в июне 1941 года ничего подобного сделано не было!

По расчетам, содержавшимся в предвоенных планах советского командования, противнику (немцам) требовалось от 10 до 15 дней, а Красной Армии — от 8 дней для Северного до 30 дней для Юго-Западного фронтов, необходимых для осуществления всех перевозок по планам стратегического развертывания войск. Фактически обе стороны (Германия и СССР) не форсировали, а, напротив, затягивали сроки сосредоточения войск. Затягивали со вполне понятной, обоюдной целью — не вспугнуть противника раньше времени.

Трудно сказать — какое именно событие следует считать началом сосредоточения немецких войск у границ СССР (первые дивизии вермахта были переброшены на Восток практически сразу же после завершения боев во Франции), но в любом случае стратегическое развертывание для операции «Барбаросса» было растянуто как минимум на четыре месяца. План передислокации был разбит на пять этапов, причем на ранних этапах к границам СССР были выдвинуты лишь пехотные части. В начале апреля 1941 г. группировка немецких войск на Востоке насчитывала всего 43 пехотных и 3 танковые дивизии, и хотя советская разведка в своих сводках традиционно завысила это число почти вдвое (до 70 пехотных, 7 танковых и 6 моторизованных), подобная «концентрация» не давала никаких оснований для предположения о скором вторжении вермахта.

К середине мая немецкая группировка увеличилась на 23 пехотные и 1 моторизованную дивизии. (1, стр. 304—305) Этот факт также был выявлен советской разведкой, но и он вполне еще укладывался в распространяемую гитлеровскими спецслужбами версию о «минимальных мерах предосторожности», принятых по отношению к весьма ненадежному «партнеру» по дележу Европы. Как было выше отмечено, дата вторжения (22 июня 1941 г.) была установлена Гитлером

30 апреля, тогда же было принято решение перевести железные дороги на график максимальных военных перевозок с 23 мая. Но и после этого с явно демаскирующей весь замысел операции переброской танковых и моторизованных дивизий тянули, что называется, до последней минуты. Так, например, пять танковых дивизий группы армий «Юг» были загружены в эшелоны в период с 6 по 16 июня и прибыли на станции разгрузки в южной Польше (Люблин—Сандомир—Жешув) лишь к 14—20 июня. Непосредственно в районы сосредоточения и развертывания в 25—40 км от советской границы три дивизии (13-я тд, 14-я тд и 11-я тд) вышли буквально в последние часы перед вторжением, а две другие (16-я тд и 9-я тд) вечером 21 июня еще находились на марше за 100—150 км от границы. (33, стр. 37, 108)

Нет ничего удивительного в том, что к воскресному утру 22 июня 1941 г. сосредоточение советских армий второго стратегического эшелона еще не было завершено. Командование Красной Армии действовало по своему собственному графику развертывания, при составлении которого немецкое вторжение не предполагалось. ***«Переброска войск была спланирована с расчетом завершения сосредоточения в районах, намечаемых оперативными планами, с 1 июня по 10 июля 1941 г.».*** Уже за одну эту фразу авторов коллективной монографии «1941 год — уроки и выводы» следовало бы тогда же, в 1992 году, наградить медалью «За отвагу»...

Раньше всех начали выдвижение находящиеся в Забайкалье и в Монголии соединения 16-й Армии и 5-го МК.

26 апреля Генштаб отдал предварительное распоряжение Военным советам Забайкальского и Дальневосточного военных округов, 22 мая началась погрузка первых частей в эшелоны, которые с учетом огромного расстояния и сохраняющегося графика работы железных дорог мирного времени должны были прибыть в район Бердичев—Проскуров—Шепетовка в период с 17 июня **по 10 июля**. С 13 по 22 мая поступили распоряжения Генштаба о начале выдвижения к западной границе еще двух армий резерва ГК. 22-я армия выдвигалась в район Великие Луки—Витебск со сроком

окончания сосредоточения **1—3 июля**, 21-я армия сосредоточивалась в район Чернигов—Гомель—Конотоп **ко 2 июля**. 29 мая принято решение о формировании 19-й Армии и развертывании ее в районе Черкассы—Белая Церковь **к 7 июля**. Не ранее 13 июня принято решение о формировании на базе соединений Орловского и Московского ВО еще одной, 20-й Армии, которая должна была сосредоточиться у Смоленска **к 3—5 июля**. Еще раз повторим, что все эти перевозки планировалось осуществить при условии *«сохранения режима работы железных дорог по мирному времени»* и с соблюдением совершенно беспрецедентных мер строжайшей секретности. Так, 12 июня 1941 г. нарком обороны Директивой № 504206 дал такие указания командующему Киевским ОВО: *«О прибытии частей 16-й Армии, кроме Вас, члена Военного совета и начальника штаба округа, никто не должен знать... Открытые разговоры по телефону и по телеграфу, связанные с прибытием, выгрузкой и расположением войск, даже без наименования частей, категорически запрещаю... Условное наименование применять при всякой переписке, в том числе и на конвертах совершенно секретных документов»*. (6, стр. 352)

Среди великого множества мероприятий со сроком выполнения «к 1 июля 1941 г.» не должно пройти мимо нашего внимания и принятое 4 июня 1941 г. на заседании Политбюро ЦК ВКП(б) решение *«утвердить создание в составе Красной Армии одной стрелковой дивизии, укомплектованной личным составом польской национальности и знающим польский язык»*. (48) Национальные формирования в Красной Армии были к тому времени давным-давно ликвидированы. К тому же в решении Политбюро речь идет не просто о лицах польского происхождения, а именно о людях, знающих польский язык (что в конкретных условиях многонационального Советского Союза, с большим числом смешанных браков и ассимилированных национальных групп, было совсем не одно и то же). Единственный похожий случай имел место 11 ноября 1939 года. Тогда, за 20 дней до начала запланированного «освобождения» Финляндии, было принято решение о формировании 106-й стрелковой дивизии, личный состав которой набирался исключительно из лиц, владеющих финским или карельским языком. (49, стр. 137) Яростные ниспровергатели версии В. Суворова извели бездонную прорву бумаги на свои макулатурные произведения, на все эти «антисуворовы», «мифы ледокола» и проч., но так и не удосужились пока ответить на простой вопрос: зачем Сталину понадобилась к 1 июля 1941 г. дивизия, говорящая на польском языке? Неужели для обороны нерушимых границ СССР срочно потребовались поляки?

Волна крупномасштабной перегруппировки войск катилась с далекого Дальнего Востока через военные округа Европейской части СССР к приграничным западным округам. В середине июня пришла очередь и для таких мероприятий, скрыть которые от разведки противника было труднее всего, — началось уплотнение оперативного построения войск Первого стратегического эшелона. В период с 12 по15 июня командование западных приграничных округов получило приказы на выдвижение дивизий окружного (фронтового) резерва ближе к государственной границе. Так, в директиве наркома обороны № 504205 от 13 июня 1941 г., направленной в Киевский ОВО, указывалось: *«В целях повышения боевой готовности войск округа* ***к 1 июля*** (подчеркнуто мной. — **М.С.**) *все глубинные дивизии с управлениями корпусов, с корпусными частями перевести ближе к государственной границе в новые лагеря... Передвижения войск сохранить в полной тайне. Марш совершать с тактическими учениями, по ночам. С войсками вывести полностью возимые запасы огнеприпасов и горюче-смазочных материалов. Семьи не брать. Исполнение донести нарочным к 1 июля 1941 г.»* (6, стр. 359)

Приказ был немедленно принят к исполнению. Вот как описывает эти события в своих мемуарах маршал Баграмян (в то время — начальник оперативного отдела, заместитель начальника штаба Киевского ОВО):

«...15 июня мы получили приказ начать с 17 июня выдвижение всех пяти стрелковых корпусов второго эшелона к границе. У нас уже ***все было подготовлено*** (подчеркнуто мной. — **М.С.**) *к этому: мы еще* ***в начале мая по распоряжению Москвы*** *прове-*

ли значительную работу — заготовили директивы корпусам, провели рекогносцировку маршрутов движения и районов сосредоточения. Теперь оставалось лишь дать команду исполнителям... Дивизии забирали с собой все необходимое для боевых действий. ***В целях скрытности двигаться войска должны были только ночью****. План был разработан детально... Чтобы гитлеровцы не заметили наших перемещений, районы сосредоточения корпусов были выбраны не у самой границы, а в нескольких суточных переходах восточнее».* (45, стр. 75)

Директива аналогичного содержания и с указанием той же даты завершения сосредоточения — к 1 июля — поступила и в Западный ОВО. (6, стр. 423) К 15 июня более половины дивизий, составлявших второй эшелон и резерв западных военных округов, были приведены в движение. Накануне войны 32 дивизии западных округов тайно, ночными переходами, через леса и болота шли (крались) к границе. Полковник Новичков, бывший в начале войны начальником штаба 62-й стрелковой дивизии 5-й Армии Киевского ОВО, вспоминает: «*Части дивизии выступили из лагеря в Киверцы* (около 80 км от границы. — ***М.С.***) *и, совершив два ночных перехода, к утру 19 июня вышли в полосу обороны, однако* ***оборонительный рубеж не заняли, а сосредоточились в лесах*** (подчеркнуто мной. — ***М.С.***) *вблизи него»* (46)

15 июня командующий войсками Прибалтийского ОВО генерал-полковник Ф.И. Кузнецов издал приказ № 0052, в котором напомнил своим подчиненным, что «*именно сегодня, как никогда, мы должны быть в полной боевой готовности... Это надо всем твердо и ясно понять, ибо в любую минуту мы должны быть готовы к выполнению любой боевой задачи*». (50, стр. 8) Несмотря на то что никаких конкретных оперативных задач в приказе № 0052 не содержалось, он был увенчан грифом «Совершенно секретно. Особой важности», доведен до сведения лишь старшего комсостава (от командиров дивизий и выше) и заканчивался таким указанием: «*В развитие этого приказа никому письменных приказов и приказаний не отдавать*». Забота о «целях скрытности» дошла до того, что начальник управления политпропаганды Прибалтий-

ского ОВО товарищ Рябчий вечером 21 июня 1941 г. приказал *«отделам политпропаганды корпусов и дивизий письменных директив в части не давать, задачи политработы ставить устно через своих представителей...»*. (46) Странно все это, очень странно. Конечно, советские нормы секретности сильно отличались от общечеловеческих, но неужели нельзя было доверить бумаге такие задачи, как «быть готовыми защитить мирный труд советских людей» или «земли чужой мы не хотим ни пяди»? В этой связи стоит отметить, что в самый первый день войны, 22 июня 1941 г., немцы захватили в местечке Шакяй (Литва) склад с листовками на немецком языке, обращенными к солдатам вермахта. (42, стр. 79)

Самое же удивительное в другом. По сей день еще находятся сочинители, которые утверждают, что Сталин изо всех сил старался «оттянуть нападение» Гитлера на Советский Союз. Так ведь для того чтобы «оттянуть» получше, надо было не прятать дивизии по лесам, не бродить ночью по болотам, а ярким солнечным июньским днем вызвать в те же Киверцы корреспондентов всех центральных газет и приказать им снять марширующие колонны. И на первую газетную полосу — под общей рубрикой «Граница на замке!». А рядом — интервью с командиром танка, который прибыл со своими боевыми товарищами из жарких степей Монголии в Шепетовку. И пускай немецкие аналитики думают — к чему бы это... *«Имея дело с опасным врагом, следует, наверное, показывать ему прежде всего свою готовность к отпору. Если бы мы продемонстрировали Гитлеру нашу подлинную мощь, он, возможно, воздержался бы от войны с СССР в тот момент»*, — пишет в своих мемуарах генерал армии С.П. Иванов, многоопытный штабной офицер. (47) Именно так, как советует военный профессионал столь высокого уровня, и надо было действовать — если бы Сталин думал о том, как «оттянуть», а не о том, как бы **НЕ СПУГНУТЬ** противника в оставшиеся до вторжения в Европу считаные недели и дни.

Последние сомнения в наступательной направленности Большого Плана исчезают, стоит лишь нам нанести на географическую карту то расположение дивизий первого стратегического эшелона, которое было создано в ходе тайного многомесячного стратегического развертывания. Благодаря предусмотрительно вырисованной в сентябре 1939 г. «линии разграничения государственных интересов СССР и Германии на территории бывшего Польского государства» (именно так официально называлось то, что во всех книгах и учебниках называется «западной границей») эта «граница» имела два глубоких (на 120—170 км) выступа, обращенных «острием» на Запад. Белостокский выступ в Западной Белоруссии и Львовский выступ в Западной Украине. Двум выступам неизбежно сопутствуют четыре «впадины». С севера на юг эти «впадины» у оснований выступов находились в районах городов Гродно, Брест, Владимир-Волынский, Черновцы. Если бы Красная Армия собиралась встать в оборону, то на «остриях выступов» были бы оставлены лишь минимальные силы прикрытия, а основные оборонительные группировки были выстроены у оснований, во «впадинах». Такое построение позволяет гарантированно избежать окружения своих войск на территории выступов, сократить общую протяженность фронта обороны (длина основания треугольника всегда короче суммы двух других сторон) и создать наибольшую оперативную плотность на наиболее вероятных направлениях наступления противника.

В июне 1941 г. все было сделано точно наоборот. Главные ударные соединения «сбились в кучу» на остриях Белостокского и Львовского выступов. У оснований выступов, в районе Гродно, Бреста и Черновцов, были расположены несравнимо более слабые силы. Описание всей группировки займет у нас слишком много времени и места, поэтому ограничимся тем, что рассмотрим дислокацию главной ударной силы Красной Армии — механизированных (танковых) корпусов. Крайняя спешка и разновременность начала их формирования привели к тому, что имевшиеся в наличии танки, бронемашины, автомобили и трактора были распределены по мехкорпусам очень неравномерно. Столь же разнородным был и состав танкового парка. В большей части корпусов новейших танков (Т-34, КВ) не было вовсе, некоторые

(10-й МК, 19-й МК, 18-й МК) были вооружены крайне изношенными БТ-2/ БТ-5, выпуска 1932—1934 гг., или даже легкими плавающими танкетками Т-37/Т-38. На этом фоне контрастно выделяются «пять богатырей», пять мехкорпусов, на вооружении которых обнаруживается от 700 до 1000 танков, в том числе более 100 новейших танков Т-34 и KB, сотни тракторов (тягачей), тысячи автомобилей. Это (перечисляя с севера на юг) 3-й МК, 6-й МК, 15-й МК, 4-й МК и 8-й МК. Даже среди этих, лучших из лучших, заметны 6-й и 4-й мехкорпуса. На их вооружении было соответственно 452 и 414 новейших танков — больше, чем во всех остальных (а «остальных» было 27) мехкорпусах Красной Армии, вместе взятых. В 6-м МК к началу боевых действий числились 1131 танк (т.е. даже больше штатной нормы), 294 трактора (почетное «второе место» среди всех мехкорпусов РККА), а по числу автомашин и мотоциклов (4779 и 1042 соответственно) он также превосходил любой другой мехкорпус Красной Армии. Весьма солидно выглядел до начала войны и 8-й МК. На вооружении корпуса было 171 новейших Т-34 и KB, 359 тракторов и тягачей, 3237 автомобилей.

Где же стояли эти «богатыри»? 4-й МК развертывался в районе Львова. Рядом с ним, немного южнее, дислоцировался 8-й МК, чуть восточнее Львова, в районе Золочев—Кременец, находился 15-й МК. Только в составе трех этих мехкорпусов насчитывался 721 танк KB и Т-34, что по странному совпадению почти точно равнялось общему числу танков всех типов в противостоящей им 1-й танковой группе вермахта. Еще не сделав ни одного выстрела, ударная группировка советских мехкорпусов уже нависала над флангом и тылом немецких войск, зажатых в междуречье Вислы и Буга. За два дня до начала войны все три дивизии 4-го МК начали движение на запад, на самое «острие» Львовского выступа. Утром 22 июня (в 5 ч. 40 мин.) командование 8-й МК вскрыло «красный пакет», и в соответствии с приказом командующего 26-й армией № 002 **от 17 мая** 1941 г. (63, стр. 165) мехкорпус двинулся на запад и во второй половине дня вышел к пограничной реке Сан западнее Самбора. «Красный пакет» с директивой штаба Киевского ОВО № 0013 **от 31 мая** 1941 г. (70, стр. 197) был вскрыт командиром 15-й МК в 4 ч. 45 мин., после чего дивизии корпуса двинулись в сторону Радехова (34 км от пограничного Крыстынополя, ныне — Червонограда). Но, пожалуй, самым показательным был выбор места дислокации 6-го МК, который спрятали в чаще дремучих лесов у Белостока. Можно догадаться, как мехкорпус с его огромным «хозяйством» попал в Белосток — к этому городу сквозь вековые леса и бездонные болота подходит нитка железной дороги. Выехать же своим ходом из Белостока корпус мог только в одну сторону — по шоссе на Варшаву, до которой от «границы» оставалось всего 80 км. Магистральной автомобильной дороги от Белостока на восток, в Белоруссию, как не было тогда, так нет и по сей день.

Не менее примечательно и место дислокации 3-го МК (672 танка, в том числе 110 Т-34 и КВ, 308 тракторов и тягачей, 3897 автомобилей). Этот корпус был подчинен 11-й Армии, развернутой на юге Литвы, на стыке Северо-Западного и Западного фронтов. Линия границы в районе этого стыка имела вид длинного и узкого «языка», который от польского города Сувалки вдавался вглубь советской территории в районе Гродно. Фактически на территории этого «сувалкского выступа» и севернее развертывались сразу две танковые группы вермахта (4-я и 3-я) в составе семи (!) танковых дивизий. Советское командование могло и не знать об этом, но само очертание границы у Гродно внушало большие опасения. Тем не менее 3-й МК оказался значительно севернее Гродно, даже севернее Каунаса, отделенный от «сувалкского выступа» полноводным Неманом. Странное решение для отражения весьма вероятного удара противника от Сувалки на Гродно, зато очень понятное и рациональное для наступления на Тильзит (Советск) и далее к балтийскому побережью. А вот непосредственно у Гродно находился слабо укомплектованный (331 танк, в том числе всего 27 Т-34 и КВ), с мизерным количеством автотранспорта и тягачей 11-й МК. Немногим лучше (518 легких Т-26, ни одного среднего и тяжелого танка) был вооружен и 14-й МК, на который у южного основания Белостокского выступа, в районе Брест—Кобрин, обрушился удар 2-й танковой группы Гудериана. Аналогичным (главные силы — на обращенном к противнику «острие выступа») было и распределение отдельных (корпусных и РГК) артполков. В составе 3-й Армии, прикрывавшей гродненское направление, было всего два корпусных артполка (152-й и 444-й), а в составе 10-й Армии (острие белостокского выступа) — четыре корпусных (130-й, 156-й, 262-й, 315-й) и три артполка РГК (311-й, 124-й, 375-й).

Как ни странно это звучит, но доказывать наступательную направленность советских оперативных планов и обусловленного этими планами построения группировок войск пришлось только после выхода в свет знаменитой книги В. Суворова «Ледокол». До этого советские историки и мемуаристы спокойно и охотно констатировали, что *«на расположение позиций и войск оказал влияние наступательный характер планируемых стратегических действий... замысел на стратегическое развертывание и построение оперативных группировок войск в большей мере отражал наступательные цели...»*. (3) Правда, подобные признания всегда сопровождались оговоркой о том, что «в силу неверной оценки ситуации было неоправданно допущено...». В. Суворов всего лишь предложил перестать считать советских генералов идиотами, не понимающими азбучных основ стратегии и оперативного искусства, и обратил внимание на умственные, а главное — нравственные, достоинства советских историков. Разумеется, «историки» ему этого не простили. Странно, но и реабилитированные В. Суворовым советские генералы за него не заступились...

Глава 9

«БЕСПОКОИТЬСЯ МОГУТ ДРУГИЕ»

Народ у нас, как известно всему миру, добрый, долготерпеливый и быстро отходчивый. По сей день ни одна из партий, представленных в Государственной Думе, так и не додумалась поставить вопрос о проведении серьезного парламентского расследования причин и обстоятельств той величайшей трагедии России, какой была война, унесшая жизни миллионов наших сограждан. Никого не судили. Никого из переживших Сталина и Берию больших начальников (Молотова, Ворошилова, Тимошенко, Жукова, Голикова) даже не допросили. И что самое удивительное — все это уже никого не удивляет. Зато добровольных (и, хотелось бы верить, бесплатных) адвокатов Сталина появляется с каждым годом все больше и больше. С обезьяньим визгом и глумливым кривлянием нам сообщают, что в годы Большого Террора было расстреляно «всего лишь» 681 тыс. человек (да еще и во время «следствия» в тюрьмах и лагерях за два года умерло 115 тыс. человек), и поэтому «дерьмократы врут про миллионы жертв». А 800 тысяч за два года — мало? И разве истребление собственного народа началось только в 1936 году? Или в конце 1938 года оно закончилось? Невероятно, но появилась даже «либерально-демократическая» версия планов Сталина: он-де собрался летом 41-го «освободить Европу от фашистского варварства». Да, не получилось, да, «история отпустила ему мало времени», но зато глаза какие добрые! И планы — «сугубо освободительные» (вместо «сугубо оборонительных» по старой, советской, версии).

Увы, вынужден разочаровать: никаких документов и фактов, подтверждающих «освободительные намерения» Сталина, пока еще не обнаружено. Зато можно констатировать другой очевидный факт: ни малейшей попытки улучшить накануне начала Большой Войны свои взаимоотношения с реальными противниками Гитлера товарищ Сталин не предпринял. Хотя, по здравой логике, именно с этого и надо было бы начинать — если бы Сталин и вправду готовился к «бескорыстному освобождению» порабощенной Европы. Более того, жесткость (если не сказать — хамская спесь) по отношению к воюющей Британии и ее заокеанскому союзнику только нарастала. Подробный анализ внешнеполитической, дипломатической составляющей событий весны-лета 1941 г. выходит далеко за рамки данной книги. Не пытаясь объять необъятное, приведем тем не менее несколько достаточно красноречивых документов.

Цитаты будут очень пространные, но иначе и нельзя понять «тон и стиль», с которым сталинские дипломаты общались весной 1941 года со своими будущими союзниками по антигитлеровской коалиции.

18 апреля 1941 г. посол Великобритании в СССР Стаффорд Криппс встретился с заместителем наркома иностранных дел СССР товарищем А.Я. Вышинским (да-да, тем самым, не однофамильцем). У этой встречи была весьма примечательная предыстория. После того как в мае 1940 г. У. Черчилль возглавил английское правительство, он сменил британского посла в СССР и отправил в Москву самого «левого», лояльно настроенного по отношению к Советской России человека, который только был в его «команде» (*«единственный раз, когда меня освистали в парламенте, — это было мое выступление в пользу Советского Союза»,* — говорил Криппс Вышинскому). 1 июля 1940 г. Криппс смог добиться встречи со Сталиным (редкая честь по тем временам — так, например, посол такой немалой страны, как США, Штейнгардт ни разу не был принят Сталиным) и передал ему личное послание Черчилля. В том документе, в частности, было сказано:

«...В прошлом — в самом недавнем прошлом — наши отношения, надо признать, были омрачены взаимными подозрениями; и в августе прошлого года Советское правительство решило, что интересы Советского Союза требуют, чтобы оно прервало переговоры с нами и вступило в тесные отношения с Германией. Таким образом, Германия стала Вашим другом почти в тот же момент, когда она стала нашим врагом...

...В настоящий момент перед всей Европой, включая обе наши страны, встает проблема того, как государства и народы Европы будут реагировать на перспективу установления Германией гегемонии над континентом... Мы располагаем лучшими возможностями по сравнению с другими, менее благоприят-

но расположенными странами, противостоять стремлению Германии к гегемонии, и, как Вам известно, Британское правительство твердо намерено использовать с этой целью свое географическое положение и свои великие ресурсы. На деле политика Великобритании сосредоточена на достижении двух целей, а именно, во-первых, спасти себя от господства Германии, которое хочет установить нацистское правительство, и, во-вторых, освободить остальную Европу от господства, установление которого над ней Германия в настоящее время осуществляет.

Советское правительство само в состоянии судить о том, угрожает ли интересам Советского Союза нынешнее стремление Германии к гегемонии над Европой и, если так, каким образом можно лучше всего обеспечить эти интересы. Но я считаю, что кризис, который переживает сейчас Европа и даже весь мир, настолько серьезен, что он дает мне право искренне изложить Вам положение дел, как оно представляется Британскому правительству...» (4, стр. 82)

Тогда, 1 июля 1940 года, Сталин занял достаточно неоднозначную позицию: он не выразил ни малейшего желания чем-либо помочь Британии, он отказался признать гитлеровскую агрессию в Европе опасной для СССР, но — в разительном отличии от принятой тогда в СССР газетной риторики — не стал и демонстрировать свои дружественные отношения с Германией. Таким образом, дверь к возможному сотрудничеству Англии и СССР была оставлена приоткрытой. В протокольной советской записи это звучит так:

«...тов. Сталин говорит, что если господин Премьер хочет знать о наших отношениях с Германией, то мы можем сообщить, что у нас нет блока с Германией на предмет войны против Англии. У нас есть только пакт о ненападении. Касаясь вопроса о равновесии, тов. Сталин говорит, что мы хотим изменить старое равновесие в Европе, которое действовало против СССР...

Далее тов. Сталин переходит к главному — господству Германии в Европе. Тов. Сталин говорит, что он считает еще преждевременным говорить о господстве Германии в Европе.

Разбить Францию — это еще не значит господствовать в Европе. Для того чтобы господствовать в Европе, надо иметь господство на морях, а такого господства у Германии нет, да и вряд ли будет... Что касается субъективных данных о пожеланиях господства в Европе, то тов. Сталин считает долгом заявить, что при всех встречах, которые он имел с германскими представителями, он такого желания со стороны Германии — господствовать во всем мире — не замечал... тов. Сталин говорит, что он не столь наивен, чтобы верить отдельным устным заявлениям отдельных руководителей относительно их нежелания господствовать в Европе и во всем мире. Я эти два рода объединяю в один, т.к. нельзя господствовать в Европе без господства во всем мире. Но если, говорит тов. Сталин, я продолжаю верить в нежелание основных руководителей Германии господствовать в Европе, то это я делаю, т.к. знаю, что у них нет сил для господства во всем мире...

...тов. Сталин говорит, что он откровенно должен сказать, что СССР будет снабжать немцев цветными металлами для производства продукции, предназначенной для СССР, и если это обстоятельство представляет препятствие для заключения торгового соглашения между СССР и Англией, то, говорит тов. Сталин, я должен сказать, что соглашение не состоится...» (4, стр. 77-79)

И это было самое лучшее, что удалось услышать Криппсу за год его работы в Москве. В дальнейшем охлаждение отношений дошло до того, что Криппс по нескольку месяцев безуспешно добивался встречи с наркомом иностранных дел СССР Молотовым. Убедившись в тщетности этих попыток, Криппс (надо полагать, по указанию из Лондона) решил передать свое заявление Молотову в письменном виде через заместителя. В результате **18 апреля** 1941 г. состоялся следующий разговор:

«...В начале беседы Криппс заявил, что он хотел посетить тов. Молотова В.М. и с этой целью приготовил перевод устного заявления в письменном виде для тов. Молотова В.М., но поскольку он не получил приема у тов. Молотова, то ему приходится сделать это заявление мне. Далее Криппс заявил, что се-

годня днем, когда он просил приема у тов. Молотова, он получил «необычный ответ» из Секретариата тов. Молотова: «Народный комиссар не может принять» — без каких-либо объяснений. Он, Криппс, считает такой ответ необычным потому, что такой ответ может означать, что он вообще лишен возможности видеть народного комиссара...

...Криппс передал мне написанный от руки перевод «устного заявления в письменном виде», как он его назвал, на 14 страницах. Я прочитал текст этого заявления и заявил Криппсу, что поскольку этот документ предназначен для тов. Молотова В.М., я передам его по назначению и поступлю в соответствии с теми указаниями, которые получу от тов. Молотова В.М. Что же касается лично меня, то записку, поскольку о ней можно судить по первому чтению, я не считаю серьезной, и что для ее обсуждения нет подходящих у нас с Английским правительством отношений, как я уже объяснял Криппсу в беседе с ним 22 марта по аналогичному поводу. Более того, в записке содержатся даже совершенно неприемлемые для нас места... По вопросу о неприкосновенности и безопасности СССР я сказал Криппсу, что об этом позаботится сам СССР, без помощи советчиков... Я отклонил попытки Криппса оспаривать наше право торговать с Германией и с любым другим государством, заявив, что это наше дело и только наше... Кроме того, мы не можем допустить предъявление нам каких-то условий: балтийский (речь идет об отказе Англии признать законным факт аннексии Прибалтийских государств) *и другие вопросы должны быть решены независимо ни от каких условий, самая постановка вопроса о которых мною решительно отводится...»* (6, стр. 92—93)

В самой записке Криппса, которая вызвала такое возмущение товарища Вышинского, было сказано:

«...С той поры, что я имел удовольствие беседовать с Вашим Превосходительством, прошло время, чреватое событиями... Что же касается отношений между нашими двумя странами, то в них не последовало перемены. Великобританское правительство все еще видит себя вынужденным рассматривать Советский Союз в качестве главного источника снабже-

ния Германии как по причине товаров, непосредственно вывозимых, так и что касается товаров, провозимых через Советский Союз в Германию с Дальнего Востока в количестве, примерно, одной тысячи тонн в сутки. Правительство Соединенных Штатов придерживается, по-видимому, до некоторой степени этого же взгляда...

...Предполагая, что Гитлер ныне намеревается вести войну, простирающуюся на несколько лет, он должен — как он сам заявил — обеспечить себе поставку достаточного количества продовольствия и сырья из другого источника, нежели те, которые теперь находятся в его распоряжении. Если ему не удастся добиться преобладания на морях — а это едва ли будет для него достижимо, — он сможет получить эти материалы в количестве, мало-мальски соразмерном с его потребностями, лишь от Советского Союза или через Советский Союз... Другими словами, Гитлер мог бы покрыть свои потребности двояким образом: или путем соглашения с Советским Союзом, или же, если он не сможет заручиться заключением и выполнением такого соглашения, то путем применения силы попытаться захватить то, в чем он нуждается... Судя по множеству указаний, которые мы получили из источников, обычно достоверных, подобный захват силой источников снабжения на Востоке не является вовсе гипотезой, но, наоборот, составляет часть составленного Германией плана кампании на весну этого года...

...Если бы Советский Союз предполагал принять первый вариант и тем самым составил бы источник снабжения Германии до предела своих возможностей и на остальную часть войны, то Великобританскому правительству пришлось бы явно основать свою политику на этом соображении. Если же, наоборот, Советский Союз имеет намерение оказать сопротивление такому требованию... то Великобританское правительство, конечно, могло бы пожелать остановиться на политике совершенно другого характера и предложить Соединенным Штатам избрать политику, следующую в том же направлении, как его собственная политика.

У меня нет мысли задать Вашему Превосходительству вопрос о намерениях Советского правительства, ибо я вполне соз-

наю, с какими трудностями мог бы быть связан ответ на вопрос такого рода. Но у меня есть желание спросить, в свете изложенных выше соображений, заинтересовано ли ныне Советское правительство в проведении в жизнь немедленного улучшения его политических и экономических отношений с Великобританским правительством, или же, наоборот, Советское правительство удовлетворится тем, чтобы эти отношения сохранили свой теперешний вполне отрицательный характер вплоть до окончания войны. Если ответ на первую часть вопроса является удовлетворительным, то, по моему мнению, не следует терять времени с тем, чтобы такое улучшение послужило на пользу той или другой стороне...» (6, стр. 94—95)

Стоит отметить, что Криппс (равно как и миллионы его современников и потомков) сильно недооценивал товарища Сталина, ибо видел только два возможных варианта развития событий: Советский Союз соглашается снабжать воюющую с Англией Германию «до предела своих возможностей», или Германия силой забирает советские источники сырья и продовольствия. То, что Сталин может иметь и свой, активный план участия в европейской войне, Криппс и его лондонские руководители, похоже, даже не допускали.

С. Криппс быстро получил ясный ответ на свой запрос. С ним в Москве просто перестали разговаривать. **5 июня** 1941 г. состоялась короткая прощальная беседа посла Британии с Вышинским.

«...По просьбе Криппса я принял его в 16 час. 30 мин. Криппс заявил, что по вызову своего правительства он вылетает на самолете из Москвы в пятницу утром, 6 июня с.г. в Стокгольм, чтобы оттуда отправиться в Лондон для консультации со своим правительством... Далее Криппс заявил, что он не считал возможным просить приема у народного комиссара, так как в свое время он просил т. Молотова принять его, но получил отказ, и сейчас он не хотел бы напрашиваться на новый отказ...

...Уходя, Криппс имел в виду, что, быть может, это его последний визит в НКИД, и поблагодарил меня за внимательное к нему отношение в течение всего «бесплодного» года его пребы-

вания в Москве. Я пожелал Криппсу счастливого пути...» (6, стр. 315)

Это, однако, еще не был «конец главы». Знаменитое Заявление ТАСС от **13 июня** 1941 г. начиналось почему-то с прямых обвинений в адрес Криппса:

«...Еще до приезда английского посла в СССР г-на Криппса в Лондон, особенно же после его приезда, в английской и вообще в иностранной печати стали муссироваться слухи о «близости войны между СССР и Германией»... Эти слухи являются неуклюже состряпанной пропагандой враждебных СССР и Германии сил, заинтересованных в дальнейшем расширении и развязывании войны...»

Какими бы ни были в действительности цели этого странного Заявления, не было ровным счетом никакой нужды в том, чтобы упоминать британского посла в прямой связи с «пропагандой сил, заинтересованных в дальнейшем расширении и развязывании войны». Сослаться в преамбуле Заявления можно было бы на любую газету, так как в середине июня 1941 года скорое начало советско-германской войны горячо обсуждала вся мировая пресса. По всем писаным и неписаным законам дипломатии посол представляет в своем лице пославшее его государство. Соответственно и оскорбительные заявления в адрес посла Англии были явной демонстрацией желания Москвы еще более ухудшить советско-британские взаимоотношения. Причем безо всякой разумной причины. Так сказать, «лягнуть по привычке».

Как известно, «хамить боксеру лучше по телефону». Англия в тот момент находилась не в том положении, когда она могла бы адекватно реагировать на оскорбления в адрес своего посла. Черчилль в своих мемуарах пишет:

«...Кульминационный момент наступил 1 мая, когда начались налеты на Ливерпуль и Мерсей, длившиеся семь ночей подряд, 76 тысяч человек потеряли кров, а 3 тысячи было убито и ранено. Из 144 причалов 69 были выведены из строя, а временно находившиеся в портах суда были на три четверти уничтожены... 10 мая противник снова сбросил на Лондон зажигательные бомбы. В городе вспыхнуло свыше двух тысяч пожаров, при-

чем мы не могли тушить их, так как бомбардировками было разрушено около 150 водопроводных магистралей... Были повреждены 5 доков и более 70 важнейших объектов, половину из которых составляли заводы. Все крупнейшие железнодорожные станции, за исключением одной, были выведены из строя на несколько недель, а сквозные пути полностью открылись для движения только в начале июня. Было убито и ранено свыше 3 тысяч человек. Этот налет был историческим также и в другом отношении: в результате была разрушена палата общин. Одна бомба причинила разрушения, которые не могли быть ликвидированы в течение нескольких лет...»

По этой или по какой другой причине, но **16 июня** 1941 г. временный поверенный в делах, секретарь английского посольства г. Баггалей на встрече с Вышинским вел себя едва ли не заискивающе:

«...По просьбе Баггалея я принял его в 17 час. 10 минут. Баггалей заявил, что он пришел ко мне как заместителю народного комиссара с первым визитом. Баггалей тут же добавил, что он с большим удовольствием прочел сообщение ТАСС, опубликованное в советских газетах 14 июня с.г., с опровержением слухов, распространяемых в иностранной печати, о близости войны между СССР и Германией. Он, Баггалей, однако, не совсем понимает и несколько удивлен тем, что в сообщении ТАСС упоминается имя Криппса... Почему в сообщении ТАСС эти слухи и их распространение связываются с приездом Криппса в Лондон?

Я ответил Баггалею, что сообщение ТАСС констатирует факты, как они есть. Факты таковы, что после прибытия Криппса в Лондон английская пресса особенно стала муссировать слухи о предстоящем нападении Германии на СССР...

Далее Баггалей заявил, что в сообщении ТАСС, как он представляет себе, имеется два основных положения:

во-первых, в сообщении указывается, что между СССР и Германией никаких переговоров не было и, во-вторых, что нет никаких оснований для выражения беспокойства в связи с передвижениями германских войск. На мой вопрос, кого Баггалей имеет в виду, говоря о выражении беспокойства, Баггалей ответил — СССР.

На это я ответил Баггалею, что, как видно из сообщения ТАСС, для СССР нет никаких оснований проявлять какое-либо беспокойство. Беспокоиться могут другие...» (6, стр. 376)

Следующая встреча товарища Вышинского с Баггалеем состоялась уже **22 июня**, примерно в 11.30 утра.

«...Баггалей заявил, что он еще не получил инструкций от своего правительства, но учитывая изменившуюся обстановку, заявил он, можно было бы установить сотрудничество, в известной мере, до получения инструкций от его правительства... Английские воздушные силы могли бы оказать помощь СССР путем бомбардировки германских вооруженных сил на Ближнем Востоке. Английское правительство могло бы оказать помощь в снабжении СССР через Владивосток или Персидский залив, а также для оказания помощи советскому командованию послать в СССР английских офицеров, имеющих опыт борьбы против германских танков...»

22 июня 1941 г. Вышинский тоже не получил новых инструкций от своего правительства. В 11 часов утра он еще не знал, что «старую пластинку» пора уже выкинуть и запустить новую: обвинять и требовать, обвинять и требовать, требовать и ругать за то, что новые англо-американские союзники мало помогают Советскому Союзу. Всего этого Вышинский еще не знал, поэтому продолжил беседу с британским поверенным в том же тоне, к которому успел привыкнуть за предыдущие месяцы:

«...Я заявил Баггалею, что его сообщение передам своему правительству и если получу соответствующие указания, то поставлю Баггалея в известность.

Баггалей заявил, что в настоящих условиях он считал бы необходимым познакомиться и установить контакт с т. Молотовым. Я обещал (вот это уже новое слово) *Баггалею довести его просьбу до сведения т. Молотова.*

Во время беседы с Баггалеем началось выступление по радио т. Молотова, Баггалей попросил разрешения прослушать выступление т. Молотова. В моем кабинете Баггалей прослушал речь т. Молотова; его переводчик перевел основные положения речи т. Молотова. Баггалей попросил, не могу ли предоставить ему полный текст речи т. Молотова.

Я ответил Баггалею, что сейчас не имею полного текста речи т. Молотова, но что по радио будет еще передаваться речь т. Молотова и что она будет напечатана...» (6, стр. 439)

Вот так они разговаривали в то утро с полномочным представителем своих будущих союзников: «Купи газету в киоске и читай...»

Если ситуация, в которой Англия находилась весной 1941 года, может быть названа трагической, то советско-американские дипломатические контакты в этот момент приобретали откровенно фарсовый характер. Все началось с 200 ящиков американского посла в Польше г. Биддла, точнее говоря — его жены, дамы из очень богатой семьи. Во время «освободительного похода» сентября 1939 г. в здании американского консульства во Львове «пропала» огромная коллекция антиквариата, принадлежавшая жене Биддла. Без малого два года американцы приставали к советскому внешнеполитическому ведомству с просьбой разобраться в этом вопросе. Их очень удивляло, как в стране, где не то что частные коллекции произведений искусства, но и велосипед с патефоном вызывал настороженные взгляды соседей, могли бесследно пропасть 200 ящиков с картинами, мехами, коврами, столовым серебром и т.д. В конце концов терпение у советских дипломатов лопнуло, и **5 июня** 1941 г. (в тот самый день, когда Криппс, несолоно хлебавши, покинул Москву) замнаркома иностранных дел товарищ Лозовский заявил послу США Штейнгардту дословно следующее:

«...Господин Посол напрасно придает такое большое значение вопросу о вещах бывшего американского посла в Польше г-на Биддла. В Западной Украине и в Западной Белоруссии в то время происходила революция (интереснейшая формулировка, снимающая с кремлевских правителей всякую ответственность за жизнь и собственность населения Польши, которую Советский Союз оккупировал силой оружия). *Г-н По-*

сол, очевидно, думает, что, когда люди делают революцию, они только и думают о том, как бы сохранить чье-либо имущество.

Г-н Биддл сам виноват в том, что его имущество не сохранилось, так как он никому из представителей советской власти не передавал этого имущества. Советское правительство не является сторожем имущества г-на Биддла и не может нести ответственности за его пропажу...»

Разумеется, одними только «разъяснениями» по поводу ящиков Биддла беседа дипломатов не ограничилась. Товарищ Лозовский «отчитал» (именно такой термин использует он в своем отчете) американского посла по полной программе:

«...Правительство США конфисковало золото, принадлежащее Государственному банку СССР (этим термином т. Лозовский обозначил золотовалютные резервы Прибалтийских государств, которые хранились в американских банках), *наложило арест на пароходы Прибалтийских республик и не только не ликвидировало миссии и консульства Литвы, Латвии и Эстонии, но признает этих марионеточных посланников и консулов в качестве представителей несуществующих правительств. При таком отношении Правительства Соединенных Штатов к правам и интересам Советского Союза естественно, что Советское правительство не может даже и приступить к рассмотрению имущественных претензий, изложенных в многочисленных нотах посольства США в Москве... Г-н Посол сказал, что некоторые депутаты хотят выступить в Конгрессе против СССР. Нас мало трогают такого рода выступления. Если есть депутаты, которые хотят устроить шум и скандал в Конгрессе, то пусть шумят, это их дело...*

После того как я «отчитал» Штейнгардта, он стал жаловаться на то, что его не приглашают обсуждать вопросы, касающиеся отношений между обеими сторонами, и этим частично объясняется создавшееся положение. Он ни разу не говорил с тов. Сталиным, а с т. Молотовым говорил два-три раза и только по незначительным вопросам... В то время, как советские инженеры посещают американские заводы, ему, Штейнгардту, до сих пор не разрешили посетить какой-нибудь крупный советский завод... По мнению Штейнгардта, в ближай-

шие 12 месяцев, а некоторые считают, в ближайшие 2—3 недели, Советский Союз будет переживать величайший кризис. Его удивляет, что в такое тяжелое время Советский Союз не хочет укрепить своих отношений с Соединенными Штатами...

Дальше Штейнгардт перешел к вопросу о скоплении германских войск на западной границе СССР. Он уверен, что немцы готовы напасть на Советский Союз... Немцы становятся все нахальнее, и с ними все труднее и труднее становится договориться. Они будут требовать все больше и больше. В этом году очень серьезное положение с урожаем, и это может толкнуть немцев на выступление против СССР.

На это я ответил, что Советский Союз относится очень спокойно ко всякого рода слухам о нападении на его границы. Советский Союз встретит во всеоружии всякого, кто попытается нарушить его границы. Если бы нашлись такие люди, которые попытались бы это сделать, то день нападения на Советский Союз был бы самым несчастным в истории напавшей на СССР страны...» (6, стр. 316 — 322)

И в этом товарищ Лозовский не ошибся. День 22 июня 1941 года стал самым несчастным в истории...

Глава 10

ПЛАН ПРИКРЫТИЯ

Крупномасштабная перегруппировка советских войск, начавшаяся в мае 1941 года, неизбежно создавала сложную и опасную ситуацию. По сути дела, процесс стратегического развертывания и по форме и по содержанию схож с известным, наверное, каждому переездом из одной квартиры в другую. Через пару недель после переезда жизнь войдет в свою колею и, как все надеются, станет лучше, чем была на прежнем месте. Но это будет потом. В сам короткий момент переезда даже такое простое дело, как найти нитку, иголку и пуговицу нужного размера, превращается в неразрешимую проблему. Та же ситуация создается и при передислокации войск. Танковая дивизия (370 танков, 11 тыс. человек личного состава), развернутая в боевой порядок, представляет собой страшную силу. Эта же дивизия, загруженная в забитые фанерой для маскировки вагоны, становится беспомощной, как младенец. Хуже того, она превращается в удобную мишень для противника. Остановить ее может любой злоумышленник, открутивший нужную гайку на железнодорожной стрелке, эскадрилья вражеских бомбардировщиков может превратить воинский эшелон в груду горящих обломков. Соответственно для того чтобы короткий период сбора резервистов, переезда и оперативного развертывания войск не стал для них последним, необходимо проведение целого комплекса специальных мероприятий, который на военном языке называется «Прикрытие мобилизации и развертывания». Или просто — прикрытие.

Иногда (такое случается, к сожалению, и в документах, и в специальной военной литературе) точное выражение «прикрытие мобилизации, сосредоточения и развертывания» заменяется внешне похожим «прикрытие границы». Эта небольшая на первый взгляд неряшливость в терминологии была и остается краеугольным камнем, на котором строится большая ложь о начале войны. Границу, как и дверь в вашей квартире, не «прикрывают», а закрывают наглухо. Вооруженные силы любого государства создаются для того, чтобы его границы были надежно защищены. Навсегда. Прикрытие же — это ограниченная по времени и по характеру решаемых задач краткосрочная операция. Время операции прикрытия, очевидно, определяется сроками отмобилизования, сосредоточения и развертывания войск. Это несколько дней или, в худшем случае, несколько недель. Объектом прикрытия является не **линия** границы (хотя удержание этой линии и желательно), а **процесс** мобилизации, сосредоточения и развертывания войск. Это означает, что обеспечение бесперебойной работы железнодорожной станции, расположенной в 100 км от границы, несравненно важнее удержания каждого пограничного столба. В крайнем случае на этапе прикрытия от столба можно и отступить. Не это главное. Отмобилизованная и развернутая в боевые порядки армия вернет все столбы на свое место.

Из этих простых соображений следуют, по меньшей мере, два простых и очень важных вывода. Первое — операция прикрытия мобилизации и развертывания войск всегда является по сути своей оборонительной операцией. Но из этого **ни в малейшей степени не следует**, что целью самой мобилизации и стратегического развертывания (для прикрытия которых и проводится оборонительная операция по прикрытию) всегда является оборона линии границы и столбов. Ничего подобного. Любой агрессор (Гитлер и Сталин, в частности) нуждались в том, чтобы прикрыть мобилизацию и сосредоточение своих войск перед каждым очередным актом международного разбоя.

Второй вывод заключается в том, что прикрытие мобилизации, сосредоточения и развертывания войск по определению не может быть выполнено всеми имеющимися в распоряжении командования, да еще и полностью отмобилизованными, войсками. **Прикрытие всегда выполняется частью сил**. Иного и быть не может. Ни в одном военном гарнизоне в ночное дежурство не заступает весь личный состав. Караульную службу (аналогом которой на стратегическом уровне является прикрытие мобилизации и развертывания) всегда несет небольшая часть военнослужащих. Увы, эта простейшая логика не всегда понятна широкой публике, на чем спекулировали и спекулируют профессиональные вруны от военной истории.

Ставший уже печально знаменитым пример такой демагогии — серия публикаций в «Военно-историческом журнале» (№ № 2, 3, 4, 5, 6 за 1996 год) под крикливым названием «Конец глобальной лжи». Опубликовав (через 55 лет после их написания) планы прикрытия западных военных округов, достойные продолжатели традиций Главпура попытались дезинформировать читателей заведомо ложным утверждением о том, что только этими — оборонительными по определению — планами прикрытия и исчерпывается **весь оперативный план** Красной Армии 1941 года. Очевидный вопрос — для чего же тогда, начиная с мая 1941 г., проводилось стратегическое развертывание Вооруженных Сил Советского Союза? Неужели только для того, чтобы создать лишние проблемы с его прикрытием? — остался «за кадром».

Столь решительное бесстыдство, какое проявили авторы «глобальной лжи», встречается уже довольно редко. Но вот горькие сетования по поводу того, что «неотмобилизованные и не успевшие выйти к границе войска западных округов не смогли, да и не могли, отразить внезапное нападение численно превосходящего врага», присутствуют, к сожалению, едва ли не в каждой публикации, посвященной событиям лета 41-го года. А ведь в этой, такой привычной для слуха советского человека фразе что ни слово — то неточность, ошибка или преднамеренный обман.

Стрелковые дивизии приграничных округов были практически полностью (на 85—90%) укомплектованы личным составом и основными видами вооружения (об этом подробно говорилось в предыдущей главе). Отсутствие штатного (т.е. огромного) количества автотранспорта и тягачей (излюбленная тема приверженцев «глобальной лжи») не имело судьбоносного значения в рамках весьма ограниченной по срокам и задачам операции прикрытия. Ее продолжительность определялась главным образом сроками отмобилизования основных сил Красной Армии, развертываемых на Западе. Эти сроки в июне 41-го измерялись уже не неделями, а днями (*«из 303 дивизий, которые должны были отмобилизоваться по плану МП-41, 172 дивизии имели сроки полной готовности на 2—4-е сутки мобилизации, 60 дивизий — на 4—5-е сутки...»*). Самое же главное заключается в том, что прикрытие мобилизации и развертывания войск не имеют ничего общего с лозунгами «Ни шагу назад» и «Стоять насмерть». В конкретных условиях последней недели июня 1941 года от стрелковых дивизий, решающих задачу прикрытия, требовалось: **в течение нескольких дней сдержать наступление противника, снизить темп этого наступления, не допустить прорыва крупных частей противника в оперативную глубину** обороны войск округа. Вот и все. Не меньше, но и не больше.

Подвижная оборона — это вполне «законный» вид боя, прямо предусмотренный Полевым уставом ПУ-39.

«Подвижная оборона преследует цель — за счет потери пространства выиграть время, необходимое для организации обороны на новом рубеже, для обеспечения сосредоточения войск на данном направлении... Войска, обороняющие промежуточный рубеж, должны нанести наступающему противнику потери, заставить его развернуться, потерять время на организацию наступления и, не вступая с ним в упорный бой, ускользнуть из-под удара». Даже планомерный, организованный и управляемый отход (не путать с «подвижной обороной» и тем более — с беспорядочным паническим бегством) на 30—40—50 км от линии пограничных столбов в течение первой недели боевых действий не создавал никаких проблем для мобилизации в Минске или для выгрузки войск 20-й Армии у Смоленска. Строго говоря, отход на 40—50 км не сильно мешал даже ходу мобилизации в Белостоке (75—90 км от границы). Такая уж у нас была география, не имеющая ничего общего с географией Чехии, Бельгии или Дании, захваченных вермахтом за несколько дней.

Имели ли войска западных округов возможность для решения задачи прикрытия? Это абсолютно неверно поставленный вопрос, и отвечать на него не имеет смысла. Возможность сопротивления не является некой константой, от воли и действий людей не зависящей. Теоретически финская армия в декабре 1939 года не имела никакой возможности остановить стальную лавину Красной Армии. Практически — остановила. Причем продвинувшись в течение трех месяцев и 12 дней на 150 км к Выборгу (средний темп наступления 1,5 км в день), Красная Армия потеряла 365 тыс. военнослужащих, в том числе 127 тысяч — безвозвратно. (2, стр. 99, 123) Если бы войска западных приграничных округов Советского Союза, численность которых (149 дивизий) десятикратно превосходила максимальную численность финской армии, в июне 1941 года нанесли вермахту такие потери и снизили темп его наступления до 1,5 км в день, то операция прикрытия могла бы считаться блестяще выполненной. Обсуждения заслуживает другой вопрос: какие планы прикрытия, какие силы и средства для выполнения этих планов имели в июне 1941 года войска западных округов?

Первым и самым эффективным способом прикрытия мобилизации и оперативного развертывания войск является выбор противника настолько слабого, что он просто не рискнет произвести первый выстрел и нарушить тем самым плановый ход развертывания наших войск. Это возможно. Именно так обстояло дело с теми войнами, которые СССР вел в 1939—1940-х годах. Ни Польша, войска которой в сентябре 1939 г. были связаны борьбой с вермахтом, ни Финляндия с ее малочисленной и плохо вооруженной армией, даже не пытались активными боевыми действиями сорвать развертывание войск Красной Армии на их границах. В качестве своеобразного «прикрытия» оперативного развертывания Красной Армии перед вторжением в Финляндию были (по глубоко верному замечанию профессора Килина) использованы политические переговоры с финской делегацией, которые в октябре-ноябре 1939 г. проходили в Москве при участии Сталина и Молотова. (51)

Невероятно — но факт. Примерно по такому же сценарию кремлевские правители собирались начать войну против Германии. Разработка отдельных и конкретных планов операции по прикрытию мобилизации и развертывания началась не в сентябре 39-го года — после возникновения общей линии соприкосновения немецких и советских войск, не поздней осенью 40-го года — когда уже вовсю шла работа по отработке планов наступления на Краков—Катовице и далее везде, а лишь в мае 1941 года! Удивительно, но советские «историки» с особым рвением выпячивали это обстоятельство, видимо, не понимая, что отсутствие планов прикрытия мобилизации и развертывания (при наличии планов вторжения в Европу с глубиной наступления в 300 км на этапе решения «первой задачи») демонстрирует отнюдь **не особое миролюбие, а запредельную самонадеянность** высшего военно-политического руководства страны. Так, по декабрьскому (1940 г.) плану штаба Юго-Западного фронта переход в наступление наземных сил планировался только *«с утра 30-го дня мобилизации»*. (4, стр. 493—495) А что же будет делать в течение этих 30 дней противник? Гитлер, как известно, был параноиком, но все-таки не мазохистом, и едва ли он стал бы терпеливо дожидаться *«утра 30-го дня мобилизации»*. Нельзя сказать, что эта простая мысль совсем не нашла отражения в декабрьском плане штаба Ю-З.ф. Среди 5,5 тыс. слов, которыми изложен этот подробнейшим образом проработанный план наступления в южной Польше, есть и такая фраза: *«Не допустить вторжения противника на советскую территорию, а вторгнувшегося уничтожить и обеспечить сосредоточение и развертывание армий фронта для наступления. Оборону непосредственно на укрепленном рубеже осуществляют войска, предназначенные для прикрытия развертывания, согласно плану, изложенному на карте»*. И это — абсолютно все, что сказано про операцию прикрытия. Ни состав сил прикрытия, ни их дислокация, ни рубежи обороны и возможного отхода, ни материальное обеспечение операции прикрытия в плане никак не обозначены.

Если в таком планировании и был хоть какой-то смысл, то он, скорее всего, заключался в надежде на то, что войну против Германии удастся начать по самому «облегченному варианту», а именно: основные силы вермахта ушли или на Ближний Восток, или (что было бы еще надежнее и лучше) высадились на Британских островах. При таком сценарии развития событий оставленные на Востоке 20—30 третьесортных пехотных немецких дивизий или вовсе не рискнут помешать стратегическому развертыванию Красной Армии, или будут с легкостью «уничтожены при попытке вторжения на советскую территорию». Другие, гораздо более тревожные ожидания появляются **лишь весной 1941 г**. Так, уже в апрельской (1941 г.) Директиве на разработку плана оперативного развертывания армий Западного ОВО появляется фраза о *«возможности перехода противника в наступление до окончания нашего сосредоточения»*. То, что разработка полноценных планов прикрытия началась именно в мае (соответствующие директивы наркома обороны были направлены в округа 5—14 мая 1941 г.), т.е. одновременно с переносом срока начала реализации плана войны с 1942 года на конец лета 1941 года, едва ли является случайным совпадением. Вероятно, именно в мае 1941 г. к Сталину пришло окончательное понимание того, что вторжение Гитлера на Британские острова откладывается в неопределенное будущее, и Красной Армии предстоит встретиться с главными и наиболее боеспособными частями вермахта и люфтваффе. Соответственно изменилось и отношение к сложности и значимости операции прикрытия.

Планы прикрытия мобилизации, сосредоточения и оперативного развертывания войск были разработаны в штабах западных приграничных округов и поступили на утверждение в Генеральный штаб Красной Армии с 6 по 19 июня. Так как планы прикрытия разрабатывались в округах на основании одних и тех же указаний верховного командования, то и задачи во всех этих планах были сформулированы буквально одними и теми же словами:

«Не допустить вторжения как наземных, так и воздушных сил противника на территорию округа. Упорной обороной по линии госграницы и рубежу создаваемых укрепленных районов отразить наступление противника и обеспечить отмобилизование, сосредоточение и развертывание войск округа. Противовоздушной обороной и действиями авиации обеспечить бесперебойную работу железных дорог, сосредоточение войск округа и работу складов. Всеми видами разведки своевременно определить характер сосредоточения и группировку войск противника».

Задачи, понятные и вполне соответствующие смыслу операции прикрытия. Однако только этими, оборонительными действиями на собственной территории в Красной Армии образца мая 1941 г. не исчерпывались даже планы прикрытия! Планы прикрытия всех округов содержали указания об активных, наступательных, не ограниченных госграницами действиях авиации: *«Завоевать господство в воздухе и мощными ударами по основным группировкам войск, железнодорожным узлам, мостам и перегонам нарушить и задержать сосредоточение и развертывание войск противника».*

Особого внимания заслуживают последние слова. «Нарушить и задержать сосредоточение и развертывание войск противника» возможно в том и только в том случае, когда план прикрытия вводится в действие ДО того, как противник произвел первый выстрел; более того, даже ДО того, как противник начал готовиться к этому «первому выстрелу» (т.е. начал развертывать ударную группировку своих войск у нашей границы). Это еще раз подтверждает тот бесспорный факт, что план прикрытия (в том виде, в котором он был разработан в мае 1941 г.) ни в коей мере **не был «планом отражения агрессии»** — это был план прикрытия (обеспечения) подготовки Красной Армии к нанесению **сокрушительного упреждающего удара по немецким войскам**.

Стоит отметить и то, что во всех окружных планах прикрытия присутствует такая (или аналогичная по смыслу) фраза: *«Последовательными ударами боевой авиации по установленным базам и боевыми действиями в воздухе уничтожить авиацию противника...»* В первые часы и дни войны нанести удар по «установленным базам» (по контексту ясно, что речь идет об аэродромах базирования) вражеской авиации можно только в том случае, если места расположения этих аэродромов, маршруты подхода к ним были разведаны заранее. И такая кропотливая подготовительная работа была проведена в реальности. Например, в приложениях к плану прикрытия Западного ОВО *«бомбардировочный расчет наряда самолетов для удара по аэродромам противника»* занимал три листа текста. В самом же тексте плана прикрытия о задачах ВВС Западного фронта было сказано, в частности, следующее:

«...а) нанести одновременный удар по установленным аэродромам и базам противника, расположенным в первой зоне, до рубежа Инстербург (Черняховск)*, Алленштайн* (Ольштын), *Млава, Варшава, Демблин* (100—130 км от границы. — ***М.С.***), *прикрыв действия бомбардировочной авиации истребительной авиацией. Для выполнения этой задачи потребуется 138 звеньев, мы имеем 142 звена, т.е. используя всю наличную бомбардировочную авиацию, можем решить эту задачу одновременно;*

б) вторым вылетом бомбардировочной авиации нанести

удар по аэродромам и базам противника, расположенным во второй зоне до рубежа Кенигсберг, Мариенбург (Мальборк), *Торунь, Лодзь* (200—250 км от границы. — **М.С.**). *Для этой цели могут быть использованы самолеты типа СБ, ПЕ-2, АР-2, которых мы имеем 122 звена, для решения этой задачи требуется 132 звена, недостает 10 звеньев....*

в)...для удара по жел/дорожным мостам могут быть использованы только самолеты типа ПЕ-2 и АР-2, которые могут производить бомбометание с пикирования... Ввиду того, что у нас мало пикирующих бомбардировщиков, необходимо взять для разрушения только главнейшие мосты (через Вислу. — **М.С.**), *как то: в Торуне, Варшаве и Демблине...»*

Еще раз повторим — это не планы разгрома Германии и победы в мировой войне. Это всего лишь частные операции, осуществляемые на подготовительном, по сути дела, этапе прикрытия мобилизации и развертывания главных сил...

Как и следовало ожидать, в плане прикрытия Одесского округа уже на этапе мобилизации и развертывания перед ВВС округа была поставлена задача *«систематически уничтожать нефтебазы и нефтеперегонные заводы»* на румынской территории. Примечательно, что в плане прикрытия ОдВО появляется фраза (и соответствующая таблица) о конце августа (*«к концу августа 1941 г. боеспособность ВВС округа должна значительно улучшиться количественно и качественно...»*). И в плане прикрытия Киевского ОВО многократно повторяется фраза такого типа: *«В июле и августе с.г. намечено сосредоточить дополнительно 50 тыс. шт. противопехотных мин... 200 т кол. проволоки...»*

Планы прикрытия двух округов (Киевского и Ленинградского) предполагали активные наступательные действия **не только ВВС, но и наземных войск**: *«При благоприятных условиях всем обороняющимся войскам и резервам армий и округа быть готовыми по указанию Главного Командования к нанесению стремительных ударов для разгрома группировок противника, перенесения боевых действий на его территорию и захвата выгодных рубежей»*. Таким образом, в полосе предстоящего главного удара Красной Армии (Западная Украина) грань между прикрытием развертывания и началом основной наступательной операции в значительной степени стиралась. Активные задачи Ленинградскому округу ставились, вероятно, в расчете на предполагаемую слабость противника (финской армии).

Все вышесказанное об активной (если даже не наступательной) направленности планов прикрытия приграничных округов вовсе не означает, что основной задаче — обороне территории округа — в них не было уделено должного внимания. Оборонительные операции армий и округа (фронта) в целом были проработаны весьма подробно и безо всякого «шапкозакидательского» настроя. Вопреки совершенно абсурдным, но при этом глубоко укоренившимся мифам о том, что «Сталин запретил отступать и вот поэтому...», планы прикрытия всех округов предусматривали и ситуацию вынужденного отхода (причем не на 30—40 км), и возможность прорыва механизированных частей противника в оперативную глубину.

План прикрытия Одесского округа допускал возможность отхода с рубежа пограничной реки Прут на рубеж восточного берега Днестра (более 100 км). План прикрытия Прибалтийского ОВО требовал *«подготовить для упорной обороны плацдарм на левом берегу р. Неман по рубежу...* (50—100 км к востоку от границы). *Для этого немедленно начать возводить долговременные мощные сооружения... В районе этого плацдарма зап. и вост. Каунаса готовить переправы через р. Неман... иметь понтонные мосты через Неман в районе Вильки, Румшишкес* (50—60 км от границы) *и иметь не менее трех переправ для танков через р. Вилия на участке Скорей, Ионава* (100—120 км). В плане прикрытия Западного ОВО были конкретно указаны варианты действий войск округа (фронта) в случае прорыва *«крупных мотомехсил противника»* на пяти возможных операционных направлениях, в том числе и до рубежа Вороново—Лида (более 100 км к востоку от границы). Даже в плане прикрытия Киевского ОВО, несмотря на огромную концентрацию сил Красной Армии на этом ТВД, предполагалось создание многочисленных тыловых оборонительных рубежей, *«со всемерным развитием их в период сосредоточения»*. Например, для строительства укреплений по реке Стырь на фронте Луцк, Станиславчик, Топоров (северное основание «Львовского выступа», 70—90 км от госграницы) планировалось *«привлечь от войск и местного населения ежедневно до 30 тыс. чел. при 1500 подводах. Учитывая наличие водного рубежа, норма работающих сокращена в два раза. Готовность оборонительной полосы: М-10—50 проц., М-15 — 100 проц.»*. Планировалось в Киевском ОВО и широкомасштабное разрушение дорог и мостов на случай прорыва противника: *«С началом боевых действий разрушаются подрыванием или путеразрушителем все железнодорожные участки, примыкающие непосредственно к государственной границе на глубине от 5 до 15 километров, железнодорожные участки, находящиеся от линии фронта далее 5—15 км подготовляются к разрушению... Средние мосты высотой более 15 метров, большие мосты и тоннели минируются, но разрушаются по особому распоряжению командующего армией...»*

Особое внимание во всех планах прикрытия уделялось противотанковой обороне. Это, однако, не означает, что красноармейцам было приказано бросаться с бутылками под танки. Противотанковую оборону планировалось построить на разумных основаниях, на базе огромных технических и организационных ресурсов Красной Армии. *«В случае прорыва фронта обороны крупными мотомехчастями противника борьба с ними и их уничтожение будут осуществляться непосредственно командованием округа... Задачей армий прикрытия* (т.е. стрелковых дивизий и корпусов. — **М.С.**) *в этом случае будет — закрыть прорыв на фронте и не допустить вхождения в него мотопехоты и полевых войск противника. Задача противотанковых артиллерийских бригад сведется к тому, чтобы на подготовленных рубежах встретить танки противника мощным артогнем и совместно с авиацией задержать их продвижение до подхода и контрудара наших мотомехкорпусов...»* Это — общая схема действий. А вот и одно из конкретных решений, включенных в план прикрытия Западного ОВО:

«...4. В случае прорыва крупных мотомехчастей противника с фронта Соколув, Седлец в направлении на Бельск, Волковыск 100-я стрелковая дивизия совместно с 7-й ПТАБР, 43-й САД (смешанная авиадивизия) *и 12-й БАД* (бомбардировочная авиадивизия), *прочно заняв тыловой рубеж на фронте Грулек, Хайнувка* (60 км от границы, в районе знаменитой Беловежской Пущи)*, уничтожает наступающие танки и мотопехоту противника, не допуская их распространения восточнее этого рубежа. 6-й мехкорпус из района Белосток наносит удар в общем направлении на Браньск, Цехановец и во взаимодействии с 9-й САД и 12-й БАД уничтожает противника. 13-й мехкорпус под прикрытием средств ПТО 100-й сд из района Хайнувка, Черемха, Каленковиче во взаимодействии с 43-й САД наносит удар в общем направлении на Дзядковице, Цехановец, уничтожая противника и отрезая ему пути отхода. Остатки противника отбрасывает под удар 6-го мехкорпуса и 100-й сд...»*

Все перечисленные в этом фрагменте САДы, БАДы, ПТАБРы, и не только они, существовали в действительности.

В составе войск Западного ОВО было четыре мехкорпуса (11-й МК, 6-й МК, 13-й МК, 14-й МК), три противотанковые бригады (6-я, 7-я и 8-я). В качестве подвижного противотанкового соединения могли и должны были быть использованы формирующиеся 17-й МК и 20-й МК (*«до укомплектования танками вооружаются артиллерийской матчастью, оставшейся свободной по сформировании арт. бригад и используются для обороны в качестве противотанковых частей»*). Это решение командующего войсками Западного ОВО Д.Г. Павлова не было плодом «местной инициативы». Еще 14 мая 1941 г. по указанию начальника Главного автобронетанкового управления РККА Я.Н. Федоренко было решено вооружить танковые полки танковых и моторизованных дивизий формирующихся мехкорпусов противотанковой артиллерией и использовать их как подвижный резерв ПТО армии или фронта. В директиве, отправленной 16 мая 41-го г. в округа, особо подчеркивалось, что метод стрельбы прямой наводкой из танковых и противотанковых пушек одинаков и дополнительных сложностей для подготовки личного состава не создает. Для вооружения таких «противотанковых танковых полков» было выделено 1200 76,2-мм пушек и 1000 45-мм пушек, по 42 орудия (24х76 + 18х45) на один полк (т.е. более 200 дополнительных противотанковых орудий на мехкорпус). Для обеспечения орудий средствами мехтяги передавалось 1200 автомашин ЗИС-5/6 и 1500 ГАЗ. Срок выполнения и этой директивы — к **1 июля 1941 г**. (1, стр. 348)

Что же касается «крупных мотомехчастей противника», то таких танковых масс, которые ожидало увидеть на стороне противника советское командование (до 3,5 тыс. танков на одном стратегическом направлении, до 10 тыс. танков на всем советско-германском фронте), не было и в помине. В первые два-три дня войны на всей территории Белоруссии (в направлении Брест—Слоним) действовали только два танковых корпуса (47-й и 24-й) 2-й танковой группы Гудериана, на вооружении которых было совокупно порядка 800 танков. Дивизии 3-й танковой группы, как известно, наступали из «сувалкского выступа» не на юго-восток, к Гродно, а на северо-восток. На Минское шоссе они вышли, описав огромную дугу Алитус—Вильнюс—Молодечно протяженностью более 250 км, лишь 25 июня 1941 г.

Важнейшей составляющей оборонительного потенциала Красной Армии была полоса укрепленных районов вдоль всей западной границы. **Именно система укрепрайонов в решающей степени обеспечивала решение главной задачи** операции прикрытия: сдержать частью сил наступление противника на время, необходимое для сосредоточения и развертывания главных сил Красной Армии. Обратившись к географической карте западных районов Советского Союза, мы увидим, что сама местность была там в значительной степени «противотанковой». Это тем более верно и значимо для германского вермахта образца 41-го года, в котором мотострелковые части передвигались не на гусеничных бронетранспортерах (как в старом советском кино), а на обычных, «гражданских» грузовиках и трофейных автобусах, да и немецкие танки на своих узких гусеницах застревали после первого же сильного дождя на той местности, которая в России называлась «дорогой».

Группа армий «Север» сразу после перехода границы «утыкалась» в полноводную реку Неман, причем в его нижнем (т.е. наиболее широком) течении. Далее, форсировав множество малых рек и речушек, немецкие дивизии примерно в 250 км от границы выходили на берег широкой судоходной реки Западная Двина (Даугава), причем опять же в ее нижнем течении. И это — самый лучший из предоставленных природой маршрутов. Войска Групп армий «Центр» ждали гораздо более серьезные препятствия. Местность в полосе наступления 3-й и 2-й танковых групп (южная Литва и Западная Белоруссия) совершенно «противотанковая». С севера «белостокский выступ» прикрывает полоса непролазных болот в пойме лесной реки Бебжа, на юге граница была проведена по берегу судоходной реки Западный Буг (опять-таки в его нижнем течении). После форсирования Буга немцев ждали заболоченные берега реки Нарев и сплошной ряд лесных рек, притоков Припяти и Немана (Свислочь, Ясельда, Зельвянка, Щара). Немногочисленные дороги среди дремучих лесов и болот Западной Белоруссии и по сей день представляют собой некое подобие горных ущелий: застрявшую (или подбитую) головную машину колонны не объехать и не обойти. 1-я танковая группа (Группа армий «Юг») могла начать вторжение практически лишь через узкий (100—120 км) «коридор» между городами Ковель и Броды. С севера этот коридор ограничен абсолютно непроходимой полосой болот Полесья, с юга — Карпатскими горами. На этом пути танковым дивизиям предстояло форсировать Западный Буг, а затем — следующие один за другим с почти равными промежутками в 50—60 км южные притоки Припяти (Турья, Стоход, Стырь, Горынь, Случь). Южнее Карпат, в Молдавии и в степях юга Украины местность, казалось бы, гораздо более благоприятная для наступающих войск — там нет ни лесов, ни болот. Зато есть три полноводные реки — Прут, Днестр, Южный Буг — в их нижнем течении. По сути дела, только к востоку от Днепра и Западной Двины

(Даугавы) немецкие моторизованные соединения выходили на местность, позволяющую осуществлять широкий и быстрый оперативный маневр. Но от границы до Днепра предстояло пройти более 450 км. Это примерно соответствует размерам всей Германии от ее западной до восточной границы.

Препятствия, созданные самой природой, дополнялись и многократно усиливались препятствиями рукотворными.

От Балтики до Черного моря протянулась сплошная полоса укрепрайонов «линии Молотова»: Тельшяйский, Шауляйский, Каунасский, Алитусский, Гродненский, Осовецкий, Замбровский, Брестский, Ковельский, Владимир-Волынский, Рава-Русский, Струмиловский, Перемышльский, Верхне-Прутский и Нижне-Прутский. Сам факт существования мощнейшей оборонительной полосы настолько не вписывался в высочайше утвержденную концепцию «неготовности к войне» и «закономерного поражения», что советские «историки» объявили этому факту многолетнюю истребительную войну. Многометровые железобетонные стены рухнули под напором тысячекратного повторения «мантры» о том, как наивный и доверчивый Сталин все доты на старой (1939 г.) госгранице переломал, а на новой ничего путного так и не построил. Это знают все. Об этом сказано в любой книжке про войну. Этому учат в школе. Но шило неудержимо рвется из мешка.

В номере 4 за 1989 г. «Военно-исторический журнал» — печатный орган Министерства обороны СССР — поместил таблицу с цифрами, отражающими состояние укрепленных районов на новой границе. (56) На эту таблицу редакция щедро выделила 5,5 x 2,5 см журнальной площади. Микроскопическими буковками была набрана информация о том, что только в одном Западном ОВО к 1 июня 1941 г. было построено 332 ДОСа (долговременное огневое сооружение), и еще 2130 (две тысячи сто тридцать) ДОСов находилось в стадии строительства. Крохотная площадь таблички не позволила сообщить читателям о том, что сроком завершения строительства было установлено опять-таки **1 июля 1941 г.,** и работа кипела с рассвета до заката. Как пишет Сандалов (в то время — начальник штаба 4-й Армии Западного ОВО), *«на строительство Брестского укрепленного района были привлечены все саперные части 4-й армии и 33-й инженерный полк округа... В марте-апреле 1941 г. было дополнительно привлечено 10 тыс. человек местного населения с 4 тыс. подвод... с июня по приказу округа на оборонительные работы привлекалось уже по два батальона от каждого стрелкового полка дивизии...»* (26) Два батальона от полка — это 2 из 3. Едва ли не вся армия превратилась в огромный «стройбат». 16 июня 1941 г. строительный аврал был еще раз подстегнут Постановлением ЦК ВКП(б) и СНК СССР «Об ускорении приведения в боевую готовность укрепленных районов». Для оснащения новых УРов разрешалось взять 7700 пулеметов из НЗ и мобилизационных запасов, заводам поручалось изготовить 5500 казематных прицелов, 1340 перископов — и это только в июне и июле...

Кстати сказать, укрепрайоны на «старой» границе никто перед войной не взрывал и землей не засыпал. Напротив, 25 мая 1941 г. вышло очередное постановление правительства о мерах по реконструкции УРов «линии Сталина». Некоторые ДОСы «линии Сталина» целы и по сей день. Перевезти с них вооружение на «линию Молотова» никто не планировал, да это было бы и невозможно в принципе: ДОСы на «старой» границе были на 9/10 пулеметными, в то время как на новой границе половина ДОСов должна была вооружаться новыми артиллерийскими орудиями, с новейшей оптикой, автоматическим заряжанием, новыми шаровыми установками, защищающими гарнизон от огня огнеметов, и пр.

Вероятно, мы не сильно ошибемся, если предположим, что к 22 июня — за неделю до наступления планового срока завершения строительства — значительная часть недостроенных ДОСов была уже готова или почти готова. Точных цифр не знает никто. Так, суммирование по таблице к вышеупомянутой статье в ВИЖе дает число 332, на соседней странице, в тексте статьи, сказано, что *«к июню 1941 г. было построено 505 ДОСов»*. Командующий округом Д.Г. Павлов называл на суде цифру 600. (25) Г.К. Жуков в своих мемуарах называет еще большие цифры: *«К началу войны удалось построить около 2500 железобетонных сооружений, из коих 1000 была вооружена уровской артиллерией, а остальные 1500 — только пулеметами»*. (15, стр. 233) Как бы то ни было, но в среднем на каждом километре западной границы стояло 2—3 железобетонных дота в разной степени готовности, начиная от фактически готовых, но еще не принятых комиссией, до едва поднявшихся выше бетонного фундамента. И это все — «в среднем». Фактически среди вековых лесов и топких болот Западной Белоруссии или украинского Полесья не было никакой нужды выстраивать ДОСы сплошной ровной цепочкой. Узлы обороны сосредотачивались на немногих дорожных направлениях и танкодоступных участках местности, каковое сосредоточение приводило к еще большей концентрации оборонительных сооружений. Даже простое размещение в этих недостроенных бетонных «сараях» (стены которых выдерживали прямое попадание снаряда тяжелой полевой гаубицы) обычных пулеметных взводов стрелковых дивизий, вооруженных стандартными «дегтярями» и «максимами», позволяло создать сплошную зону огневого поражения.

Что все это означает тактически? Обратимся снова к основополагающему документу — Полевому уставу. Глава пятая, «Основы боевых порядков», ст. 98: *«При атаке сильно укрепленных полос и УР ширина фронта наступления* ***дивизии*** *может сокращаться до 2 км»*; ст. 105: *«При обороне УР фронты могут быть шире, доходя до 3—5 км на* ***батальон****»*. Для того чтобы выбить батальон, обороняющийся в укрепрайоне, нужна дивизия. А дивизия — это девять батальонов пехоты и два полка артиллерии. Разумеется, все эти уставные нормы относятся к обороне полностью оборудованного и вооруженного УРа. Разумеется, 22 июня 1941 г. до состояния «полностью оборудованного» было еще далеко. Но, с другой стороны, где же на всем протяжении фронта от Балтики до Карпат соотношение сил было 9 к 1 в пользу вермахта? Самое неблагоприятное для нас соотношение сил сложилось именно в полосе Западного фронта. Там наступала самая мощная группировка противника (группа армий «Центр»), а оборонялись не самые многочисленные войска Западного ОВО. Самое неблагоприятное соотношение сил было таким: 48 немецких дивизий (31 пехотная, 1 кавалерийская, 9 танковых, 5 моторизованных и 2 мотодивизии войск СС) против 44 дивизий Красной Армии (24 стрелковые, 2 кавалерийские, 12 танковых и 6 моторизованных). Но это опять же в среднем за период операции (увы, эта операция завершилась в первых числах июля окружением и разгромом основных сил Западного фронта). Фактически (не по плану прикрытия, а именно с учетом его несвоевременного введения в действие) в самый первый день войны первый эшелон вермахта (24 пехотные, 1 кавалерийская, 4 танковые дивизии) столкнулся с первым эшелоном войск Западного ОВО (12 стрелковых, 2 кавалерийские, 4 танковые и 2 моторизованные дивизии). Численное превосходство противника очевидно, но оно отнюдь не выражается в пропорциях «дивизия против батальона».

Не противоречит ли сказанному выше о возможностях и преимуществах долговременной фортификации тот факт, что и гораздо более совершенные «линия Мажино», «Атлантический вал», «Западный вал» не оправдали возлагавшихся на них надежд? Нет, не противоречит. Почему? Надежды были разные. Французское военно-политическое руководство надеялось решить **стратегическую задачу обороны страны** через дорогостоящее строительство «китайской стены XX века». Идея оказалась мертворожденной. В конце 30-х годов средние двухмоторные бомбардировщики (советский ДБ-3, английский «Веллингтон», немецкий «Хейнкель»-111) поднимали бомбы единичного веса в 1—2 тонны. С появлением боеприпасов такой единичной мощности извечное соревнование «меча и щита» было окончательно и бесповоротно решено в пользу «меча». Строго говоря, потратив невообразимое количество бетона и стальной арматуры, можно построить ДОС, способный выдержать прямое попадание тяжелой авиабомбы, но никакая страна не может позволить себе транжирить ресурсы на строительство «рукотворных горных хребтов». С появлением бомбардировочной авиации долговременная фортификация стала «долговременной» только в одном смысле — в оценке затрат времени на строительство железобетонных монстров. Время, потребное для разрушения любой полосы укреплений, перестало быть «долгим» в стратегических масштабах.

Но операция прикрытия мобилизации, сосредоточения и развертывания и не должна быть долгой. По определению. Операция прикрытия — это считаные дни, которые вполне реально было выиграть, потратив ранее месяцы и годы на строительство ДОСов. Эта простая теория была полностью подтверждена практикой. Не говоря уже про хрестоматийный пример «линии Маннергейма» (редкая цепочка пулеметных ДОСов с примитивным казематным оборудованием или вовсе без оного), прорыв которой занял более 30 дней в феврале-марте 1940 года, гарнизоны многих ДОСов Гродненского, Осовецкого, Брестского, Рава-Русского, Перемышльского укрепрайонов отчаянно сопротивлялись вплоть до 26—27 июня. Несколько ДОСов Рава-Русского УРа держали оборону до 29 июня, отразив многочисленные атаки пехоты противника, использовавшего тяжелую артиллерию, 88-мм зенитные пушки и огнеметные танки. Немцы уже заняли Минск и Бобруйск, но 3-я рота 17-го артпульбата Брестского УРа удерживала четыре ДОСа на берегу Буга у местечка Семятыче до 30 июня 41-го года. Восемь дней. Большего для полного отмобилизования и развертывания войск Западного фронта и не требовалось...

Возвращаясь в исходную точку данной главы, следует еще раз подчеркнуть главное: прикрытие развертывания и оборона границы (страны, округа) суть **разные по содержанию, целям и срокам операции**. В данном вопросе я готов полностью согласиться с мнением товарища Гареева, когда он пишет: *«Войска пограничных военных округов имели задачи не на оборонительные операции, а лишь на прикрытие развертывания войск»*. (44, стр. 128) Это различие находит свое ясное отражение и в советских документах оперативного планирования. Так, апрельская (1941 г.) Директива предписывала разработать:

«...*а) план прикрытия и обороны на весь период сосредоточения;*

б) план сосредоточения и развертывания войск фронта;

в) план выполнения первой операции 13-й и 4-й армий и план обороны 3-й и 10-й армий...»

Как видим, составители (и исполнители) Директивы совершенно четко разделяют понятия «план прикрытия» и «план обороны». Прикрытие предстояло осуществить на всем протяжении фронта на время сосредоточения и развертывания войск. Оборона на пассивных участках (3-я и 10-я Армии) органически включалась в общий оперативный план первых операций Западного фронта (наступление силами 4-й и 13-й Армий от Бельска—Бреста на Варшаву—Радом и оборона силами 10-й и 3-й Армий в центре и на северном фланге фронта).

Среди множества различий между планами прикрытия и планами стратегической обороны самым важным (и имевшим в июне 41-го года самые тяжелые последствия) является порядок введения этих планов в действие. Продолжая линию сравнения прикрытия с караульной службой, мы сразу же увидим эту принципиальную разницу. Караул(ы) несут свою службу по охране объекта непрерывно, круглосуточно и круглогодично. Никаких дополнительных «указаний из Москвы» для этого не требуется. Порядок действий часового в случае нападения (или даже попытки нападения) на охраняемый объект известен и прост:

а) Стой, кто идет?

б) Стой, стрелять буду!

в) Предупредительный выстрел в воздух, и после этого — огонь на поражение

Никаких дополнительных указаний. Никаких приказов вышестоящего начальства. Часовой не только имеет право, но и обязан принять решение на применение оружия самостоятельно.

С планом прикрытия — все точно наоборот. И это не случайность и не ошибка. Операция прикрытия есть не что иное, как начало войны. Это джинн, засунуть которого назад в бутылку уже не удастся. И не только потому, что советские планы прикрытия лета 1941 г. предполагали нанесение массированных авиаударов по сопредельной территории. Сам комплекс действий по отмобилизованию, сосредоточению и оперативному развертыванию войск — для прикрытия которого и вводится в действие соответствующий план — настолько объемен и заметен, что противник неизбежно начнет реагировать на его начало. Мобилизация — это война. А введение в действие плана прикрытия есть не что иное, как фактическое начало войны, скрыть которое от противника не удастся. В этом не было бы ничего страшного, **если бы планировалось ведение оборонительной войны.** И пускай противник видит, пускай знает: границы на замке! «*Пусть помнит враг, укрывшийся в засаде: / Мы начеку, мы за врагом следим*». Прекрасная песня. Да только следующая ее строка (*«Чужой земли мы не хотим ни пяди, / Но и своей вершка не отдадим»*) к лету 1941 года уже устарела. Сталин планировал другую войну, войну, которая должна была начаться сокрушительным внезапным ударом Красной Армии. Естественно, что право выбора момента нанесения этого удара высшее руководство страны оставило за собой, и только за собой.

«План прикрытия вводится в действие при получении шифрованной телеграммы за моей, члена Главного Военного совета, начальника Генерального штаба подписями следующего содержания: «Приступить к выполнению плана прикрытия 1941 г.» Этой стандартной фразой завершались все директивы на разработку плана прикрытия, направленные наркомом обороны СССР в военные округа. Не только ввести в действие, но и ознакомиться с содержимым «красного пакета» генералы, командующие армиями, корпусами и дивизиями не имели права без санкции высшего командования. *«Папки и пакеты с документами по прикрытию вскрываются по письменному или телеграфному распоряжению: в армиях — Военного совета округа, в соединениях — Военного совета армии»*. (6, стр. 233) Таким образом, при отсутствии оперативных

планов обороны возможность **организованного отражения** внезапного упреждающего удара противника зависела от того, успеет ли высшее руководство передать в штабы округов эти четыре коротких слова: «Ввести в действие план прикрытия». Была ли отдана эта команда? А если нет, то почему? Невероятно, но даже 66 лет спустя мы не имеем точного ответа на эти простые вопросы. Все, что остается предложить читателю, — это очередную гипотезу, к обсуждению которой мы приступим в следующей главе.

Глава 11

23 ИЮНЯ: «ДЕНЬ М»

Прежде чем начать обсуждение загадочных событий последних мирных дней июня 41-го, следует определиться с тем, что сегодня называют «цена вопроса». А прежде чем перейти к обсуждению этой «цены», я должен извиниться за вынужденный цинизм дальнейшего изложения. Разумеется, с нормальной человеческой точки зрения «незначительных потерь» не бывает. Даже гибель одного человека — трагедия, и для семей красноармейцев, в дома которых пришли первые «похоронки» войны, эти жертвы стали величайшим в их жизни горем. Понимая все это, я прошу читателей понять, что военная история пишется на своем, достаточно специфичном языке. Живые люди на этом языке называются «личным составом», убитые люди — «потерями в живой силе», братские могилы — «санитарным захоронением». И на этом языке итог первого дня войны (22 июня 1941 г.) может быть обозначен так: используя фактор тактической внезапности, противник на нескольких направлениях потеснил советские войска. Вот и все. **Ничего судьбоносного 22 июня НЕ ПРОИЗОШЛО. И не могло произойти.** Ни на оперативном, ни — тем более — на стратегическом уровне. Не тот масштаб события. Не тот пространственный размах. Уничтожить или хотя бы значительно ослабить первым ударом армию, рассредоточенную на гигантских просторах Советского Союза, армию, имевшую в своем составе три сотни дивизий, тысячи железобетонных дотов, многие сотни аэродромов, десятки тысяч орудий, танков и самолетов, можно было только одним-единственным способом: массированным ракетно-ядерным ударом.

К счастью для всех нас, атомной бомбы у Гитлера не было. Баллистические ракеты «Фау-2» и реактивные бомбардировщики существовали летом 1941 г. лишь в виде чертежей. Из 115 дивизий армии вторжения три четверти были пехотными. С артиллерией на конной тяге. Солдаты вермахта переходили пограничные реки пешком (или на велосипедах). По мостам, которые еще надо было навести (или захватить и удержать). Расчетный темп марша (марша, а не наступления!) пехотной дивизии — 20 км в день. Без учета времени, потребного на форсирование рек, и без учета сопротивления Красной Армии, которая в боевых действиях 22 июня тоже участвовала. Добавим к этому максимальную дальность стрельбы основных систем немецкой полевой артиллерии (10—20 км) и мы получим величину максимально возможной глубины «зоны поражения» первого дня войны: 20—30 км. По меньшей мере 4/5 всех дивизий Красной Армии находились **ВНЕ этой зоны**, на расстояниях в 50—500—5000 километров от границы. О начале войны они узнали не по падающим на военный городок снарядам немецкой артиллерии, а из выступления Молотова по радио (как об этом и повествуется в сотнях мемуаров). Даже полная потеря тех 30—35 дивизий, которые в первый день войны оказались в приграничной полосе, не могла бы иметь катастрофических последствий для Красной Армии с ее наличным и мобилизационным потенциалом. Но немцы и не могли при всем желании уничтожить огнем пехотного вооружения 30 дивизий за один день. Если бы такое было возможно, если бы пехотная (стрелковая) дивизия начала 40-х годов обладала такой огневой мощью, то вся Вторая мировая война закончилась бы за один месяц. По причине полного взаимного истребления сторон. Не будем забывать и о том, что самые крупные поражения 1941 года (Киевский и Вяземский «котлы») состоялись не в первый день, не в первую неделю и даже далеко не в первый месяц войны, а разгромленные в этих «котлах» дивизии (за редкими исключениями) не только не были жертвами «внезапного нападения» — многие из них и вовсе не существовали на момент 22 июня. Ничуть не менее сокрушительными, нежели поражения 1941 года, были и разгромы советских войск в Крыму и под Харьковом весной 1942 г., хотя на втором-то году войны про «мирно спящие аэродромы» и «неотмобилизованность армии» говорить уж точно не приходится...

Вот почему обсуждение «загадки 22 июня» ни в коей мере не является главной составляющей вопроса о причинах катастрофического разгрома Красной Армии летом 41-го года. Эта «загадка» — как бы она ни привлекала к себе внимание историков и публицистов — является всего лишь **одной из частных проблем** историографии начального периода войны. Эта проблема заслуживает, на мой взгляд, обсуждения, но это обсуждение должно быть изначально освобождено от ореола судьбоносной сверхзначимости.

Определившись с «ценой вопроса», постараемся как можно точнее сформулировать его суть. Проблема сводится к тому, что в последние мирные дни (ориентировочно с 13 по 22 июня 1941 г.) высшее военно-политическое руководство СССР **совершало действия (или не менее удивительные бездействия), совершенно неадекватные сложившейся военно-политической обстановке**. И это при том, что — как сегодня абсолютно точно известно — информации о близящемся вторжении немецких войск в распоряжении Сталина, Молотова, Тимошенко, Жукова было более чем достаточно.

В чем конкретно состояли эти «неадекватные» действия и бездействия?

Первое и самое главное — четыре слова так и не были произнесены. Директива (*«за моей, члена Главного Военного совета, начальника Генерального штаба подписями»*) о **введении в действие плана прикрытия** в штабы западных приграничных округов до начала боевых действий **так и не поступила**. Вместо короткой, заранее оговоренной фразы («Ввести в действие план прикрытия») поздним вечером 21 июня 1941 г. Тимошенко и Жуков (а по сути дела — Сталин) отправили в округа целое сочинение, вошедшее в историографию под названием «Директива № 1». Вот ее полный текст:

«1. В течение 22—23 июня 1941 г. возможно внезапное нападение немцев на фронтах ЛВО, ПрибОВО, ЗапОВО, КОВО, ОдВО. Нападение может начаться с провокационных действий.

2. Задача наших войск — не поддаваться ни на какие провокационные действия, могущие вызвать крупные осложнения. Одновременно войскам Ленинградского, Прибалтийского, Западного, Киевского и Одесского военных округов быть в полной боевой готовности, встретить возможный внезапный удар немцев или их союзников.

ПРИКАЗЫВАЮ:

а) в течение ночи на 22 июня 1941 г. скрытно занять огневые точки укрепленных районов на государственной границе;

б) перед рассветом 22 июня 1941 г. рассредоточить по полевым аэродромам всю авиацию, в том числе и войсковую, тщательно ее замаскировать;

в) все части привести в боевую готовность. Войска держать рассредоточенно и замаскировано;

г) противовоздушную оборону привести в боевую готовность без дополнительного подъема приписного состава.

Подготовить все мероприятия по затемнению городов и объектов;

д) никаких других мероприятий без особого распоряжения не проводить». (6, стр. 424)

Обсуждение и анализ смысла этого многозначного, как пророчества Нострадамуса, текста продолжаются уже более полувека. Одни утверждают, что главное в Директиве — требование «не поддаваться на провокации». Другие резонно возражают, указывая на фразу «встретить возможный удар немцев». Третьи справедливо указывают на явную двусмысленность Директивы: как можно «встретить удар немцев», не проводя при этом «никаких других мероприятий», кроме рассредоточения и маскировки? И что значит «встретить удар»? Где встретить? Как встретить? На каких рубежах, в каких боевых порядках, по каким оперативным планам, с какими ограничениями в действиях? Создается впечатление, что высшее командование предложило своим подчиненным разгадать некий ребус. В условиях жесточайшего дефицита времени (и с весьма высокой вероятностью ареста и расстрела в случае неверного ответа) командующим округами поручено было отгадать: чем «провокационные действия» отличаются от «внезапного удара»... И все это — вместо простого, ясного и однозначного приказа: «Ввести в действие план прикрытия».

Более того, даже в тот момент, когда нападение стало свершившимся фактом, Москва так и не отдала прямой и ясный приказ о введении в действие плана прикрытия. Вот как описаны события первых минут войны в показаниях бывшего командующего Западным фронтом Д.Г. Павлова (протокол первого допроса от 7 июля 1941 г.):

«...В час ночи 22 июня с.г. по приказу народного комиссара обороны я был вызван в штаб фронта. Вместе со мной туда явились член Военного совета корпусной комиссар Фоминых и начальник штаба фронта генерал-майор Климовских. Первым вопросом по телефону народный комиссар задал: «Ну, как у вас, спокойно?» Я ответил, что очень большое движение немецких войск наблюдается на правом фланге: по донесению командующего 3-й армией Кузнецова в течение полутора суток в Сувалкский выступ шли беспрерывно немецкие мотомехколонны. По его же донесению, на участке Августов—Сапоцкин во многих местах со стороны немцев снята проволока заграждения...

На мой доклад народный комиссар ответил: «Вы будьте поспокойнее и не паникуйте, штаб же соберите на всякий случай сегодня утром, ***может, что-нибудь и случится неприятное*** (подчеркнуто мной. — ***М.С.***)*, но смотрите, ни на какую провокацию не идите. Если будут отдельные провокации — позвоните». На этом разговор закончился...»*

Итак, в дополнение к сотням других донесений, которые поступали в Генеральный штаб Красной Армии, командующий войсками приграничного округа сообщает, что противник снял проволоку заграждений и к границе беспрерывно идут колонны танков и мотопехоты. Связь между Минском и Москвой есть, и она устойчиво работает. Приказ наркома — не паниковать. При этом Тимошенко почему-то высказывает предположение о том, что утром 22 июня «может случиться что-то неприятное». Неужели такими словами он обозначил возможное нападение 3-миллионной немецкой армии?

«...В 3 часа 30 мин. народный комиссар обороны позвонил ко мне по телефону снова и спросил — что нового?

Я ему ответил, что сейчас нового ничего нет, связь с армиями у меня налажена и соответствующие указания командующим даны...» Еще раз отметим, что связь устойчиво работает, никто (ни в Москве, ни в Минске, ни в Гродно, ни в Белостоке, ни в Кобрине) не спит, приказ о наступлении уже более 10 часов назад доведен до сведения трех миллионов солдат и офицеров вермахта (что должна была бы зафиксировать и советская военная разведка), как минимум два немецких перебежчика, рискуя жизнью и своими семьями, переплыли через пограничный Буг и сообщили командирам Красной Армии о начале войны. Но Москва упорно не желает произнести четыре заветные слова: «Ввести в действие план прикрытия».

Странная «заторможенность» наркома обороны СССР становится особенно контрастной, если сравнить его действия с действиями другого наркома — наркома ВМФ Н.Г. Кузнецова. В своих мемуарах Н.Г. Кузнецов описывает ночь с 21 на 22 июня так:

«...Около 11 часов вечера (21 июня) *зазвонил телефон. Я услышал голос маршала С. К. Тимошенко:*

— Есть очень важные сведения. Зайдите ко мне.

Быстро сложил в папку последние данные о положении на флотах и, позвав Алафузова (заместитель начальника Главного морского штаба. — *М.С.*), *пошел вместе с ним... Наши наркоматы были расположены по соседству... Через несколько минут мы уже поднимались на второй этаж небольшого особ-*

няка, где временно находился кабинет С.К. Тимошенко. Маршал, шагая по комнате, диктовал. Генерал армии Г.К. Жуков сидел за столом и что-то писал.... Семен Константинович заметил нас, остановился. Коротко, не называя источников, сказал, что считается возможным нападение Германии на нашу страну. Жуков встал и показал нам телеграмму, которую он заготовил для пограничных округов... Пробежав текст телеграммы, я спросил:

— Разрешено ли в случае нападения применять оружие?

— Разрешено.

Поворачиваюсь к контр-адмиралу Алафузову:

— Бегите в штаб и дайте немедленно указание флотам о полной фактической готовности, то есть о готовности номер один. Бегите!

Тут уж некогда было рассуждать, удобно ли адмиралу бегать по улице. Владимир Антонович побежал (подчеркнуто мной. — ***М.С.***)*, сам я задержался еще на минуту, уточнил, правильно ли понял, что нападения можно ждать в эту ночь. Да, правильно, в ночь на 22 июня...*

...Мне доложили: экстренный приказ уже передан. Он совсем короток — сигнал, по которому на местах знают, что делать. Все же ***для прохождения телеграммы нужно какое-то время, а оно дорого. Берусь за телефонную трубку****. Первый звонок на Балтику:*

— Не дожидаясь получения телеграммы, которая вам уже послана, переводите флот на оперативную готовность номер один — боевую. Повторяю еще раз — боевую!

...Для меня наступило время томительного ожидания. На флотах знали, что следует предпринять. Меры на чрезвычайный случай были точно определены и отработаны... Пожалуй, генерал Мольтке был прав, говоря, что, отдав приказ о мобилизации, можно идти спать. Теперь машина работала уже сама...» (62)

Для подобных случаев у советских «историков» давно уже заготовлено универсальное объяснение: «Было ошибочно допущено...» Но данный случай особый: тянул-тянул, да так и не отдал приказ о введении в действие плана прикрытия (и это в то время, когда немцы, не скрываясь, снимали проволочные заграждения на границе) не «тупица» Ворошилов, а сам Жуков, Великий и Ужасный. Для особого случая придумали особую «отмазку»: оказывается, все дело не в уме, а в «смелости». Н.Г. Кузнецов-де не побоялся нарушить некий «приказ Сталина» (какой? о чем?), а вот Непобедимый Маршал... Скажем так, сберег себя для будущих побед... К удивительному на первый взгляд контрасту между действиями морских и сухопутных командующих мы еще вернемся, а сейчас продолжим чтение протокола допроса Павлова:

«...Мне позвонил по телефону Кузнецов, доложив: «На всем фронте артиллерийская и оружейно-пулеметная перестрелка. Над Гродно до 50—60 самолетов, штаб бомбят, я вынужден уйти в подвал». Я ему по телефону передал ***ввести в дело «Гродно-41» (условный пароль плана прикрытия)*** (подчеркнуто мной. — ***М.С.***) *и действовать не стесняясь, занять со штабом положенное место... Примерно в 4.10—4.15 я говорил с Коробковым* (командующий войсками 4-й Армии. — **М.С.**), *который также ответил: «У нас все спокойно». Через минут 8 Коробков передал, что «на Кобрин налетела авиация, на фронте страшенная артиллерийская стрельба». Я предложил Коробкову* ***ввести в дело «Кобрин 41 года»*** *и приказал держать войска в руках, начинать действовать с полной ответственностью. Все, о чем доложили мне командующие, я немедленно и точно донес народному комиссару обороны. Последний ответил:* ***«Действуйте так, как подсказывает обстановка»***. (6, стр. 457—458)

Зачем? Зачем тогда нужен Генеральный штаб, наркомат обороны, зачем писались («Совершенно секретно», «Особой важности», «Экземпляр единственный») многостраничные планы? Только для того, чтобы в решающий момент заняться творческой импровизацией (*«Действуйте так, как подсказывает обстановка»*)? Аналогичный ответ получил от Жукова и командующий Черноморским флотом адмирал Ф.С. Октябрьский. Именно на Севастополь обрушился самый первый по времени удар немецкой авиации. Черноморский флот был к тому моменту уже переведен в состояние боевой готовности № 1, но командующий флотом решил почему-то запросить разрешение на применение оружия в наркомате обороны (которому Военно-морской флот формально не подчинялся, имея своего наркома и свой Главный морской штаб). Жуков без тени смущения описывает состоявшийся телефонный разговор так: (15, стр. 264)

В 3 часа 07 минут мне позвонил по ВЧ командующий Черноморским флотом адмирал Октябрьский и сообщил: «Система ВНОС флота докладывает о подходе со стороны моря большого количества неизвестных самолетов; флот находится в полной боевой готовности. Прошу указаний».

Я спросил адмирала:

— Ваше решение?

(Потрясающий ответ старшего по званию и должности военачальника! Вместо того чтобы взбодрить растерявшегося адмирала коротким, но жестким напоминанием о том, что *«меры на чрезвычайный случай точно определены и отработаны* и командование флота — уже переведенного в Оперативную готовность № 1 — прекрасно знает, *«что следует предпринять»*, Жуков немедленно прячется за чужое решение. — ***М.С.***)

— Решение одно: встретить самолеты огнем противовоздушной обороны флота.

Переговорив с С.К. Тимошенко, я ответил адмиралу Ф.С. Октябрьскому:

— Действуйте и доложите ***своему*** *наркому* (т.е. избавьте нас с Тимошенко от ответственности за этот разговор. — *М.С.*).

Вернемся снова к показаниям Д.Г. Павлова. Командующий ЗапОВО, как и любой другой командующий войсками округа (фронта), не имел права по собственной инициативе отдать те приказы о введении в действие планов прикрытия, которые он дал командармам 3-й, 4-й (а потом и 10-й) Армий. Тем не менее Тимошенко никак не реагирует и на это «самоуправство» своего подчиненного, фактически полностью устраняясь от принятия решений. Впрочем, сохранившееся в архивах (ЦАМО, ф. 208, оп. 2454, д. 26. л. 76) первое Боевое распоряжение командования Западного фронта состоит всего из двух фраз и не содержит никаких упоминаний о плане прикрытия: *«Ввиду обозначившихся со стороны немцев массовых военных действий приказываю: Поднять войска и действовать по-боевому»*. (52, стр. 16) На документе отметка:

«Отправлен 22 июня 1941 г. 5 часов 25 минут» (а не в 4.25, как следует из показаний Павлова). Мемуарная литература содержит свидетельства того, что в ряде частей и соединений «красные пакеты» были вскрыты в первые же часы войны **или даже до ее начала, в 2—3 часа ночи 22 июня**. Несравненно большее число фактов свидетельствует о полном хаосе и неразберихе. Начиная от хрестоматийно-известного эпизода из «Военного дневника» Ф. Гальдера о том, что *«пограничные мосты через Буг и другие реки всюду захвачены нашими войсками без боя и в полной сохранности... передовые части, внезапно атакованные нашими войсками, запрашивали командование о том, что им делать...»*, и до гораздо менее известных воспоминаний генерал-лейтенанта В.П. Буланова, встретившего войну штурманом экипажа бомбардировщика Ар-2 в 46-м БАП (ПрибОВО):

«...В 4.30 нас подняли по тревоге.

— Как, что?

Ничего не говорят. Около 5 часов дают первое задание: бомбить немцев, форсирующих реку Неман в районе Тильзита. Вылетает первая эскадрилья, вылетает вторая — по девять самолетов. Мы вылетаем третьей эскадрильей. Первая девятка отбомбилась, вторая отбомбилась... Мы уже подходили к Неману, и вдруг команда — вернуться. Возвращаемся с полной бомбовой нагрузкой. Садимся...»

Посадка самолета с бомбами есть грубейшее нарушение всех правил производства полетов. Такое решение — как и еще более удивительное возвращение с боевого маршрута — могло быть принято только в обстановке всеобщей невменяемости...

Итак, первая и самая главная из «загадок 22 июня»: отсутствие команды на введение в действие планов прикрытия при наличии самих этих планов, тщательно разработанных и многократно уточненных, в сейфе каждого командира.

Отсутствие приказа о введении в действие плана прикрытия мобилизации и развертывания было «органично дополнено» **отсутствием приказа о начале открытой мобилизации**.

Мобилизация в СССР была объявлена не до начала войны и даже не в день начала войны, а на второй день — 23 июня 1941 г. Это абсолютно невозможная, невероятная ситуация. Такого не было нигде: Германия и Польша, Франция и Финляндия, Италия и Бельгия — все эти страны начали мобилизацию за несколько дней или даже за несколько недель до начала войны. Единственным исключением из правил оказался Советский Союз, т.е. именно та страна, которая на протяжении многих лет готовилась к крупномасштабной войне с немыслимым для ее соседей размахом. Отсутствие приказа о всеобщей мобилизации до начала боевых действий еще можно объяснить нежеланием «спугнуть Гитлера» раньше уготованного ему в Москве срока. Но отсутствие приказа о начале мобилизации 22 июня есть феномен, выходящий уже за все рамки разумного. Мобилизационные мероприятия первого дня мобилизации («дня М») были расписаны по часам. Каждый час задержки дарил противнику дополнительные преимущества. И тем не менее — вот полный текст Указа Президиума Верховного Совета СССР:

«На основании статьи 49 пункта «Л» Конституции СССР Президиум Верховного Совета объявляет мобилизацию на территории военных округов — Ленинградского, Прибалтийского особого, Западного особого, Киевского особого, Одесского, Харьковского, Орловского, Московского, Архангельского, Уральского, Сибирского, Приволжского, Северокавказского и Закавказского.

Мобилизации подлежат военнообязанные, родившиеся с 1905 по 1918 год включительно.

Первым днем мобилизации считать 23 июня 1941 года. (Подчеркнуто мной. — ***М.С.***)

Председатель Президиума ВС СССР М.Калинин

Секретарь Президиума ВС СССР А.Горкин

Москва, Кремль, 22 июня 1941 г.»

Это — полный текст Указа. От начала и до конца. Объявление мобилизации с 23 июня есть действие настолько невероятное, что авторы многих исторических книг, без долгих рассуждений, датой начала мобилизации называют «естественное и понятное» 22 июня. Тем не менее текст Указа был опубликован во всех центральных газетах, и любой желающий может лично прочитать эту удивительнейшую фразу (***«первым днем мобилизации считать 23 июня»***), подняв подшивку пожелтевших газет 41-го года. Г.К. Жуков также прекрасно понимает всю абсурдность ситуации НЕобъявления мобилизации в день начала войны, поэтому самозабвенно врет в своих мемуарах:

«...С.К. Тимошенко позвонил И.В. Сталину и просил разрешения приехать в Кремль, чтобы доложить проект Указа Президиума Верховного Совета СССР о проведении мобилизации и образовании Ставки Главного Командования, а также ряд других вопросов. И.В. Сталин ответил, что он занят на заседании Политбюро и может принять его только в 9 часов. (Интересно, что ранним утром 22 июня могло быть более важным для пресловутого «Политбюро», нежели доклад руководства Вооруженных Сил? Чем в эти часы было занято «Политбюро» — чтением вслух избранных мест из переписки Каутского с Бебелем? — **М.С.**) *...Короткий путь от наркомата до Кремля автомашины наркома и моя покрыли на предельно большой скорости. Нас встретил А.Н. Поскребышев и сразу проводил в кабинет И.В. Сталина...»* (15, стр. 268)

Как вы думаете, уважаемый читатель, сколько времени могла занять эта поездка «на предельно большой скорости» от одного здания в центре Москвы до другого? Если бы это свидетельство Жукова было правдой, то Поскребышев открыл бы перед Тимошенко и Жуковым дверь в кабинет Хозяина примерно в 9 часов 20 минут. Больше 20 минут и не надо для того, чтобы доехать от дома к дому, предъявить документы охранникам и подняться бегом по лестнице. Увы, «Журнал посещений» молча, но твердо уличает Жукова во лжи: в кабинет Сталина и он, и Тимошенко вошли в 14.00. В два часа пополудни. Машина маршала мчалась пять часов. За это время «на предельно большой скорости» можно было доехать даже до штаба Западного фронта в Минске...

В 16.00 Тимошенко, Жуков, Кулик, Ватутин и Шапошников вышли из кабинета Сталина. *«Телеграмма об объявле-*

нии мобилизации была подписана наркомом обороны 22 июня 1941 г. в 16 ч и сдана на Центральный телеграф Министерства связи в 16 ч 40 мин. Передача мобилизационной телеграммы во все республиканские, краевые, областные и районные центры, предусмотренные схемой по оповещению мобилизации, заняла 26 мин (с 16 ч 47 мин до 17 ч 13 мин)» (3, стр. 107)

Возвращаясь к тексту судьбоносного Указа (а ведь он и на самом деле определил судьбы миллионов людей), мы обнаруживаем **отсутствие в нем каких-либо упоминаний об уже состоявшемся вторжении немецких войск,** о вероломном нападении врага, о священном долге защитников Родины... Само по себе это отсутствие эмоций в официальном документе могло бы считаться естественным. Могло бы — если бы в нашем распоряжении не было других, не менее официальных документов 22 июня. Первое же сравнение показывает, что такой холодно-канцелярский стиль вовсе не был типичным для того дня. Отнюдь. Вот, например, в каких выражениях было выдержано официальное заявление советского правительства, зачитанное Молотовым по радио в 12 часов дня 22 июня 1941 года:

«....Это неслыханное нападение на нашу страну является беспримерным в истории цивилизованных народов вероломством... Вся ответственность за это разбойничье нападение на Советский Союз целиком и полностью падает на германских фашистских правителей... Нашим войскам дан приказ — отбить разбойничье нападение и изгнать германские войска с территории нашей Родины... Эта война навязана нам не германским народом, не германскими рабочими, крестьянами и интеллигенцией, страдания которых мы хорошо понимаем, а кликой кровожадных фашистских правителей Германии...»

Эмоциональность приведенного выше текста понятна и, скажем так, «функционально оправдана». Это заявление было не только официальным выражением позиции правительства СССР, но и обращением к народу. Но вот перед нами текст Директивы № 2, отправленной в западные округа в 7.15 22 июня. Это уже совершенно секретный документ, адресованный Военным советам округов. Никто, кроме 15 человек получателей и трех авторов (Тимошенко, Маленков, Жуков), его прочитать не мог. Это отнюдь не документ военной пропаганды. Но в каких же взвинченных выражениях он составлен!

«22 июня 1941 г. 04 часа утра немецкая авиация без всякого повода совершила налеты на наши аэродромы и города вдоль западной границы и подвергла их бомбардировке. Одновременно в разных местах германские войска открыли артиллерийский огонь и перешли нашу границу.

В связи с неслыханным по наглости нападением со стороны Германии на Советский Союз ПРИКАЗЫВАЮ:

1. Войскам всеми силами и средствами обрушиться на вражеские силы и уничтожить их в районах, где они нарушили советскую границу.

2. Разведывательной и боевой авиацией установить места сосредоточения авиации противника и группировку его наземных войск.

Мощными ударами бомбардировочной и штурмовой авиации уничтожить авиацию на аэродромах противника и разбомбить группировки его наземных войск.

Удары авиацией наносить на глубину германской территории до 100—150 км.

Разбомбить Кенигсберг и Мемель.

На территорию Финляндии и Румынии до особых указаний налетов не делать». (6, стр. 432)

Ни по форме, ни по содержанию Директива № 2 совершенно не соответствует уставным нормам составления боевых приказов. Есть стандарт, и он должен выполняться. Этот стандарт установлен не чьими-то литературными вкусами, а ст. 90 Полевого устава ПУ-39 (*«Первым пунктом приказа дается сжатая характеристика действий и общей группировки противника... Вторым пунктом указываются задачи соседей и границы с ними. Третьим пунктом дается формулировка задачи соединения и решение командира, отдающего приказ... В последующих пунктах ставятся частные задачи (ближайшие и последующие) подчиненным соединениям...»)* С позиции этих уставных требований Директива № 2 есть не более чем эмоциональный (если не сказать — истерический) выкрик: «Мочи козлов!» Обрушиться и уничтожить — это не боевой приказ. Где противник? Каковы его силы? Какими силами, в какой группировке надо «обрушиться»? На каких направлениях? В какие сроки надо «уничтожить»? На каких рубежах? Почему главной задачей ВВС стало «разбомбить Кенигсберг и Мемель (Клайпеду)»? И с каких это пор в боевом приказе обсуждается «неслыханная наглость противника»?

На фоне таких документов отстраненно холодный стиль и слог Указа Президиума ВС не может не удивлять. Хотя, повторим это еще раз, самое невероятное — это не стиль и слог, а объявление мобилизации со 2-го дня войны!

Отсутствие приказа на введение в действие плана прикрытия и запоздалое объявление мобилизации являются двумя главными «странностями», главными и необъяснимыми проявлениями бездействия высшего руководства страны. Кроме этих основных событий (бездействие — это тоже событие), есть еще большая масса частных фактов, событий и документов, которые в своей однотипности и множественности не могут не навести на определенные раздумья и предположения. Условно эти странные факты можно разделить на две группы:

— события, которые можно интерпретировать как **тайное введение в действие плана прикрытия**;

— события, свидетельствующие о **фактическом или демонстративном снижении уровня боеготовности** вооруженных сил.

По нормальной человеческой логике пункт первый никак не может сочетаться с пунктом вторым. Тут уж или-или. Или развертываем армию к бою, или объявляем общий отбой. И тем не менее, вопреки всякой логике, оба процесса шли одновременно!

Наиболее значимым проявлением процесса «скрытого и постепенного» введения в действие окружных планов прикрытия является **создание фронтовых управлений и вывод их**

на полевые командные пункты. Формирование на базе войск округов действующих фронтов, вывод штабов фронтов из окружных центров (Риги, Минска, Киева, Одессы) на полевые командные пункты — это война. Никаких других объяснений этим фактам огромная и шумная армия «антисуворовцев» пока еще не придумала. В мирное время фронты в СССР никогда не создавались (развернутый с конца 30-х годов Дальневосточный фронт может служить только примером «исключения, подтверждающего правило» — граница с оккупированным Японией Китаем непрерывно вспыхивала то большими, то малыми вооруженными конфликтами). И, напротив, фронты и их штабы создавались перед каждым «освободительным походом» (11 сентября 1939 г. — за шесть дней до вторжения в Польшу, 7 января 1940 г. — после того, как «триумфальный марш на Хельсинки» превратился в настоящую войну, 9 июня 1940 г. — за девятнадцать дней до оккупации Бессарабии и Северной Буковины). Все это не ново. Пятнадцать лет назад опубликован собственноручно написанный Маленковым текст проекта решения Политбюро ЦК ВКП(б) от 21 июня. В этом документе, в частности, сказано:

«...Командующим Южного фронта назначить... Поручить т. Жукову общее руководство Юго-Западным и Южным фронтами... Поручить т. Мерецкову общее руководство Северным фронтом... Назначить членом Военного совета Северного фронта...» (6, стр. 414) Как видим, уже 21 июня о фронтах в секретных документах писали как о реально существующих единицах. Тогда же, 21 июня, было принято решение и о фактическом формировании еще одного, Резервного фронта. В г. Брянске предполагалось развернуть штаб «армий второй линии», командующим этими армиями назначался маршал Буденный, членом Военного совета — сам автор проекта постановления, секретарь ЦК Маленков.

Интереснее другое — после того, как в 1996 г. были опубликованы планы прикрытия западных округов, появилась возможность «наложить» фактические даты вывода штабов фронтов на хронологическую «сетку» планов прикрытия. Картина вырисовывается следующая.

Завершение вывода штабов фронтов на полевые командные пункты во всех округах планировалось к М-3 (т.е. к третьему дню мобилизации). Эта дата называется во всех окружных планах прикрытия как дата выхода штабов соседей. Например, в плане прикрытия Западного ОВО читаем: *«Правее — ПрибОВО. Штаб с М-3 — Паневеж* (Паневежис). *Левее — КОВО. Штаб с М-3 — Тарнополь»*. Но М-3 является временем завершения процесса. Штаб фронта — это много людей, много техники, средств связи, охраны. На передислокацию всего этого (тем более — передислокацию тайную) нужно было время, 1—2 дня. Соответственно первые эшелоны штаба начинали выдвижение в М-1. Например, в плане прикрытия Прибалтийского ОВО записано: *«Через 6 часов после начала войны или объявления мобилизации оперативный эшелон штаба выезжает в место расположения штаба Северо-Западного фронта, в лес сев. Паневеж 8 км»*. Не вполне понятна только ситуация с местом нахождения штаба Западного фронта. В плане прикрытия Киевского ОВО о северном соседе сказано: *«Штаб округа с 3-го дня мобилизации — Барановичи»*. Этот же район (точнее говоря — станция Обус-Лесна рядом с Барановичами) указан и в апрельской (1941 г.) Директиве на разработку плана оперативного развертывания Западного ОВО, но в самом плане прикрытия Западного ОВО о передислокации штаба из Минска ничего не сказано, а фактически штаб округа (фронта) в первые дни войны оставался в Минске.

Приказы вывести к 22—23 июня штабы фронтов на полевые командные пункты были отданы **не позднее 19 июня.** Так, в телеграмме начальника Генерального штаба от 19 июня 1941 г. командующему войсками Киевского ОВО было сказано: *«Народный комиссар обороны приказал: к 22.06 1941 г. управлению выйти в Тарнополь, оставив в Киеве подчиненное Вам управление округа... Выделение и переброску управления фронта сохранить в строжайшей тайне, о чем предупредить личный состав штаба округа»* (2, стр. 88) Примечательно, что этот сенсационный факт по халатности не вырезали из прошедшей все виды цензуры и изданной в 1971 г. книги мемуаров маршала Баграмяна:

«...Утром 19 июня из Москвы поступила телеграмма Г.К. Жукова о том, что Народный комиссар обороны приказал создать фронтовое управление и к 22 июня перебросить его в Тарнополь... У нас уже все было продумано заранее... Командующий округом приказал железнодорожный эшелон отправить из Киева вечером 20 июня, а основную штабную автоколонну — в первой половине следующего дня». (45)

Высшие командиры Западного и Прибалтийского округов мемуаров не написали. Командный состав Западного фронта (командующий фронтом Павлов, начштаба Климовских, заместитель командующего ВВС фронта Таюрский, начальник артиллерии фронта Клич, начальник связи фронта Григорьев) был арестован и расстрелян. Командующий ВВС Запфронта Копец застрелился или был убит в своем служебном кабинете 22 июня. Начальник штаба Северо-Западного фронта (Прибалтийского ОВО) Кленов и командующий ВВС фронта Ионов арестованы и расстреляны, начальник оперативного отдела штаба (именно такую должность занимал в Киевском округе Баграмян) Северо-Западного фронта Трухин сдался в плен 26 июня 1941 г. и был повешен 1 августа 1946 г. Командующий войсками ПрибОВО и Северо-Западного фронта Ф.И. Кузнецов дожил в должности начальника Военной академии Генштаба до конца войны, но воспоминаний не публиковал.

Мемуаров нет, но есть документы. Например, Оперативная сводка № 01 от 22.00 21 июня 1941 г. Штаб, выпустивший эту сводку, все еще называется «штабом ПрибОВО», хотя номер явно свидетельствует о том, что документ составлен новой командной инстанцией — штабом Северо-Западного фронта. Но важнее другое: место расположения штаба — *«лес 12 км северо-западнее Паневежис»*. (50, стр. 32) Итак, вечером 21 июня штаб округа (фронта) **уже находился на том месте, где ему положено было быть на М-3**. Там же, в Паневежисе, подписана и Разведсводка № 02 от 0.25 22 июня

1941 г. Еще один примечательный документ был составлен в 14.30 21 июня. В нем ставится задача *«начиная с сегодняшней ночи до особого распоряжения ввести светомаскировку в гарнизонах и местах расположения войск»*. В этом не было бы ничего удивительного или нового, если бы не подпись: *«Помощник командующего войсками* ***С-З. ф.*** *по ПВО полковник Карлин»*. Факт существования Северо-Западного фронта настолько плохо сочетается с измышлениями о «мирно спящей стране», что публикаторы документа решили этот факт исправить (хотя проще и лучше было бы не публиковать документ). В результате документ, составленный в штабе **фронта**, озаглавлен так: *«Распоряжение штаба Прибалтийского особого военного* ***округа****»*. (64)

Фактическая передислокация войск не ограничилась одними только штабами. Так, например, в плане прикрытия Прибалтийского ОВО сказано: ***«на 2-й—4-й день мобилизации*** (подчеркнуто мной. — ***М.С.***) *сосредоточиваются первые мобэшелоны 126-й сд — в район Казла Руда, 23-й сд — в район Каунас и выходит в район Казла Руда»*. А в Оперативной сводке № 1 от 22.00 21 июня 1941 г. читаем:

«...б) 23-я стрелковая дивизия в ночь на 22.6.41 г. выступает из района Пагелижяй (20 км юго-западнее Укмерге) для дальнейшего следования в район лесов южнее и юго-восточнее Каунас;

в) 126-я стрелковая дивизия в ночь на 22.6.41 г. выступает из Жнежморяй и следует в район лесов у Прены...»

В переводе на язык географической карты это означает, что две названные дивизии уже движутся в направлении района развертывания, указанного в плане прикрытия, и через два-три дневных перехода выйдут в него.

И в соседнем, Западном ОВО происходила перегруппировка войск, соответствующая задачам, поставленным планом прикрытия на М-3/М-5. Так, относительно 21-го и 47-го стрелковых корпусов и входящих в их состав дивизий в плане прикрытия Западного ОВО сказано:

«... 21-й стр. корпус в составе 17-й и 37-й стр. дивизий ***с М-3*** *сосредоточивается по жел. дороге в районе...*

47-й стр. корпус в составе 55, 121 и 155-й стр. дивизий ***с М-3 по М-10*** *автотранспортом, походом и по жел. дороге сосредоточивается в районе... Начало жел.дорожных перевозок 155-й и 55-й стр. дивизий —* ***с утра М-4*** *по окончании их отмобилизования...»*

А теперь сравним это с распоряжением штаба Западного ОВО от 21 июня 1941 г.:

«Командиру 47-го стрелкового корпуса.

Управление и части отправить по железной дороге эшелонами №№ 17401—17408 темпом 4. Начало перевозки 23.6.41 г.

Обеспечьте погрузку в срок по плану. Сохранить тайну переезда. В перевозочных документах станцию назначения не указывать...»

На документе отметка: *«Аналогичные указания 21.6.41 г. даны командирам 17-й сд, 121-й сд...»* (52, стр. 12)

Собирая вместе эти разрозненные обрывки исключительно важной информации, мы приходим к выводу, что 21—22 июня 1941 г. происходили события, которые можно интерпретировать как «тайное и частичное» введение в действие плана прикрытия, **состоявшееся 19—20 июня**. Не менее показательны и другие решения и действия советского командования, которые — хотя их и не удается конкретно «привязать» к известным на сегодняшний день оперативным планам — однозначно свидетельствуют о напряженной подготовке к боевым действиям. К боевым действиям, которые могут начаться не когда-нибудь в 1942 году и даже не в конце лета 1941 года, а в самые ближайшие дни. Вот, например, какие приказы и распоряжения отдавались командованием Прибалтийского ОВО (временные даты подчеркнуты мной. — ***М.С.***):

Приказ командующего Прибалтийским ОВО № 0052 от 15 июня 1941 г.

«...Установку противотанковых мин и проволочных заграждений перед передним краем укрепленной полосы готовить с таким расчетом, чтобы в течение трех часов минное поле было установлено... Проволочные заграждения начать устанавливать ***немедленно... С первого часа боевых действий*** *организо-*

вать охранение своего тыла, а всех лиц, внушающих подозрение, немедленно задерживать и устанавливать быстро их личность... Самолеты на аэродромах рассредоточить и замаскировать в лесах, кустарниках, не допуская построения в линию, но сохраняя при этом полную готовность к вылету. Парки танковых частей и артиллерии рассредоточить, разместить в лесах, тщательно замаскировать, сохраняя при этом возможность в установленные сроки собраться по тревоге... Командующему армией, командиру корпуса и дивизии составить календарный план выполнения приказа, который полностью выполнить ***к 25 июня с. г.***» (50, стр.11—12)

Директива Военного совета Прибалтийского ОВО № 00224 от 15 июня 1941 г.

«На случай нарушения противником границы, внезапного нападения крупных его сил или перелета границы авиационным соединением, устанавливаю следующий порядок оповещения... Донесение посылать одновременно по радио, телефону, телеграфу, самолетом и делегатом на автомашине, имея целью в кратчайший срок информировать Военный совет округа... Донесения по радио посылать открытым текстом, ему должен предшествовать пароль «СЛОН» и цифра, шифрующая должность доносящего.... Для проверки подлинности донесения в конце его должен стоять отзыв «СНАРЯД». Донесение должно быть отправлено через радиостанции 11-АК или РСБ на волне 156. Для своевременного получения донесения приемники всех штабов соединений ***с 17.6.41 г.*** *должны стоять на волне 156...»* (50, стр.11—12)

Приказ командующего Прибалтийского ОВО № 00229 от 18 июня 1941 г.

«...Начальнику зоны противовоздушной обороны ***к исходу 19 июня*** *1941 г. привести в полную боевую готовность всю противовоздушную оборону округа...* ***К 1 июля*** *1941 г. закончить строительство командных пунктов, начиная от командира батареи* (зенитной) *до командира бригадного района* (ПВО)... *Не позднее* ***утра 20.6.41*** *г. на фронтовой и армейские командные пункты выбросить команды с необходимым имуществом для организации на них узлов связи...*

Систематически производить проверку связи с командными пунктами... Организовать и систематически проверять работу радиостанций согласно утвержденному мною графику... Наметить и изготовить команды связистов, которые должны быть готовы ***к утру 20.6.41 г.*** *по приказу командиров соединений взять под свой контроль утвержденные мною узлы связи... Определить на участке каждой армии пункты организации полевых складов противотанковых мин, взрывчатых веществ и противопехотных заграждений. Указанное имущество сосредоточить в организованных складах* ***к 21.6.41 г.*** *... Создать на тельшяйском, шяуляйском, каунасском и калварийском направлениях подвижные отряды минной противотанковой борьбы. Для этой цели иметь запасы противотанковых мин, возимых автотранспортом. Готовность отрядов* ***21.6.41 г.*** *... План разрушения мостов утвердить военным советам армий. Срок выполнения* ***21.6.41 г.*** *Отобрать из частей округа (кроме механизированных и авиационных) все бензоцистерны и передать их по 50% в 3-й и 12-й механизированные корпуса. Срок выполнения* ***21.6.41 г.»*** (50, стр. 22—25)

На обложке «Сборника боевых документов № 34» (из которого процитированы эти приказы) стоит синий штампик:

«Рассекречено». Номер Директивы Генштаба о рассекречивании и дата: 30.11.65 г. Шестьдесят пятого года. Десятки лет шаманы официальной военно-исторической «науки» знали — или, по меньшей мере, должны были знать — содержание документов июня 41-го года, но при этом продолжали рассказывать нам байки про «внезапное нападение» и «мирно спящую советскую страну...».

К сожалению, СБД № 34 является единственным сборником боевых документов округов (фронтов), в который было включено хотя бы несколько документов периода до 22 июня 1941 г. Все остальные сборники (как, впрочем, и все доступные независимым исследователям фонды ЦАМО) начинаются сразу с 22 июня, с «внезапного нападения». Все, что предшествовало этой ужасной «неожиданности», благополучно обойдено молчанием. Но — нет правил без исключений. В СБД № 33 (боевые документы механизированных корпусов) каким-то образом «затесался» (причем даже не в самом начале, а на восьмом месте, после документов июля 1941 г.) приказ командира 12-го МК Шестопалова № 0033 от 18 июня. Документ украшен грифом «Совершенно секретно. Особой важности», что для документов корпусного уровня является большой редкостью. Приказ № 0033 начинается такими словами: *«С получением настоящего приказа привести в боевую готовность все части.* ***Части приводить в боевую готовность в соответствии с планами поднятия по боевой тревоге, но самой тревоги не объявлять*** (подчеркнуто мной. — **М.С.**)*... С собой брать только необходимое для жизни и боя»*. Дальше идет указание начать в 23.00 18 июня выдвижение в районы сосредоточения, причем все конечные пункты маршрутов находятся в лесах! (63, стр. 23-24)

12-й мехкорпус также входил в состав войск Прибалтийского ОВО, но я не вижу ни малейших оснований для того чтобы считать ситуацию в Прибалтийском ОВО какой-то уникальной. Просто в других округах соответствующие документы или пропали, или были своевременно уничтожены, или добросовестно засекречены. Командующий войсками Прибалтийского ОВО (Северо-Западного фронта) Ф.И. Кузнецов, так же как и его военно-морской однофамилец Н.Г. Кузнецов, так же как и командующий войсками 3-й Армии В.И. Кузнецов, никаких «приказов Сталина» самочинно не нарушали, а действовали в строгом соответствии с теми предписаниями, которые получали из Москвы. Точно такие же, как и в Прибалтийском округе, приказы о приведении войск в повышенную боевую готовность, о маскировке аэродромов и рассредоточении самолетов, о выводе штабов на полевые командные пункты и развертывании радиосвязи по боевому расписанию отдавались и во всех остальных приграничных округах. Если на рассвете 22 июня 1941 г. и произошло что-то «неожиданное» для командного состава среднего и высшего звена, то этой **ошеломляющей неожиданностью было отсутствие приказа о начале боевых действий**. Долгожданный «СЛОН» почему-то опоздал...

Более того, буквально за 1—2 дня до фактического начала

войны «слону» стали активно мешать. В войсках западных приграничных округов начали происходить без преувеличения загадочные события, которые трудно охарактеризовать иначе как преднамеренное снижение боевой готовности. Фактов подобного рода немного, они разбросаны главным образом по мемуарной литературе и поэтому могут вызвать определенное недоверие. И тем не менее проигнорировать многочисленные свидетельства участников событий нельзя. Это тем более верно в ситуации, когда отсутствие строго документальных подтверждений вызвано прежде всего отсутствием доступа к соответствующим архивным фондам.

В самые что ни на есть «застойные годы» (в 1977 г.) были опубликованы воспоминания полковника Белова — командира одной из трех разгромленных авиадивизий (10-й САД) Западного фронта — о первом дне войны. (54)

Название очерка — «Горячие сердца». Интонация повествования — соответствующая названию. И тем не менее на пяти страничках текста поместилась и совершенно неожиданная информация:

«...20 июня я получил телеграмму с приказом командующего ВВС округа: привести части в боевую готовность, отпуска командному составу запретить, находящихся в отпусках — отозвать в части... Командиры полков получили и мой приказ: самолеты рассредоточить за границы аэродрома, личный состав из расположения лагеря не отпускать...»

В этом свидетельстве ничего сенсационного нет. Правда, оно полностью противоречит традиционному мифу о «мирно спящих аэродромах», но зато вполне совпадает по содержанию со всеми документами последних предвоенных дней. Удивительное наступает потом, **в 16 часов 21 июня**. В то время, когда рев тысяч моторов выдвигающихся к Бугу немецких войск стал уже слышен невооруженным ухом, командир 10-й САД получил новую шифровку из штаба округа: приказ 20 июня о приведении частей в полную боевую готовность и запрещении отпусков **отменить!** Полковник Белов пишет, что он даже не стал доводить такое распоряжение до своих подчиненных — но зачем же такой приказ был отдан?

Косвенное подтверждение достоверности свидетельства полковника Белова мы обнаруживаем в воспоминаниях подполковника П. Цупко, который перед войной был молодым летчиком в бомбардировочном полку (13-й БАП) того же Западного округа (фронта). Вот что он пишет:

«...На воскресенье 22 июня в 13-м авиаполку объявили выходной. Все обрадовались: три месяца не отдыхали... Вечером в субботу, оставив за старшего начальника оператора штаба капитана Власова, командование авиаполка, многие летчики и техники уехали к семьям в Россь... Весь авиагарнизон остался на попечении внутренней службы, которую возглавил дежурный по лагерному сбору младший лейтенант (!!!) *Усенко...»* (55)

Странные события в Западном ОВО не ограничивались одной только авиацией. Непосредственно перед началом боевых действий командование округа собрало зенитную артиллерию армий первого эшелона на окружной сбор. (56)

В частности, из воспоминаний командира 86-й сд (10-я Армия) Зашибалова следует, что зенитный дивизион его дивизии находился к началу войны на полигоне в 130 км от расположения дивизии. Зенитные дивизионы 6-го мехкорпуса и всей 4-й Армии оказались не рядом с границей, с которой немцы снимали проволочные заграждения, а на окружном полигоне в районе села Крупки, в 120 километрах восточнее Минска. Генерал армии С.П. Иванов (перед войной — начальник оперативного отдела штаба 13-й Армии Западного ОВО) дает очень интересное объяснение таким действиям нашего командования:

«...Сталин стремился самим состоянием и поведением войск приграничных округов ***дать понять Гитлеру, что у нас царит спокойствие, если не беспечность*** (странное стремление для того, кто боится нападения противника. — ***М.С.***). *Причем делалось это, что называется, в самом натуральном виде. Например, зенитные части находились на сборах...*

В итоге мы, вместо того чтобы умелыми дезинформационными действиями ввести агрессора в заблуждение относительно боевой готовности наших войск, реально снизили ее до крайне низкой степени...» (47)

Заслуживает внимания и «большой театральный вечер», состоявшийся 21 июня 1941 г. Известно, что командование Западного ОВО провело вечер 21 июня в минском Доме офицеров, на сцене которого шла комедия «Свадьба в Малиновке». Только самый ленивый не «попинал» Павлова за то, что вместо приведения войск в боевую готовность тот отправился развлекаться. Даже та простая мысль, что после прочтения разведсводки от 21 июня (*«основная часть немецкой армии в полосе против Западного особого военного округа заняла исходное положение...»*) расслабляться надо было (если предположить, что у Павлова появилось именно такое желание) уже не в театре, так и не пришла в голову нашим по-детски наивным журналистам... Интереснее другое — даже беглый просмотр мемориальной литературы позволяет убедиться в том, что вечером 21 июня в «культпоход» отправился не один только Павлов.

«...В субботу, 21 июня 1941 года, к нам, в авиагарнизон, из Минска прибыла бригада артистов во главе с известным белорусским композитором Любаном. Не так часто нас баловали своим вниманием деятели театрального искусства, поэтому Дом Красной Армии был переполнен. Концерт затянулся. Было уже за полночь, когда мы, сердечно поблагодарив дорогих гостей, отправили их обратно в Минск...» (57) Командир 13-й БАД (Западный ОВО) Ф.П. Полынин.

«...В субботу, 21 июня сорок первого года, в гарнизонном Доме Красной Армии, как и обычно, состоялся вечер. Приехал из округа красноармейский ансамбль песни и пляски. После концерта, по хлебосольной армейской традиции, мы с командиром корпуса генерал-лейтенантом Дмитрием Ивановичем Рябышевым пригласили участников ансамбля на ужин. Домой я вернулся лишь в третьем часу ночи...» (58) Комиссар 8-го МК (Киевский ОВО) Н.К. Попель.

«...21 июня заместитель командира 98-го дальнебомбардировочного авиаполка по политчасти батальонный комиссар Василий Егорович Молодцов пригласил меня на аэродром Шаталово, где в местном Доме Красной Армии должен был состояться вечер художественной самодеятельности... Зрители с

подкупающей сердечностью принимали артистов, и вечер самодеятельности, состоявшийся в самый канун войны, запомнился многим. Люди расходились, оживленно обсуждая наиболее удачные номера концерта. Около 22 часов 30 минут уехал и я, унося с собой тепло этого замечательного вечера. Прибыл в Смоленск уже ночью. По установившемуся порядку зашел в штаб...» (59) Командир 3-го дальнебомбардировочного корпуса Н.С. Скрипко.

«...Вечером 21 июня мы всей семьей были в театре. Вместе с нами в ложе находился начальник политотдела армии, тоже с семьей. После возвращения из театра домой я во втором часу ночи был вызван в штаб дивизии, где получил приказ объявить в полку боевую тревогу...» (60) Командир 57-го танкового полка (29-я тд, 11-й МК, Западный ОВО) И.Г.Черяпкин.

«....У меня есть одно приятное предложение: в восемь часов на открытой сцене Дома Красной Армии состоится представление артистов Белорусского театра оперетты — давайте посмотрим...

— С удовольствием, — согласился я. — Надеюсь, спектакль минской оперетты будет не хуже, чем концерт артистов московской эстрады в Бресте, на который поехали Шлыков с Рожковым.

— Выдал! — засмеялся командующий. — А мне-то и невдомек, чего это они так рвутся в Брест...» (61)

Это начальник штаба 4-й Армии (Западный ОВО) Л.М. Сандалов пересказывает разговор, который у него состоялся вечером 21 июня 1941 г. с командармом Коробковым. А Шлыков, который уехал на концерт в Брест, — это член Военного совета 4-й Армии. От Бреста до Кобрина всего-то 45 км, так что уже к полуночи все собрались в штабе армии (*«Последнюю предвоенную ночь старший командный состав армейского управления провел в помещении штаба армии. В нервном тревожном состоянии ходили мы из комнаты в комнату, обсуждая вполголоса кризисную обстановку. Через каждый час звонили в Брестский погранотряд и в дивизии...»*)

Вот такой вот странный выдался этот день, 21 июня 1941 г., для многих командиров Красной Армии. **Вечером, на**

глазах у публики, в театре. Глубокой ночью — в штабе, у телефонного аппарата.

Что это было?

Лишняя глава

«Вечером 21 июня все члены Политбюро ЦК ВКП(б) находились в кабинете Сталина. В огромной комнате с высоким сводчатым потолком, со стенами, обшитыми в рост человека светлыми дубовыми панелями, за длинным столом, покрытым зеленым сукном, разместились Молотов, Ворошилов, Маленков, Берия и другие. В кабинете стояла напряженная тишина. Все ожидали, что скажет Сталин. Он же с незажженной трубкой в руках медленно прохаживался по длинной ковровой дорожке... Наконец, Сталин заговорил: «Обстановка обостряется с каждым днем, и очень похоже, что мы можем подвергнуться внезапному нападению со стороны Германии... Скажите, товарищ Тимошенко, сколько войск у нас расположено в западных приграничных военных округах?» (60)

Каюсь — всякий раз, прочитав такое, я испытывал приступ жгучей (и где-то даже недостойной) зависти. Ну почему? Почему ИМ всем так можно — а мне нельзя? Почему я должен месяцами слепить глаза, уточняя номера полков и точную дату их выдвижения к высоте 238/6?

И вот только сегодня до меня наконец дошло — можно! Кто сказал, что нельзя?

ИТАК:

Вечером 21 июня 1941 г. в кабинете Сталина, в огромной комнате с высоким сводчатым потолком, со стенами, обшитыми в рост человека светлыми дубовыми панелями, за длинным столом, покрытым зеленым сукном, сидело два человека: нарком обороны СССР Тимошенко и начальник Генерального штаба Красной Армии Жуков. В кабинете стояла напряженная тишина. Сталин с потухшей трубкой в руках медленно прохаживался по длинной ковровой дорожке.

В дальнем углу кабинета поблескивал стеклышками пенсне Берия. Наконец, Хозяин заговорил:

«Надо запомнить самое важное — философию Ленина. Она не превзойдена, и хорошо было бы, чтобы наши большевики усвоили эту философию, которая в корне противоречит обывательской философии. Пачему нэмэцкие генералы прислали к нам этого фельдфебеля? Патаму, чито они бояться мощи Красной Армии и хотят спровоцировать нас на преждевременный переход в наступление. Поэтому они и прислали нам перебежчика с ложным сообщением о том, что война начнется завтра. Это они хотят, чтобы мы начали войну завтра, чтобы мы перешли в наступление до завершения отмобилизования армии, до завершения сосредоточения войск, до того, как фронт резервных армий товарища Буденного выйдет к Днепру. Вот чего хотят немецкие генералы, и вот на что ви, таварищ Жюков, хотите спровоцировать Центральный Комитет. Но Центральный Комитет партии большевиков не так-то легко спровоцировать, как об этом думают наши враги...

Пачему мы нэ должны верить этому перебежчику? Патаму, чито Гитлер нэ такой дурак, чтобы не понять, что Советский Союз — это не Польша, это не Франция, это даже не Англия и все они, вместе взятые. Гитлер знает, что перегруппировка немецких войск к нашим границам еще далеко не закончена. Она, можно сказать, только началась по-настоящему две недели назад. Такими силами, какие немцы сосредоточили на Востоке, можно было наступать на Францию — хотя и против Франции они собрали больше авиации — но не на могучий Советский Союз. Теперь, когда мы нашу армию реконструировали, насытили техникой для современного боя, когда мы стали сильны — теперь Гитлер не рискнет начать наступление прежде, чем соберет у наших границ 200—220 дивизий. Гитлер не рискнет начать наступление без мощной авиационной поддержки. Кто силен в воздухе — тот вообще силен, и он это тоже понимает. Пока же силы немецкой авиации, сосредоточенной на аэродромах бывшей Польши и Восточной Пруссии, не идут ни в какое сравнение с нашими ВВС. Гитлер не такой дурак, чтобы пуститься на авантюру.

Поэтому мы должны, не поддаваясь ни на какие провокации, завершать стратегическое развертывание нашей армии. Как вы уже знаете, в понедельник, 23 июня, будет объявлена всеобщая мобилизация. Авиация западных округов начнет операцию по уничтожению немецких самолетов на аэродромах и разрушению коммуникаций в оперативном тылу противника. Мы не позволим немцам собрать у наших границ 200 дивизий. Если авиация хорошо поработает, мы сможем начать «Грозу» не позднее 1 июля, имея при этом значительное превосходство в силах. Бить врага надо крепким кулаком. То, что вы сейчас предлагаете, — это просто толкнуть немцев растопыренной ладонью. Центральный Комитет на такую глупость не пойдет...»

Сталин замолчал, подошел к столу, открыл коробку папирос «Герцеговина Флор». Желтыми прокуренными пальцами разломил несколько папирос, набил трубку, неспешно закурил. Мертвая тишина висела под высоким сводчатым потолком. Пенсне Берия засверкало еще ярче. *«Мы Вас слушаем, таварищ Жюков, —* Сталин снова мягко зашагал по ковровой дорожке. — *Чито Вы можете сказать в свое оправдание?»*

Генерал армии встал, одернул китель и твердым голосом отчеканил:

«Товарищ Сталин! Разведка докладывает, что Гитлер считает нашу непобедимую Красную Армию колоссом на глиняных ногах. Считаю, что разведка ошибается. Гитлер называет нашу армию «глиняным колоссом без головы».

То есть сотни наших дивизий, десятки тысяч наших танков он приравнивает к детской глиняной игрушке, а меня, товарища Тимошенко и Вас, товарищ Сталин, он считает просто пустым местом. Считаю, что Гитлер прав.

Уже финская война показала, что наша, якобы непобедимая Красная Армия представляет собой огромную и почти неуправляемую вооруженную толпу. Для достижения самых минимальных успехов на фронте войны с финской белогвардейщиной нам приходилось создавать пятикратное преимущество в живой силе, подавляющее превосходство в артиллерии, танках и авиации. Но у нас нет возможности создать такое подавляющее численное превосходство над немецкой армией на огромном фронте от Черного моря до Балтики. Наша армия — это полуголодные и почти не обученные колхозные мужики, которые люто ненавидят Вас, товарищ Сталин. После первых же поражений — а они неизбежны при столкновении с таким противником, как германский вермахт, — наша армия начнет стремительно превращаться из вооруженной толпы в толпу безоружную, которая под охраной десятка немецких конвоиров пойдет сдаваться в плен.

Нас ждет небывалая военная катастрофа. Размер и исход этой катастрофы зависят главным образом от того, является ли Гитлер идиотом или нет».

«Чито ви имеете в виду, таварищ Жюков?» — от удивления Сталин даже остановил свой бесконечный марш вокруг огромного стола, покрытого зеленым сукном.

«Докладываю Центральному Комитету, что наша военная разведка добыла часть текста приказа Кейтеля, в котором установлен порядок обращения с захваченными в плен политработниками Красной Армии. Кейтель требует отделять их от остальной массы военнопленных. Но мы пока еще не знаем — для чего отделять? Наш агент, Юстас Алексович Штирлиц, уже получил указание любой ценой раздобыть полный текст пресловутого «приказа о комиссарах». Если Гитлер идиот, то политработников Красной Армии будут расстреливать. Это заставит их сражаться самим и беспощадными расстрелами заставлять сражаться рядовых красноармейцев. Если же Гитлер не идиот, то пленных политработников будут отделять от основной массы для того, чтобы кормить их бифштексами, поить трофейным французским коньяком и агитировать за вступление в национал-социалистическую партию, обещая при этом теплые места в оккупационной администрации. При таком варианте развития событий считаю возможным выход немецких дивизий на линию Архангельск—Астрахань к концу лета сего года».

«Это на чем же они выйдут, — подал голос из угла Берия, — *ногами столько не пройдешь, а моторизованных дивизий у них кот наплакал...»*

«Тебя не спросили, умник, — пророкотал простуженным басом Тимошенко, — *пройдут, как белочехи летом 1918 года прошли, на поездах с песнями».*

«Погоди, Лаврентий, — в голосе Сталина послышались нотки живого интереса, — *что Вы предлагаете, товарищ Жуков? Отвечайте прямо и честно, как коммунист коммунисту».*

Жуков бросил беглый взгляд на Тимошенко, но тот отрешенно молчал, величественный и неподвижный, как скифские курганы. Жуков откашлялся и произнес невозможные слова:

«Докладываю. Чрезвычайная ситуация, небывалая угроза, нависшая над нашей Родиной, требует принятия экстраординарных мер. Первое и главное: необходимо немедленно арестовать и предать суду злейших врагов народа, подлых агентов абвера и гестапо Сталина, Молотова, Ворошилова, Берия. Рассмотрение дел провести в соответствии с законом от 1 декабря 1934 года, без вызова арестованных, без предъявления обвинения, постановления об окончании следствия и обвинительного заключения, с применением к разоблаченным врагам народа исключительной меры наказания — публичной казни на колу. Приговор привести в исполнение на Лобном месте в Москве.

Вслед за этим необходимо открыто расторгнуть все договора с фашистской Германией, заключенные преступной антипартийной кликой Сталина—Молотова, и обратиться к Великобритании и Североамериканским Соединенным Штатам с предложением о создании антигитлеровской коалиции. В области внутренней политики первейшей задачей Всесоюзного Чрезвычайного комитета (ВЧК) будет освобождение заключенных ГУЛАГа, организованный роспуск колхозов и возвращение земельных наделов в трудовое пользование крестьян...»

«Хорошо бы Черчилля премьером пригласить. Да не согласится он», — проговорил в задумчивости Тимошенко.

Сталин выронил трубку. Мягко ступая в своих кавказских сапогах без каблуков по ковровой дорожке, подошел к огромной секретной карте на стене и задернул ее черной бархатной занавеской. Затем молча и неспешно опечатал карту личной печатью и сел во главе огромного стола, покрытого зеленым сукном. Глядя желтыми немигающими глазами на Жукова, произнес тихо и четко, безо всякого акцента:

«Для нас, большевиков-ленинцев, интересы дела выше личных обид. Скажите, товарищ Жуков, после казни товарища Сталина Красная Армия победит малой кровью? На чужой земле?»

Жуков начал было вставать, но тут Тимошенко огромной пятерней вдавил своего не в меру разговорчивого начальника штаба в кресло и, не вставая с места, заговорил сам:

«Не получится у нас малой кровью. Солдат не обучен. А уж про генералов наших и говорить не хочу. Твоя работа, Гуталин, ты этих лизоблюдов отобрал да из грязи в князи вознес. Конечно, как колхозы распустим да невинных с Колымы вернем, народ по-другому дышать будет. С другим сердцем и на войну пойдет. Да только одной смелостью сейчас города не берут. Другая война — война моторов, война техники. Людей годами готовить надо. А у нас что? Нефти добываем больше всех в Европе, а учебный налет летчиков ограничиваем лимитами на бензин. Танков понаделали — горы, а на обучение механиков моторесурс экономим. В Прибалтику прошлым летом пошли — стыдоба, чуть не половину танков на дорогах переломали. И это без противника, без бомбежки... Да что танки — пулеметчики за трехлетнюю службу три раза в поле постреляли, а все остальное время ушло на хозработы да лекции про партию Ленина—Сталина... Нет, малой кровью не обойдемся. И победы, и поражения у нас дорогие будут...»

Сталин снова зашагал по кабинету, подошел к своему рабочему столу, долго и молча крутил в руках остро отточенный красный карандаш. Затем повернулся к военным и заорал:

«Так, значит, нас с Лаврентием на кол, да? Меня на кол, да? Щас! Напугал ежа голой жопой! Да я не таких, как вы, суки рваные, ниже параши опускал...»

Берия снял пенсне и с отчаянной решимостью начал грызть светлую дубовую панель в углу кабинета. Оторопевшие военные с изумлением взирали на Великого Вождя Народов, Лучшего Друга Физкультурников, который с головокружительной скоростью превращался в заурядного лагерного пахана. И в этот момент...

И в этот мсмент что-то затрещало, зашипело, засветилась зеленым светом шкала радиоприемника, и голос Левитана, неповторимый, единственный голос, заполнил собой огромный кабинет:

«ВНИМАНИЕ ВНИМАНИЕ
ГОВОРИТ МОСКВА
РАБОТАЮТ ВСЕ РАДИОСТАНЦИИ СОВЕТСКОГО СОЮЗА
ПЕРЕДАЕМ ЭКСТРЕННОЕ СООБЩЕНИЕ
В ПОСЛЕДНИЙ ЧАС

Как стало известно из сообщений продажных и лживых буржуазных агентств Гавас и Рейтер, сегодня в два часа пополудни, в своем кабинете застрелился рейхсканцлер Германии, большой друг Советского Союза, разбойничий главарь кровожадной клики фашистских правителей товарищ Гитлер. Причины, побудившие Гитлера совершить самоубийство, пока неизвестны. В предсмертной записке, адресованной лидеру итальянских фашистов Бенито Муссолини, сказано дословно следующее: «Дуче, я пишу Вам это письмо в тот момент, когда длившиеся месяцами тяжелые раздумья закончились принятием самого трудного в моей жизни решения».

«Да уж, решеньице», — пробормотал в углу Берия. Он перестал грызть панель и теперь ползал по полу в поисках пенсне. Голос Левитана продолжал гудеть набатной медью:

«В дипломатических кругах Берлина считают, что причинами самоубийства мог стать вчерашний доклад генерала Гудериана, в котором тот сообщил Гитлеру точное количество советских танков и танковых дивизий. В то же время берлинский корреспондент газеты «Вашингтон Пост», этого лживого рупора финансовых воротил Уолл-стрита, утверждает, что Гитлер застрелился, запутавшись в своих вредительских связях с мелкобуржуазной артисткой Евой Браун...»

Четыре человека в огромном кабинете с высоким сводчатым потолком обратились в слух, что крайне негативно сказалось на других чувствах: зрении и обонянии. Никто не заметил, как от дымящейся трубки Сталина загорелась зеленая ковровая дорожка, как огоньки пламени начали лизать тяжелые шторы на окнах. Клубы дыма наполняли кабинет, и только маятник старинных часов истории равнодушно отбивал последние минуты субботнего дня 21 июня 1941 года...

А в это время на площадях Москвы было необычно многолюдно. Изнуряющая жара, которая весь день висела над городом, отступила лишь к полуночи, и теперь аромат цветущих лип выманивал москвичей на улицу. Толпы десятиклассников, совершенно равнодушных к измышлениям и сообщениям Гавас и Рейтер, спешили выяснить с десятиклассницами волнующие их вопросы — столичные школы проводили в тот день выпускные вечера. Гуляющая публика заполняла парапеты набережной Москвы-реки, и каждый второй считал своим долгом обратить внимание на негасимый свет в одном из окон Кремля. «Это кабинет товарища Сталина, там он всю ночь напролет думает о нашем народном счастье!» Каждый первый думал, что негасимым кабинетом скорее всего является кремлевский сортир, но старался не говорить этого вслух.

«Папа, папа! — детский голосок особенно ярко прозвучал в ночной тишине. — *Папа, смотри! Из окна товарища Сталина дым валит!»* Отец излишне глазастого ребенка испуганно огляделся по сторонам и потащил дочку подальше от людей. *«Ну что, что, что, что ты так кричишь... Ну, дым, ты что, дыма не видела? Дыма без огня не бывает... Значит, товарищ Сталин сгорел на работе...»*

Глава 12

ГИПОТЕЗА № 3

Странные события последних предвоенных дней можно тем не менее объяснить, связать в единую логическую цепочку в рамках некой гипотезы. Должен сразу же признать —

первым выдвинул эту гипотезу киевский историк Кейстут Закорецкий. Главный аргумент, который он привел в ее подтверждение, достаточно сомнителен, но поскольку именно в рамки его гипотезы известные факты укладываются очень четко — как патроны в обойму, — я готов не только полностью согласиться с Закорецким, но и попытаться творчески развить эту версию событий.

Итак, предположим, что в середине июня (где-то между 10 и 20-м числами) срок начала вторжения в Европу **был еще один раз изменен** (первый перенос состоялся в апреле-мае 1941 г.), причем опять же в сторону приближения даты начала войны. Этот, третий по порядку и последний в реальности календарный сталинский план начала войны выглядел следующим образом:

1. В яркий солнечный день **22 июня происходит одна (или целая серия) провокаций** — инсценировка бомбардировки советских городов немецкой авиацией.

2. Сразу после этого (**днем или вечером 22 июня) вводится в действие план прикрытия**. Вводится в полном объеме — включая действия ВВС Красной Армии по объектам на сопредельной территории.

3. **23 июня объявляется всеобщая открытая мобилизация.**

4. Примерно **через одну неделю (1—3 июля)** отмобилизованные и развернутые в соответствии с оперативным планом, утвержденным на совещании в Москве 24 мая 1941 г., Северо-Западный, Западный, Юго-Западный и Южный фронты **переходят в полномасштабное наступление**.

Разумеется, прямых документальных подтверждений достоверности этого плана-графика нет. И их никто никогда не найдет. Уже пункт первый — крупномасштабная провокация — требовал соблюдения строжайшей секретности. Любая утечка информации не просто сводила эффект от провокационной инсценировки к нулю — она меняла знак эффекта на отрицательный. Из несчастной жертвы вероломного нападения Сталин превращался (в случае разглашения тайны) в преступного и подлого поджигателя войны. Это не входило в его намерения. Вот почему письменных документов, скорее всего, никогда и не было, непосредственные исполнители, скорее всего, подлежали физической ликвидации. Если какие-то письменные приказы и существовали, то они были наверняка уничтожены сразу же после того, как план потерял весь свой смысл и значение, т.е. днем 22 июня 1941 г. В ситуации отсутствия прямых документальных свидетельств историкам приходится анализировать спутанные обрывки информации, относящейся к трем планам Сталина (начать войну в 1942 году, в конце лета 1941 года, 1 июля 1941 года) и к судорожным попыткам переломить ситуацию, предпринятым вечером 21 июня 1941 года. Тем не менее изложенная выше гипотеза позволяет в основном распутать весь этот клубок.

Почему произошел второй перенос срока начала войны? Ответ на этот вопрос вполне понятен. Секретных планов Гитлера на столе у Сталина никогда не было, но фактическая передислокация немецких войск отслеживалась советской агентурной, авиационной и радиоразведкой достаточно подробно. На основе этой информации и строились прогнозы о вероятных планах противника. Вплоть до начала июня 1941 г. советское руководство не считало немецкое вторжение возможным в ближайшие недели — и это было связано не с ошибочной оценкой Сталиным имеющихся разведданных, а с **реальным отсутствием у западных границ СССР ударной группировки вермахта**. Так, «Спецсообщение» Разведупра Генштаба Красной Армии № 660569 от 31 мая 1941 г. сообщало о следующем распределении вооруженных сил Германии: 122—126 дивизий против Англии, 120—122 дивизии против СССР, 44—48 дивизий в резерве. (6, стр. 290) Ошибочным — как теперь известно — было предположение о наличии в составе вермахта такого огромного числа дивизий и соответственно крайне завышенная численность группировки немецких войск на Западе. Оценка же группировки немецких войск у границ Советского Союза даже в таком, завышенном почти в полтора раза размере (фактически она в тот момент не превышала 84 дивизий) не давала еще серьезных оснований для предположения о скором начале немецкого наступления. (1, стр. 304)

По глубоко верному образному сравнению, предложенному В. Суворовым, и Гитлер, и Сталин «охотились» в Европе подобно льву в саванне: хищник сначала долго и бесшумно подползает к своей жертве и только в последний момент с оглушительным, парализующим жертву рычанием бросается к ней. Для Гитлера моментом перехода от стадии неспешного «подкрадывания» к последнему решительному рывку **настало 6—10 июня**. В эти дни началась погрузка в железнодорожные эшелоны танковых и моторизованных дивизий вермахта, перебрасываемых на Восток. Широкомасштабное перебазирование авиагрупп люфтваффе на аэродромы началось еще несколькими днями позже. Так, две самые крупные истребительные эскадры (авиадивизии) 2-го Воздушного флота (JG 53 и JG 51) перелетели на аэродромы оккупированной Польши соответственно 12—14 и 13—15 июня 1941 г. 10 июня верховное командование вермахта довело до сведения командующих армиями точный день и час (22 июня, 3.30 утра) вторжения и порядок оповещения войск (*«в случае переноса этого срока соответствующее решение будет принято не позднее 18 июня...*

В 13.00 21 июня в войска будет передан сигнал «Дортмунд». Он означает, что наступление, как и запланировано, начнется 22 июня и что можно приступать к открытому выполнению приказов»). (6, стр. 341)

И на этот раз советская разведка (как военная, так и разведка НКГБ), хотя и не получила никакой документальной информации о принятом в Берлине решении, зафиксировала начавшуюся широкомасштабную перегруппировку немецких войск. На основании этого было принято решение максимально приблизить срок начала наступления Красной Армии. Роковая ошибка была допущена только в определении той даты начала наступления**, при которой удар советских войск мог бы еще оказаться упреждающим**. Днем начала открытой мобилизации был установлен понедельник, 23 июня 1941 г. Когда было принято такое решение? Анализируя «Журнал посещений», мы видим, что в июне 41-го (до начала войны) Жуков и Тимошенко были в кабинете Сталина семь раз: 3, 6, 7, 9, 11, 18, 21 июня. Первые три даты можно снять с рассмотрения сразу — оснований для пересмотра планов тогда еще не было. 9 июня Тимошенко и Жуков были у Сталина дважды: днем (для Сталина с его привычкой работать по ночам это было скорее «утро»), с 16.00 до 17.00, и вечером. Вечернее совещание длилось очень долго — пять с половиной часов. В кабинете у Сталина был также заместитель наркома обороны маршал Кулик, секретарь ЦК ВКП(б), член Главного Военного совета Маленков, председатель Госплана СССР, заместитель председателя СНК Вознесенский, председатель Комитета Обороны при СНК СССР маршал Ворошилов и начальник мобилизационно-планового отдела Комитета Обороны Сафонов. Что обсуждало пять часов подряд столь высокое собрание? Думаю, что если бы речь шла об экстренном изменении оперативных планов, то состав участников совещания был бы другим. Скорее всего, решались действительно объемные и сложные вопросы мобилизационного развертывания военной промышленности. Это предположение подтверждается и тем, что уже в ходе совещания в кабинете Сталина провели несколько часов нарком авиапрома Шахурин и «танковый нарком» Малышев.

11 июня Тимошенко и Жуков пробыли в кабинете Сталина всего один час, да еще и в очень странной компании.

Вместе с ними в совещании приняли участие: нарком госбезопасности СССР Меркулов, начальник Главного управления политпропаганды РККА Запорожец, а также командующий войсками округа и член Военного совета (комиссар) Прибалтийского ОВО Кузнецов и Дибров. Что это было? Небольшая продолжительность совещания и довольно «разношерстный» состав участников не дают оснований для предположений о том, что именно 11 июня были приняты судьбоносные решения. Можно предположить, что 11 июня состоялась всего лишь первая по счету из четырех запланированных встреч-инструктажей с командованием западных округов, которые уже превращались во фронты.

Еще одним (и, пожалуй, самым убедительным) аргументом против того, что 11 июня было решено что-то сверхважное, является тот факт, что после 11 июня военные не были у Сталина целых шесть дней. Скорее всего, решение о переносе даты вторжения в Европу было принято — причем после долгих дебатов — **18 июня 1941 г.** В этот день Тимошенко и Жуков провели в кабинете Сталина четыре часа, с 20.25 до 0.30. Почти одновременно с ними в кабинет Хозяина вошли Молотов (нарком иностранных дел, первый заместитель Сталина по Совнаркому и, на тот момент, ближайший его соратник) и Маленков (секретарь ЦК, член Главного Военного совета). Это и есть тот предельно узкий круг лиц, в котором только и могло быть принято решение такого масштаба. Примечательно, что **именно после 18 июня** происходят такие знаковые события, как создание фронтовых управлений и вывод их на полевые командные пункты, в округа отправляются приказы о маскировке аэродромов и приведении войск первого эшелона в боевую готовность, на флоте объявляется режим оперативной готовности № 2.

Решение о начале открытой всеобщей мобилизации **с понедельника 23 июня** было вполне логичным. В Советском Союзе центром жизни было рабочее место. Завод. Именно там концентрировались «призывные контингенты», там и должны были утром 23 июня 1941 г. состояться «стихийные митинги» трудящихся, возмущенных подлым нападением фашистских стервятников на советские города. К этому моменту — как «рояль в кустах» — уже должны были быть готовы миллионы листовок (объявлений) с текстом Указа Президиума ВС СССР об объявлении мобилизации. Разглядывая фотокопию одной из таких листовок на стр. 452 изданной тиражом 500 тыс. экземпляров «Энциклопедии Великой Отечественной войны» (Москва, 1985 г., под ред. М.М. Козлова), К. Закорецкий обратил внимание на ДАТУ принятия Указа. Фотокопия реализована таким образом, что увеличительное стекло не помогает — цифры окончательно «разваливаются» на отдельные точки. Тем не менее первая цифра действительно похожа на «1» гораздо больше, чем на «2». Этим, однако, загадки листовки о мобилизации не исчерпываются. Как утверждает Закорецкий, *«упоминания об этой листовке нет в специальном каталоге «Листовки Великой Отечественной войны» (издан в Москве в 1985 году). Нет данных об этой листовке и в другом каталоге: «Герои и подвиги. Советские листовки Великой Отечественной войны» (Москва, 1958 г.). Есть сама листовка в Украинском Государственном музее ВОВ (Киев), но бумага листовки подозрительно очень белая, особенно на фоне рядом расположенных документов на сильно пожелтевшей бумаге...»*.

Не углубляясь далее в полудетективную историю о бесследном исчезновении гигантского тиража листовок с Указом о мобилизации, отметим, что само содержание Указа (т.е. отсутствие в его тексте какого-либо упоминания о начавшейся войне, о вероломном нападении Германии на СССР — о чем уже было сказано в предыдущей главе) достаточно убедительно подтверждает версию Закорецкого. Разглядывать «единичку» под микроскопом и не обязательно. К слову говоря, если бы текст Указа был утвержден только в 16.00 22 июня, то его едва ли успели напечатать в миллионах экземпляров к утру 23 июня — хаос и растерянность охватили тогда все звенья государственной машины, включая типографии. Достаточно вспомнить тот бесспорный факт, что центральная правительственная газета «Известия» вышла с сообщением о начавшейся войне только во вторник 24 июня!

Предшествующий «дню М» день 22 июня 1941 г. как никакой другой подходил для осуществления задуманной провокации. Я нисколько не шучу. 22 июня — это самый длинный день в году (самая большая продолжительность светового дня). В 1941 году этот день пришелся на воскресенье — выходной день. Для получения максимально возможного числа жертв среди мирного населения бомбардировка днем в воскресенье была оптимальным вариантом: теплый солнечный выходной день, люди отоспались после тяжелой трудовой недели и вышли на улицы, в сады и скверы погулять с детьми. 11—12 часов утра — это как раз то время, когда летом в России (Белоруссии) дворы и улицы заполняются мамами с колясками. Дальше расчет времени получается такой:

— в 11 часов утра бомбы падают на мирно отдыхающий город;

— в 12 часов нарком обороны отправляет в округа короткую директиву из четырех слов («ввести в действие план прикрытия»);

— в 13 часов короткая директива из четырех слов получена и расшифрована в штабах округов;

— в течение часа приказ доведен до всех частей ВВС округов (фронтов);

— в течение следующего часа приказ получен даже в самых разгильдяйских штабах и частях;

— еще один час на то, чтобы прогреть моторы и подвесить бомбы.

Итого: в 16.00 авиация готова к выполнению своих задач по планам прикрытия (*«нанести одновременный удар по установленным аэродромам и базам противника, расположенным в первой зоне, до рубежа Инстербург, Алленштайн, Млава, Варшава, Демблин... вторым вылетом бомбардировочной авиации нанести удар по аэродромам и базам противника, расположенным во второй зоне до рубежа Кенигсберг, Мариенбург, Торунь, Лодзь..»*) А когда заходит солнце 22 июня? В Европейской части Советского Союза, над аэродромами в районе Белостока и Львова, окончательно темнеет не раньше 11 часов вечера. Другими словами — в распоряжении советской авиации не менее 6—7 часов светлого времени. Когда же противник опомнится и попытается нанести ответные авиаудары, наступившая ночь надежнее любых маскировочных сетей укроет аэродромы, базы, военные городки, железнодорожные станции. Ну, разве это не «подарочный вариант» начала войны? Технические возможности для инсценировки были: еще в 40-м году в Германии были закуплены два бомбардировщика «Дорнье»-215, два «Юнкерса»-88 и пять многоцелевых Ме-110, не говоря уже о том, что на высоте в 5—6 км никто, кроме специалистов высшей квалификации, и не распознал бы силуэты самолетов...

Можно ли было и вовсе обойтись без провокационной инсценировки? Можно. Приказ Сталина был бы выполнен в любом случае. Никто, ни Тимошенко в Москве, ни командир эскадрильи на приграничном аэродроме, не осмелился бы задать вопрос: «А зачем нам надо бомбить Инстербург, Алленштайн и Млаву?» На чем же тогда основано предположение о подготовленной и назначенной на 22 июня провокации?

Предположение основано на самом главном, на пристальном внимании к личности и мироощущению главного персонажа мировой драмы. Да, я понимаю, что настойчивые попытки проникнуть в тайну мыслей и желаний Сталина, возможно, покажутся кому-то глубоко ненаучной попыткой заменить солидное цитирование архивных томов гаданием на кофейной гуще. Вполне понимая логику этих возражений, я тем не менее не могу с ними согласиться. Именно потому, что мне пришлось прочитать несколько тысяч страниц «особых папок» протоколов заседаний сталинского Политбюро, именно потому, что я мог на основании подлинных документов убедиться в том, что в сталинской империи без воли и согласия Хозяина не решались даже вопросы перемещения пяти зуборезных станков с завода X на завод Y или замены домкрата в составе возимого ЗИПа танка Т-34, именно поэтому я и считаю, что любое исследование внешней политики Советского Союза 30—40-х годов, оторванное от анализа личности и мотивов поведения Сталина, будет неизбежно ущербным.

Мог ли ЦК ВКП(б) своей властью утвердить перечень фамилий доярок, пастухов и слесарей, которых будут собирать в Москве на мероприятие под названием «Сессия Верховного Совета СССР»? Конечно, мог. И тем не менее фарсовая комедия «прямых, всеобщих, тайных» выборов в Советы всех уровней проводилась в Советском Союзе десятки лет. От Сталина до Горбачева. Зачем? ЗА-ЧЕМ? Для общественного мнения Запада? Помилуйте, кого в странах с развитой демократической традицией могла обмануть такая примитивная и грубая инсценировка «народного волеизъявления», с одним кандидатом в бюллетене и неизменными «99,9 процента — за»? И тем не менее эти «выборы» с комичной серьезностью проводились. В точном соответствии с Великой Сталинской Конституцией. Наши правнуки, скорее всего, просто не поверят в такое, но мы-то с вами видели это своими собственными глазами!

Мог ли Сталин физически уничтожить своих политических противников без суда и следствия, не прибегая к трагифарсу «открытого судебного процесса»? Конечно, мог. Многие (абсолютное большинство жертв Большой Чистки) именно так и были ликвидированы: безо всякого суда, по решению «тройки», а то и просто замучены до смерти в ходе «следствия». Это есть факт. И тем не менее открытые «московские процессы» 36—37-го гг. были. Это тоже является фактом. Практически необъяснимым в рамках нормальной человеческой логики, но реальнейшим фактом. Сталин зачем-то вывел ближайших соратников Ленина на открытый суд, в ходе которого они — на глазах сотен журналистов, в том числе и зарубежных — признавались в том, что толкли стекло и сыпали его в масло трудящимся. Зачем?

4 мая 1941 г. Политбюро ЦК (за подписью «секретарь ЦК ВКП(б) И. Сталин») обратилось к членам ЦК с вопросом о том, согласны ли указанные члены с назначением И. Сталина на пост Председателя СНК СССР. Голосование проводилось методом письменного опроса. И до тех пор, пока 71 член ЦК не расписался в том, что он согласен, решение о назначении И. Сталина главой правительства считалось только «проектом решения». Поверить в это трудно, но соответствующие документы рассекречены и опубликованы. (6, стр. 157-157) Зачем? Зачем были нужны эти пустые хлопоты с письменным опросным голосованием (ведь все эти бумажки возили фельдпочтой, с охраной, бензин при этом жгли)? Сталин захотел «посоветоваться с товарищами»? Помилуйте, в мае 1941 года Сталин мог, ни с кем не советуясь, назначить себя Императором Всероссийским, Сыном Бога Ра и

новым Буддой одновременно. Такое решение, единственно верное и своевременное, было бы встречено всеобщим одобрением трудящихся Страны Советов.

На все эти (и тысячу других подобных) вопросы есть один ответ: ему так хотелось. **Сталин любил канцелярский порядок**. Уж такая была у него причуда. Каждый чудит по-своему. Акакий Акакиевич любовался буковками в «отношениях», которые он переписывал. Как помнят те, кто читал «Шинель» Гоголя, были у Акакия Акакиевича и свои любимые буквы, которые он встречал и каллиграфически выписывал с особой радостью. Великий Сталин был страшным монстром, невероятным гибридом Чингисхана и Акакия Акакиевича. Сталин уничтожал людей в таких масштабах, какие Чингисхану и не снились, но при этом наслаждался точностью и бюрократической стройностью своих решений. Вот поэтому он с одинаковым удовольствием истреблял своих бывших друзей и соратников, но при этом не забывал спросить разрешения у всех, пока еще живых, членов ЦК. И оформлял их «решение» в письменном виде. И складывал эти бумажки в свои «особые папки». Уже один этот термин — «особая папка» — принятый в сталинской империи для обозначения документов наивысочайшей степени секретности, говорит о многом.

У товарища Сталина были свои представления о том, в каких именно канцелярских формах должна выражаться «неизменно миролюбивая внешняя политика» Советского Союза. Эти представления он с неумолимой настойчивостью «терминатора» проводил в жизнь. Все должно быть правильно. Советский Союз не может напасть на Финляндию. Красная Армия может пресечь провокации белофинской военщины, которая предательски обстреляла советскую территорию, — это можно. А нападать самим — нельзя. Советское правительство может помочь финским трудящимся, которые восстали против кровавой банды Рюти-Таннера и уже создали свое Народное правительство. Это можно. Можно помочь этому Народному правительству переместиться в Хельсинки. Но приказа о захвате Хельсинки и оккупации Финляндии никто никогда не отдавал. Уважаемый читатель, вы, наверное, думаете, что я ерничаю? Ничего подобного. Я просто пересказываю текст открытого письма-доноса, с которым три отставных полковника и один капитан первого ранга обратились к губернатору нашей Самарской области. Подписанты просили пресечь деятельность фальсификатора-очернителя (меня то есть), осмелившегося публично, в газете «Волжская Коммуна», усомниться в том, что в ноябре 39-го г. белофинская военщина угрожала городу Ленина, колыбели Революции. Если в 2004 году находились люди, которые все еще верили в грубо, топорно, неряшливо сработанные сталинские фальшивки, то чего же можно было ожидать от запуганных до полусмерти «строителей социализма» образца 1941 года? Вот поэтому и не надо удивляться тому, что предполагаемые провокации были, что называется, «шиты белыми нитками». Именно такой «фасон и покрой» любил товарищ Сталин. Грубо, нелепо, неряшливо «сшитые» провокации. В ходе открытых «московских процессов» 36-го года обвиняемые признавались в тайных встречах с давно умершими людьми, каковые «встречи» якобы происходили в давно снесенных гостиницах. Главой «народного правительства демократической Финляндии» был объявлен секретарь Исполкома Коминтерна, член ЦК ВКП(б) «господин Куусинен», безвылазно живущий в Москве с 1918 года. *«Ювелирная точность бегемота, которой так отличался Сталин»* (А.И. Солженицын). И ничего. Трудящиеся в ходе стихийных митингов горячо одобряли и полностью поддерживали...

Первая часть, первый этап Большой Инсценировки **состоялся в реальности. Это не гипотеза. Это факт**. 13 июня 1941 г. было составлено (14 июня опубликовано) знаменитое Сообщение ТАСС. Да-да, то самое:

«...ТАСС заявляет, что, по данным СССР, Германия так же неуклонно соблюдает условия советско-германского пакта о ненападении, как и Советский Союз, ввиду чего, по мнению советских кругов, слухи о намерении Германии порвать пакт и предпринять нападение на СССР лишены всякой почвы... СССР,

как это вытекает из его мирной политики, соблюдал и намерен соблюдать условия советско-германского пакта о ненападении, ввиду чего слухи о том, что СССР готовится к войне с Германией, являются лживыми и провокационными...»

Дикторы всесоюзного радио зачитали этот текст под аккомпанемент стука колес. Девятьсот железнодорожных эшелонов (не вагонов, а именно эшелонов) с дивизиями Второго стратегического эшелона, грохоча на стыках, неслись на Запад. Дивизии приграничных округов тайными ночными переходами, скрываясь на дневки в лесах, крались к границе. Все это уже известно, рассекречено более 15 лет назад, но даже и сегодня находятся «историки», которые продолжают толковать Сообщение ТАСС от 13 июня как проявление сталинского «миролюбия» (или в лучшем случае как проявление «растерянности перед лицом надвигающегося вторжения»). Бегемотам — бегемотово?

За первым этапом провокации должен был неизбежно последовать второй: инсценировка бомбардировки немецкими самолетами советских городов. В ответ на миролюбивейшее заявление ТАСС — бомбы в солнечный воскресный день. Вероломное и подлое убийство мирных советских граждан. Белоснежный голубь мира — с одной стороны, черные вороны — с другой. И только после этого — всеобщая мобилизация. «Вставай, страна огромная, вставай на смертный бой! Не будут птицы черные над Родиной летать!» Грубо? Излишне нарочито? Да, но именно такой вкус и был у заказчика провокации. Сталин любил потчевать гостей острыми блюдами...

Тезис о назначенной на 22 июня провокационной инсценировке не только соответствует общему стилю сталинских «освобождений» (вторжению в Финляндию также предшествовал «обстрел позиций советских войск в Майниле»), но и **позволяет объяснить сразу несколько наиболее «необъяснимых» фактов кануна войны.**

Прежде всего становятся понятными действия по демонстрации благодушия и беспечности (начиная от «большого театрального вечера» 21 июня и до удаления зенитных дивизионов из расположения войск и объявления выходного дня в частях ВВС Западного ОВО), которые происходили 20—21 июня. Для большего пропагандистского эффекта провокации бомбы должны были обрушиться на советский город (города?) в мирной, внешне совершенно спокойной обстановке. В боевых частях — выходной день. Командование наслаждается высоким театральным искусством, рядовые бегают комсомольские кроссы и соревнуются в волейбольном мастерстве. Мы мирные люди, а наш бронепоезд ржавеет на запасном пути. И в этом смысле извечное заклинание советской историографии («Сталин боялся дать Гитлеру повод для нападения») оказывается почти правдой! Остается только чуть-чуть уточнить фразу: «Сталин старательно выстраивал ситуацию, при которой его возмущение и «ярость благородная» будут выглядеть безупречно искренними».

Кроме демонстративной, «показушной» стороны дела, понижение боеготовности войск (прежде всего — ВВС и ПВО) накануне запланированной провокации имело и **совершенно конкретный функциональный смысл.** Провокационная бомбардировка должна была состояться — а для этого надо было снизить (в намеченном районе бомбардировки — снизить до нуля) возможность вооруженного противодействия. И вот тут-то приходится вспомнить загадочную историю, произошедшую вечером 21 июня 1941 г. в 122-м истребительном авиаполку (11-я САД, Западный ОВО).

«...Десятого мая наш полк перебросили из Лиды на аэродром Новый Двор, что чуть западнее Гродно. На севере граница с немцами была в пятнадцати километрах (судя по карте — примерно 30 км от границы 1941 г. — *М.С.). В ясную погоду с высоты двух тысяч метров мы видели немецкий аэродром, забитый разными машинами. А двадцать первого июня, в шесть вечера, закончив полеты,* ***получили приказ: снять с самолетов пушки, пулеметы, ящики с боеприпасом и хранить все это на складе.***

— Но это же... Даже говорить страшно... Похоже на измену!

— Все тогда недоумевали, пытались узнать, в чем дело, но

нам разъяснили: это ***приказ командующего войсками округа**, а приказы в армии не обсуждаются...»*

Это достаточно короткое интервью с Сергеем Федоровичем Долгушиным опубликовала 18 декабря 2001 г. главная армейская газета страны «Красная Звезда». С.Ф. Долгушин встретил начало войны молодым летчиком в 122-м ИАП, звание Героя Советского Союза получил уже после битвы за Москву, за годы войны совершил более 500 боевых вылетов, сбил лично 17 немецких самолетов и еще 11 — в группе. Из лейтенантов стал генерал-лейтенантом, в течение многих лет был начальником кафедры тактики в ВВИА им. Н.Е. Жуковского. Историк из г. Гродно В. Бардов любезно предоставил мне запись своего многочасового разговора с Сергеем Федоровичем. В этом развернутом рассказе о событиях 21—22 июня появляются еще более удивительные детали:

*«...Вечером в субботу, 21 июня 1941 года, нас разоружили: приказали снять пушки, пулеметы, боекомплект и поместить в каптерки. Я с ребятами своими посоветовался, и мы сняли пушки и пулеметы — мы вынуждены были. А патронные ящики оставили... Состояние такое — все равно, что голый остался... Мы спросили: «Кто такой идиотский приказ издал?» А командир полка Николаев разъяснил командирам эскадрилий (а те, в свою очередь, нам): «Это приказ командующего Белорусским военным округом Д.Г. Павлова». Накануне тот приезжал на наш аэродром **вместе с командующим ВВС округа** генералом-майором И.И. Копцом... Перед этим **была у нас комиссия из Москвы**, прилетели они на Ли-2. Он так и стоял на аэродроме — немцы в первую очередь его сожгли, а они на машине уехали, вся их комиссия московская... Возглавлял ее полковник, **начальник оперативного управления ВВС**...»*

С чего бы это в одном, ничем не примечательном строевом авиаполку собралось столько высшего авиационного начальства? Для справки: группировка советских ВВС на западном ТВД непосредственно перед войной насчитывала порядка 111—130 боеготовых авиаполков, в том числе — 52 истребительных (и это не считая многих десятков новых, формирующихся в западных округах авиаполков). Почему именно 122-й ИАП привлек к себе такое внимание? И, самое главное, для какой цели с самолетов-истребителей было демонтировано вооружение? Еще одна, необходимая для понимания всей абсурдности ситуации, техническая справка заключается в том, что на И-16 (как и на любом другом истребителе того времени) вооружение не было подвесным — пушки были намертво закреплены внутри крыла, пулеметы столь же крепко привинчены под капотом двигателя. Демонтаж вооружения никак не входит в состав обычных, плановых работ технического обслуживания. Кроме всего прочего, после повторной установки пушки надо еще было «пристрелять» (определенным образом совместить ось ствола с осью симметрии самолета и прицела), а это сложная и трудоемкая операция, требующая специального оборудования. Осмотр, смазка, техническое обслуживание самой пушки производятся на самолете — для этого в конструкции крыла предусмотрены специальные лючки. 122-й ИАП (истребительный авиаполк, находящийся в 30 км от границы, за которой *«основная часть немецкой армии в полосе против Западного ОВО заняла исходное положение»*) вечером 21 июня 1941 г. именно разоружили, а не «отправили на ремонт и перевооружение».

Загадочные, если не «вредительские» действия командующего округом (фронтом), командующего ВВС округа и «московской комиссии» во главе с начальником оперативного управления ВВС РККА становятся совершенно логичными, если только предположить, что именно город Гродно и его жители должны были стать жертвой кровавых игр Сталина. Да, конечно, можно было ограничиться строгим-престрогим приказом: «22 июня ни одному самолету в 122-м ИАП не взлетать!» Но не все приказы исполняются, а «цена вопроса» в данном случае была исключительно велика. Хорошо еще, если бомбардировщики собьют на подходе к Гродно, до бомбардировки, а если после? А если подбитый бомбардировщик с фальшивыми опознавательными знаками (да еще и с советским экипажем на борту!) рухнет на сопредельной территории и будет предъявлен журналистам всего мира? Сталин не любил рисковать, поэтому и в данном случае приказал решить проблему «с ювелирной точностью бегемота»: разоружить ближайший к Гродно истребительный авиаполк, и дело с концом.

Выбор города Гродно в качестве объекта для провокационной бомбардировки также выглядит достаточно логично. Логично с точки зрения эффективности последующих действий (начала операции прикрытия и удара советских ВВС по «установленным аэродромам и базам противника»). Сувалкский выступ был в эти дни буквально нашпигован немецкими авиационными, танковыми, пехотными частями. На узкой полоске (примерно 35х35 км) сгрудились четыре танковые (20, 7, 12, 19), 3 моторизованные (14, 20, 18), девять пехотных (26, 6, 35, 5, 161, 28, 8, 256, 162) дивизий вермахта. На аэродромном узле Сувалки (и близлежащих полевых аэродромах) базировались четыре группы (полка) пикирующих «Юнкерсов» (больше половины от общего числа Ju-87 на всем Восточном фронте), пять истребительных авиагрупп и две штурмовые (ZG) группы, оснащенные двухмоторными Ме-110. Такой концентрации сил не было больше нигде. Соответственно не было и лучшего объекта для сокрушительного первого удара советской авиации.

Не исключено, что с задуманной провокационной инсценировкой бомбардировки города Гродно связана и гибель командующего ВВС Западного округа (фронта). По общепринятой (точнее говоря — внедренной в эпоху хрущевской критики «близорукой доверчивости Сталина») версии генерал-майор И.И. Копец застрелился в своем служебном кабинете 22 июня 1941 г. В эту гипотезу (которая превратилась в аксиому лишь в результате многочисленных повторений — никаких документов на этот счет пока не опубликовано) не вписывается самое, в случае самоубийства, главное — свойства личности погибшего. Герой Советского Союза, кавалер ордена Ленина и ордена Красного Знамени, участник двух войн (испанской и финской) 34-летний генерал Иван Копец не был «бывшим летчиком-истребителем». До последнего дня он оставался летающим летчиком. Маршал Скрипко в своих мемуарах с некоторым даже неодобрением отмечает, что командующий авиацией округа большую часть времени проводил на аэродромах, на которые Копец не приезжал на ЗИСе, а прилетал на истребителе И-16. Да и звание Героя Советского Союза командир эскадрильи И.И. Копец получил не в подарок «к юбилею», а за личное мужество, проявленное в небе Мадрида, где он лично сбил 6 самолетов франкистов.

Для человека с такой биографией и таким характером гораздо естественнее было бы свести счеты с жизнью — если бы такое намерение на самом деле возникло — в воздухе, в кабине боевого самолета, прихватив с собой нескольких врагов. Самолет-истребитель в личном распоряжении командующего ВВС был. Немецких самолетов в небе над Белоруссией 22 июня было хоть отбавляй. Психологический шок от неудачного начала боевых действий не мог стать причиной самоубийства просто потому, что в полдень первого дня войны не было ни самого факта разгрома ВВС округа, ни информации из частей в штабе округа (миф же про уничтоженные «на мирно спящих аэродромах» самолеты и вовсе появился лет через двадцать). Вероятнее всего, 22 июня 1941 г. за командующим авиацией фронта приехали. Приехали люди с горячими сердцами, «друзья народа». У этого визита могло быть, по меньшей мере, две причины. Первая — общая волна арестов, которая с конца мая 1941 г. катилась по высшему комсоставу советских ВВС (24 июня арестован бывший главком ВВС Рычагов, 26 июня 1941 г. арестован командующий ВВС Прибалтийского ОВО Ионов, 27 июня арестованы начальник штаба ВВС РККА Володин, помощник главкома ВВС по авиации дальнего действия Проскуров, командующий ВВС Киевского ОВО Птухин). Но могла быть и другая причина, связанная с несостоявшейся провокацией в небе над Гродно: к командующему ВВС округа приехала команда «ликвидаторов», которая, работая строго в рамках утвержденного плана и невзирая на начавшуюся войну, уничтожала непосредственных участников и организаторов инсценировки. Утверждать что-либо категорически не приходится, но и странных совпадений в этом деле слишком много...

В то время, когда в Москве и Минске заканчивались последние приготовления к грандиозным событиям, которые должны были состояться 22—23 июня, по другую сторону границы последние приготовления закончились. Это уже не гипотеза, это трагический факт. В час дня, в субботу 21 июня, в штабы вермахта поступил условный сигнал «Дортмунд», и немецкие войска приступили «к открытому выполнению приказов». Секрет, доведенный (прямо или хотя бы даже косвенно) до трех миллионов солдат и офицеров, через несколько часов перестал быть секретом и для командования Красной Армии. Известно как минимум о двух перебежчиках, которые переплыли Западный Буг в полосе Киевского ОВО и сообщили о скором начале войны. Трудно поверить и в то, что у советской разведки не было других источников информации в войсках противника. Как бы то ни было, вечером 21 июня, пройдя через полдюжины инстанций, информация эта дошла до Москвы. В хрестоматийно известной версии Г.К. Жукова события развивались следующим образом:

«Вечером 21 июня мне позвонил начальник штаба Киевского военного округа генерал-лейтенант М.А. Пуркаев и доложил, что к пограничникам явился перебежчик — немецкий фельдфебель, утверждающий, что немецкие войска выходят в исходные районы для наступления, которое начнется утром 22 июня. Я тотчас же доложил наркому и И.В. Сталину то, что передал М.А. Пуркаев.

— Приезжайте с наркомом минут через 45 в Кремль, — сказал И.В. Сталин.

Захватив с собой проект директивы войскам, вместе с наркомом и генерал-лейтенантом Н.Ф. Ватутиным мы поехали в Кремль. По дороге договорились во что бы то ни стало добиться решения о приведении войск в боевую готовность.

И.В. Сталин встретил нас один. Он был явно озабочен.

— А не подбросили ли немецкие генералы этого перебежчика, чтобы спровоцировать конфликт? — спросил он.

— Нет, — ответил С.К. Тимошенко. — Считаем, что перебежчик говорит правду.

Тем временем в кабинет И.В. Сталина вошли члены Политбюро. Сталин коротко проинформировал их.

— Что будем делать? — спросил И.В. Сталин.

Ответа не последовало.

— Надо немедленно дать директиву войскам о приведении всех войск приграничных округов в полную боевую готовность, — сказал нарком.

— Читайте! — сказал И.В. Сталин.

Я прочитал проект директивы. И.В. Сталин заметил:

— Такую директиву сейчас давать преждевременно, может быть, вопрос еще уладится мирным путем. Надо дать короткую директиву, в которой указать, что нападение может начаться с провокационных действий немецких частей. Войска приграничных округов не должны поддаваться ни на какие провокации, чтобы не вызвать осложнений.

Не теряя времени, мы с Н.Ф. Ватутиным вышли в другую комнату и быстро составили проект директивы наркома. Вернувшись в кабинет, попросили разрешения доложить. И.В. Сталин, прослушав проект директивы и сам еще раз его прочитав, внес некоторые поправки и передал наркому для подписи». (15, стр. 261)

Единственным документом, по которому мы можем проверить достоверность этой версии, является опять-таки «Журнал посещений». Запись совещания не существует (или она по сей день не рассекречена). Что касается мемуаров, то ни Сталин, ни Тимошенко, ни Ватутин их не оставили. Судя по «Журналу посещений», Тимошенко и Жуков вошли в кабинет Сталина в 20.50. Вместе с ними в 20.50 к Сталину вошел и маршал Буденный (о присутствии которого Жуков не произнес ни одного слова). Ватутин в кабинет не входил (впрочем, не исключено, что хотя бы в этом Жуков не соврал, и приехавший вместе с ним Ватутин просто оставался в приемной). Сталин был не один. В кабинете вместе с ним находилось четыре человека: Молотов, Берия, Маленков и советский военно-морской атташе в Германии, скромный капитан первого ранга Воронцов. Никакие другие «члены Политбюро» в кабинет не входили. В 21.55 в кабинет Сталина вошел еще один человек. Он не был членом Политбюро и занимал на тот момент должность наркома госконтроля. При обсуждении секретных военных вопросов особой важности наркому госконтроля делать было решительно нечего. Его работа — проверка заводских столовых, соблюдение правил советской торговли в сельпо, влажность картошки на складе ОРСа. Но фамилия этого человека была Мехлис, и начиная с 1924 г. он был рядом со Сталиным, выполняя негласную роль особо доверенного порученца по тайным и грязным делам. В 22.20 военные вышли из кабинета. (6, стр. 301)

На этом доступные нам факты заканчиваются, и мы возвращаемся к гипотезе № 3, базирующейся, в свою очередь, на ключевых моментах гипотезы № 1, а именно: **Тимошенко и Жуков оценивали боеспособность Красной Армии очень низко, а Сталин — очень высоко.**

Исходя из своей оценки боеспособности Красной Армии, Тимошенко и Жуков нисколько не сомневались в том, что развернутых у советских границ 115 немецких дивизий будет вполне достаточно для того, чтобы разнести «непобедимую и легендарную» в пух и прах. Вот почему они поверили безвестному немецкому фельдфебелю. Полностью и сразу. Кроме того, они в ту же секунду с ужасом подумали о том, что в авиаполках Западного ОВО объявлен выходной, один из 12 истребительных полков и вовсе разоружен, а зенитные дивизионы выведены на окружной полигон. Расстрельным подвалом запахло вполне отчетливо. Оба они прекрасно понимали, что «вдохновителем и организатором» победы Сталин объявит себя, а виновников разгрома будет искать среди окружающих, и они в этой очереди — первые. Поэтому в 20.50 они вошли в кабинет Хозяина с отчаянной решимостью *«во что бы то ни стало добиться решения»*. Какого решения? «О приведении войск в боевую готовность»? Шестью страницами раньше Жуков без тени смущения пишет, что долго уговаривать Сталина по этому вопросу ему и не пришлось: *«Генеральному штабу о дне нападения немецких войск стало известно от перебежчика лишь 21 июня, о чем нами тотчас же было доложено И.В. Сталину.* ***Он тут же дал согласие*** (подчеркнуто мной. — ***М.С.***) *на приведение войск в боевую готовность».* (15, стр. 255) О чем же тогда в течение полутора часов шла напряженная дискуссия? О чем была директива, которую Сталин сразу отклонил, приказал составить новую, потом еще что-то в ней исправил? Разумеется (слово для гипотезы мало подходящее, но в данном случае вполне оправданное), разумеется, спор шел о введении в действие плана прикрытия и немедленном объявлении всеобщей мобилизации, а вовсе не о куцем огрызке этих действий под литературным названием «приведение войск в боевую готовность».

Сталин немецкому перебежчику совершенно не поверил. Во-первых, потому, что, будучи сам беспредельно лживым человеком, он не верил никому. Первая и главная мысль, которая возникла у него после сообщения Тимошенко, была: «Кто подослал этого фельдфебеля? Зачем? Не сам ли Тимошенко все это выдумал? Или Пуркаев? Допросить подлеца с пристрастием и расстрелять...» Увы, и это, к сожалению, не ерничество, а цитата (правда, о другом перебежчике и в другой день). Примечательно и то, что о судьбе двух перебежчиков, которые вечером 21 июня, рискуя собственной жизнью и подвергая страшной опасности свои семьи, пытались помочь «родине мирового пролетариата», ничего по сей день не известно. Во-вторых, потому, что такое совпадение дат (даты задуманной Сталиным провокации и даты реального гитлеровского вторжения) было слишком уж невероятным. Как в кино, но такого даже и в кино не бывает. Это же все равно, что во время дуэли попасть пулей в пулю противника. Такого не может быть, потому что не может быть никогда. В-третьих... Но это «в-третьих» может понять только тот, кому посчастливилось в жизни заниматься каким-нибудь творческим делом. Ну, например, играете вы на скрипке полонез Огиньского — и тут сосед начинает буравить стену ударной электродрелью... Понимаете? Вот так же отреагировал Сталин на предложение Тимошенко взять да и развалить красивый план (провокация на пороге мобилизации) товарища Сталина. Боюсь, что Сталин послал Тимошенко с Жуковым туда же, куда он велел Меркулову послать *«источник из штаба герм. авиации»*...

Сталин не верил людям — но при этом он безоговорочно доверял логике. Своей логике, которой он очень гордился.

И вечером 21 июня 1941 г. он рассуждал (и рассудил в конце концов) абсолютно логично. «Немцы не завершили сосредоточение войск. Половина дивизий вермахта еще на Западе. Наступать такими силами на Красную Армию — безумие. Численность немецкой авиации у наших границ — ничтожно мала. Против Франции, на фронте в 300 км, в мае 1940 г. было в полтора раза больше самолетов! Такими хилыми силами, с таким авиационным прикрытием немцы наступать не могут. И не будут. У нас еще в запасе 7—10 дней. А нужен-то всего один-единственный день, 22 июня. Всего один день. Листовки об объявлении мобилизации с 23 июня уже печатаются...»

Для самых понятливых готов повторить еще раз.

Традиционная версия: «Сталин поверил подписи Риббентропа на Пакте о ненападении и поэтому не верил в то, что Гитлер нападет на Советский Союз».

Моя версия: «Сталин верил в мощь Красной Армии и поэтому не поверил сообщению о том, что Гитлер решил начать вторжение 22 июня, до завершения сосредоточения у границ СССР таких сил германской армии, которые (по мнению Сталина) необходимо было сосредоточить для войны с могучей Красной Армией. Намерение Гитлера начать вторжение 24, 25, 26-го и в любой последующий день Сталина уже не беспокоило».

Тимошенко понимал, что реакция Сталина будет именно такой. Поэтому он и позвал с собой своего старого товарища по Первой Конной, в которой Буденный был командармом, а Тимошенко — командиром кавалерийской дивизии. Маршал Буденный формально числился заместителем Тимошенко, но он, как один из немногих уцелевших «героев Гражданской войны», был, что называется, «вхож к Хозяину» и в сложной системе придворных интриг «весил» больше, чем нарком обороны. Жуков же был человеком новым, в глазах окружения Сталина — малоавторитетным (он не был даже членом ЦК, не говоря уже про членство в Политбюро), поэтому помочь уговорить Сталина с Молотовым не мог. Жуков с годами отлично разобрался во всех этих играх, поэтому в своей мелочной амбициозности и убрал Буденного. Не из жизни, но хотя бы из ключевого момента своих мемуаров.

Тяжелый разговор Сталина с военными завершился тем, что разрешения на введение в действие плана прикрытия Сталин не дал, но разрешил отправить в округа путаную и невнятную Директиву № 1. Еще раз напомню, что фраза «все части привести в боевую готовность» в Директиве № 1 присутствует. Хотя и обесценивается многократными требованиями «не поддаваться на провокации». Флот во всех этих хитрых играх с провокациями и инсценировками не участвовал, поэтому Н.Г. Кузнецов просто и незатейливо перевел его с готовности № 2 на готовность № 1. Никто ему этого и не запрещал.

Покончив с дискуссиями, Сталин необычно рано закончил работу и уехал на ближнюю дачу. Спать. В возможность нападения немцев он не поверил, а день 22 июня предстоял очень напряженный (утром — бомбежка Гродно, днем — приказ о начале операции прикрытия, вечером — первый налет на немецкие аэродромы, поздним вечером — «разбор полетов» и последние приготовления к объявлению мобилизации). Перед таким днем надо было как следует выспаться.

Часть 3
РАЗГРОМ

Глава 13
ГОЛОСА 41-ГО

«...В ночь на 22 июня танки перешли границу и двинулись по дорогам Литвы в направлении Двинска... Сижу, высунув голову в люк, и вижу — вдоль нашей колоссальнейшей длины колонны, проходящей прямо по дороге без единого выстрела на Восток, навстречу идут в строю с оружием красноармейцы. Проходят. Я не удержался и кричу: «Здорово, ребята!» Первая реакция на мои слова — вопрос: «Где в плен сдаваться?» Это шла колонна советских военнопленных. Сами шли, без немецкой охраны. Причем с оружием...»

Воспоминания
Г.Н. Чавчавадзе, командира
разведгруппы 56-го танкового
корпуса вермахта

«Командующему 10-й Армией

Почему механизированный корпус не наступал, кто виноват, немедленно активизируйте действия и не паникуйте, а управляйте. Надо бить врага организованно, а не бежать без управления. Каждую дивизию вы знать должны, где она, когда, что делает и какие результаты. Почему вы не дали задачу на атаку механизированному корпусу? Найти, где 49-я и 113-я стрелковые дивизии, и вывести. Исправьте свои ошибки. Подвозите снаряды и горючее. Лучше продовольствие берите на месте. Запомните, если вы не будете действовать активно — Военный совет больше терпеть не будет.

Павлов, Фоминых».

Боевое распоряжение
командующего войсками
Западного фронта б/н от 23
июня 1941 г.

«...Утром 23 июня нас обстреляла немецкая авиация. Танки у нас были новейшие, все до единого Т-34 и КВ. Мы прятались по лесам. В это время нашим батальоном еще командовал капитан Рассаднев, но с полудня 23 июня я его уже не видел, потому что несколько раз в этот день мы разбегались кто куда... Отступали лесами, болотами, по бездорожью, так как все хорошие дороги были у немцев. Мы оставили Волковыск, Слоним, Барановичи... Мне кажется, что панику создавали сами офицеры. На глазах у бойцов они срывали офицерские нашивки. Запрещали даже стрелять по самолетам. А ведь было столько войск, самолеты летали над головами... Так дошли почти до Смоленска, а там тоже оставили столько техники! Все бежали, а технику и вооружение (танки, пушки) бросали. Я не могу сообщить, где проходили бои, так как их почти не было. На нашем направлении мы только одну ночь прорывались через немецкий десант, это было под Слонимом или Столбцами...»

Воспоминания
С.А. Афанасьева, 4-я танковая
дивизия (6-й мехкорпус,
Западный фронт)

«Опыт первого дня войны показывает неорганизованность и беспечность многих командиров, в том числе больших начальников. Думать об обеспечении горючим, снарядами, патронами начинают только в то время, когда патроны уже на исходе, тогда как огромная масса машин занята эвакуацией семей начальствующего состава, которых к тому же сопровождают красноармейцы, то есть люди боевого расчета. Раненых с поля боя не эвакуируют, отдых бойцам и командирам не организуют, при отходе скот, продовольствие оставляют врагу.

Приказываю:

1. Каждый начальник обязан заниматься обеспечением предстоящего боя огнеприпасами. Заставить снабженцев ежечасно заниматься организацией боевого обеспечения боя. Ответственность возлагаю на старшего начальника.

2. Прекратить эвакуацию семей на машинах.

3. Все должны исполнять обязанности по занимаемой должности.

4. Организовать эвакуацию раненых с поля боя. Ни один раненый командир и боец не должны остаться у врага...»

Директива Военного совета
Западного фронта б/н от
23 июня 1941 г.

«Части 4-й армии после бандитского налета противника отходили, оказывая сопротивление на рубежах обороны и к 18.00 24.6.41 г. отошли остатками корпусов в район Войтки, Мазурки и Синявка, где закрепляются для оказания дальнейшего сопротивления. Остатки частей 6-й и 42-й стрелковых дивизий 28-го стрелкового корпуса после ряда оборонительных боев к 18 часам отошли в район Русиновичи, Тальминовичи, где приводятся в порядок. Эти остатки не имеют боеспособности... От постоянной и жестокой бомбардировки пехота деморализована и упорства в обороне не проявляет. Отходящие беспорядочно подразделения, а иногда и части приходится останавливать и поворачивать на фронт командирам всех соединений, хотя эти меры, несмотря даже на применение оружия, должного эффекта не дали».

Оперативная сводка № 01
штаба 4-й Армии (Западный
фронт) от 24 июня 1941 г.

«...Командир из 5-й танковой дивизии Северо-Западного фронта доложил командующему войсками 13-й армии, что Вильнюс в 17.00 23.6.41 г. занят немцами, которые продолжают наступление. 5-я танковая дивизия понесла большие потери. Часть тыла танковой дивизии — в Молодечно. Со слов командира 9-й дивизии войск НКВД в 19 часов 30 минут Вильнюс не занят, шел бой в 20 км западнее Вильнюс. Вся дорога от Вильнюс до Молодечно забита отходящими подразделениями пехоты, артиллерии и танков...»

Оперативная сводка № 04
штаба Западного фронта к 10.00
24 июня 1941 г.

«Авиация противника к исходу 23.6.41 г. совместно с танковыми частями атаковала наши части на рубеже р. Ясельда. Разрозненные части 28-го стрелкового и 14-го механизированного корпусов, не успевшие привести себя в порядок, не выдержали этой атаки, поддержанной большим количеством авиации, и начали отход, который превратился, несмотря на ряд заградительных пунктов, в неорганизованное сплошное отступление перемешанных частей за р. Ясельда...

С утра 24.6.41 г. в подчинение армии поступила 55-я стрелковая дивизия, которая к 13.00 24.6.41 г. сменила 205-ю моторизованную дивизию и организовала оборону по р. Шара... Однако в 14.00 24.6.41 г. противник после артиллерийской и авиационной подготовки перешел в наступление против 55-й стрелковой дивизии, имея впереди эшелон танков (20—30 штук). Части дивизии не выдержали и, несмотря на ввод в бой вторых эшелонов полков и всего наличия танков 14-го механизированного корпуса (до 25 машин), начали отход и к 18 часам отошли за р. Шара. Остатки небоеспособных частей 28-го стрелкового корпуса, 42-й и 6-й стрелковых дивизий, 14-го механизированного корпуса собираются в районах, как указано в оперативной сводке № 01. О точном положении частей 75-й и 49-й стрелковых дивизий данных нет».

Боевое донесение № 07
штаба 4-й Армии к 19.50
24 июня 1941 г.

«...Везде шли, ехали, бежали люди, спасаясь от немцев. Вместо армии шла толпа. Где-то недалеко от Барановичей и рядом со Слонимом дороги от Бреста и Белостока сходились клином в большом лесу. Там было несколько сот машин, если не тысячи. Здесь впервые я увидел попытку какого-то полковника остановить бессмысленное бегство. Он стоял в кузове машины, кричал, что это позор, что мы должны организовать оборону. Только единицы подходили к машине, где стоял полковник, и слушали его. Основная масса народа стала отходить и высматривать, куда бы уйти. Большинство военных было уже без оружия... Под вечер 24 июня уже встречались солдаты, переодетые в гражданскую форму и без оружия...»

Воспоминания Ф.Я. Черон

«...На командный пункт корпуса днем был доставлен генерал без оружия, в растерзанном кителе, измученный и выбившийся из сил, который рассказал, что, следуя по указанию штаба фронта, увидел западнее Ровно стремглав мчавшиеся на восток одну за другой автомашины с нашими бойцами. Генерал уловил панику и решил задержать одну из машин. В конце концов ему это удалось. В машине оказалось до 20 человек. Вместо ответов на вопросы, куда они бегут и какой они части, генерала втащили в кузов и хором стали допрашивать. Затем объявили переодетым диверсантом, отобрали документы, оружие и тут же вынесли смертный приговор. Изловчившись, генерал выпрыгнул на ходу и скатился с дороги в густую рожь... Случаи обстрела лиц, пытавшихся задержать паникеров, имели место и на других участках. Бегущие с фронта поступали так, видимо, из боязни, чтобы их не вернули обратно...

24 июня в районе Клевани (150 км от границы. — *М.С.*) *мы собрали много горе-воинов, среди которых оказалось немало и офицеров. Большинство этих людей не имели оружия. К нашему стыду, все они, в том числе и офицеры, спороли знаки различия. В одной из таких групп мое внимание привлек сидящий под сосной пожилой человек, по своему виду и манере держаться никак не похожий на солдата. С ним рядом сидела молоденькая санитарка. Обратившись к сидящим, а было их не менее сотни человек, я приказал офицерам подойти ко мне. Никто не тронулся. Повысив голос, я повторил приказ во второй, третий раз. Снова в ответ молчание и неподвижность. Тогда, подойдя к пожилому «окруженцу», велел ему встать. Затем спросил, в каком он звании. Слово «полковник» он выдавил из себя настолько равнодушно и вместе с тем с таким наглым вызовом, что его вид и тон буквально взорвали меня. Выхватив пистолет, я был готов пристрелить его тут же, на месте. Апатия и бравада вмиг схлынули с полковника. Поняв, чем это может кончиться, он упал на колени и стал просить пощады... »*

К.К.Рокоссовский,
«Солдатский долг»

«...На четвертый или пятый день войны, утром, наша колонна добралась до города Волковыска. Около места нашей стоянки находился военный госпиталь, в котором было много раненых. Вероятно, персонал, поспешно все бросив, бежал, и поэтому из госпиталя к дороге двинулась колонна раненых, многие из которых были на костылях, двигались с трудом. Толпа перебинтованных и окровавленных людей остановилась на обочине дороги, многие из них стали умолять: «Братишки, не бросайте нас, заберите с собой». Никто не отзывался на мольбы о помощи. Тогда группа раненых вышла на проезжую часть дороги, перегородив ее своими телами. Несколько автомобилей с находящимися в них гражданскими людьми с разбегу врезались в толпу. Раздался треск костылей, хруст человеческих костей, образовалось кровавое месиво кричащих и стонущих людей, но на них никто внимания не обращал — машины спешили на восток...»

Воспоминания
И.С. Асташкина

«...Вечером 26 июня Военный совет 5-й Армии заслушал доклад начальника оргмоботдела полковника Щербакова и заместителя начальника штаба армии по тылу полковника Федорченко о ходе отмобилизования войск и тыловых органов 5-й Армии. Было установлено, что отмобилизование войск и тылов армии, которое по мобплану должно было быть завершено в 24.00 25 июня, то есть на третий день мобилизации (объявленной с 00 часов 23 июня), фактически было сорвано.

Психологическое воздействие внезапного нападения противника на настроения местного населения, быстрая передвижка линии фронта к востоку и подрывная деятельность вражеской агентуры на нашей территории привели к тому, что основная масса рядового состава запаса — уроженцев западных областей Украины — либо не успела явиться в части, либо уклонилась от явки по мобилизации... Немногочисленный автотранспорт местных предприятий в войска не поступил, так как был использован для эвакуации на восток семей совет-

ских служащих и рабочих. Командный и технический состав запаса, мехтранспорт и водительский состав, приписанный из восточных областей, также не прибыли в армию...»

А.В. Владимирский
(в то время — начальник
оперативного отдела
штаба 5-й Армии)
«На киевском направлении»

«...26 июня утром 8-я тд подошла к Двинску (Даугавпилс). *В 8 часов утра, будучи в ее штабе, я получил донесение о том, что оба больших моста через Двину в наших руках. Бой шел за город, расположенный на том берегу. Большой мост, абсолютно не поврежденный, попал в наши руки... Перед началом наступления мне задавали вопрос, думаем ли мы и за сколько времени достичь Двинска. Я отвечал, что если не удастся это сделать за 4 дня, то вряд ли нам удастся захватить мосты в неповрежденном состоянии. Теперь мы это сделали за 4 дня и 5 часов, считая с момента начала наступления; мы преодолели сопротивление противника, проделав 300 км в непрерывном рейде. Успех, вряд ли возможный, если бы все командиры и солдаты не были охвачены одной целью — Двинск, и если бы мы не были согласны пойти на большой риск ради достижения этой цели. Теперь мы испытывали чувство большого удовлетворения, проезжая через огромные мосты в город, большую часть которого противник, к сожалению, предал огню. Наш успех не был к тому же достигнут ценой больших жертв...»*

Манштейн,
«Утерянные победы»

«Положение фронта.

8-я армия, понесшая 40% и более потерь, отходит на северный берег Зап. Двина.

2-я танковая дивизия, видимо, погибла. Положение 5-й танковой дивизии и 84-й моторизованной дивизии не знаю.

11-я Армия как соединение не существует.

Положения 5, 33, 188, 128, 23 и 126-й стрелковых дивизий не знаю.

41-й стрелковый корпус — состояния не знаю.

Связи для твердого управления не имею. Военный совет фронта отдает себе полный отчет в значении рубежа Зап. Двина...»

Донесение командующего
войсками Северо-Западного
фронта б/н от 28 июня 1941 г.

«...Мимо сплошным потоком двигались автомашины, трактора, повозки, переполненные народом. Мы пытались останавливать военных, ехавших и шедших вместе с беженцами. Но никто ничего не желал слушать. Иногда в ответ на наши требования раздавались выстрелы. Все уже утверждали, что занят Слоним, что впереди высадились немецкие десанты, заслоны прорвавшихся танков, что обороняться здесь не имеет никакого смысла. 28 июня, как только взошло солнце, вражеская авиация начала повальную обработку берегов Росси и района Волковыска. По существу, в этот день окончательно перестали существовать как воинские формирования соединения и части 10-й Армии. Все перемешалось и валом катилось на восток... Когда наша небольшая группа во второй половине дня 30 июня вышла к старой границе, здесь царил такой же хаос, как и на берегах Росси. Все перелески были забиты машинами, повозками, госпиталями, беженцами, разрозненными подразделениями и группами наших войск...»

Воспоминания Гречаниченко
(в то время — начальник штаба
94-го кавполка 6-й кавдивизии,
Западный фронт)

«Вы преступно оставили войска на произвол судьбы и укрываете свою шкуру. Для такой ответственной операции, как отход целой армии, нужно было составить план, отводить войска от рубежа к рубежу и крепко управлять отходом каждого соединения. Требую немедленно это сделать. Оперативной

группе штаба вернуться в Митава и руководить отходом. Левофланговую 11-ю стрелковую дивизию направьте немедленно на Екабпилс... Представьте план действий через генерал-лейтенанта Сафронова. Держите радиосвязь со штабом фронта. Вы уклоняетесь от связи, видимо, с намерением, потому что ничего не знаете и не хотите знать о своих войсках.

28 и 29.6.41 г. продолжайте отход, закончите 30.6.41 г., выведите все войсковые соединения. Ободрите войска. Сохраните их боеспособность и ждите в Рига...»

Директива командующего
войсками Северо-Западного
фронта б/н от 28 июня 1941 г.

«Докладываю обстановку, определяющую возможности выполнения Вашего боевого приказа № 05 от 27.6.41 г.

1) Непосредственно против р. Березина крупных частей противника нет. Действуют по основным магистралям отдельные танковые отряды с охранением от них в виде отдельных дозоров (чаще танкеток) силою от отделения до взвода. Произведенная мною отдельными дозорами из двух бронемашин разведка на Борисов, Смолевичи и Борисов, Загорье, ближе 30—40 км дозоров противника не встречала.

2) Гарнизон, которым я располагаю для обороны рубежа р. Березина и г. Борисов, имеет сколоченную боевую единицу только в составе бронетанкового училища (до 1400 человек). Остальной состав (бойцы и командиры) сбор «сброда» из паникеров тыла, деморализованных отмеченной выше обстановкой, следующие на поиски своих частей командиры из тыла (командировки, отпуск, лечение) с значительным процентом приставших к ним агентов германской разведки и контрразведки (шпионов, диверсантов и пр.). Все это делает гарнизон небоеспособным. Налицо ряд побегов бойцов и командиров, провокационных ночных паник в виде ночных обстрелов впереди стоящих частей вторыми эшелонами, как это имело место в ночь с 25 на 26 и с 26 на 27.6.41 г. с жертвами — убитыми и ранеными. 27.6.41 г. имел место факт бегства с именным списком одного из подразделений лица комсостава...

4) Отсутствие 3-го отделения и трибунала, до организации их мною лично, значительно ослабляет боеспособность и без того малобоеспособных частей гарнизона. Кроме того, нет танков и противотанковых орудий».

Донесение начальника
гарнизона гор. Борисов № 03
от 28 июня 1941 г.

«Бюро Гомельского обкома информирует Вас о некоторых фактах, имевших место с начала военных действий и продолжающихся в настоящее время.

1. Деморализующее поведение очень значительного числа командного состава: уход с фронта командиров под предлогом сопровождения эвакуированных семейств, групповое бегство из частей разлагающе действует на население и сеет панику в тылу. 27 июня группа колхозников Корналинского сельсовета задержала и разоружила группу военных около 200 человек, оставивших аэродром и направлявшихся в Гомель. Несколько небольших групп и одиночек разоружили колхозники Уваровичского района...»

Доклад Гомельского обкома
в ЦК ВКП(б) от 29 июня 1941 г.

«...Сейчас от Дрогичина до Лунинца и далее на восток до Житковичей (соответственно 100—200—260 км к востоку от пограничного Бреста) *сопротивление противнику оказывают отдельные части, а не какая-то организованная армия... Место пребывания командующего 4-й Армией до сих пор неизвестно, никто не руководит расстановкой сил, немцы могут беспрепятственно прийти в Лунинец, что может создать мешок для всего Пинского направления... Проведенная в нашем районе мобилизация эффекта не дала. Люди скитаются без цели, нет вооружения и нарядов на отправку людей. В городе полно командиров и красноармейцев из Бреста и Кобрина, не знающих, что им делать, и беспрестанно продвигающихся на машинах на восток безо всякой команды... В Пинске сами в панике подорвали артсклады и нефтебазы и объявили, что их немцы бомбами*

подорвали, а начальник гарнизона и обком партии (Брестский) *сбежали к нам в Лунинец... Эти факты подрывают доверие населения. Нам показывают какую-то необъяснимую расхлябанность».*

Телефонограмма секретаря
райкома (г. Лунинец,
Белоруссия) в ЦК ВКП(б)
от 29 июня 1941 г.

«В результате дневного боя с танковыми частями противника сводный отряд генерала Поветкина отошел на рубеж р. Ола, понеся огромные потери в период авиационной, минометно-артиллерийской подготовки. 21-й дорожно-эксплуатационный полк в количестве 100 чел., понеся потери, разбежался по деревням.

Отряд потерял из 6—6 танков, из 18—11 орудий, из 6 орудий полковой артиллерии — 2 орудия и из 6 танкеток — 2. Батальоны курсантов держались стойко, понесли большие потери, связь с ними утеряна. Высланные на фронт сводные батальоны на автомашинах с началом минометной и авиационной подготовки удержать невозможно. Личным вмешательством Военного совета отступление приостановлено на р. Ола. Мосты до нее сожжены. Уверенности в стойкости отряда нет, дерется лишь одна артиллерия, и только она сдерживает наступление танков...»

Боевое донесение
командующего войсками 4-й
Армии б/н от 30 июня 1941 г.

«Считаем экстренно необходимым довести до сведения Политбюро ЦК, что успехам немцев очень во многом, если не во всем, способствовала паника, царящая в командной верхушке отдельных воинских частей, и паническая бездеятельность в местных органах...

С 22 июня мы не получаем никаких указаний о нашей деятельности. Ни секретарь Смоленского обкома, ни председатель облисполкома не дали ни одного указания или совета и да-

же не отвечают на телефонные запросы. Почти единственная директива, которую мы получили 27 июня, датирована 23-м числом этого месяца, где облисполком требует сведения о состоянии церквей и молитвенных зданий...

Даже узкий круг руководящих работников не имеет хотя бы приблизительной информации о положении на близлежащих фронтах, плюс к этому видишь, что из Смоленска бегут, а областные власти молчат, и становится трудно ориентироваться и отличать правду от провокации... Если дальше каждый руководящий советский партийный работник начнет заниматься эвакуацией своей семьи, то защищать Родину будет некому».

Письмо членов штаба обороны
г. Ельня в ЦК ВКП(б) от 30
июня 1941 г.

«...Впечатление запущенности является преимущественным в этой стране. Оно еще больше укрепляется тем, что сожжено необычно много домов... Отношение населения колеблется от удивительного безразличия до обычно боязливого любопытства и доверчивости. В связи со слишком большими разрушениями много беженцев, передвигающихся со всем скарбом, но каких-либо грабежей домов не замечено. На территории, прежде принадлежавшей Польше (т.е. в так называемой «Западной Белоруссии». — ***М.С.***), *немецких солдат восторженно встречали как освободителей. Но и на прежней русской территории бывает, что бросают цветы и дружески встречают. Доверие населения проявляется прежде всего в том, что закопанное продовольствие и другую собственность снова выкапывают, когда приходим мы, так как немецкий солдат, конечно же, ее не отберет.*

Часто население из страха выдает отставших русских солдат, так как они могут жить, естественно, только за счет грабежа населения.

Каких-либо актов саботажа со стороны населения в полосе корпуса не замечено. Напротив, в тех случаях, когда запуганное население вообще осмеливается что-либо говорить, выска-

зывается много недовольства колхозным строем и всем большевистским хозяйничаньем. В целом командование корпуса расценивает опасность партизанской войны при участии населения как небольшую. Люди в пройденных нами районах по своему образу жизни и высказываниям не производят впечатление тех, кто вообще может фанатически придерживаться какой-либо идеи».

Доклад командира 9-го
армейского корпуса вермахта
(группа армий «Центр»)
генерала Гайера,
конец июня 1941 г.

«...Части корпуса боеспособны и готовы уничтожить врага. Для более успешных действий необходимо освободить части корпуса от приписного состава западных областей, так как последние показали неустойчивость в бою, предательские намерения и случаи убийства начсостава кадра. Выдача оружия приписному составу создала резерв бандитизма в районе действий корпуса. Необходимо решительными действиями обеспечить войска от диверсионных актов со стороны местного населения. Недостаточно информированные и неустойчивые элементы на железнодорожном транспорте дезорганизуют работу тыла...»

Оперативная сводка № 14
штаба 5-й Армии Юго-
Западного фронта, 11.00
2 июля 1941 г.

«Совершенно секретно.

Государственный Комитет Обороны. В соответствии с волей, выраженной трудящимися, и предложениями советских, партийных, профсоюзных и комсомольских организаций города Москвы и Московской области Государственный Комитет Обороны постановляет:

1. Мобилизовать в дивизии народного ополчения по городу Москве 200 тысяч человек и по Московской области — 70 тысяч человек. Руководство мобилизацией и формированием воз-

ложить на командующего войсками Московского военного округа генерал-лейтенанта т. Артемьева...

4. Для руководства работой по мобилизации трудящихся в дивизии народного ополчения и их материального обеспечения в каждом районе создается чрезвычайная тройка во главе с первым секретарем РК ВКП(б) в составе членов: райвоенкома и начальника райотдела НКВД. Чрезвычайная тройка проводит мобилизацию под руководством штаба Московского военного округа с последующим оформлением мобилизации через райвоенкоматы.

5. Формирование дивизий производится за счет мобилизации трудящихся от 17 до 55 лет. От мобилизации освобождаются военнообязанные 1-й категории призываемых возрастов, имеющие на руках мобилизационные предписания, а также рабочие и служащие заводов Наркомавиапрома, Наркомата вооружений, Наркомата боеприпасов, станкостроительных заводов и рабочие некоторых по усмотрению районной тройки предприятий, выполняющих особо важные оборонные заказы...»

Постановление ГКО № 10с/с
от 04 июля 1941 г.

«...Тревожное настроение, паника, беспорядки, бестолковая и ненужная эвакуация с каждым днем и часом все больше увеличиваются. Это положение создалось в результате неправильных действий областных органов и обкома, а в остальных случаях — бездействия этих органов и обкома. Облисполком распустил свои отделы. Большинство работников со своими семьями уехали. Райсоветы также не работают и никакого порядка в городе не наводят. Сейчас в Витебске не найдется ни одного учреждения, которое бы работало. Закрылись и самоликвидировались все, в том числе облсуд, нарсуды, облпрокуратура, облздрав, профсоюзы и т.д... Тревога и паника усилились еще и тем, что в городе стало известно о том, что ответственные работники облорганизации эвакуируют сами свои семьи с имуществом, получив на ж.д. станции самостоятельные вагоны, причем жены этих ответработников из НКВД, облисполкома, парторганов и другие стали самовольно уходить с ра-

боты... Так, например, ушли с телеграфа, с телефонной сети, из больниц и других учреждений... 3, 4, 5 июля около облвоенкомата стояли толпы женщин за разрешениями и пропусками на выезд, а когда в пропусках им отказывали, то они заявляли: «Почему же коммунисты уехали, их жены с детьми и имуществом?» Среди отдельных групп рабочих, возможно отсталых, стали появляться вредные настроения и недостойные выкрики о том, что бегут коммунисты, администрация и так далее...

Тюрьма ликвидировалась. Милиция работает слабо, а НКВД также сворачивает свою работу. Все думают, как бы эвакуироваться самому, не обращая внимания на работу своего учреждения. Председатель Витебского горсовета Азаренко загрузил в приготовленный им грузовик бочку пива, чтобы пьянствовать в дороге, как он обыкновенно это делает в городе у себя на службе...»

Доклад военного прокурора
Витебского гарнизона
т. Глинка от 5 июля 1941 г.

«...В отдельных районах партийные и советские организации проявляют исключительную растерянность и панику. Отдельные руководители районов уехали вместе со своими семьями задолго до эвакуации районов. Руководящие работники Гродненского, Новоград-Волынского, Коростенского, Тарнопольского районов в панике бежали задолго до отхода наших частей, причем вместо того, чтобы вывезти государственные материальные ценности, вывозили имеющимся в их распоряжении транспортом личные вещи. В Коростенском районе оставлен архив райкома КП(б) и разные дела районных организаций в незакрытых комнатах...»

Доклад начальника
Управления политпропаганды
Юго-Западного фронта
Михайлова от 6 июля 1941 г.

«...101-я стрелковая дивизия в ночь на 6 июля без особой на то причины, почти при отсутствии противника, не руководимая командирами, оставила участок фронта обороны и в пани-

ке отошла на восточный берег р. Великая, сделав прорыв на участке 30 км. Вследствие этого остальные части 24-го стрелкового корпуса были отведены на восточный берег р. Великая. Сбор разбежавшихся частей продолжается уже двое суток, но полностью еще дивизия не собрана...»

Приказ командующего 27-й
Армией генерал-майора
Берзарина б/н от 7 июля 1941 г.

«Ставка Верховного Главнокомандования и Государственный Комитет обороны абсолютно не удовлетворены работой командования и штаба Северо-Западного фронта.

Во-первых, до сих пор не наказаны командиры, не выполняющие ваши приказы и как предатели бросающие позиции и без приказа отходящие с оборонительных рубежей. При таком либеральном отношении к трусам ничего с обороной у вас не получится. Истребительные отряды у вас до сих пор не работают, плодов их работы не видно, а как следствие бездеятельности командиров дивизий, корпусов, армий и фронта части Северо-Западного фронта все время катятся назад.

Пора это позорное дело прекратить. Командующему и члену Военного совета, прокурору и начальнику 3-го управления немедленно выехать в передовые части и на месте расправиться с трусами и предателями...»

Директива Ставки ВГК
от 10 июля 1941 г.

«...Следует отметить, что ряд работников партийных и советских организаций оставили районы на произвол судьбы, бегут вместе с населением, сея панику. Секретарь РК КП(б)У и председатель РКК Хмельницкого района 8.7. покинули район и бежали. 5 июля районные руководители Янушпольского района также в панике бежали. 7 июля секретарь Улановского РК КП(б)У, председатель РИКа, прокурор, начальник милиции позорно бежали из района. Госбанк покинут на произвол судьбы.

В райотделе связи остались ценности, денежные переводы, посылки и т.п.

В этом районе отдел милиции бросил без охраны около 100 винтовок...»

Доклад начальника
Управления политпропаганды
Юго-Западного фронта
Михайлова от 11 июля 1941 г.

«...Войска Северо-Западного фронта, не всегда давая должный отпор противнику, часто оставляют свои позиции, даже не вступая в решительное сражение. Отдельные паникеры и трусы не только самовольно покидают боевой фронт, но и сеют панику среди честных и стойких бойцов. Командиры и политработники в ряде случаев не только не пресекают панику, не организуют и не ведут свои части в бой, но своим позорным поведением иногда еще больше усиливают дезорганизацию и панику на линии фронта...»

Приказ Главнокомандующего
войсками Северо-Западного
направления Ворошилова № 3
от 14 июля 1941 г.

«...Часто при появлении в тылу нескольких мотоциклистов или отдельных танков или бронемашин большие командиры доносят об окружении, просят помощи и даже отхода... Пора, наконец, понять командирам всех ступеней, что так воевать недостойно чести командира Рабоче-Крестьянской Красной Армии.

Штабы частей и соединений вместо спокойного и глубокого анализирования обстановки и правильного информирования вышестоящих начальников сами во многих случаях заражаются этими дезорганизирующими донесениями и бесконтрольно сообщают их в вышестоящие штабы. Так, например, в течение 15 июля на участке 65-го стрелкового корпуса по донесению самого командира корпуса неоднократно прорывались и уходили в тыл крупные колонны противника, а на самом деле ничего подобного в действительности не было. В результате создания неуверенности в себе и своих войсках отдельные командиры, выполняя боевые приказы, всеми способами замедляют свои действия, что фактически на деле приводит к срыву отданных приказов. Свою медлительность, вернее трусливую осторожность, зачастую пытаются списать на отсутствие горючего для машин или другие причины. Много можно привести фактов, когда отдельные ответственные командиры из ложного страха перед противником просят разрешения на отход, мотивируя отсутствием огнеприпасов, в то время как части имеют по 1,5 боекомплекта...»

Директива штаба 27-й Армии
(Северо-Западный фронт) б/н
от 19 июля 1941 г.

«...Опыт показал, что неудачное управление войсками в значительной мере явилось результатом плохой организации работы связи, в первую очередь — результатом игнорирования радиосвязи как наиболее надежной формы связи... Недооценка радиосвязи как наиболее надежной формы связи и основного средства управления войсками является результатом косности наших штабов, непонимания ими значения радиосвязи в подвижных формах современного боя...

Сталин, Жуков»

Приказ наркома обороны
СССР № 0203 от 23 июля 1941 г.

«В ряде частей фронта некоторые командиры и политработники грубо нарушают элементарные основы дисциплины Красной Армии. Они не соблюдают установленной формы одежды, не имеют на шинелях и гимнастерках петлиц, нарукавных знаков и знаков различия...

Приказываю:

1. Командирам и военным комиссарам соединений и частей обязать всех командиров и политработников, под их личную ответственность, в трехдневный срок нашить на шинели и гимнастерки петлицы, нарукавные знаки и знаки различия. Во-

енкому Северо-Западного фронта обеспечить соединения и части всеми необходимыми эмблемами.

2. Впредь всех лиц начсостава, допускающих нарушения формы одежды, снявших знаки различия, рассматривать как трусов и паникеров, бесчестящих высокое звание командира Красной Армии, и привлекать их к суровой ответственности, вплоть до предания суду военных трибуналов.

3. Командирам и военным комиссарам соединений и частей довести до сознания всех командиров и политработников абсолютную недопустимость подобных нарушений формы одежды, а к нарушителям создать нетерпимое отношение со стороны командирской общественности».

Приказ командующего Северо-Западным фронтом генерал-лейтенанта Собенникова № 044 от 26 июля 1941 г.

«...Как правило, местные советские и партийные органы, находящиеся от линии фронта на 70—100 км, бездействуют... Руководители панически эвакуируют свои семьи, оставляя на произвол судьбы подлежащее эвакуации население... Среди большинства местных гражданских советских и партийных организаций царит полная растерянность. Руководители районов «сидят на чемоданах», прекращают свою деятельность и первыми удирают задолго еще до того, как появился враг в их районах.

В Шполянском районе в результате потери районными организациями руководства эвакуация превратилась в паническое бегство. Убежали многие председатели колхозов, сельсоветов, прихватив при этом колхозные и общественные средства. Разбежались работники горсовета (остался один председатель), разбежался райком комсомола. Это вызвало среди населения панику...

В Звенигородке при появлении только вражеских мотоциклистов разбежались решительно все, за исключением одной девушки-телеграфистки, через которую и пришлось установить действительное положение в Звенигородке. Из города Балта руководители в панике сбежали тогда, когда враг еще был далеко от него. Магазины были оставлены безо всякого присмотра. На швейной фабрике было оставлено огромное количество сшитого красноармейского белья. Все это грабилось различными проходимцами и жуликами...

Бездеятельность местных властей, бегство при первых же слухах о приближении неприятеля создает возможность для проведения антисоветской агитации. В Шполянском районе на работах по отрывке противотанкового рва имело место выступление одного бывшего кулака, который открыто говорил: «Бросьте работать, ведь Гитлер идет освобождать нас. Я скоро получу свои 30 га земли, своих лошадей, коров и прочее».

К этому типу никаких мер принято не было...»

Донесение начальника
политуправления Южного
фронта № 6194 от
6 августа 1941 г.

«Ставка Верховного Главнокомандования предлагает срочно донести:

1. Оставлен нашими частями Киев или нет?

2. Если Киев оставлен, то взорваны мосты или нет?

3. Если взорваны мосты, то кто ручается, что действительно мосты взо́рваны?»

Директива Ставки № 002202
от 21 сентября 1941 г. (приведен
полный текст без сокращений)

«Дорогой Иосиф Виссарионович! Вы больше меня должны понимать, что социалистическая экономика, развитие промышленности далеко и далеко обогнали, опередили сознание людей... Так получилось и в армии. Наше вооружение по некоторым объектам в отношении качества превосходит германское (автоматы, артиллерия, гранаты, «Катюша»). Теоретически, исходя из высказываний Энгельса, Ленина, Ваших, наш народ должен был в начале войны, с первых ее минут, показать невиданные доселе образцы мужества, преданности, стойкости, героизма и того подобного. И он показал. Но не в большой массовости, а в ограниченной массовости.

Я был на передовой позиции с августа 1941 г. не просто как военнослужащий, но и как писатель, как психолог, как научный работник, изучающий происходящее. Я видел массу примеров героизма, но я видел и то, как целыми взводами, ротами переходили на сторону немцев, сдавались в плен с вооружением безо всяких «внешних» на это причин. Раз не было внешних, значит, были внутренние. И это заставляет меня думать о происходящем. Да, Иосиф Виссарионович! Сознание слишком отстало от социалистической экономики и, главным образом, в отношении колхозников. Рабочие не сдавались немцам, а сдавались, переходили на сторону врага колхозники с психологией крестьян... Я был в окружении. Два месяца находился на оккупированной территории. Я прошел десятки деревень Орловской и Тульской областей, я разговаривал с сотнями колхозников, окруженцев, неся с собой свой партийный билет и воинское удостоверение. И я слышал, и я видел, как мелкособственническая крестьянская душа у многих людей брала верх, ставила их против Советской власти. Они с удовольствием и поспешностью отказывались от колхозов, делили и разбирали лошадей, упряжь, инвентарь, урожай, приводили в порядок свою избу, двор, огород... А пока существует изба, огород, корова, свинья, овцы, куры и т.д., до тех пор будет существовать и мелкособственническая идеология среди крестьян. А отсюда и их отношение к социализму, коммунизму...»

Письмо члена ВКП(б)
Н. Богданова на имя
И.В. Сталина

«На ряде текстильных фабрик Ивановской области в последнее время имели место волынки отдельных групп рабочих, самовольно бросавших работу до окончания рабочего дня. Такие факты имели место на трех фабриках Вичугского района... на двух фабриках Фурмановского района... и на некоторых других предприятиях Ивановской области... Партийные руководители до последнего времени боялись ходить в цеха, так как не знали, что отвечать рабочим на ряд вопросов, например, почему наша армия отступает, отдает города и т.д... Мы были свидетелями таких фактов. В одном лишь цехе за 30—40 минут до

начала работы ночной смены собралось человек 120 рабочих, разбившись на три группы, в каждой из которых проходила оживленная беседа. В одной обсуждался вопрос о том, при ком лучше жить: при советской власти или при Гитлере, а в другой утверждали, что в войне выйдет победителем Гитлер. В третьей группе заявляли, что наша армия голодная, раздетая, невооруженная и что наших красноармейцев на фронте «как косой косят». Среди рабочих не было ни одного агитатора, кто бы мог разъяснить, рассказать, ответить на волнующие вопросы и дать отпор клеветникам и зарвавшимся... На собрании рабочих фабрики им. Ногина работница Кулакова заявила: «Гитлер хлеб-то ведь не силой взял, ему мы сами давали, а сейчас нам не дают, ему, что ли, берегут?» Работница Лобова высказала следующее: «Ходим голодные, работать нет мочи. Начальство получает в закрытом магазине, им жить можно». Пом. мастера Соболев и мастер Киселев заявили: «Если нас возьмут в армию, мы покажем коммунистам, как нас морить голодом». Работница прядильной фабрики комбината «Большевик» заявила коммунистке Агаповой: «Сохрани Бог от победы советской власти, а вас, коммунистов, всех перевешают». Комсомолка Чернышова заявила: «Кто бы только начал забастовку, а мы поддержим». Обычные разговоры на фабриках, передаваемые друг другу, о том, что на той или иной фабрике забастовали и им увеличили норму хлеба до килограмма...»

Докладная записка
сотрудников Организационно-
инструкторского отдела ЦК
ВКП(б), 10 сентября 1941 г.

Глава 14

ТАНКОВЫЙ ПАДЕЖ—1

Вслед за голосами 41-го отчетливо слышны голоса 2007-го: «Это ничего не доказывает! Где вы это набрали?

Что за пристрастие к коллекционированию всякой мерзости! Почему автор видит один только негатив? Где героическая оборона Брестской крепости, где подвиг 28 героев-панфиловцев... »

Возмущение читателей мне понятно. Я ведь тоже родился в СССР. Но извиняться — не спешу. Элементарный здравый смысл подсказывает, что если огромная, вооруженная до зубов крупнейшая армия мира была за несколько недель разбита, разгромлена и отброшена на сотни километров от западных границ, то, скорее всего, героические эпизоды боевых действий были редкими исключениями на фоне общего катастрофического развала. Что же касается «брестской крепости», т.е. Брестского укрепрайона (УР № 62), то прискорбная (если не сказать — позорная) история его разгрома была описана еще в 1961 г. в секретном (на момент издания) исследовании «Боевые действия войск 4-й Армии», написанном генерал-полковником Сандаловым — бывшим начальником штаба той самой 4-й Армии Западного фронта, в полосе обороны которой и находился УР № 62. К 1 июня 41-го на 180-километровом фронте Брестского укрепрайона было построено 128 долговременных огневых сооружений, и еще 380 ДОСов находилось в стадии строительства. Так мало их было потому, что большая часть из этих 180 километров приходилась на абсолютно непроходимые для крупных воинских формирований болота белорусского Полесья, и узлы обороны УРа прикрывали лишь редкие в тех местах проходимые участки границы.

Немцы практически не заметили существования Брестского укрепрайона. В донесении штаба группы армий «Центр» (22 июня 1941 г., 20 ч. 30 мин.) находим только краткую констатацию: *«Пограничные укрепления прорваны на участках всех корпусов 4-й армии»* (это как раз и есть полоса обороны Брестского УРа). (71, стр. 35) И в мемуарах Гудериана, танковая группа которого в первые часы войны наступала на брестском направлении, мы не найдем ни единого упоминания о каких-то боях при прорыве линии обороны Брестского укрепрайона. Непосредственные участники взятия Бреста оставили такие воспоминания:

«Утром 45-й разведывательный батальон (оцените состав сил, выделенных для овладения важнейшим дорожным уз-

лом. — **М.С.**) *получил задачу очистить город Брест-Литовск, обезвредить группу противника, вероятно, находящуюся на главном вокзале, и обеспечить охрану объектов в ближайшей округе... В самом городе, кроме потрясенного и испуганного гражданского населения, никакого противника не было. Затем сильная ударная группа направилась в казарму, расположенную на окраине города, где, по словам одного гражданского, приготовилась к обороне группа русских солдат. Но и это здание было пустым и покинутым. Только в одном из помещений мы нашли в шкафу 150 новеньких цеймсовских биноклей с отпечатанными на них советскими звездами. По-видимому, их забыли забрать при отступлении...»* (72, стр. 17)

Можно ли верить рассказам «битых гитлеровских вояк»? В данном случае — да. В боевом донесении штаба 4-й Армии № 05 (11 ч. 55 мин. 22 июня) читаем: *«6-я сд вынуждена была к 7.00 отдать с боями Брест* (сколько же минут продолжались эти «бои»? — *М.С.*), *а разрозненные части 42-й сд собираются на рубеже Курнеща Вельке, Черне, Хведковиж и приводят себя в порядок...»* (71, стр. 30) Что же касается обороны самой брестской цитадели, то в своей монографии Сандалов прямо и без экивоков пишет: *«Брестская крепость оказалась ловушкой и сыграла в начале войны роковую роль для войск 28-го стрелкового корпуса и всей 4-й Армии... большое количество личного состава частей 6-й и 42-й стрелковых дивизий осталось в крепости не потому, что они имели задачу оборонять крепость, а потому, что не могли из нее выйти...»* (26) Что абсолютно логично. Крепость так и строится, чтобы в нее было трудно войти. Как следствие, из любой крепости трудно вывести разом большую массу людей и техники. Сандалов пишет, что для выхода из Брестской крепости в восточном направлении имелись только одни (северные) ворота, далее надо было переправиться через опоясывающую крепость реку Мухавец. Вот через это «игольное ушко» под градом вражеских снарядов и пытались вырваться наружу две стрелковые дивизии — без малого 30 тыс. человек. Абсолютно нелогичным было решение согнать в «ловушку» обветшалых бастионов Брестской крепости две дивизии, но причины, по которым это было сделано, едва ли будут когда-либо установлены. (73, стр. 181) Конечный результат известен: *«Тяжелые бои в крепости продлились еще семь дней, пока 7 тыс. уцелевших красноармейцев, изголодавшихся и изможденных от отчаянной борьбы, не сдались в плен. Потери 45-й пехотной дивизии вермахта составили 482 убитых и 1000 раненых»*.(72, стр. 18) Какая же это «оборона крепости», если потери наступающих в разы меньше потерь обороняющихся?

Недорого заплатил противник и за прорыв Брестского УРа. *«Большая часть личного состава 17-го пулеметного батальона отходила в направлении Высокое, где находился штаб 62-го укрепрайона... В этом же направлении отходила группа личного состава 18-го пульбата из района Бреста...»* (26) Вот так, спокойно и меланхолично, описывает Сандалов факт массового дезертирства, имевший место в первые часы войны. Бывает. На войне — как на войне. В любой армии мира бывают и растерянность, и паника, и бегство. Для того и существуют в армии командиры, чтобы в подобной ситуации одних — приободрить, других — пристрелить, но добиться выполнения боевой задачи. Что же сделал командир 62-го УРа, когда к его штабу в Высокое прибежали толпы бросивших свои доты красноармейцев? *«Командир Брестского укрепрайона генерал-майор Пузырев с частью подразделений, отошедших к нему в Высокое, в первый же день отошел на Бельск* (40 км от границы)*, а затем далее на восток...»* (26) Вот так — просто взял и «отошел». Авиаполки ВВС Западного фронта, как нам рассказывали, «перебазировались» в глубокий тыл для того, чтобы получить там новые самолеты. Взамен ранее брошенных на аэродромах. Но что же собирался получить в тылу товарищ Пузырев? Новый передвижной дот на колесиках? Возможно, эти вопросы и были ему кем-то заданы. Ответы же по сей день неизвестны. *«1890 г.р. Комендант 62-го укрепрайона. Умер 18 ноября 1941 года. Данных о месте захоронения нет»* — вот и все, что сообщает читателям «Военно-исторический журнал». Как, где, при каких обстоятельствах умер генерал Пузырев, почему осенью 1941 г. он все еще продолжал числиться «комендантом» несуществующего укрепрайона — все это по-прежнему укрыто густым мраком государственной тайны. Старший воинский начальник генерала Пузырева, помощник командующего Западным фронтом по укрепрайонам генерал-майор И.П. Михайлин погиб от шального осколка ранним утром 23 июня 1941 г. В мемуарах И.В. Болдина (бывшего заместителя командующего Западным фронтом) обнаруживаются и некоторые подробности этого несчастного случая: *«Отступая вместе с войсками, генерал-майор Михайлин случайно узнал, где я, и приехал на мой командный пункт...»* Генерал Михайлин не отступал «вместе с войсками». Он их явно обогнал. 23 июня 1941 г. командный пункт Болдина находился в 15 км северо-восточнее Белостока, т.е. более чем в 100 км от границы. Солдаты «на своих двоих» за двое суток столько не протопают...

И при всем при этом некоторые доты Брестского УРа сражались до конца июня 1941 г. Немцы уже заняли Белосток и Минск, вышли к Бобруйску, начали форсирование Березины, а в это время 3-я рота 17-го пульбата удерживала 4 дота на берегу Буга у польского местечка Семятыче до 30 июня! Бетонные перекрытия выдержали все артобстрелы, и только получив возможность окружить доты и проломить их стены тяжелыми фугасами, немцы смогли подавить сопротивление горстки героев...

Покончив со всеми «живыми картинами», постараемся теперь перейти от частного к общему, от субъективных мнений и отдельных эпизодов войны к сухим и конкретным цифрам. Начнем с самого простого. С «бухгалтерского» учета неодушевленных, но очень дорогих предметов — танков. Их было не так и много (не миллионы, а всего лишь тысячи), и некоторые количественные оценки их использования возможны. Если и не по всем 29 мехкорпусам Красной Армии, то хотя бы по нескольким, наиболее мощным.

На первом месте по укомплектованности боевой техникой и опытным командным составом стоял **6-й мехкорпус** Западного фронта. Еще раз напомним, что ни одна из советских танковых армий, завершивших в 1945 году «разгром фашистского зверя в его логове», не имела того количества бронетехники (1130 танков), которое было в составе 6-го МК в июне 1941 года. 4779 автомашин, 1042 мотоцикла и 294 тягача (трактора) делали этот корпус подлинно «механизированным» (на 5 человек личного состава приходилось одно транспортное средство). Уместно будет и сравнение с противником. Летом 1943 года в составе всей танковой группировки немецких войск на Курской дуге насчитывалось 347 танков «новых типов» (147 «тигров» и 200 «пантер»). Каждому добросовестному школьнику должно быть известно, что германское командование возлагало огромные надежды на такое массированное применение новых тяжелых танков. Этот тезис неизменно присутствует в любом тексте, посвященном битве на Курской дуге, которую советские историки называли (и по сей день еще называют) «крупнейшим танковым сражением Второй мировой войны». На вооружении 6-го МК числилось более 400 новейших танков КВ и Т-34. И в техническом (противоснарядное по отношению к основным калибрам противотанковой артиллерии вермахта бронирование танков), и в психологическом (появление из чащи белорусских лесов огромных 50-тонных бронированных монстров) смысле встреча с 6-м мехкорпусом должна была стать для немецкой пехоты страшной, ошеломляющей неожиданностью.

6-й МК не выполнил ни одной из поставленных перед ним задач и был полностью разгромлен менее чем за одну неделю. Документов, по которым можно было бы воссоздать картину этого невероятного разгрома, почти не сохранилось (по крайней мере в 42 томах «Сборников боевых документов» таковых нет). Мемуарная литература тем более мало чем может помочь — писать воспоминания было некому. Командир 6-го МК генерал-майор Хацкилевич погиб вместе со своим мехкорпусом 25 июня 1941 г. Точные обстоятельства его гибели по сей день неизвестны. Несколько дней спустя, у местечка Клепачи Слонимского района, была подбита бронемашина, на которой офицеры штаба 6-го МК пытались вывезти тело погибшего командира. При этом был смертельно ранен начальник артиллерии корпуса, генерал-майор А.С. Митрофанов. Начальник штаба 6-го МК полковник Коваль Е.С. пропал без вести. Командир 4-й танковой дивизии 6-го мехкорпуса генерал-майор А.Г. Потатурчев попал в плен, после освобождения из концлагеря в Дахау был арестован органами НКВД и умер в тюрьме в июле 1947 года. Посмертно реабилитирован в 1953 году. Командир 29-й моторизованной дивизии 6-го мехкорпуса генерал-майор И.П. Бикжанов попал в плен, после освобождения до декабря 1945 г. *«проходил спецпроверку в органах НКВД»*. В апреле 1950 года уволен в отставку «по болезни». Дожил до 93 лет, но мемуаров не печатал. Из числа старших командиров 6-го МК смог выйти из окружения только командир 7-й танковой дивизии генерал-майор С.В. Борзилов (погиб в бою под Перекопом 28 сентября 1941 г.). Составленный генералом Борзиловым 4 августа 1941 г. доклад в Главное автобронетанковое управление Красной Армии о боевых действиях 7-й танковой дивизии является пока единственным доступным документом. Посему процитируем его достаточно подробно:

«...*На 22 июня 1941 года дивизия была укомплектована в личном составе: рядовым на 98 проц., младшим начсоставом на 60 проц. и командным составом на 80 проц. Материальной частью: тяжелые танки — 51, средние танки — 150, БТ-5/7 — 125, Т-26 — 42 единицы* (таким образом, в одной только дивизии Борзилова было двести новейших танков Т-34 и KB с противоснарядным бронированием). *К 22 июня обеспеченность дивизии боевым имуществом: снарядов 76-мм — 1 бк, бронебойных снарядов 76-мм не было, снарядов 45-мм — 1,5 бк, бензина Б-70 и КБ-70—3 заправки, дизтоплива — 1 заправка...*

22 июня в 2 часа был получен пароль через делегата связи о боевой тревоге со вскрытием «красного пакета». Через 10 минут частям дивизии была объявлена боевая тревога, и в 4 часа 30 мин. части дивизии сосредоточились на сборном пункте по боевой тревоге... в 22 часа 22 июня дивизия получила приказ о переходе в новый район сосредоточения — ст. Валпа и последующую задачу: уничтожить танковую дивизию, прорвавшую-

ся в район Белостока... Дивизия, выполняя приказ, столкнулась с созданными на всех дорогах пробками из-за беспорядочного отступления тылов армии из Белостока. Дивизия, находясь на марше и в районе сосредоточения с 4 до 9 часов и с 11 до 14 часов 23 июня, все время находилась под ударами авиации противника. За период марша и нахождения в районе сосредоточения до 14 часов дивизия имела потери: подбито танков — 63, разбиты все тылы полков... Танковой дивизии противника не оказалось в районе Бельска, благодаря чему дивизия не была использована. (В переводе с русского на русский это означает, что весь первый день войны дивизия просто бездействовала. На второй день она была направлена командующим 10-й армией Голубевым, вследствие панических донесений его подчиненных, на юг к Бельску, но поскольку никаких танковых частей противника в полосе 10-й армии просто не было, то и найти их Борзилов не смог.)

...24—25 июня дивизия, выполняя приказ командира корпуса и маршала т. Кулика, наносила удар: 14-й тп — Старое Дубно и далее Гродно, 13-й тп — Кузница и далее Гродно с запада, где было уничтожено до двух батальонов пехоты и до двух артиллерийских батарей противника (это и есть **первое и единственное упоминание** об участии 7-й тд в контрударе мехкорпусов Западного фронта). *После выполнения задачи* (до «выполнения» задачи — продвинуться через Гродно к переправам на Немане у Меркине и нанести удар во фланг и тыл 3-й Танковой группы вермахта — было еще очень далеко) *части дивизии сосредоточились в районе Кузница и Старое Дубно, при этом части дивизии потеряли танков* ***18 штук*** *сгоревшими и завязшими в болотах... В частях дивизии ГСМ были на исходе, заправку производить не представлялось никакой возможности из-за отсутствия тары и головных складов, правда, удалось заполучить одну заправку из сгоревших складов Кузница и м. Кринки (вообще ГСМ добывали как кто сумел).*

К исходу дня 25 июня был получен приказ командира корпуса на отход за р. Свислочь. (Этот приказ, вероятно последний в своей жизни, Хацкилевич отдал, выполняя распоряжение командующего Западным фронтом Павлова, который 25 июня в 16 часов 45 минут на основании директивы Ставки и ее представителя в штабе Западного фронта маршала Шапошникова отдал приказ об отводе всех войск фронта на линию реки Щара, т.е. на 100—150 км к востоку от границы. Правда, из дальнейшего становится очевидно, что приказ об общем отходе лишь «узаконил» начавшееся беспорядочное бегство.) *По предварительным данным, 4-я тд 6-го мехкорпуса в ночь на 26 июня отошла за р.Свислочь, в результате чего был открыт фланг 36-й кавалерийской дивизии... В 21 час 26 июня части 36-й кд и 29-й мотострелковой дивизии (6-го мехкорпуса) беспорядочно начали отход. Мною были приняты меры для восстановления положения, но это успеха не имело. Я отдал приказ прикрывать отходящие части и в районе м. Кринки сделал вторую попытку задержать отходящие части, где удалось задержать 128-й мсп* (это не вражеский, это наш полк из состава своего 6-го мехкорпуса все пытается задержать Борзилов) *и в ночь на 27 июня переправился через р. Свислочь, что стало началом общего беспорядочного отступления... 29 июня в 11 часов с остатками матчасти (3 машины) и отрядом пехоты и конницы подошел в леса восточнее Слонима, где вел бой 29 и 30 июня. 30 июня в 22 часа двинулся с отрядом в леса и далее в Пинские болота по маршруту Гомель—Вязьма... Материальная часть вся оставлена на территории, занятой противником, от Белостока до Слонима. Оставляемая матчасть приводилась в негодность. Материальная часть оставлена по причине отсутствия ГСМ и ремфонда...»* (74) Теперь переведем дыхание и попытаемся подвести самые простые, арифметические итоги. К началу боевых действий в 7-й тд было **368 танков**. Еще до начала первых авианалетов дивизия покинула место постоянной дислокации и никаких ощутимых потерь от «внезапного удара» 22 июня не понесла. Но примечательно, что даже 19 марта 1999 г. «Красная Звезда» описывала эти события в привычном для нее духе: *«Полыхали огнем танковые парки. Пометавшись некоторое время в бессильном отчаянии, почти безоружные* (???) *танкисты вместе с пехотой и пограничниками подались, как говорили в старину, в отступ... Немецкие летчики безжалостно* (главная армейская газета страны считает, что тех, кто «подался в отступ», противник должен был жалеть?) *бомбили и расстреливали людей с бреющего полета...»* В ходе контрнаступления 24—25 июня 7-я танковая дивизия вела бой с пехотой противника силой до одного полка (можно предположить, что это был 481-й пехотный полк 256-й пд вермахта, который действительно вел 24—25 июня бой с советскими танками в районе местечка Кузница), потеряв при этом всего **18 танков**, причем не все они были подбиты немецкой противотанковой артиллерией — несколько машин, как пишет комдив, просто увязли в болотах. Борзилов в своем докладе не уточняет, какие именно танки были потеряны. Тем не менее, зная возможности противотанковой артиллерии немецких пехотных дивизий и приданных им дивизионов «штурмовых орудий», вооруженных короткоствольным 75-мм «окурком», можно с высокой степенью достоверности предположить, что основная ударная сила дивизии — новейшие танки Т-34 и КВ — осталась целой и невредимой. В другом своем докладе (от 28 июля 1941 г.) генерал Борзилов пишет: *«При появлении наших танков танки противника* (реально это были самоходные «штурмовые орудия») *боя не принимали, а поспешно отходили... машина Т-34 прекрасно выдерживает удары 37-мм орудий, не говоря уже о КВ»*. (63, стр. 118) Даже с учетом того, что **63 танка** были потеряны на марше, к утру 26 июня в 7-й танковой дивизии должно было оставаться ни много ни мало **287 танков.** В скобках заметим, что ни одна из 17 танковых дивизий вермахта не имела 22 июня 1941 г. в своем составе такого количества танков (в среднем на одну немецкую дивизию приходилось по 192 танка), не говоря уже про качество... И вот, через три дня отступления, практически без соприкосновения с противником (да и не могла немецкая пехота при всем желании догнать отступающую моторизованную армию) ото всей 7-й танковой дивизии остается «отряд пехоты с **тремя танками»**.

Впрочем, в докладе Борзилова указана и объективная (на первый взгляд) причина разгрома дивизии и потери всей матчасти: «отсутствие ГСМ». Казалось бы — о чем тут еще спорить? Нет горючего — нет и боеспособной танковой дивизии. Увы, при всем уважении к памяти генерала Борзилова, мы не будем спешить с выводами, а воспользуемся калькулятором и собственной головой. Одна заправка дизтоплива была в дивизии до начала боевых действий. Еще одну получили уже в ходе боев. Бензина было три заправки и более. Теперь переведем эти «заправки» в понятные километры. Самый устаревший из имевшихся в 7-й дивизии танк Т-26 имел запас хода на одной заправке в 170 км. Три заправки — полтысячи километров. Самый мощный и современный КВ — те же самые 180 км (тяжело таскать 50 тонн стали). Две заправки для дизельного КВ — это 360 км. Скоростные БТ и средние Т-34 имели запас хода на одной заправке в 300 и более километров. Фактически 7-я танковая дивизия, беспорядочно кружась по маршруту Белосток—Валпа—Сокулка—Волковыск—Слоним, прошла за все время с 22 по 29 июня никак не более 250 км. Бросить при этом всю технику «*по причине отсутствия ГСМ*» было совершенно невозможно. Более того, территория «белостокского выступа» была буквально забита складами с горючим и боеприпасами. Непосредственно в зоне «блужданий» 6-го МК находилось 12 (двенадцать) стационарных складов горючего. А именно: 9205-й и 10405-й (Белосток), 925-й и 10385-й (Бельск), 9235-й и 10195-й (Моньки), 9195-й и 10205-й (Гродно), 9295-й и 10335-й (Мосты), 9225-й и 10445-й (Волковыск). Расстояния между этими складами не превышали 60—80 км. Даже для ветхой «полуторки» с бензоцистерной это не более двух часов езды. Было ли на этих складах горючее? Еще в самые что ни на есть «застойные годы» «Военно-исторический журнал» (№ 8/1966) сообщал читателям, что *«к 29 июня на территории Белоруссии, занятой противником, осталось более 60 окружных складов, в том числе...25 складов горючего... Общие потери к этому времени составили: горючего — более 50 000 т (50% запасов)»*. Полностью укомплектованному мехкорпусу на 100 км марша требовалось **менее 300 т** горючего. На тех запасах горючего, которые остались на занятой территории, рядом с брошенными танками, **6-й МК мог дойти до Владивостока и вернуться назад в Белосток**... По современным же данным, на территории Западного ОВО находились мобилизационные запасы горючего в еще большем количестве — 264 тыс. тонн. (75, стр. 351) Не случайно, видимо, начальник генерального штаба вермахта Ф. Гальдер в записи от 1 июля отмечает, что *«около одной трети расхода горючего покрыто трофейными запасами»*. В абсолютных числах это означает, что **в среднем каждый день** немцы «получали» на теоретически не известных им и теоретически уничтоженных при отступлении советских складах **по 2900 тонн горючего**. (12) Танковые дивизии 6-го мехкорпуса «не смогли» найти одну десятую от этого количества для того, чтобы по крайней мере организованно отступить на восток. Вместе с танками...

Ситуация на Юго-Западном фронте значительно отличалась от той, что сложилась в первые недели войны на Западном фронте. В Белоруссии немцы, наступая двумя танковыми группами от Бреста и Вильнюса на Минск, смогли окружить большую часть сил Красной Армии. Разгром войск на поле боя был дополнен погромом, произведенным Сталиным среди командования Западного фронта. В результате ни штабных документов, ни хорошо информированных свидетелей почти не осталось, и историку приходится восстанавливать картину событий с той же трудоемкостью и достоверностью, с какой палеобиологи реконструируют внешний вид динозавра по паре окаменевших костей. Зато на Западной Украине события развивались иначе. На всем южном ТВД от болот Полесья до берега Черного моря в распоряжении командования вермахта была одна-единственная танковая группа, и провести крупную операцию по окружению советских войск в первые дни войны немцам не удалось. Даже потерявшие почти всю боевую технику мехкорпуса смогли отойти на восток, сохранив командование, боевые знамена и документы. И реакция Сталина на развал обороны Юго-Западного фронта была непостижимо мягкой. В результате в распоряжении историков есть и подробные, порою на десятках страниц, отчеты о боевых действиях мехкорпусов и многочисленные мемуары участников событий. Одним словом — есть с чем работать.

Сразу же отметим, что все цифры, относящиеся к предвоенной численности танковых соединений РККА, надо рассматривать только как ориентировочные. Порядка в их учете было мало. Например, приведенное ниже количество танков 8-го МК указано по данным солидной монографии (3), но в воспоминаниях бывшего командира 8-го МК генерала Рябышева приведена цифра в 932 танка, по данным Киевского музея Великой Отечественной войны в составе 8-го МК было 813 танков, в известной, самой первой открытой публикации численности советских мехкорпусов (ВИЖ 4/1989), была дана цифра 858... Такая же ситуация и по другим корпусам.

Напомним еще раз предвоенную группировку танковых войск Киевского ОВО (Юго-Западного фронта). В первом эшелоне фронта (5-я, 6-я, 26-я, 12-я Армии), на расстоянии 70—130 км от госграницы развертывались (с севера на юг) следующие мехкорпуса: (3, 76)

	Район дислокации	Танки, всего	в том числе КВ и Т-34	БА	Автомашины	Тягачи
22-й МК	Вл.-Волынский — Ровно	712	31	82/70	1226	114
15-й МК	Броды — Кременец	749	136	160/94	2035	165
4-й МК	Львов	979	414	175/89	2854	274
8-й МК	Дрогобыч — Стрый	899	169	172/87	3237	359
16-й МК	Станислав — Черновцы	478	4	118/71	1777	193

Примечание. Бронеавтомобили: первая цифра — общее количество, вторая — в том числе БА-10, вооруженные 45-мм пушкой.

Даже если бы эта таблица была единственным источником военно-исторической информации, то и ее было бы достаточно для того, чтобы сделать вывод об однозначно наступательных планах советского командования. Совершенно очевидным является наличие мощной ударной группировки из трех мехкорпусов (осью которой является 4-й МК, по числу новейших танков равный всем остальным мехкорпусам, вместе взятым) на самом острие «львовского выступа». Столь же очевидно и то, что на наиболее угрожаемых направлениях — у северного и южного оснований «выступа» — развернуты значительно более слабые (22-й и 16-й) мехкорпуса. Стоит отметить и тот факт, что количество тягачей (тракторов) во всех вышеназванных мехкорпусах значительно превосходит штатную численность артсистем мехкорпуса (24 пушки калибра 76 мм и 76 гаубиц калибра 122 мм/152 мм), не говоря уже о том, что сами танки КВ и Т-34 с их 500-сильным дизельным мотором могли как «пушинку» буксировать дивизионную «трехдюймовку» (вес 1,5 т) или 122-мм гаубицу (вес 2,5 т). Во втором эшелоне оперативного построения Юго-Западного фронта было еще три мехкорпуса (9-й МК, 19-й МК, 24-й МК), на вооружении которых числилось порядка 1 тыс. танков, правда, значительно более слабых (легкие Т-26 и БТ, а в 19-м МК — и 152 плавающие пулеметные танкетки Т-37/38, использование которых в качестве линейных танков противоречило всем нормам).

Вероятно, следует сказать несколько слов и о танковых силах противника. В состав группы армий «Юг» входила 1-я Танковая группа вермахта, состоящая из трех (3-й, 48-й, 14-й) танковых корпусов. Всего пять танковых дивизий, на вооружении которых к началу боевых действий числилось 728 танков, в том числе 100 «тяжслых» Pz-IV и 255 «средних» Pz-III с 50-мм пушкой. Фактически 14-й танковый корпус с входящей в его состав 9-й танковой дивизией появился на советской территории только 27—28 июня, так что в первые дни войны на всем южном ТВД было четыре немецкие танковые дивизии, число танков в которых не превышало 600 (с учетом «штурмовых орудий», самоходных противотанковых пушек на шасси легких танков, трофейных французских танков общее количество бронетехники вермахта могло дойти до 700 единиц). Любой их «трех богатырей» (15-й МК, 4-й МК, 8-й МК) превосходил всю 1-ю Танковую группу вермахта по количеству танков при абсолютном превосходстве в качестве. Лишь в сочинениях советских «историков» существовал и пресловутый «двухлетний опыт ведения современной войны», якобы накопленный немецкими танкистами. Из пяти танковых дивизий 1-й Танковой группы в польской кампании **не участвовала ни одна**, во вторжении во Францию — **только две** (9-я и 11-я), 14-я тд успела до «Барбароссы» повоевать одну неделю в Югославии, 13-я и 16-я тд (созданные в октябре 1940 г. **на базе пехотных дивизий**) вообще не принимали до 22 июня 1941 г. какого-либо участия в боевых действиях. (11)

1-я Танковая группа наделала много бед. Разгромила и отбросила на сотни километров от границы стрелковые и механизированные корпуса Юго-Западного фронта, прорвала линию укрепрайонов на старой границе и в середине июля 1941 г. вышла к Киеву и Белой Церкви. Затем немецкие танковые дивизии развернулись на 90 градусов и ринулись на юг Украины, в тыл беспорядочно отступающих войск 6-й и 12-й Армий, каковые армии (точнее говоря — их остатки) были окружены в районе Умани и сдались. В плен попало порядка ста тысяч человек, включая командующего 12-й Армией генерал-майора Понеделина и командующего 6-й Армией генерал-лейтенанта Музыченко. В начале сентября 1-я ТГр форсировала Днепр в районе Кременчуга и устремилась на север, навстречу наступающей через реку Десна 2-й ТГр.

15 сентября немецкие танковые части соединились в районе Лубны—Лохвица (170 км к востоку от Киева), окружив таким образом 21, 5, 37, 26 и 38-ю Армии. В гигантском «киевском мешке» в немецкий плен попало, по сводкам командования вермахта, более шестисот тысяч человек. Не останавливаясь на достигнутом, 1-я Танковая группа снова развернулась, на этот раз на 180 градусов, и практически без оперативной паузы, 24 сентября, начала наступление на юг,

к Азовскому морю. Продвинувшись за 15 дней на 450 км, немцы окружили и взяли в плен в районе Мелитополя еще 100 тысяч человек, затем, развернувшись на 90 градусов, прошли еще 300 км на восток и к 21 ноября 1941 г. заняли Таганрог. Итого: более полутора тысяч километров маршрута (не считая неизбежного в ходе боевых действий маневрирования) по «противотанковым» советским дорогам, на танках с узкими гусеницами и малосильными бензиновыми моторами.

В середине этого «большого пути» (в конце августа — первых числах сентября) безвозвратные потери танков в 1-й ТГр составили: 33 Pz-IV, 101 Pz-III (всех модификаций), 37 легких Pz-II, 12 командирских PzBef. **Итого — 183 танка за два месяца** боев. (10, стр. 206) Кроме того, значительное число танков было повреждено и временно вышло из строя. В указанный момент времени таких небоеспособных танков в 1-й ТГр числилось **198 единиц** (общее число подбитых и восстановленных за два месяца танков было, разумеется, еще большим). Таким образом, число боеготовых танков в 1-й ТГр сократилось к началу сентября более чем в два раза, **до 370 единиц**. Приняв эти цифры к сведению, как базу для сравнения, обратимся теперь к анализу потерь трех наиболее мощных, вооруженных сотнями новейших танков, мехкорпусов Юго-Западного фронта.

Начнем с самого мощного **4-го мехкорпуса**. В состав корпуса входили, как и положено, три дивизии: две танковые (8-я и 32-я) и одна моторизованная (81-я). Количество танков, стоявших к началу боевых действий на вооружении этих дивизий (не считая плавающие танкетки Т-37/38), указано в следующей таблице:

	KB	Т-34	Т-28	БТ	Т-26	Всего:
8-я тд	50	140	68	31	36	**325**
32-я тд	49	173	0	31	70	**323**
81-я мд	0	0	0	270	0	**270**
Всего:	**99**	**313**	**68**	**332**	**106**	**918**

Самым удивительным числом в приведенной таблице является номер дивизии, на вооружении которой оказалось самое большое среди всех танковых дивизий Юго-Западного фронта количество танков новых типов. 32-я танковая дивизия была новой дивизией, начавшей свое формирование в апреле 1941 года, в рамках реализации загадочного решения о развертывании 20 новых мехкорпусов. 4-й мехкорпус не входил в число «новорожденных», но в один из новых корпусов (15-й МК) из прежнего состава 4-го МК была передана полнокомплектная и хорошо подготовленная 10-я тд. Ее и должна была заменить 32-я тд. Как пишет в своем отчете от 2 августа 1941 г. командир 32-й тд полковник Е.Г. Пушкин (погиб в звании генерал-лейтенанта танковых войск 11 марта 1944 г.): *«...Рядовой состав в основном состоял из апрельского и майского призыва 1941 года. Штабы частей из-за неукомплектованности начальствующим составом и короткого срока обучения не были сколочены... Боевая подготовка была ускоренной. Не было учебных пособий и экспонатов. Для ускоренного обучения экипажей привлекались специальные бригады рабочих и инженеров с заводов, производящих танки... 32-й гаубичный артиллерийский полк не успел провести ни одной стрельбы из орудий. Личный состав не был подготовлен к стрельбе в полевых условиях... Техническая подготовка личного состава, особенно водительского состава, была недостаточная...»* (63, стр. 181)

В результате 32-я тд к началу боевых действий представляла собой рекордное количество новейших танков, на которых предстояло воевать, говоря современным разговорным языком, «зеленым салагам» — и это при том, что в Красной Армии были тысячи танкистов с опытом войны в Испании, на Халхин-Голе и в Финляндии. Странное это решение было усугублено очень низкой укомплектованностью дивизии автомашинами и тракторами. Из общего числа 2854 автомобиля 4-го мехкорпуса 32-й дивизии досталось только 420 машин, а из 274 тракторов и тягачей — всего 24. Поверить в подобное трудно, но именно такие цифры стоят в докладе командира дивизии. (63, стр. 189—192)

По предвоенным планам 4-й МК должен был действовать на направлении главного удара, наступая в составе «конно-механизированной армии» из района Жолкев—Яворов *«с задачей выйти в район Красник, Люблин и во взаимодействии с 5, 6 и 19-й Армиями и ВВС фронта уничтожить Люблинскую группировку противника, одновременно захватить частью сил западный берег р. Висла у Пулавы, Солец и Аннополь»*. (4, стр. 497) Практически такая же задача была поставлена перед войсками Юго-Западного фронта знаменитой Директивой № 3 (отправлена в штабы фронтов в 21 ч. 15 мин. 22 июня 1941 г.): *«...Армиям Юго-Западного фронта, прочно удерживая госграницу с Венгрией, концентрическими ударами в общем направлении на Люблин силами 5-й А и 6-й А, не менее пяти мехкорпусов и всей авиации фронта, окружить и уничтожить группировку противника, наступающую на фронте Владимир-Волынский, Крыстынополь, к исходу 24.6 овладеть районом Люблин...»* (6, стр. 441)

В скобках заметим, что по сравнению с предвоенными планами Директива № 3 была еще очень осторожным, умеренным и сдержанным документом, так как она предполагала нанесение только одного удара (на Люблин) вместо трех (на Краков—Катовице, на Сандомир—Кельце, на Люблин), предусмотренных майскими (1941 года) «Соображениями по плану стратегического развертывания». Все эти планы с началом настоящей войны «прожили» не более нескольких часов. Уже в ночь с 22 на 23 июня на командном пункте Юго-Западного фронта в Тернополе с участием прибывшего из Москвы начальника Генштаба (и одного из подписантов Директивы № 3) Жукова были приняты принципиально новые решения.

Советские генералы отказались от намерения «играть свою игру» и добровольно отдали инициативу действий противнику.

От глубокой наступательной операции (теоретическая разработка которой неизменно приводится во всех толстых книгах как пример высочайшего уровня советской военной науки) решено было отказаться в пользу торопливого «латания дыр» посредством поспешно организованных встречных танковых атак. Эти удары по наступающим в полосе Луцк—Радехов двум танковым корпусам вермахта должны были нанести 22-й МК и 15-й МК. Находящиеся на самом острие «львовского выступа» 4-й МК и 8-й МК должны были отойти назад, на 100—150 км к востоку от границы, догнать рвущийся вглубь оперативного построения советских войск немецкий «танковый клин» и нанести ему удар во фланг и тыл. Правда, для этого надо было еще точно знать, куда именно двинется этот «клин» после прорыва линии пограничных укреплений...

«Враг, неожиданным ударом начавший войну, диктовал нам свою волю, ломал наши планы». (58) Вот так, потратив всего дюжину слов, Н.К. Попель (летом 1941 г. — комиссар 8-го МК) сказал практически все: и о предвоенных планах (в соответствии с которыми его корпус в первые же часы войны двинулся к переправам через пограничную реку), и о том, что немецкое нападение в этих планах никак не предполагалось, и о командовании фронта, позволившем врагу с первых же дней войны «диктовать нам свою волю».

Выполнение решения, принятого начальником Генерального штаба и командующим войсками фронта, было немедленно сорвано командующим 6-й Армией Музыченко. Легко и непринужденно командарм-6 проигнорировал многократно повторенные требования старших по должности и званию военачальников и «не отдал свой» 4-й МК. Более того, даже попытался (и не безрезультатно!) «отныкать» у командования фронта «чужой» 8-й МК. Но об этом чуть позже. В конечном итоге мощнейший 4-й мехкорпус не стал ни овладевать г. Люблин «к исходу 24 июня», ни догонять и громить 1-ю Танковую группу вермахта. Огромные, многокилометровые колонны танков, автомобилей, тракторов 4-го мехкорпуса несколько дней метались в «заколдованном треугольнике» Немирув—Мостиска—Львов в качестве «пожарной команды», с помощью которой Музыченко пытался остановить продвижение немецкой пехоты на Львов. В докладе командира 32-й тд события тех дней описаны так:

«...23.6.41 г. Дивизия получила приказ во взаимодействии с 8-й танковой и 81-й мотострелковой дивизиями окружить и уничтожить противника в районе... Не пройдя 30 км, она получила в 10 часов на марше вторую задачу — уничтожить танки противника в районе м. Мосты Вельке. Колонну дивизии пришлось поворачивать по одной дороге на 180 градусов. По прибытии в район м. Мосты Вельке дивизия танков противника не обнаружила.

В 17 часов был получен новый приказ командующего 6-й Армией на уничтожение авиационного десанта и 300 танков противника в районе Каменка Струмилова. Части дивизии и танковая группа Голяс стали выполнять новый приказ, но там танков противника не обнаружено, а в Каменка Струмилова были свои части... Танковые полки дивизии за сутки совершили марш в среднем до 100 км...

24.6.41 г. К 1 часу ночи дивизия сосредоточилась в районе... В 11 часов был получен новый приказ к 15 часам 24.6 сосредоточиться в районе... с задачей во взаимодействии с 8-й танковой и 81-й мотострелковой дивизиями уничтожить противника в районе Ольшина, Хотынец, Млыны. 32-й мотострелковый полк по приказу командира 4-го механизированного корпуса отправлен во Львов в резерв армии (т.е. Музыченко окончательно оставил 32-ю тд дивизию без мотопехоты). *Дивизия, совершая марш по улицам гор. Львов, встретилась с встречным потоком боевых и транспортных машин 8-го механизированного корпуса* (8-й МК двигался на восток, догонять немецкие танки, а 32-я тд в очередной раз возвращалась на запад, к границе). *На улицах гор. Львов шли уличные бои с диверсантами* (в городе началось полномасштабное вооруженное восстание, и только отсутствие у засевших на чердаках бандеровцев противотанковых гранатометов — «фаустпатрон» будет создан три года спустя — спасло тогда две советские танковые дивизии от полного уничтожения «диверсантами»). *С большими трудностями, преодолевая уличные пробки машин, дивизия к 2.00 25.6.41 г. сосредоточилась в районе...*

25.6.41 г. В 10 часов дивизия получила приказ командира 4-го механизированного корпуса, по которому дивизия должна была развить удар 6-го стрелкового корпуса в его наступлении, но штаб 6-го стрелкового корпуса поставил танковой дивизии самостоятельную задачу — атаковать в направлении сильно укрепленного противотанкового района с наличием реки и болотистой местности, не поддержав действий дивизии ни пехотой, ни артиллерией...

26.6.41 г. В 4 часа дивизия получила приказ командира 4-го механизированного корпуса выйти в район Грудек Ягельоньски, Судовая Вишня с задачей разгромить колонну в 300 танков противника, двигающуюся из Мосциска на Львов. К 18 часам дивизия сосредоточилась в ур. Замлынье, но танков противника в этом районе не оказалось (в районе боевых действий 6-й Армии, на острие «львовского выступа», никаких немецких танковых частей не было вовсе. — *М.С.*) *Дивизия совершила в течение суток 85-километровый марш. В 17 часов получен приказ сосредоточиться дивизии в районе Оброшин и быть готовой к действию на Любень Вельки.*

27.6.41 г. К 7 часам дивизия сосредоточилась в районе Конопница Заставе, Оброшин, имея задачи уничтожить противника в направлении Любень Вельки. Дивизия совершила ночной 40-километровый марш... По данным штаба корпуса, в районе Любень Вельки установлена группировка противника, фактически же этой группировки не оказалось...»

Хотя геометрические размеры «треугольника метаний» 32-й тд совсем невелики (примерно 50—60 км на сторону), дивизия, судя по докладу ее командира, *«за первые три дня 23—25.6. совершила в общей сложности 350-километровый марш, не имея нормального отдыха для экипажей и восстановления материальной части. Марши совершались как днем, так и ночью. Проведение маршей удовлетворительное, несмотря на недостаточно подготовленный водительский состав. За этот период дивизия боевых действий не проводила ввиду отсутствия противника в указанных районах».*

Дальше начался безостановочный отход. Оперативная сводка штаба 6-й Армии № 6 от 27 июня гласит:

«...4-й мехкорпус, совершив ночной марш из района Судовая Вишня, с 6 часов начал сосредоточение в район леса севернее

Оброшин (отход на 40 км к пригородам Львова)... *перед фронтом корпуса 26.6.41 г. действовали части противника численностью до батальона. В районе Мосьциска противник не обнаружен. Корпус боя не принял».* (70, стр.156)

Пехота, с батальоном которой воевал 26 июня 4-й МК, была не простой, а горной (1-я и 4-я горно-стрелковые дивизии). Это значит, что на ее вооружении не было тяжелых пушек калибра 105 мм и 150 мм, которые хотя бы теоретически могли использовать обычные пехотные дивизии вермахта для борьбы против КВ и Т-34. Стандартная же немецкая 37-мм противотанковая пушка в бою с новыми советскими танками была практически бесполезна. Что подтверждается сообщениями с двух сторон фронта. Командир 32-й тд пишет в своем докладе: *«Броня наших танков 37-мм пушками немцев не пробивается; были случаи, когда танк КВ имел до 100 попаданий, но броня не была пробита».* А вот как описываются бои на западных подступах к Львову в истории 1-й горно-стрелковой дивизии вермахта:

«...ранним утром 25 июня русские танки один за одним появляются на опушке леса в районе населенного пункта Язув Старый... Наша 3,7-см противотанковая пушка спокойно выжидает, когда танки подойдут на достаточное для стрельбы удаление. Когда расстояние сокращается до 600 м, из орудия открывается огонь. Практически каждый выстрел приходится в цель. Отчетливо различимы огневые следы снарядов. Однако позже мы перестаем верить своим глазам: наши противотанковые снаряды просто отскакивают от танков. Не останавливаясь, танки неприятеля продолжают приближаться к нам, ведя огонь из всех орудий. Затем происходит нечто неожиданное: оправившись от испуга перед стальными колоссами, наши пехотинцы начинают атаковать, забрасывая машины ручными гранатами. Во 2-м взводе 13-й роты 98-го полка находится наш чемпион мира по лыжам Бауэр, который, запрыгнув на один из Т-34, проталкивает гранату ему в дуло. Один за другим танки противника выводятся из строя — бойцам надо отдать должное за невероятное мужество и решительность...» (33, стр. 162)

Даже новейшая (для лета 41-го года) немецкая 50-мм противотанковая пушка оказалась малопригодна в бою против танков 4-го мехкорпуса. В описании боевых действий 4-й горно-стрелковой дивизии вермахта читаем:

«Передовая группа вышла на шоссе Грудек Ягельонски—Львов. В районе населенного пункта Кальтвассер группа встретила танки неприятеля. Снаряды 3,7-см и 5-см противотанковых орудий были не в состоянии пробить их броню. Мужественные артиллеристы продолжали вести огонь из 5-см пушек даже тогда, когда танки находились уже в 5 метрах от них. Танки переезжали орудия. Материальные потери были огромны...» (33, стр. 209)

А. Исаев, из книги которого были процитированы эти отрывки, сопровождает первый из них следующим комментарием: *«В этом описании виден один из ответов на вопрос «Куда делись советские танки?»... Нет ничего удивительного в том, что личный состав 1-й горно-стрелковой дивизии не бросился бежать при появлении танков Т-34, а решительно атаковал их в ближнем бою, пользуясь отсутствием сопровождающей танки пехоты»*. Действительно, что тут удивительного? Увидел танк, броню которого не пробивает противотанковая пушка, подбежал, запрыгнул, засунул... Ну, а ответ на вопрос «Почему никуда не делись немецкие танки?» очевиден: дулы у них были узкие, калибра 20—37—50 мм, в такую дулу никакую гранату не засунешь...

В поисках других ответов на вопрос «Куда делись советские танки?» обратимся снова к докладу командира 32-й тд. Суммирование потерь, понесенных дивизией во время боев с немецкой пехотой в период с 23 по 29 июня, дает цифру в 23 танка. Еще 11 танков потеряли два танковых батальона, которые вечером 22 июня были выдвинуты в район Радехова, где днем 23 июня произошел бой с частями 11-й немецкой танковой дивизии. **Итого 34 танка**. После этих боев начался многодневный марш на восток, причем с каждым днем темп отхода непрерывно нарастал: 29 июня 4-й МК оставил Львов, 3 июля корпус был уже в Збараже (135 км на восток от Львова), утро 9 июля застало 4-й МК в районе городка Иванополь (180 км от Збаража). Наконец, 12 июля остатки 4-го МК прошли по киевским мостам через Днепр и сосредоточились в районе Прилуки (120 км к востоку от Днепра, 650 км от границы). В ходе этого стремительного «дранг нах Остен» 32-я тд имела многочисленные стычки с преследовавшими ее передовыми отрядами немецких моторизованных частей. Конкретная цифра потерь в этих стычках названа в докладе полковника Пушкина только один раз:

«...10.7.41 г. Группа танков капитана Карпова (10 танков и 2 бронемашины) сосредоточилась в районе Бейзымовка и в 20 часов атаковала противника в направлении Ольшанка, но, не поддержанная пехотой, в 23 часа отошла и заняла оборону в 300—400 м южнее Ольшанка. В течение последующего дня группа вела непосильный бой в этом же районе и в результате бегства с фронта 32-го мотострелкового полка была уничтожена и оставлена на поле боя, за исключением одного танка...» (63, стр. 185)

Итак, **43 танка** «поименно» потеряны в бою. Можно предположить, что какая-то, сопоставимая с названной, цифра потерь не была отражена в описании боевых действий дивизии. Однако же в приложенной к докладу «Сводной ведомости материальной части» стоят совершенно другие цифры потерь: **37 КВ, 146 Т-34, 28 БТ-7, 58 Т-26. Итого: 269 танков** (не считая плавающих танкеток Т-37). Впрочем, и эти цифры феноменальных потерь непробиваемых танков не совпадают с наличным остатком. Простая арифметика показывает, что даже после потери 37 КВ в 32-й тд должно было оставаться еще 12 таких танков. Но в подписанном 15 июля 1941 г. начальником АБТУ Юго-Западного фронта докладе «О состоянии и наличии материальной части мехкорпусов фронта» читаем: *«4-й механизированный корпус приступил к отводу своих частей в район Прилуки. Наличие материальной части 4-го механизированного корпуса: КВ—6, Т-34 — 39, БТ-23, всего 68 танков».* (70, стр. 89) 6 танков КВ (из первоначального числа 99) остались во всем корпусе, а не в одной только 32-й тд. Правда, уже через два дня, 17 июля, все тот же генерал-майор Моргунов подписывает следующий доклад, из которого следует, что в отошедшем за Днепр 4-м МК обнаружено несколько большее число танков: *«КВ — 10 штук, Т-34 — 49 штук, БТ-7 — 23 штуки, Т-26 — 18 штук»* (70, стр. 90) 10, конечно же, больше, чем 6, но все равно не 12...

О том, что большая часть потерь танков не была связана с воздействием противника, свидетельствует и соотношение потерь личного состава и боевой техники. Так, согласно докладу командира 32-й тд, 63-й танковый полк этой дивизии в период с 22 июня по 30 июля 1941 г. потерял 17 человек убитыми и 63 ранеными. В то же время было потеряно 14 КВ (из 18), 61 Т-34 (из 71), 42 Т-26 (из 42), 19 Т-37 (из 19), 9 БА (из 10), а всего 145 единиц бронетехники. (63, стр. 190) Для понимания значения этих цифр следует напомнить, что личный состав танкового полка не состоит из одних только танковых экипажей, соответственно танкисты составляют только часть от указанного выше числа потерь. В 64-м танковом полку 32-й тд убито 47 и ранено 64 человека. При этом потеряно 154 единицы бронетехники (23 КВ, 85 Т-34, 5 БТ-7, 16 Т-26, 19 Т-37, 6 БА). В целом 32-я танковая дивизия потеряла за все время боев июня-июля 1941 г. убитыми 139 и ранеными 356 человек. Вероятно, это и можно назвать «малой кровью», да вот только странная эта война шла не на чужой, а на своей земле...

В отличие от «новорожденной» 32-й танковой дивизии 8-я танковая была практически полностью укомплектованной «старой» кадровой дивизией. Примечательной особенностью 8-й тд было наличие на ее вооружении 68 трехбашенных танков Т-28. Короткоствольная 76-мм пушка в главной башне и две отдельные пулеметные башни делали эту машину грозным противником для вражеской пехоты. Благодаря широким гусеницам Т-28 обладал меньшим удельным давлением на грунт (0,72 против 1,03) и, следовательно, лучшей проходимостью, нежели его немецкий конкурент Pz-IV. Впрочем, главным оружием дивизии были не экзотические трехбашенные танки, а 50 КВ и 140 Т-34. По количеству новейших танков (190 единиц) одна только 8-я тд превосходила четыре мехкорпуса Ленинградского и Прибалтийского округов, вместе взятые. А вот как описывает Н.К. Попель командира 8-й танковой дивизии: *«Смотрю на него и восхищаюсь — ничего природа не пожалела для этого человека: ни красоты, ни ума, ни отваги, ни обаяния... Красноармейцы рассказывают легенды о его подвигах в Испании и Финляндии. У Фотченкова уже четыре ордена. Командиры на лету ловят каждое его слово»*. Полковник Петр Семенович Фотченков погиб в августе 1941 г. в «уманском котле». Дивизии как танкового соединения к тому времени уже практически не было.

В первые два дня войны 8-я тд, подобно 32-й тд, металась по фронту в районе Яворов—Немиров. Утром 24 июня поступил приказ командующего фронтом с требованием передать 8-ю танковую дивизию в распоряжение командира 15-го МК генерала Карпезо. Командующий 6-й Армией Музыченко продублировал этот приказ, но «на прощание» оторвал от 8-й тд мотострелковый полк, который 25 июня получил приказ занять совместно с 445-м артполком РГК оборону на шоссе Грудек —Львов. Фактически 8-я тд вышла в район Радехов—Лопатин (60 км от Львова) только к утру 28 июня. К этому моменту от всей дивизии остался один сводный танковый полк, на вооружении которого было **всего 65 танков!** В отчете о боевых действиях 15-го МК отмечено, что *«благодаря активным действиям 8-й танковой дивизии левый фланг корпуса был обеспечен с запада и 10-я и 37-я танковые дивизии смогли отойти на рубеж р. Радоставка»*. Это не опечатка. Результатом *«активных действий»* танковой дивизии в наступлении считается то, что две другие танковые дивизии смогли с ее помощью благополучно отойти, преследуемые пехотой противника. Хотя и это достижение отнюдь не бесспорно. Так, в отчете о боевых действиях 10-й тд читаем нечто прямо противоположное: *«Пути отхода дивизии были отрезаны танками и пехотой противника, так как 8-я тд (сосед слева), имевшая задачу прикрыть с запада действия дивизии, не смогла продвинуться через сильно укрепленный противотанковый район»*. Странно. Шестой день войны — а у немцев в глубине советской территории уже и противотанковый район готов, да еще и «сильно укрепленный» при этом...

Во время боя 28 июня 8-я танковая дивизия потеряла 12 танков, еще 19 Т-34 были потеряны 24 июня в боях с пехотой противника в районе Немирова. Где же остальные 294 танка одной из самых мощных танковых дивизий Красной Армии? Отчет, составленный командиром 8-й тд, содержит развернутый и подробный ответ на этот вопрос. Незаурядной является смелость составителей документа, которые без обиняков используют термин «брошено». Для удобства работы сведем все данные отчета в таблицу: (33, стр. 246)

	КВ	Т-34	Т-28	БТ— 7	Т-26	Всего
Исходное кол-во на 22.06.1941 г.	50	140	68	31	36	325
Подбито	13	54	10	2	6	85
Брошены, пропали без вести, завязли в болотах, прочие	27	51	27	15	15	135
Отправлены на завод, отработали моточасы	8	32	0	3	5	48
Арифметический остаток	2	3	31	11	10	57

Итак, главной составляющей потерь танков в одной из лучших дивизий Красной Армии было: «брошены» (107 танков), «пропали без вести» (10 танков), «завязли в болоте» (6 танков). 12 танков, включая 10 новейших Т-34, исчезли неизвестно куда («прочее»). Нет ответа и на вопрос о том, куда делся арифметический остаток в 31 танк Т-28 (танки этого типа в сводках АБТУ фронта 15—17 июля уже отсутствуют). По меркам нищего вермахта такого количества (31 танк Т-28) должно было хватить на укомплектование «тяжелыми танками» одной танковой дивизии (в 1-й ТГр вермахта было всего по 20 Pz-IV на одну дивизию, в рекордной по числу Pz-IV 18-й тд 2-й танковой группы — 36). Да и остаток в 57 танков существует, увы, только арифметически — 7 июля, к началу боев за Бердичев, в 8-й тд числится всего 32 танка... На фоне такого «порядка в танковых частях» приходится задуматься и о достоверности сведений о 54 подбитых за две недели боев Т-34, практически неуязвимых для 37-мм противотанковых пушек немецких пехотных дивизий. Цифра эта (54 подбитых из 140 Т-34) смотрится очень странно на фоне **значительно меньших** (как в абсолютном, так и в относительном выражении) цифр подбитых БТ-7 и Т-26 с их противопульным бронированием...

Описание боевых действий третьей по счету дивизии 4-го МК не займет у нас, к сожалению, много места. Если бы воспетые г. Исаевым организационные структуры и «золотые сечения» имели какое-то реальное отношение к боеспособности дивизий Красной Армии образца лета 1941 г., то 81-я моторизованная дивизия должна была дойти по меньшей мере до Люблина. Дивизия не была «перегружена танками» (один танковый на два мотострелковых полка), а после того, как ей был придан 441-й корпусной артполк, вооруженный мощными 152-мм гаубицами-пушками МЛ-20, 81-я моторизованная и по мощи артиллерийского огня превзошла любую немецкую танковую дивизию. Ну а по числу танков (270 скоростных БТ) она и с самого начала превосходила самую большую на всем Восточном фронте 7-ю немецкую танковую дивизию (265 танков). Увы, «меч-кладенец» из столь «правильно структурированной» 81-й моторизованной дивизии не получился. 24 июня три полка (танковый, артиллерийский и 323-й мотострелковый) дивизии были окружены немецкой пехотой в районе Немирова. Не совсем понятно, как пехота может «окружить» танковый полк, но к вечеру разгром был завершен. Вся тяжелая техника потеряна, без вести пропала большая часть личного состава, погиб командир 323-го мсп, пропали без вести командир дивизии полковник Варыпаев, замкомдива полковник Барабанов, начальник штаба дивизии полковник Спесивцев, начальники оперативного и разведывательного отдела штаба дивизии, начальник артиллерии дивизии, командир артполка, начальник штаба 323-го мсп. (76) Разумеется, никаких докладов и отчетов о причинах потери танков 81-й мотострелковой дивизии не осталось.

Стоит отметить, что за все это генерала Власова (а именно он и был командиром 4-го МК) не наказали. То есть потом его, конечно, повесили — но совсем за другое. А летом 1941 г. Власов даже пошел на повышение и стал командующим самой мощной на Юго-Западном фронте 37-й Армией. Когда сравнишь это с трагической судьбой поголовно расстрелянного командования Западного фронта (раненного в бою командира 14-го мехкорпуса С.И. Оборина забрали на расправу прямо из госпиталя), то приходится признать, что товарищ Сталин был воистину великим человеком. Понять логику его казней и милостей не дано никому...

Для любителей конспирологических версий приведем «расшифровку» еще нескольких фамилий и должностей. Командующий 6-й Армией Музыченко сдался в плен 6 августа 1941 г. в «котле» под Уманью, где и были разгромлены остатки 6-й Армии. Начальник оперативного отдела штаба 6-й Армии Меандров сдался в плен, стал одним из создателей и руководителей власовской «армии», повешен в 1946 году. Начальник штаба 6-го стрелкового корпуса (того самого, который *«поставил танковой дивизии самостоятельную задачу — атаковать в направлении сильно укрепленного противотанкового района с наличием реки и болотистой местности, не поддержав действий дивизии ни пехотой, ни артиллерией»*) генерал-майор Рихтер сдался в плен, активно сотрудничал с немецкими спецслужбами (по некоторым сведениям, возглавил Варшавскую разведывательно-диверсионную школу абвера), расстрелян в августе 1945 г. Сосед справа — 27-й СК (5-я Армия). Командир корпуса генерал-майор Артеменко сдался в плен, в июне 1950 г. расстрелян, в июне 1957 г. — реабилитирован. Сосед слева — 13-й СК (12-я Армия). Командир корпуса генерал-майор Кириллов сдался в плен, в августе 1950 г. расстрелян, реабилитирован в 1957 г.

Карта №1
План наступления Юго-Западного и Западного фронтов в Южной Польше

Карта № 2

Район предвоенной дислокации 4-го, 8-го и 15-го мехкорпусов

Ковель
р.Стырь
р.Горынь
Войница
Луцк
Ровно
Дубно
Берестечко
Острог
Шепетовка
Броды
Буск
Кременец
15 МК
Золочев
Тарнополь
0
50
100
КМ

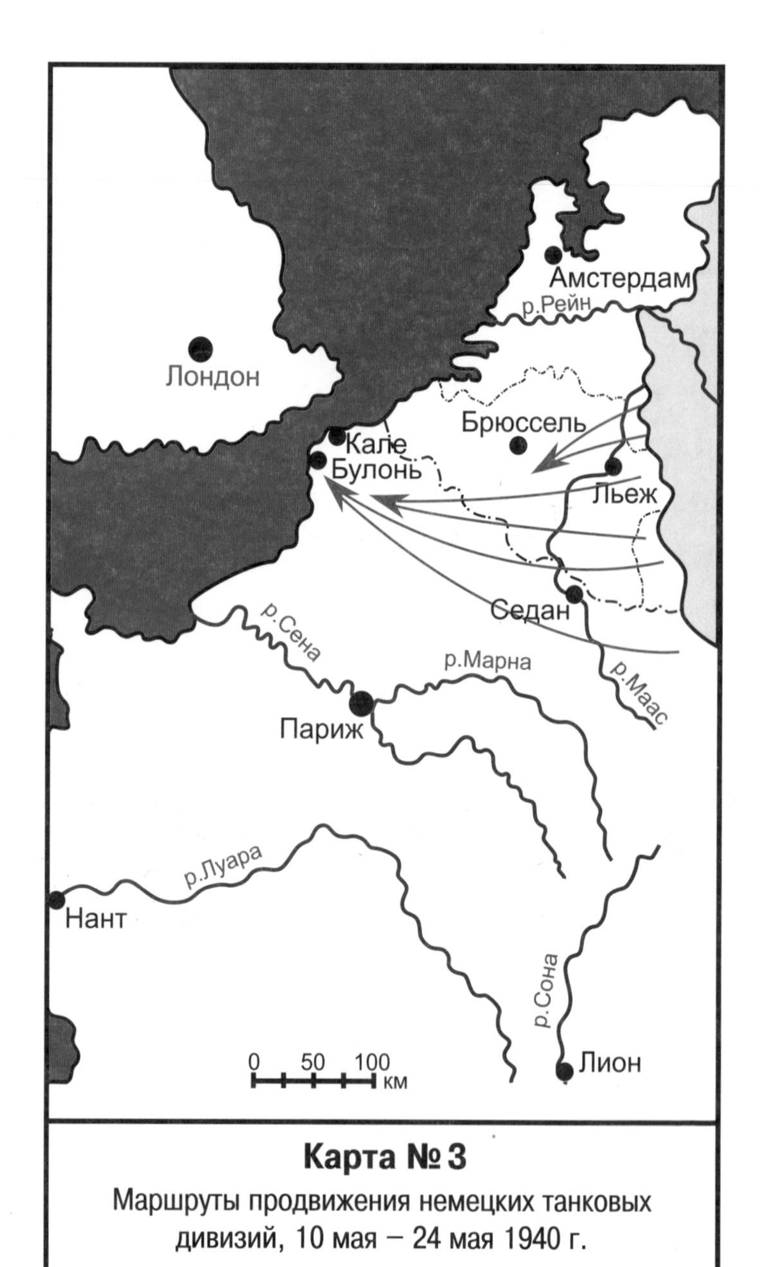

Карта № 3

Маршруты продвижения немецких танковых дивизий, 10 мая – 24 мая 1940 г.

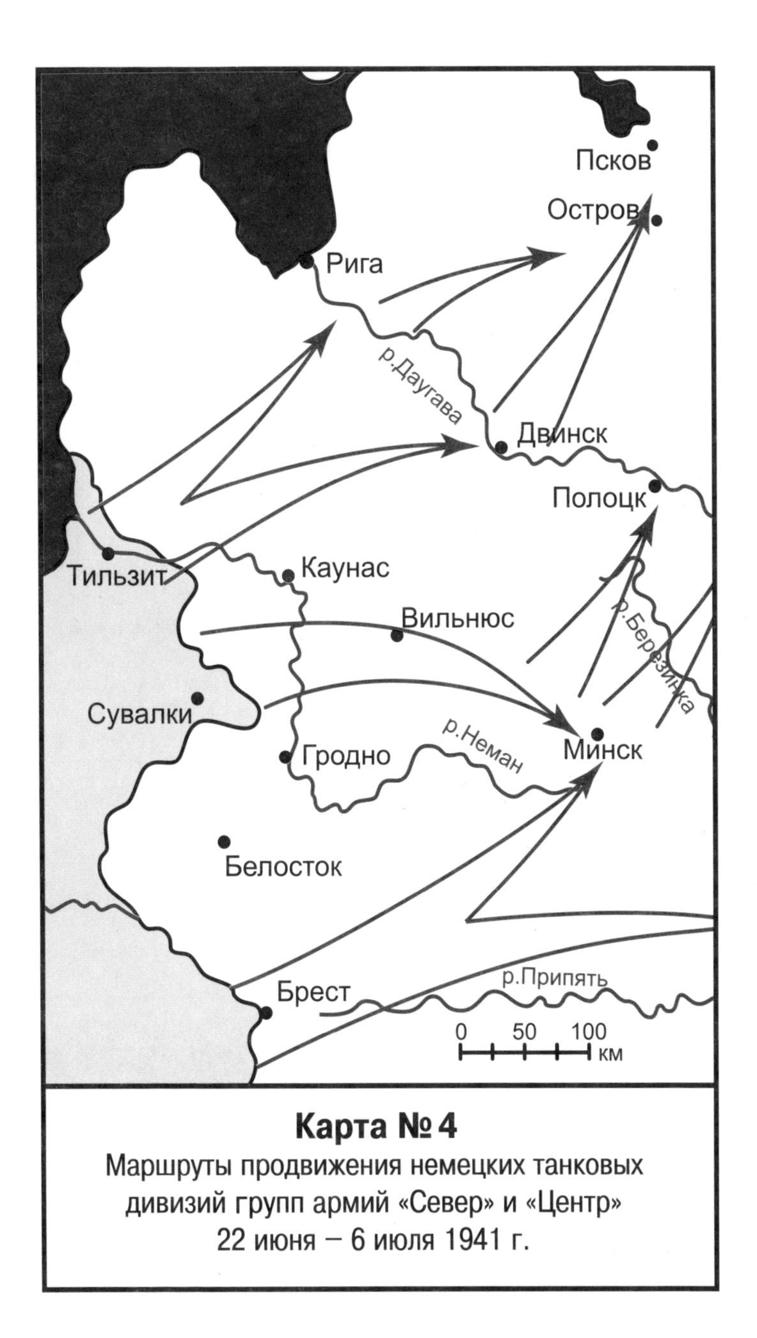

Карта № 4

Маршруты продвижения немецких танковых дивизий групп армий «Север» и «Центр» 22 июня – 6 июля 1941 г.

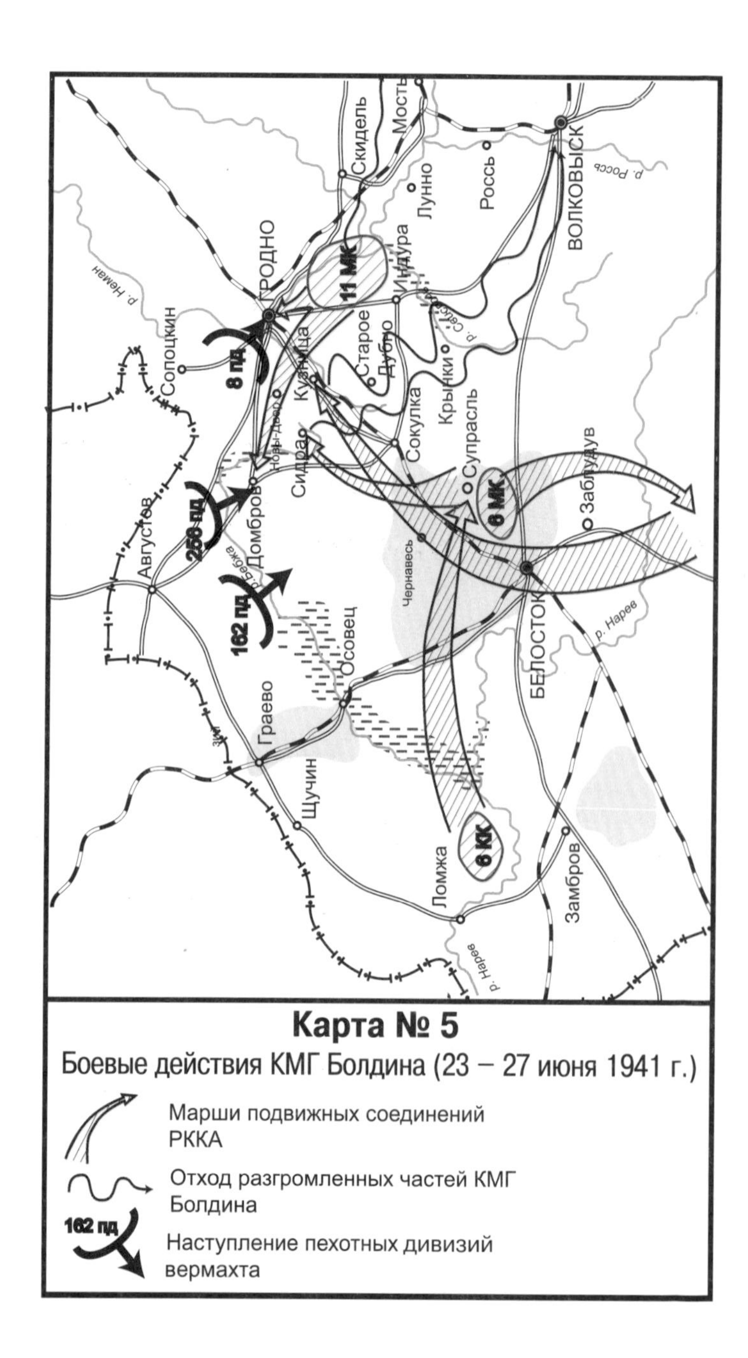

Карта № 5

Боевые действия КМГ Болдина (23 – 27 июня 1941 г.)

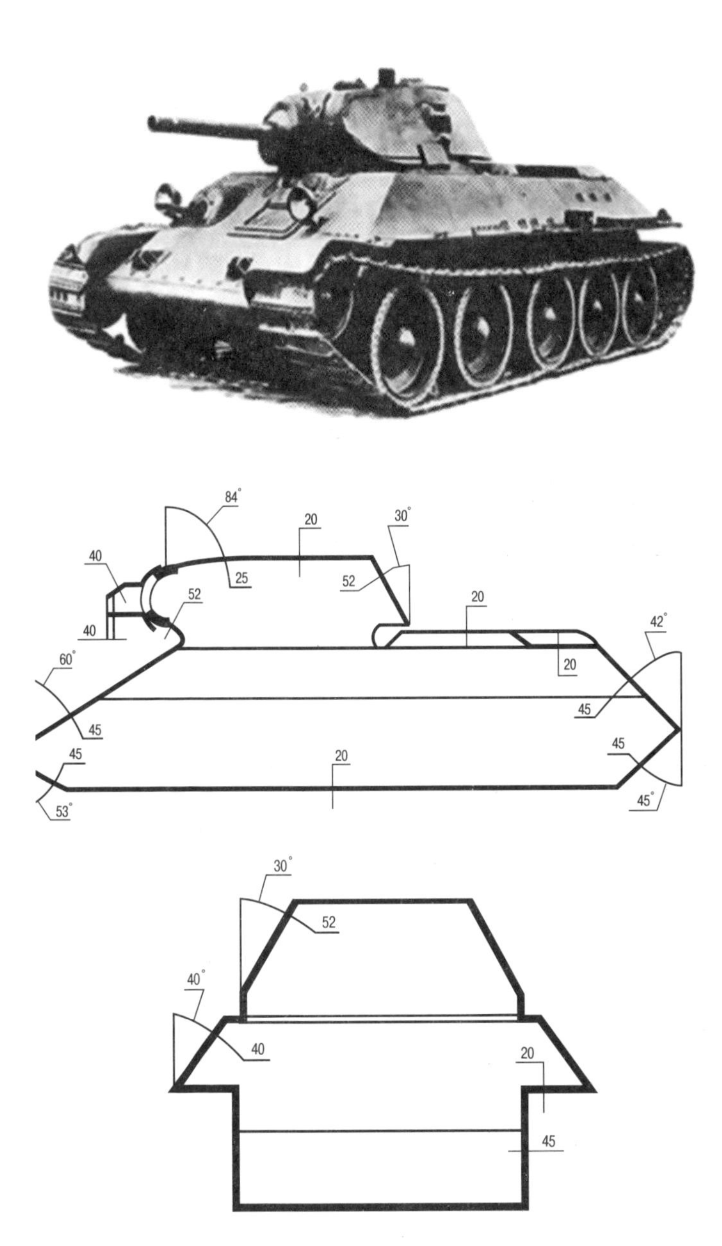

Средний танк Т-34. Схема бронирования

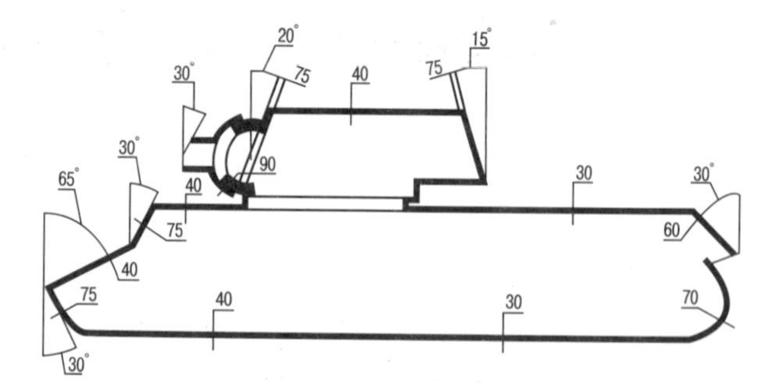

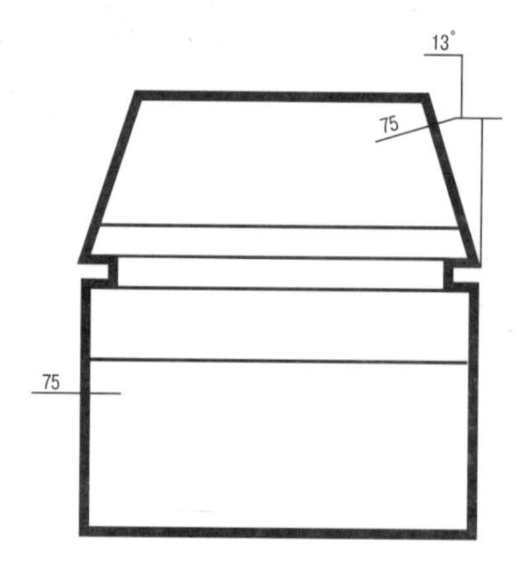

Тяжелый танк КВ. Схема бронирования

Глава 15

ТАНКОВЫЙ ПАДЕЖ—2

Вторым по мощи и укомплектованности новейшей техникой на Юго-Западном фронте был **8-й мехкорпус**.

Количество и состав танков 8-го МК (без учета плавающих танкеток Т-37/38) приведены в нижеследующей таблице:

	КВ	Т-34	Т-35	БТ-7	Т-26	Всего:
12-я тд	61	100	0	147	61	**369**
34-я тд	8	0	49	26	292	**375**
7-я мд	0	0	0	115	0	**115**
Всего:	**69**	**100**	**49**	**288**	**353**	**859**

Как видим, корпус состоял из двух неравных частей: «старой» кадровой дивизии (12-я тд), укомплектованной новейшими танками и скоростными БТ-7, и новой (34-я тд) танковой дивизии формирования весны 1941 г., вооруженной главным образом легкими и, безусловно, уже устаревшими Т-26. Примечательной особенностью 34-й тд было наличие на ее вооружении совершенно экзотической техники — пятибашенных тяжелых танков Т-35. По составу вооружения (короткоствольная 76-мм пушка, две 45-мм танковые пушки 20К и две пулеметные башни) один Т-35 равнялся группе из пяти немецких танков (один Pz-IV, два Pz-III и два Pz-I), а два батальона тяжелых танков (всего 48 исправных Т-35) в целом по числу танковых орудий превосходили любую из танковых дивизий 1-й Танковой группы вермахта.

В то время как 4-й МК короткими перебежками метался в заколдованном треугольнике Львов—Яворов—Немиров, 8-й МК генерала Рябышева двигался к району боевых действий широким, размашистым зигзагом, как лыжник в слаломе-гиганте. Ранним утром 22 июня 8-й МК, действуя по предвоенным планам, поднялся по тревоге и двинулся через Самбор к пограничной реке Сан. Вечером 22 июня, в 22 часа 40 минут, поступил новый приказ: к 12 часам 23 июня корпус должен был сосредоточиться в районе Куровичи (25 километров восточнее Львова). Из этого исходного района 8-му мехкорпусу предстояло (вместе с 15-м МК и 4-м МК) нанести удар во фланг и тыл немецкого «танкового клина», пробившего оборону 5-й Армии в полосе Луцк—Радехов. В ночь на 23 июня многокилометровые колонны 8-го мехкорпуса двинулись на восток, описывая большой крюк протяженностью более 150 км по маршруту Самбор—Дрогобыч—Стрый—Львов. В середине дня 23 июня, когда главные силы танковых дивизий находились примерно на рубеже г. Николаева (38 км по шоссе юго-западнее Львова), а 7-я моторизованная дивизия уже вышла в предместья Львова, Музыченко приказал повернуть 6-й мехкорпус и к 19 часам 23 июня сосредоточиться в лесу к югу от Яворова (т.е. в том самом районе, куда Музыченко, вопреки приказам командования фронта, направил и главные силы 4-го МК). Стальная лента из сотен танков, грузовиков, тракторов, бронемашин во второй раз за последние сутки развернулась почти на 180 градусов и снова двинулась на запад, к границе. Совершив утомительный ночной марш, 8-й мехкорпус вышел к Яворову, в полосу обороны 6-й Армии. Там поздним вечером 23 июня командиру корпуса вручили пакет с новым-старым приказом командования фронта: опять развернуть корпус и к исходу дня 24 июня выйти в конце концов в район г. Броды, на соединение с 15-м МК.

Практически одновременно с этим Музыченко предпринял последнюю попытку «заначить» хотя бы одну дивизию из состава 8-го МК. В соответствии с «Боевым распоряжением командующего войсками 6-й Армии» № 003 от 23 июня 1941 г. «*34-я танковая дивизия входит в состав 6-й Армии с непосредственным подчинением Военному совету армии. Дивизии быть готовой к нанесению удара в направлениях Немиров, Яворов, Краковец*». (70, стр. 146) Эта попытка самоуправства оказалась неудачной, и 34-я тд осталась в составе корпуса. Только к 6 часам утра 26 июня две танковые дивизии (12-я и 34-я) 8-го мехкорпуса вышли в район г. Броды, третья дивизия корпуса (7-я моторизованная) находилась в это время еще в районе г. Буск, отставая на 85 км от танковых дивизий.

Хотя расстояние от Дрогобыча до Брод не превышает 150 км по прямой, танковые дивизии корпуса прошли (как явствует из доклада командира 8-го МК от 18 июля 1941 г.) 500 км, *«оставив на дорогах за время маршей до 50% наличия боевой материальной части»*. (63, стр. 166) В такой оценке величины «маршевых потерь» явно сквозит желание оправдаться за разгром корпуса (каковой разгром к моменту написания доклада стал уже свершившимся фактом). Так, в другом тексте Рябышев пишет, что *«во время марша протяженностью почти 500 км корпус потерял до половины танков* ***устаревших конструкций****«*. Наконец, простое суммирование данных о потерях и числе оставшихся в строю танков КВ и Т-34 позволяет сделать вывод о том, что даже после боев и потерь первого дня наступления (26 июня) корпус располагал еще 141 танком «новых типов», что составляет 83% от их первоначальной численности. Как бы то ни было, форсированный 500-км марш не мог не привести к большому количеству поломок, а с учетом того, что территория, по которой три дня и три ночи метался 8-й МК, еще через три-четыре дня была занята противником, все временно вышедшие из строя танки перешли в разряд «безвозвратных потерь».

Конкретное представление о том, как происходил этот «падёж» танков 8-го мехкорпуса, дает документ, размещенный на интернет-сайте «Мехкорпуса РККА». Это полный перечень всех тяжелых пятибашенных танков Т-35 из состава 34-й танковой дивизии с указанием даты, места и причины выхода танка из строя. Эти уникальные танки (к лету 41-го, безусловно, устаревшие) представляли собой сочетание очень мощного вооружения со слабой противопульной бронезащитой. Немецкая 37-мм противотанковая пушка могла гарантированно пробить бортовую броню этого чудища трехметровой высоты. Казалось бы, именно среди танков данного типа доля боевых потерь должна была быть особенно велика. В действительности же только у **6 танков из 47** причиной потери названо «подбит в бою 30 июня» (это был последний бой 34-й тд у города Дубно). Где же и как были потеряны все остальные?

Один танк «пропал без вести», два «увязли в болоте», два — «упали в реку с моста». Остальные **36 танков** потеряны по причине всякого рода технических неисправностей. Например, танк № 715/62 оставлен экипажем во Львове по причине *«поломка привода вентилятора»*, причем произошло это 29 июня, т.е. через пять дней после того, как 34-я тд покинула этот район и ушла к Бродам. Танк № 744/63 оставлен 1 июля на марше из Золочев в Тарнополь (т.е. на поле боя у Дубно этот танк никогда не был) по причине *«заедание поршней двигателя»*. Танк № 234/42 оставлен в северном пригороде Львова по причине *«сожжен главный фрикцион»*, но произошла эта авария якобы 3 июля, т.е. через четыре дня после захвата Львова немцами! Вообще история и география в этом отчете категорически не совпадают. По меньшей мере у 12 танков в качестве места, в котором они были потеряны, названы районы, из которых дивизия ушла несколько дней назад. Главной технической неисправностью, послужившей причиной потери 22 танков, названы поломки КПП и трансмиссии («сгорел фрикцион»), что в равной степени может быть связано как с износом техники, так и с безграмотными (или преднамеренными) действиями механика-водителя. Два последних по счету «сухопутных броненосца» сломались в ходе отступления 9 июля в районе Волочиска (100 км южнее Дубно), и на этом история боевого применения Т-35 навсегда закончилась. В Красной Армии — но не в вермахте. В апреле 1945 г. один трофейный Т-35 принял участие в боях за Берлин. Несмотря на свою «крайнюю ненадежность» и «безнадежную устарелость», стальной монстр დополз до поля боя, где и был подбит. (97)

В соответствии с приказами командующего Юго-Западным фронтом № 0015 от 24 июня и № 0016 от 25 июня 8-й МК перешел в наступление в 9 часов утра 26 июня (70, стр. 29. 33), т.е. практически с ходу, с марша, без разведки местности и противника. Командование фронта (после того, как 8-й МК потратил четыре дня на бессмысленные форсированные марши) теперь очень спешило. Только спешкой и можно объяснить по меньшей мере странный выбор направления удара: от Брод на Берестечко. Даже на карте автомобильных дорог Украины 2002 года между этими городами невозможно обнаружить ни одной приличной дороги, местность же покрыта лесом со множеством мелких речушек. А от Брод на Дубно идет главная автомагистраль, причем идет по совершенно открытой местности — ни одного «зеленого» пятна на карте. Самое же главное — именно днем 26 июня наступление на Дубно с северо-востока начала 43-я танковая дивизия полковника И.Г. Цибина. 19-й мехкорпус, в состав которого входила дивизия Цибина, входил в число «сокращенных первой очереди», и плановый срок завершения его формирования был отнесен на конец 1942 г. Несмотря на то что в 43-й тд количество танков «новых типов» было меньше, чем пальцев на одной руке, а бронебойных 76-мм снарядов не было вовсе, дивизия успешно громила и гнала противника:

«В 14.00 26 июня танки дивизии выступили в атаку, имея впереди два танка КВ и два танка Т-34, с ходу развернулись и ураганным огнем расстроили систему ПТО и боевой порядок вражеской пехоты, которая в беспорядке начала отступать на запад. Преследуя пехоту противника, наши танки были встречены огнем танков противника из засад и с места, но вырвавшимися вперед КВ и Т-34 танки противника были атакованы, а вслед за ними — и танками Т-26... Танки противника, не выдержав огня и стремительной танковой атаки, начали отход, задерживаясь на флангах, но быстро выбивались нашими танками, маневрировавшими на поле боя. Танки КВ и Т-34 (четыре штуки. — ***М.С.***)*, не имея в достаточном количестве бронебойных снарядов, вели огонь осколочными снарядами и своей массой давили и уничтожали танки противника и орудия ПТО... Противник, отходя в Дубно, взорвал за собою мосты, лишив таким образом дивизию возможности прорваться в Дубно на плечах отходящей пехоты...»* (63, стр. 238)

Быть может, менее точно, но зато гораздо нагляднее описывает этот день командир разведбата 43-й тд В.С. Архипов (вступивший в войну уже в звании Героя Советского Союза и закончивший ее дважды Героем). В своих воспоминаниях он пишет:

«...Когда вечером 26 июня мы гнали фашистов к Дубно, это уже было не отступление, а самое настоящее бегство. Части немецкой 11-й танковой дивизии перемешались, их охватила паника. Она сказалась и в том, что кроме сотен пленных мы захватили много танков и бронетранспортеров и около 100 мотоциклов, брошенных экипажами в исправном состоянии... Пленные, как правило, спешили заявить, что не принадлежат к национал-социалистам, и очень охотно давали показания. Подобное психологическое состояние гитлеровских войск, подавленность и панику наблюдать снова мне довелось очень и очень не скоро — только после Сталинграда и Курской битвы...» (77)

В то время когда 43-я танковая дивизия (командир которой не имел ни малейшей информации о действиях 8-го МК и 15-го МК) выходила к северным пригородам Дубно, стальная лавина танков 8-го мехкорпуса (командир которого только 27 июня узнал о боевых действиях 19-го МК) ринулась через заболоченный лес к Берестечко. Оценки успешности этого наступления сильно разнятся в разных источниках. Самая уничижительная оценка дана в Оперативной сводке штаба Ю-З.ф. № 09 (20.00 26 июня 1941 г.):

«...8-й механизированный корпус в 9.00 26.6.41 г. нерешительно атаковал механизированные части противника из района Броды в направлении Берестечко и, не имея достаточной поддержки авиацией и со стороны соседа слева — 15-го механизированного корпуса, остановлен противником в исходном для атаки районе...» (70, стр. 34)

В докладе командира 8-го мехкорпуса (от 18 июля 1941 г.) сказано более обтекаемо:

«...Корпус атаковал обороняющиеся части 16-й бронетанковой дивизии противника в общем направлении Броды, Берестечко, но, встретив организованное сопротивление противника, прикрывавшегося непроходимой для танков болотистой рекой и уничтожившего все переправы через эту реку, развить темп наступления не смог...» (63, стр. 166)

В своих же послевоенных мемуарах генерал Рябышев пишет:

«...Утром началось наступление. Но развивалось оно не так, как хотелось. 12-я танковая дивизия не смогла с ходу прорвать оборону врага... Однако мотострелки 12-й танковой дивизии генерал-майора танковых войск Т.А. Мишанина при поддержке артиллерии все же преодолели заболоченную местность, форсировали реку Слоновку, захватили разрушенный мост и плацдарм на противоположном берегу... К 16 часам в ожесточенном бою было захвачено селение Лешнев... Соединения и части 48-го мехкорпуса противника, неся большие потери, под натиском частей 12-й и 34-й танковых дивизий отошли на правый берег реки Пляшевка и перешли к обороне.... Таким образом, за 26 июня корпус продвинулся на 8—10 км в направлении Берестечко и к вечеру, встретив сильное сопротивление противника, был вынужден перейти к обороне и отражать атаки противника... Отправляя в штаб фронта донесение об успешных действиях корпуса, я полагал, что командующий примет решение развить успех корпуса, разгромить врага и отбросить его к границе...» (78)

Читатель, вероятно, уже догадался, почему мы столь подробно разбираем, по сути дела, частный вопрос о том, продвинулся ли 8-й МК на 10 км вперед или же был «остановлен противником в исходном для атаки районе». День 26 июня был первым, единственным и последним днем, когда 8-й МК участвовал в контрударе советских войск как единое целое. В 2 ч. 30 мин. ночи 27 июня Рябышев получил приказ командующего Юго-Западным фронтом: «*8-му механизированному корпусу отойти за линию Почаев, Подкамень, Золочев* (25—50 км к юго-востоку от Брод. — ***М.С.***)*... Выход начать немедленно*». Так же как и в случае с 6-м МК Западного фронта,.начавшееся было наступление мехкорпуса было остановлено приказом вышестоящего командования. Так же, как и на Западном фронте, приказ на отход фактически стал толчком к началу распада соединения. Уже к утру 27 июня ситуация в 12-й тд дивизии, как можно судить по мемуарам Попеля, была такой: «*Дивизия Мишанина ушла с передовой...*

По дороге несколько раз натыкались на мишанинских бойцов. Бредут как попало. Командиров не видно...» Разложение в дивизии дошло до того, что тяжело контуженного при бомбежке командира 12-й тд генерала Мишанина просто затащили в брошенный танк и оставили одного в Бродах, под «присмотром» такого же контуженого ординарца. (58)

В 6 часов утра 27 июня в 8-й мехкорпус поступил новый (второй за последние 4 часа) приказ командующего Юго-Западным фронтом № 2121 от 27.6.41 г. На этот раз отход был отменен, и перед корпусом была поставлена задача к исходу дня *«сосредоточиться в районе Дубно, Волковые, м. Верба»*. (63, стр. 167) Сосредоточиться в Дубно можно было, только взяв этот город с боем. И хотя на этот раз направление удара было разумным (от Брод на Дубно идет шоссейная дорога, параллельно ей — насыпь железной дороги, местность открытая, пригодная для наступления танков), расстояние от Брод до Дубно составляет 62 км по шоссе, и едва ли такая задача дня была реальной для мехкорпуса, части которого в результате чехарды приказов командования фронта были разбросаны на десятки километров. 12-я тд удивительно быстро выполнила ночной приказ об отходе, в результате чего *«в течение 27.6.41 г. находились в районе Подкамень, где приводили себя в порядок и к исходу дня сосредоточились в лесах северо-восточнее Броды»*. Попытка выполнить приказ № 2121 привела к тому, что корпус был разорван (как стало ясно через несколько дней — разорван навсегда) на две части. Группа войск под командованием комиссара корпуса Попеля, в состав которой вошла 34-я тд, усиленная 40 танками КВ и Т-34 из состава 12-й тд (всего 217 танков и до 9 тыс. человек личного состава), двинулась по шоссе на Дубно. Остальные соединения корпуса (12-я тд, 7-я моторизованная дивизия, корпусные части) под командованием Рябышева сосредотачивались в течение дня 27 июня в районе Броды.

Группа Попеля с боями дошла до пригородов Дубно (поселок Малые Сады на южной окраине города), перерезав тем самым основные коммуникации, по которым шло снабжение 1-й Танковой группы вермахта. Впрочем, судя по донесениям штаба Юго-Западного фронта в Генеральный штаб Красной Армии, *«по данным на 14.00 28.6.41 г., 8-й механизированный корпус занимает Дубно»*. (70, стр. 44) О том, что танкисты 8-го мехкорпуса взяли сам город Дубно, пишет в своих мемуарах и Попель. Как бы то ни было, немецкое командование оценило по достоинству создавшуюся угрозу и подтянуло в район Броды—Дубно часть сил 16-й танковой и 16-й моторизованной дивизий, а также части четырех пехотных дивизий (111, 44, 57, 75). В скобках заметим, что сам **факт появления немецкой пехоты** в 120 км от границы уже на пятый-шестой день войны совершенно однозначно свидетельствует о том, каким было на самом деле «ожесточенное сопротивление» советских войск. Для пехоты, идущей пешком, 20 км в день — это темп марша, причем марша форсированного. Так, в октябре 1939 г. именно в этих местах, на территории оккупированной восточной Польши, для отвода немецких и советских войск на согласованную линию новой границы был установлен как раз такой — 20 км в день — график движения походных колонн.(1, стр. 130). Воевать при таких темпах наступления немецкой пехоте было бы просто некогда...

Окруженная в районе Дубно группа Попеля была фактически брошена на произвол судьбы. Две стрелковые дивизии (140-я и 146-я) находились на расстоянии 10 км от Дубно, но, вопреки приказу комфронта № 018 от 28 июня, никакой поддержки группе Попеля не оказали. Взаимодействие с 19-м МК, 9-м МК, 22-м МК, которые вели бои в нескольких десятках километров к северу от Дубно, так и не было организовано. За четыре дня (с 27 по 30 июня) группа Попеля не получила от командования фронта никакой информации, никакой помощи, никаких указаний по выходу из окружения. Поздним вечером 30 июня тыловые подразделения, медсанбат, «безлошадные» танкисты под прикрытием группы в 60 танков пробили кольцо окружения и через несколько дней на шоссе Тернополь—Проскуров (Хмельницкий) соединились с отступающими на восток остатками 8-го МК. Главные силы группы Попеля (которые к этому моменту сократились до 80 танков и нескольких батарей артиллерии) вели напряженный бой до исхода дня 1 июля. В боях за Дубно погибли командир 34-й тд полковник И.В. Васильев, пропали без вести замполит дивизии М.М. Немцев и командир 24-го танкового полка (12-й тд) подполковник П.И. Волков, погибли, пропали без вести, оказались в немецком плену тысячи бойцов и командиров. Оставшиеся в живых (порядка одной тысячи человек) под командованием Попеля, присоединяя к себе группы окруженцев из других частей, прошли с боями 250 километров по огромной дуге Дубно—Славута—Коростень и в конце июля 1941 г. соединились с войсками 5-й Армии в районе Белокоровичи.

Основные силы 8-го мехкорпуса, несмотря на наличие мощного танкового тарана (кроме двух сотен легких танков, в 12-й тд оставалось еще порядка 46 КВ и 49 Т-34), пробить заслон 16-й танковой, 57-й и 75-й пехотных немецких дивизий не смогли. Хотя и в этих боях с беспощадной ясностью проявилось техническое превосходство новых советских танков. Так, 28 июня большая группа немецких танков прорвалась на КП 12-й танковой дивизии Мишанина. *«Я наблюдал,* — пишет в своих мемуарах Рябышев, — *как фашистские танки с черными крестами метались между нашими громадными КВ, ища спасения. Они пытались маневрировать, чтобы получить возможность стрелять в слабую боковую броню. Но и это не помогло: КВ и Т-34 сноровисто расстреливали из своих 76-мм пушек вражеские танки... Таким образом, 6 КВ и 4 Т-34 уничтожили все 40 немецких танков, а сами не понесли потерь»*. Вечером 28 июня немецкая пехота вышла в тыл 8-го МК, отрезав путь отхода по шоссе на Броды. Снова началась паника. Погиб генерал Мишанин, в пешем строю поднимавший бойцов в атаку. В своем официальном докладе о боевых действиях корпуса Рябышев кратко пишет: *«Части 7-й мотострелковой дивизии прорывались из окружения в разных направлениях. Потеряв большое количество танков, артиллерии и автотранспорта, к 24.00 28.6.41 г. дивизия вышла из окружения и сосредоточилась юго-восточнее Броды»*. (63, стр. 169) Мемуары Попеля дают гораздо более живые картины того, что скрывалось за скупой фразой «прорывались из окружения в разных направлениях»:

«...Рябышев сел на «эмку» и помчался к Бродам. По пути он натыкался на бредущих толпами бойцов, горящие машины, лежащих в кюветах раненых. Рубеж, предназначенный 12-й танковой дивизии, никто не занимал... Какие-то неприкаянные красноармейцы сказали, что мотопехота покатила на юг, вроде бы к Тернополю. Комкор повернул на южное шоссе и километрах в двадцати нагнал хвост растянувшейся колонны. Никто ничего не знал. Рябышев попытался остановить машины. Из кабины полуторки сонный голос спокойно произнес:

— Какой там еще комкор? Наш генерал — предатель. К фашистам утек.

Рябышев рванул ручку кабины, схватил говорившего за портупею (рядовые бойцы ездят без портупеи. — **М.С.**), *выволок наружу.*

— Я ваш комкор.

Не засовывая пистолет в кобуру, Рябышев двигался вдоль колонны, останавливая роты, батальоны, приказывая занимать оборону фронтом на северо-запад... В штабе фронта, куда вызвали комкора, царили нервозность и неуверенность. В суете и всеобщей спешке на ходу отдавались сбивчивые приказания, которые зачастую через десять минут отменялись. Вдогонку за первым офицером связи мчался второй... Штаб фронта отходил в Проскуров...» (58)

Теперь от трагической истории гибели 8-го мехкорпуса вернемся к простой арифметике. Потери первого дня наступления (26 июня) были ничтожно (в сравнении с первоначальным количеством танков в 8-м МК) малы. В докладе командира корпуса приведены такие цифры: *«в 12-й тд 8 танков было подбито в бою, 2 танка загрузли в болоте... 34-я тд потеряла 5 танков, из коих 4 танка были подбиты противником и 1 танк сгорел»*. (63, стр. 167) Несравненно большими (86 танков) оказались потери 12-й тд и 7-й мд, понесенные во время безуспешных боев и панического отступления к Тернополю 28—30 июня. Однако и после таких потерь 8-й МК по числу оставшихся в строю танков (207 единиц) превосходил любую танковую дивизию из состава 1-й Танковой группы вермахта. «*К 1 июля 1941 года в 8-м механизированном корпусе, состоявшем теперь из 12-й танковой и 7-й моторизованной дивизий, имелось более 19 тыс. бойцов и командиров, 207 танков, в том числе 43 КВ, 31 Т-34, 69 БТ-7, 57 Т-26, 7 Т-40, а также 21 бронемашина.*

В последующем наш корпус ***вышел из боевых действий*** (подчеркнуто мной. — ***М.С.***), *совершил марш в район Нежина* (100 км восточнее Киева), *где с 14 июля* (с 8 июля, судя по докладу начальника АБТУ фронта. — ***М.С.***) *находился как резерв командующего фронтом...»* (78, 70) Именно во время этого безостановочного отхода на восток окончательно исчезли танки 8-го мехкорпуса.

12-я тд + 7-я мд	**КВ + Т-34**	**БТ-7 + Т-26**	**Т-37/38/40**	**Всего**
На 22 июня 1941 г.	161	323	46	530
Потери в бою 26 июня	?	?	?	10
Передано в группу Попеля 27 июня	40	6		46
Общие боевые потери за 26—30 июня	21	75	0	96
Арифметический остаток на 1 июля	100	242	46	388
Фактический остаток на 1 июля	74	126	7	207
Фактический остаток на 17 июля	28	29	0	57

Арифметика расходится с фактическим остатком танков в двух дивизиях 8-го мехкорпуса (12-й тд и 7-й мд) на **331 единицу**. Это если не учитывать того, что порядка 60 танков из состава группы Попеля вышло из окружения и соединилось с основными силами 8-го МК. Полторы сотни танков (в том числе 29 КВ и 17 Т-34) пропало уже после 1 июля, т.е. **после фактического завершения боевых действий корпуса**. Всего в период с 22 июня по 17 июля неизвестно куда пропало 72 новейших танка КВ и Т-34. Тех самых, которые (если верить рассказу Рябышева) вдесятером уничтожали 40 немецких танков без единой собственной потери. В целом небоевые потери танков составляют **три четверти (331 из 427)** от общего числа потерь. И это если наивно считать «боевыми» все потери (86 танков) разгромного дня 28 июня...

Лучше других документирована история разгрома **15-го мехкорпуса** — в нашем распоряжении целых три доклада о боевых действиях (как корпуса в целом, так и каждой из его танковых дивизий). (70, стр. 196, 63, стр. 193, стр. 217)К сожалению, кажущееся обилие информации отнюдь не способствует прояснению ситуации. Скорее, наоборот — цифры и факты (если только это «факты», а не выдуманные задним числом «уважительные причины» разгрома мощнейшего танкового соединения) противоречат как друг другу, так и элементарному здравому смыслу. Не говорю уже о том, что количество танков в дивизиях корпуса в различных документах разнится на десятки единиц — хотя, казалось бы, составители докладов и рапортов не фантики считали, а крайне дорогостоящую и «дефицитную» на войне боевую технику. По имеющимся документам невозможно хотя бы в общих чертах прояснить злополучный вопрос об укомплектованности 15-го мехкорпуса автотранспортом и средствами мехтяги артиллерии. Опять же речь идет не об общем для всей Красной Армии «чуде», вследствие которого при наличии огромного количества автомототехники (еще ДО объявления открытой мобилизации в среднем на каждую из 303 советских дивизий — включая формирующуюся в отдаленных местах Сибири стрелковую — приходилось **по 900 автомашин и 112 гусеничных тягачей** и тракторов) механизированные корпуса первого эшелона войск приграничных округов оказались без штатного количества тягачей, грузовиков и автоцистерн. Разительно не совпадают конкретные цифры в отчетах командиров одного и того же соединения. Всего в 15-м МК на 10 июня 1941 г. (т.е. еще до начала войны и мобилизации техники из народного хозяйства) числилось 2035 автомашин (всех типов и назначений), 50 артиллерийских тягачей («Ворошиловец», «Коминтерн», С-2) и 115 тракторов. (79) По отчету ВРИО командира 10-й тд к началу боевых действий в дивизии было (всего, с учетом неисправной техники) 962 автомобиля и 30 тягачей. Вопрос для второклассника: сколько автомобилей и тягачей осталось «на долю» двух других дивизий корпуса? Открываем доклад ВРИО командира 15-го МК и читаем:

«...212-я моторизованная дивизия, имея почти полную обеспеченность личным составом красноармейцев, ***не имела совершенно*** (подчеркнуто мной. — ***М.С.***) *машин для перевозки личного состава и не могла даже обеспечить себя автотранспортом для подвоза боеприпасов, продовольствия и горюче-смазочных материалов, а также для перевозки вооружения. Артиллерийский полк имел 8 — 76-мм орудий, 16 — 122-мм орудий и 4 — 152-мм орудия, а* ***средств тяги было лишь на один дивизион*** *и то без тылов... Противотанковый дивизион 212-й мд* ***не имел средств тяги****...»*

Где же «гуляют» еще 1073 автомобиля, 20 специализированных тягачей и 115 тракторов? Может быть, они все оказались во второй танковой дивизии корпуса? *«Мотострелковый полк 37-й танковой дивизии находился в 160 км от дивизии* (???) *и* ***не имел средств передвижения****. Артиллерийский полк 37-й тд находился в составе 12 орудий 122-мм без панорам* (???)*, 4 орудия 152-мм и* ***всего 5 тракторов****...»*

По докладу ВРИО командира корпуса в артполку 37-й тд к началу боевых действий было 12 гаубиц калибра 122 мм и 4 гаубицы калибра 152 мм. В докладе командира 37-й тд количество артиллерийского вооружения дивизии выражено в процентах. Можно предположить — в процентах от штатной численности. Конкретно: *«122-мм гаубицами — 56%, 152-мм гаубицами — 33,3%»*. 33% от штатного количества 152-мм гаубиц — это, по-простому говоря, 4 орудия. Цифра, совпадающая с докладом ВРИО комкора. Но вот 56% от штатного количества 122-мм гаубиц составляет 6,72 гаубицы. Это уже ни с чем не совпадает. В частности, не совпадает с дальнейшим текстом доклада командира 37-й тд, из какового доклада следует, что в поход было выведено 4 гаубицы 122-мм, и еще 21 гаубица 122-мм была оставлена в месте постоянной дислокации дивизии. Итого — 25 орудий из непонятно скольких имевшихся...

Разумеется, все это мелочные придирки. Цифра «21» скорее всего является опечаткой. Но вот можно ли считать малозначимой «мелочью» такие факты (опять же, если эти «факты» имели место быть):

«...Полковая артиллерия была послана в полки почти вся неисправная... Личный состав корпусного мотоциклетного полка ни разу не стрелял... Приписных машин из народного хозяйства дивизия не получила. В пункт приема приписных машин Шепетовка было послано 8 представителей, но они, пробыв там несколько дней, вернулись обратно без единой машины, заявив, что машины, предназначенные для нашей дивизии, убыли в один из укрепленных районов (автотранспорт, предназначенный для МЕХАНИЗИРОВАННОГО соединения, убыл в НЕПОДВИЖНЫЙ по определению укрепрайон?)... *За весь период боев дивизия не могла ниоткуда получить ни одного снаряда для 37-мм зенитных пушек... Данных авиаразведки не имели до 25.6.41 г. и в дальнейшем тоже... Поддержки дивизии со стороны нашей авиации не было в течение всего периода боевых действий...»*

Как было принято тогда, бронебойных снарядов в одном из наиболее мощных мехкорпусов Красной Армии не было. Или почти не было. Сказать точнее трудно. В докладе командира 10-й танковой дивизии (63 танка КВ и 38 Т-34) читаем: *«Первые три дня боев дивизия не имела ни одного бронебойного снаряда для 76-мм пушек»*. В докладе же командира корпуса о том же самом сказано несколько иначе: *«Первые 3 дня боев не было бронебойных снарядов (в 19-м и 20-м танковых полках 10-й тд было всего на полк по 96 бронебойных снарядов)»* Бронебойных снарядов калибра 76 мм в Красной Армии действительно было мало. Но не до такой же степени. По состоянию на 1 мая 1941 г., в среднем на одно 76-мм орудие в Киевском ОВО имелось по 18 бронебойных снарядов. (9, стр. 261) В среднем. В соответствии же с Директивой начальника штаба округа № 0054 от 29 апреля 1941 г. имеющийся скромный запас должен был быть распределен с умом, а именно: (75, стр. 23)

«...Бронебойными выстрелами части округа обеспечить по следующему расчету:

— на каждую 76-мм пушку стрелковых дивизий по 6 выстрелов;

— кавалерийских, мотострелковых дивизий и частей укрепрайонов по 12 выстрелов...

— на каждую 76-мм пушку ***на танках КВ по 25 выстрелов*** (подчеркнуто мной. — ***М.С.***)

— на танках Т-34 по 13 выстрелов...»

Одна-две дюжины бронебойных снарядов в боекомплекте танка — это уже не так и мало. Бронебойными снарядами (в отличие от осколочно-фугасных) не стреляют десятками тысяч «по площадям». Одного-двух попаданий 76-мм снаряда летом 41-го было достаточно для уничтожения любого немецкого танка. Если бы приказ от 29 апреля был выполнен к 22 июня, то в 10-й танковой дивизии должно было бы быть более 2 тыс. бронебойных 76-мм выстрелов. Теоретически этого могло хватить если и не на всю 1-ю Танковую группу вермахта, то на ту единственную немецкую дивизию (11-я тд, 143 танка), с которой столкнулась 10-я танковая. Но не хватило...

Традиционная советская историография называет это «неготовностью к войне». Не успели. «История отпустила нам мало времени». Вот если бы война началась летом 1942 года — вот тогда бы в стране порядок был... Железный сталинский порядок...

Кстати, о Сталине. В том тексте доклада ВРИО командира 10-й танковой дивизии, который напечатан в СБД № 33, есть такая фраза: *«Дивизия в сложной обстановке приобрела большой боевой опыт, вырастила значительную прослойку боевого актива и еще больше сплотилась вокруг партии Ленина».* (63, стр. 213) Этого не могло быть в документе. Такое не может быть, потому что не может быть никогда. Это не вопрос страха, боязни ответственности — такого просто не могло быть. Священник в православном храме не может обратиться к верующим со словами «Аллах акбар». Того, Кому молятся в православной церкви, зовут иначе. Партия же называлась «партия Ленина—Сталина». Это словосочетание было намертво вбито в голову и в пальцы. Написать «партия Ленина» в 1941 году никто не мог. Все знали, как называется партия, которая ведет нас от победы к победе. Если составители секретного сборника, предназначенного (как сказано в предисловии) для офицеров и генералов, сочли возможным в целях обеспечения «политкорректности обр. 1957 г.» изменять подлинный текст публикуемого документа в такой ничтожной мелочи, то что же было сделано с серьезными цифрами и фактами?

И тем не менее — будем работать с тем, что есть. Начнем, как и раньше, с оценки укомплектованности дивизий корпуса танками.

	КВ	Т-34	Т-28	БТ-7	Т-26	Всего:
10-я тд	63	38	51	181	30	**363**
37-я тд	1	34	0	258	23	**316**
212-я мд	0	0	0	32	5	**37**
Всего:	**64**	**72**	**51**	**471**	**58**	**716**

Как и другие мехкорпуса Киевского ОВО (Юго-Западного фронта), 15-й МК состоял из трех частей, весьма различающихся по степени своей боеготовности. 212-я моторизованная дивизия (как и все прочие «двухсотые» мд) была совершенно «сырой» дивизией формирования весны 41-го года. Отсутствие автотранспорта (будем считать, что такое отсутствие было в наличии) и конского состава превращало ее в малоподвижную стрелковую дивизию, правда, усиленную группой из 37 легких танков и 17 плавающих танкеток Т-37/40. Впрочем, малая подвижность 212-й мд никак не помешала ей. В соответствии с приказом командования фронта 212-я мд была с самого начала войны выведена из состава корпуса и **оставлена на месте** своего постоянного расквартирования, в городе Броды, с задачей обороны этого важного дорожного узла. Судя по всем отчетам, дивизия обороняла Броды до 28 июня, когда этот город безо всякого боя был занят немецкой пехотой. Впрочем, из воспоминаний Рябышева и Попеля явствует, что никакой дивизии в Бродах они вообще не обнаружили. Уже 1 июля, во время начавшегося общего отхода частей 15-го МК, в районе м. Олеюв пропали без вести командир дивизии генерал-майор Баранов и начальник штаба полковник Першаков. Фактически С.В. Баранов был ранен, попал в плен и умер от тифа в лагере для военнопленных под Замостьем в феврале 1942 г. После потери командования 212-я мд быстро и окончательно развалилась — за Днепр в Пирятин к 12 июля изо всей дивизии, «имевшей почти полную обеспеченность личным составом красноармейцев» и не участвовавшей фактически в крупных боях, вышло **всего 745 человек**...

Боевые действия танковых дивизий 15-го МК начались в 9 часов 50 минут 22 июня, когда передовой отряд 10-й тд в составе 3-го батальона 20-го танкового полка и 2-го батальона 10-го мотострелкового полка выступил к границе по маршруту Золочев—Радехов. Вечером, в 22 часа, отряд встретился с противником *«силою до двух батальонов пехоты с противотанковыми орудиями»* (вероятно, это были передовые части 57-й пехотной дивизии вермахта, прорвавшей оборону советских войск в районе Сокаль—Крыстынополь). *«В результате боя уничтожено 6 противотанковых орудий противника и до взвода пехоты. Наши потери — 2 танка. К исходу 22.6 передовой отряд занял Радехов...»* Это был первый и, увы, последний успех 10-й танковой дивизии, да и всего 15-го мехкорпуса.

Тем временем (в 18 часов 22 июня) начали выдвижение по направлению на Радехов—Лопатин главные силы 10-й и 37-й танковых дивизий. Задача была им поставлена в высшей степени решительно: *«уничтожить сокальскую группу противника, не допустив отхода ее на западный берег реки*

Буг» (т.е. в первый день войны советское командование было обеспокоено тем, как бы не дать агрессору убежать назад, на сопредельную территорию). С началом движения танковые полки 10-й тд завязли (примерно в 15—20 км от мест постоянной дислокации) в болотах, а части 37-й тд *«в 14.00 23 июня получили от прибывшего командира 15-го мехкорпуса генерал-майора Карпезо задачу уничтожить танки противника в районе Адамы. Впоследствии оказалось, что танков противника в районе Адамы не было...»*

Пока части 10-й и 37-й танковых дивизий блуждали по лесам и болотам, 11-я танковая дивизия вермахта встретилась в 5 часов 15 минут 23 июня на окраине Радехова с передовым отрядом 10-й танковой дивизии. Завязался ожесточенный неравный бой, в котором немецкой дивизии противостоял не 15-й мехкорпус и не одна из его дивизий, а только два батальона без бронебойных снарядов к пушкам Т-34. *«Результаты боя: уничтожено 20 танков противника, 16 противотанковых орудий и до взвода пехоты. Потеряно: танков БТ — 20 штук, Т-34 — 6 штук, убитыми 7 человек, ранено 11 человек, без вести пропавшими 32 человека...»* Наконец, в три часа дня к месту боя подошли два полка 10-й танковой дивизии (19-й танковый полк продолжал барахтаться в болоте и расстояние в 40 км от Броды до Радехова пока еще не преодолел). *«Атака мотострелкового и 20-го танкового полков 10-й танковой дивизии без поддержки артиллерии, при наличии явно превосходящих сил противника, расположенных на выгодном рубеже, была неуспешной, и Радехов остался за противником. Подбито 5 танков противника и 12 противотанковых орудий...»* Про собственные потери дивизии в этом бою в докладе командира ничего не сказано.

Этот странный бой 23 июня, в ходе которого советские танкисты вынуждены были царапать броню вражеских танков осколочными снарядами, оказался первым и единственным столкновением 15-го мехкорпуса с немецкими танковыми соединениями (строго говоря, в середине июля 41-го остатки частей 15-го МК в виде отряда из 21 танка и сводного батальона мотопехоты под командованием командира 10-й тд генерал-майора Огурцова приняли участие в многодневном танковом сражении у Бердичева). Немцы, почувствовав усиливающееся давление на южный фланг 1-й ТГр, ушли от Радехова на Берестечко (где уже вечером 23 июня захватили важнейшие переправы через реку Стырь) и далее от Берестечко по шоссе на Дубно. А в это время части 15-го мехкорпуса (подобно боксеру на ринге, пританцовывающему перед тем, как нанести удар) совершали некое хаотичное движение внутри «треугольника» Радехов—Броды—Буск. Части 10-й и 37-й тд, непрерывно сменяя друг друга на разных исходных рубежах, подгоняемые приказами командования корпуса и фронта, готовились то к наступлению на Берестечко, то к повторному наступлению на Радехов, то к отражению наступления несуществующего противника, «прорвавшегося» на Броды, а то и вовсе к отходу на Тернополь... Хотя геометрические размеры названного «треугольника» не превышают 50—60 км на сторону, 10-я и 37-я танковые дивизии вырабатывали (судя по отчету командования 15-го МК) по 10—13 моточасов в день.

Вся эта неразбериха закончилась в шесть часов вечера 26 июня сценой, вполне достойной фильма ужасов.

В отчете о боевых действиях 15-го МК читаем: *«18 самолетов противника подвергли тяжелой бомбардировке командный пункт корпуса... Бомбежка продолжалась в течение 50 минут, в результате ранено 2 красноармейца и 1 убит»*.

18 самолетов, 50 минут бомбежки, потери — 3 человека? В ходе этого налета погиб командир корпуса, генерал-майор Игнатий Иванович Карпезо. Сослуживцы тут же, в лесу у местечка Топорув, похоронили генерала. Но тут на разбитый КП корпуса прибыл Иван Васильевич Лутай, заместитель командира по политчасти, проще говоря — комиссар корпуса. Прибыл, выслушал доклад о гибели командира — и приказал разрыть свежую могилу. Писатель-фронтовик В.В. Карпов, член ЦК КПСС последнего срока, последний первый секретарь правления Союза писателей СССР, в своей из-

вестной книге восхвалений мудрости Маршала Побёды дает такое объяснение действиям комиссара: Иван Васильевич, дескать, потерял самообладание от горя и начал биться над могилой как истеричная барышня... Верится в такое с трудом. У наших комиссаров и биография и воспитание были слишком суровыми, чтобы их можно было представить в таком образе. Торопливость подчиненных, видимо, насторожила Лутая, и он, скорее с наганом в руке, нежели со слезами на лице, решил лично разобраться в причине гибели командира корпуса. Могилу разрыли — Карпезо был жив, правда, без сознания, в тяжелой контузии. Бдительность и настойчивость, проявленные Лутаем, спасли генерала (И.И. Карпезо дожил до 1987 г. и ушел из жизни в возрасте 89 лет), но спасти 15-й МК от разгрома, к которому тот уже неудержимо катился, не удалось никому.

Пока две танковые дивизии 15-го мехкорпуса метались по заболоченному лесу, в полосу Радехов—Берестечко вышла немецкая пехота (262, 297, 57, 75-я пехотные дивизии), которая, пользуясь медлительностью командования 15-го МК, спешно создавала оборонительный рубеж по берегам мелких лесных речушек Радоставки, Слоновки, Пляшевки. Контузия командира корпуса и чехарда приказов командования Юго-Западного фронта от 26—27 июня (то отступать на Тернополь, то наступать на Берестечко) привели к тому, что в общее наступление танковые дивизии 15-го мехкорпуса перешли только утром 28 июня.

Вот мы и подошли к главному вопросу: в каком составе 10-я и 37-я танковые дивизии начали наступление утром 28 июня? Потери 10-й тд в бою 23 июня и в последующих стычках с противником подробно, по каждому дню и бою расписаны в докладе, подписанном 2 августа новым (после ранения Карпезо) ВРИО командира 15-го МК полковником Ермолаевым. Что же касается 37-й тд, то она до 28 июня боевого соприкосновения с противником и соответственно боевых потерь — равно как и потерь от авиации противника — не имела вовсе. Сведем всю доступную информацию в две таблицы:

10-я тд	КВ	Т-34	Т-28	БТ-7	Т-26	Всего:
Было в дивизии по состоянию на 22 июня	63	38	51	181	30	363
Из них исправны и вышли в поход	63	37	44	147	27	318
Боевые потери 22—26 июня	13	6	0	32	2	53
Фактическое наличие к исходу дня 26 июня	10	5	4	20	0	**39**
	40	**26**	**40**	**95**	**25**	**226**

37-я тд	КВ	Т-34	БТ-7	Т-26	Всего:
Было в дивизии по состоянию на 22 июня	1	34	258	23	316
Оставлено в г. Кременец	1	0	15	10	26
Боевые потери 22—26 июня	0	0	0	0	0
Фактическое наличие к исходу дня 26 июня	0	29	185	7	221
		5	**58**	**6**	**69**

Итак, самая мощная в 15-м МК (и одна из лучших по укомплектованности и подготовке личного состава во всей Красной Армии) 10-я тд за пять дней превратилась в изрядно потрепанный танковый батальон. От 318 исправных по состоянию на 22 июня танков к исходу дня 26 июня в строю осталось всего 39. Потери «неизвестного происхождения» составили **226 танков**. За пять дней. Даже если предположить, что в докладе командира дивизии и упущены какие-то боевые потери в ходе эпизодических стычек с немецкими пехотными частями, то эта неточность никак не объясняет расхождение между числом боевых (53 танка) и общих (279 танков) потерь. Особенно впечатляют динамика и структура потерь трехбашенных Т-28, которые тихо исчезают, так и не успев, вероятно, сделать ни одного выстрела по противнику. Если верить отчету, 48-тонные КВ с их 75-мм броней ничуть не превосходят по боевой живучести легкие БТ-7 и Т-26 с противопульным бронированием. Самое же удивительное — ни в докладе ВРИО командира дивизии, ни в докладе ВРИО командира корпуса эти вопиющие факты даже никак не комментируются!

В 37-й танковой дивизии пока что дела обстоят значительно лучше. 221 танк (из 316) готов вступить в бой. Еще 26 ждут своего часа на месте постоянной дислокации дивизии в г. Кременец. Три четверти от общего числа «безнадежно устаревших» БТ-7 выдержали многодневные бестолковые метания по лесным дорогам и, судя по отчету командира дивизии, пока еще исправны.

Утром 28 июня 15-й МК (вместе с приданной ему 8-й тд из состава 4-го мехкорпуса, которая, как было уже отмечено выше, «сократилась» до группы в 65 танков) перешел в наступление в общем направлении Буск—Лопатин—Берестечко. Танки противника к тому времени уже ушли от Берестечко далеко на восток, к Ровно и Острогу, и 15-й мехкорпус мог встретиться только с отдельными частями 297-й и 262-й пехотных дивизий вермахта. Отчету о бое 28 июня в докладе ВРИО командира 15-го МК предшествует длинный перечень причин, по которым удар бронированного кулака, в котором даже после всех загадочных исчезновений все еще оставалось **более трех сотен танков**, был обречен на поражение. В частности:

«...Местность. В полосе наступления корпуса до Берестечко — 5 серьезных водных преград: р. Радоставка, р. Острувка, р. Жечка, р. Лошувка и р. Соколувка. Все реки имеют болотистые берега и представляют собой труднодоступные рубежи для действия танков. Вся местность в полосе наступления лесисто-болотистая, командные высоты на стороне противника. Вывод: местность не способствует наступлению...»

С таким выводом спорить не приходится. Остается только задать вопрос — по какой местности наступали дивизии 1-й Танковой группы вермахта? Как же они смогли преодолеть могучие, не обозначенные ни на одной географической карте лесные ручьи (Радоставку, Острувку, Жечку, Лошувку и Соколувку), а также Западный Буг, Стырь, Горынь, Случь, а далее и Днепр? Откуда в заболоченном лесу появились «командные высоты» и почему они оказались в руках противника, который появился в этом лесу всего несколько дней (или даже часов) назад? Впрочем, в данном вопросе командир корпуса лишь следовал в «общем русле» жалоб на местность и противного противника, как это было задано вышестоящим начальством. Так, еще 3 июля 1941 г. начальник Автобронетанкового управления Юго-Западного фронта в докладе на имя начальника Главного АБТУ Красной Армии объяснял *«огромные потери и небоеспособность оставшейся в наличии материальной части»* тем, что мехкорпусам пришлось действовать на *«почти танконедоступной лесисто-болотистой местности»*, в условиях *«упорного сопротивления со стороны преобладающего* (???) *противника и отсутствия бронебойных снарядов для КВ и Т-34»*. (63, стр. 134) Последнее, бесспорно, является правдой. Но кто же должен был озаботиться тем, чтобы хотя бы малая часть от 132 тыс. бронебойных 76-мм выстрелов была доставлена в тот военный округ, который получил танков КВ и Т-34 больше, чем все остальные округа, вместе взятые? Как начальник АБТУ Киевского ОВО мог есть, пить, спать, исполнять супружеские и служебные обязанности, зная, что в танковых дивизиях, стоящих у границы, нет бронебойных снарядов? Или он узнал об этом только 3 июля?

Описания боя 28 июня, содержащиеся в отчетах командиров 15-го МК, 10-й и 37-й танковых дивизий, очень пространны и запутанны. Краткий конспект выглядит примерно так:

«...В течение дня части вели бой за овладение Лопатин... наступающие части 10-й тд были задержаны перед торфяными болотами, в районе которых единственная дорога оказалась совершенно непригодной для переправы танков... В процессе боя за Лопатин на рубеже р. Острувка наступавшие части были окружены (танковая дивизия была окружена пехотой про-

тивника?). *Оставаться 10-й тд в данном районе на ночь, будучи окруженной, было бесцельно* (???) *и могло привести к потере всей дивизии...*

...Понеся значительные потери и не имея достаточной танковой поддержки (???), *мотострелковый полк 37-й тд вынужден был приостановить наступление и перейти к обороне на западном берегу р. Стырь... Вследствие временной потери управления 73-й танковый полк 37-й тд с большим трудом удалось переправить на западный берег р.Стырь... Это дало возможность остаткам батальона противника, оборонявшего переправы у Станиславчик* (батальон пехоты против танковой дивизии), *отойти в лес... Попытка переправиться по мостам через р. Острувка была безуспешной, так как головные 2—3 танка, подошедшие к мосту, были моментально подбиты и загорелись. Несколько танков пыталось обойти мост справа и слева, но это оказалось невозможным; танки застряли в болоте и были подбиты артиллерийским огнем противника... Из такой обстановки было ясно, что продолжать атаки без артиллерии, пехоты и авиации было бы бессмысленно, в свою очередь, оставаться на достигнутом рубеже на южном берегу р. Острувка было также рискованным...*

...С наступлением темноты командиром 15-го механизированного корпуса был отдан приказ о выводе частей 10-й танковой дивизии на восток в район 37-й тд, а в дальнейшем, в связи с уже совершившимся (???) *выходом из боя 37-й танковой дивизии, приказ на выход из боя и на возвращение в исходное положение...»*

Трудно поверить, что все это происходило на своей собственной территории, в районе постоянной предвоенной дислокации 15-го мехкорпуса, т.е. там, где каждая дорога, тропинка, канава, брод, мост должны были быть досконально изучены. Трудно поверить в то, что перед нами описание боевых действий мехкорпуса, в составе которого были понтонно-мостовые, саперные, инженерные, ремонтно-эвакуационные, разведывательные подразделения. На каждый танк в 15-м МК приходилось (по состоянию на 1 июня 1941 г.) 45 человек личного состава. Из этих 45 человек внутри танка находилось самое большее пять членов экипажа КВ (в БТ — три человека). Остальные должны были бы обеспечить боевые действия танкистов разведкой, ремонтом, топливом, снарядами, мостами, переправами и, самое главное, управлением...

Потери танков 10-й танковой дивизии указаны конкретно: 1 КВ, 1 Т-34, 7 БТ-7. Сводный полк 8-й танковой дивизии потерял 11 танков неуказанных типов. Про потери танков 37-й тд данных нет, но, судя по описанию боя, дивизия потеряла никак не более 15—20 танков. С утра 29 июня 15-й мехкорпус был выведен во «фронтовой резерв», что практически означало безостановочный отход к Днепру. За день странного боя 28 июня 10-я тд потеряла (судя по докладу командира) семь человек: 1 был убит и 6 человек ранено. Всего же, за несколько дней боев и во время многодневного марша на восток, дивизия потеряла 210 человек убитыми, 587 — ранеными и 3353 — пропавшими без вести, «отставшими на марше» и пр.

37-я танковая дивизия, все участие которой в том, что называется «контрудар мехкорпусов Юго-Западного фронта», свелось к беспомощным попыткам отбросить батальон немецкой пехоты от переправы у местечка Станиславчик, потеряла 75% личного состава. В район сосредоточения у Пирятина (за Днепром) вышло 467 человек старшего командного состава, 423 младших командира и 1533 рядовых. Проще говоря, за время отхода к Днепру дивизия почти полностью «растаяла».

Состояние танкового парка 15-го мехкорпуса было нижеследующим:

10-я тд	КВ	Т-34	Т-28	БТ-7	Т-26	Всего:
Фактическое наличие к исходу дня 26 июня	10	5	4	20	0	39
Боевые потери 28 июня	1	1	0	7	0	9
Фактическое наличие к 6 июля	2	3	1	12	2 (?)	20

37-я тд	Т-34	БТ-7	Т-26	Всего:
Фактическое наличие к исходу дня 26 июня	29	185	7	221
Боевые потери 28 июня				20
Фактическое наличие к 6—8 июля	2	12	0	14

На момент подписания доклада ВРИО командира 10-й танковой дивизии танков в дивизии уже не было. Ни одного. Это прямо указано в тексте. (63, стр. 211) Есть в докладе и таблица с «расшифровкой» причин потерь танков. Первое же, что бросается в глаза, — огромный «ассортимент» причин. Вместо ясной и понятной классификации — потеряны от воздействия противника (подбиты), потеряны без воздействия противника по техническим причинам (сломались), брошены — составители отчета придумали 10 витиеватых типов причин:

1) разбито и сгорело на поле боя;

2) вышло из строя при выполнении боевой задачи и осталось на территории, занятой противником;

3) не вернулось с экипажами с поля боя после атаки;

4) сгорело в результате бомбардировок (сразу же отметим, что в этой категории ровно ОДИН танк БТ-7. — ***М.С.***);

5) осталось с экипажами в окружении противника из-за технических неисправностей или отсутствия ГСМ;

6) осталось из-за отсутствия ГСМ и невозможности его подать, т.к. район захвачен противником;

7) пропало без вести с экипажами;

8) уничтожено на сборных пунктах аварийных машин в связи с невозможностью эвакуировать при отходе;

9) оставлено при отходе по техническим неисправностям и невозможности восстановить и эвакуировать;

10) застряло на препятствиях с невозможностью извлечь и эвакуировать.

К потерям от воздействия противника явно относятся только пункты 1 и 4. Конкретный смысл п. 2 и 3 не ясен. Если танк «не сгорел в результате бомбардировок» и не «разбит и сгорел на поле боя» (п.1), то по какой еще причине он «не вернулся с экипажами с поля боя после атаки»? Танк — это ведь не дальний бомбардировщик, который улетел в тыл врага и его никто больше не видел, танковый бой происходит на глазах тысяч людей... Чем п. 2 отличается от п. 1? Строго говоря, начиная с утра 22 июня все потери танков можно подвести под категорию «вышло из строя при выполнении боевой задачи», а после стремительного (в отдельные дни июля — по 150—200 км в день) отхода на восток все без исключения танки остались «на территории, занятой противником». Не следует забывать и о том, что отчет этот писался в конце июля 41-го, за сотни километров от места событий, в условиях, которые напрочь исключали возможность осмотра потерянных машин и проверки достоверности заявленных причин и причинок исчезновения трех сотен танков...

Вероятно, для того чтобы статистика потерь приобрела хоть какой-то внятный смысл, надо объединить п.п. 1 и 4 («боевые потери»), п.п. 2 и 3 («предположительно боевые»), п.п. 4—10 («без воздействия противника»). В таком случае вырисовывается следующая картина:

10-я тд	КВ	Т-34	Т-28	БТ-7	Т-26	Всего:
Исправны и вышли в поход 22 июня	63	37	44	147	27	318
Боевые потери	11	20	4	54	7	96
Предположительно боевые	11	4	4	5	5	29
Без воздействия противника	**34**	**8**	**36**	**41**	**12**	**131**
	7	**5**	**0**	**47**	**3**	**62**

Итак, две трети танков, которые вечером 22 июня были вполне исправны, потеряны без воздействия противника.

В частности, 41 непробиваемый КВ из 63, имевшихся в наличии. Примечательно, что для объяснения причин потери 62 танков (а это танковая бригада по штатам осени 1941 года) не подошла ни одна из 10 лукавых формулировок. О них составители отчета просто умолчали.

Еще одним подтверждением того, что цифры в докладах и отчетах 41-го года следует проверять, а не просто доверять им с ходу, могут служить встречающиеся в этих отчетах совершенно фантастические сообщения о потерях противника:

«...В результате боевых действий ***32-я танковая дивизия*** (4-й МК) *с 22.6 по 14.7.41 г. в общей сложности уничтожила 113 танков, 96 противотанковых орудий, 463 мотоцикла, 4 легковые машины, 93 грузовые машины, 3 тягача, 8 самолетов, 80 орудий, 10 минометов, 3916 солдат и офицеров противника...*

*...***10-я танковая дивизия** *уничтожила: танков — 128, противотанковых орудий — 198, пушек — 117, самолетов — 20, грузовых машин — 81, минометов — 26 и пехоты — до 2,5 тысячи человек...*

...Итого за период с 22.6 по 10.7.41 г. частями ***37-й танковой дивизии*** *уничтожено: до 4 батальонов пехоты, 24 танка, 8 танкеток, 16 противотанковых орудий, 4 76-мм пушки, 44 транспортные машины, 19 мотоциклов, 20 самолетов, 1 бронемашина, 1 цистерна, 2 легковые машины, до дивизиона артиллерии...*

...Войска ***8-го мехкорпуса****, без группы Н.К. Попеля, уничтожили 4 мотоциклетных и 5 пехотных батальонов, до 200 танков, более 100 орудий разных калибров, 9 самолетов и взяли в плен свыше 300 солдат и офицеров противника.... Группа Н.К. Попеля в боях под Дубно уничтожила более 200 танков и до 5 батальонов пехоты противника...»*

Итого три мехкорпуса Юго-Западного фронта (4-й МК, 8-й МК, 15-й МК) «уничтожили» за первые две недели войны (и это еще без учета «достижений» 8-й тд, 81-й мд, 212-й мд) 665 танков, 8 танкеток, 611 орудий и даже 48 самолетов противника. Фактически же в составе двух танковых дивизий вермахта (11-й и 16-й), с частями которых хотя бы теоретически могли встретиться 4-й, 8-й и 15-й мехкорпуса, было всего 289 танков. Их реальные безвозвратные потери к началу сентября (т.е. через два месяца после так называемого «танкового сражения на Западной Украине») составили:

— 39 танков (4 Pz-IV, 24 Pz-III, 10 Pz-II, 1 Pz.Bef) в 11-й танковой дивизии;

— 66 танков (10 Pz-IV, 36 Pz-III, 16 Pz-II, 4 Pz.Bef) в 16-й танковой дивизии. (10, стр. 206)

Глава 16

ПРО МИНОМЕТЫ И «ПОЛУТОРКИ»

Документы, позволяющие выявить и детализировать феноменальный «падеж танков», охвативший в первые недели войны Красную Армию, были рассекречены более сорока лет назад. На том экземпляре «Сборника боевых документов Великой Отечественной войны № 35», с которым я работал и из которого была взята большая часть информации, приведенной в двух предыдущих главах, стоит синий штампик: «Рассекречено. Директива ГШ № 203995 от 30.11.65 г.» Однако же в нашей стране рассекретить и сделать доступным — совсем не одно и то же. Так называемой «широкой общественности» эти документы неизвестны (а честно говоря — и недоступны) фактически по сей день. Но что интересно: так называемые советские «историки», продолжая упоенно врать «про многократное численное превосходство противника в танках», начали загодя готовиться к тому моменту, когда шило все-таки вылезет из мешка. Еще в самые что ни на есть «застойные годы» они уже успели объявить городу и миру, что советские танки были ненадежные, примитивные, изношенные, с выработанными моторесурсами... Одним словом — рассыпались на ходу. На таких танках не то что воевать — проехать 100 км из пункта А в пункт Б было невозможно....

К сожалению, я не шучу. Не только на уровне стенгазеты швейной фабрики, но и в претендующих на научную фундаментальность изданиях на протяжении четырех десятилетий тиражировались бредни о том, что к началу войны «три четверти танков старых типов нуждались в ремонте», причем не то 29%, не то 44% — в «капитальном ремонте». Печально, но даже составители такого авторитетного статистического исследования, как «Гриф секретности снят», не постеснялись сообщить читателям, что из 14,2 тыс. советских танков, находившихся 22 июня 1941 г. в Действующей армии, «полностью боеготовых было 3,8 тыс. единиц». (2, стр. 345) И хотя реальные данные по техническому состоянию танков известны по меньшей мере с ноября 1993 г. (со дня известной публикации Н.Золотова и С. Исаева «Боеготовы были» в № 11 «Военно-исторического журнала»), три четверти неисправных танков продолжают ползать по страницам самых современных книг и статей. Н. Золотов и С. Исаев показали и тот воистину изящный способ, при помощи которого была выстроена многолетняя фальсификация. Дело в том, что на основании Приказа наркома обороны СССР № 15 от 10 января 1940 г. было предусмотрено деление бронетехники на следующие пять категорий:

1. Новое, не бывшее в эксплуатации и вполне годное к использованию по прямому назначению;
2. Находящееся в эксплуатации, вполне исправное и годное к использованию по прямому назначению;
3. Требующее ремонта в окружных мастерских (средний ремонт);
4. Требующее ремонта в центральных мастерских и на заводах (капитальный ремонт);
5. Негодное (танки этой категории снимались с учета и в сводные ведомости не зачислялись).

Надеюсь, читатель уже догадался, как ему морочили голову советские «историки»: в разряд «боеготовых» они зачисляли только 1-ю категорию, т.е. абсолютно новые танки, а всю 2-ю категорию отнесли к разряду «нуждающихся в ремонте». Чтоб совсем было понятно — представьте себе «гаишника», который согласен выдать талон техосмотра исключительно и только владельцам новых, не бывших ни дня в эксплуатации машин...

Последняя предвоенная «Ведомость наличия и технического состояния боевых машин по состоянию на 1 июня 1941 г.» (ЦАМО, ф. 38, оп. 11353, д. 924, л. 135—138, д. 909, л. 2—18) свидетельствует, что на вооружении войск пяти западных приграничных округов числилось (не считая устаревших и выведенных из состава боевых частей танкеток Т-27) 12 782 танка, из которых «годными к использованию по прямому назначению» были 10 540 танков **(82,5% всего парка).** В частности, в Киевском ОВО (будущем Юго-Западном фронте) числилось 5465 танков, из них к 1-й и 2-й категории отнесено 4788 единиц **(87,6%).** Этими цифрами, однако, не описывается техническое состояние танков, находившихся непосредственно в мехкорпусах Киевского ОВО. Дело в том, что танков в округе было больше, чем танков в мехкорпусах. На вооружении восьми (22-й МК, 15-й МК, 4-й МК, 8-й МК, 16-й МК, 9-й МК, 19-й МК, 24-й МК) мехкорпусов Киевского ОВО было «только» 4808 танков из общего числа 5465. Более шести сотен танков находилось в составе разведбатов стрелковых дивизий, в танковых полках кавалерийских дивизий, в учебных центрах, на рембазах и на складах. Есть все основания предположить, что именно в мехкорпуса, а отнюдь не в стрелковые дивизии поступали новые (или почти новые) танки, соответственно и процент «годных к использованию по прямому назначению» в мехкорпусах был еще выше, чем в среднем по округу.

Теперь «подкрутим резкость» и посмотрим, как обстояли дела с техническим состоянием и ремонтом техники в одном из соединений Красной Армии, в 10-й танковой дивизии 15-го мехкорпуса — той самой дивизии, на рассказе о феноменальных потерях танков в которой мы закончили предыдущую главу. Из общего числа 363 танка дивизии утром 22 июня были исправны и вышли в поход 318 единиц (88%). Далеко ли они могли уйти? Открываем еще раз «Доклад о боевой деятельности 10-й танковой дивизии на фронте борьбы с германским фашизмом» и там читаем: *«...танки КВ и Т-34 все без исключения были новыми машинами и к моменту боевых действий проработали до 10 часов (прошли в основном обкатку)...*

Танки Т-28 имели запас хода в среднем до 75 моточасов...

Танки БТ-7 имели запас хода от 40 до 100 моточасов...

Танки Т-26 в основном были в хорошем техническом состоянии и проработали всего лишь часов по 75...» (63, стр. 207)

Принятое в 1938 г. «Наставление по эксплуатации и парковой службе» установило следующие минимальные межремонтные сроки: (30)

— для Т-28 — 200 моточасов;

— для БТ-7 — 200 моточасов;

— для Т-26 — 150 моточасов.

Эти цифры вовсе не говорят о том, что на 151-м часу работы двигатель танка Т-26 должен неминуемо сломаться. Ничего подобного — речь идет лишь о том, что каждые 150 моточасов надо производить комплекс работ, входящих в перечень «среднего ремонта». Регулярное проведение средних ремонтов позволит двигателю гарантированно проработать положенные ему 600 часов до капитального ремонта (400 часов — для Т-28, 600 часов — для БТ-7). Средний ремонт производится силами войсковых ремонтных мастерских и баз, и только для проведения капитального ремонта танк надо погрузить на железнодорожную платформу и отправить на завод или в крупный централизованный ремонтный центр. Так, в 10-й тд в первые три недели войны было выполнено 240 текущих и 61 средний ремонт танков — и это в обстановке катастрофического разгрома и отступления! Удивляться тут нечему — в танковой дивизии на один танк по штатному расписанию приходилось 30 человек личного состава. Было кому заниматься ремонтом, техническим обслуживанием, профилактическим осмотром боевой техники.

Теперь от «моточасов» перейдем к понятным каждому километрам пробега. При очень скромной (а для быстроходного танка БТ— абсурдно низкой) маршевой скорости 10 км/час «жалкий» остаток в 75—100 моточасов превращается в 750—1000 километров пробега. Для рейсового автобуса, который должен с утра до вечера возить пассажиров, этого ничтожно мало. Для танка — более чем достаточно. На войне танки столько и не живут. Крупная наступательная операция фронтового масштаба предполагает продвижение на 200—

250—300 километров. С учетом неизбежного в условиях многодневных боев маневрирования эти цифры следует увеличить в 1,5—2 раза, до 500—600 км. Все. Танк, который «дожил» до конца большой фронтовой операции, полностью оправдал все расходы на свое производство и эксплуатацию. После этого его можно с чистой совестью списывать или ставить на капитальный ремонт. А как же война? А война (точнее говоря — наступление) все равно остановилась. Кроме межремонтных сроков работы техники, существуют еще и не определенные точно никаким наставлением «межоперационные сроки» оперативных пауз.

Никакая армия во Второй мировой войне (за одним известным исключением, случившимся летом-осенью 1941 года) не могла наступать безостановочно. Надеюсь, внимательный читатель запомнил цифру в 1 килотонну гаубичных снарядов, которые по советским нормативам надо было израсходовать на подавление огневых средств одной пехотной дивизии вермахта. Но крупная наступательная операция фронтового масштаба предполагает уничтожение не одной, а нескольких десятков дивизий противника. И вести огонь по противнику предстоит не только гаубицам, а еще и пулеметам, минометам, дивизионным, противотанковым и зенитным пушкам. Следовательно, в район сосредоточения и развертывания наступающих войск надо подать десятки и сотни тысяч тонн снарядов, мин, патронов, авиабомб, продовольствия, горючего (на «Курскую дугу» было доставлено более 9 тыс. эшелонов — не вагонов, а именно эшелонов — с боеприпасами). Эти циклопические горы деревянных зарядных ящиков надо подать железнодорожным транспортом на установленные планом операции станции снабжения, выгрузить из вагонов, загрузить в автомобили, довезти до огневых позиций каждой батареи... Вот поэтому войны середины XX столетия шли в «частотно-импульсном режиме»: один-два месяца накопления ресурсов, затем — месяц наступательных боев, и все повторяется снова. Вот во время этих, абсолютно неизбежных оперативных пауз и должен был производиться средний и капитальный ремонт уцелевших и пока еще ремонтопригодных танков.

В реальности 1943—1945 годов это происходило так:

«В ходе боев поступление в части танков с заводов было явлением крайне редким. Поэтому восстановление поврежденной бронетанковой техники в ходе сражений и быстрый возврат ее в строй являлись наиболее существенным источником восполнения потерь в танках. Например, в 3-й Гвардейской танковой армии в Львовско-Сандомирской операции (лето 1944 г.) количество отремонтированных танков и САУ значительно превышало число боевых машин, имевшихся в танковой армии к началу операции. Иными словами, в течение одной операции каждый танк (САУ) ***выходил из строя два-три раза*** (здесь и далее подчеркнуто мной. — ***М.С.***) *и столько же раз снова возвращался в боевые порядки частей и соединений...*

...Анализ данных потерь танковых армий в 11 наступательных операциях позволяет отметить ряд важных моментов в рассматриваемой проблеме.

Во-первых, ***безвозвратные*** *потери танковых армий в наступательной операции продолжительностью в среднем 15—20 суток составляли около* ***25% первоначального количества*** *танков и САУ, а общие потери — около 82%.*

Во-вторых, боевые машины, подлежащие восстановлению, составляли до 70% общих потерь (т.е. 57% от первоначального количества танков. — ***М.С.***). *В числе машин, подлежащих восстановлению, было примерно 70% танков и САУ, вышедших из строя по боевым повреждениям, и 30%* (т.е. **всего 17% от первоначального количества**. — ***М.С.***) *вследствие застревания и технических неисправностей... Процент танкоремонтов к числу танков и САУ, имевшихся к началу операции, составлял от 115% (Белгород-Харьковская операция, 1-й Гв. ТА) до 221% (Висло-Одерская операция, 2-я Гв.ТА).* (38, стр. 218—219)

Это отрывки из многократно цитированной выше монографии «Танковый удар». Автор — генерал армии А.И. Радзиевский, начальник Военной академии им. Фрунзе, в годы войны — начальник штаба 2-й Гвардейской танковой армии. Среди великого множества других документов и фактов в монографии А.И. Радзиевского приведены и весьма важные для понимания причин и обстоятельств «танкового падежа» июня 1941 года данные о потерях личного состава танковых армий в сражениях 1943—1945 гг.

«Потери танковых армий за время проведения наступательных операций колебались от 7,2 до 24,9% численности личного состава к началу наступления. В частности, 3-я Гв. ТА потеряла в Львовско-Сандомирской операции 14,5%, а 4-я ТА — 10,8% от первоначальной численности личного состава, 2-я ТА в Брестско-Люблинской операции — 10,2%. Безвозвратные потери составляли от 16 до 30,8% от общих потерь (самыми тяжелыми были безвозвратные потери 1-й ТА в Белгород-Харьковской операции — **6,0% от первоначальной численности** личного состава. — *М.С.*) *Следует особо подчеркнуть, что примерно 90% потерь составлял личный состав мотострелковых подразделений и частей. Танкисты же несли меньшие потери... Соотношение между боевыми потерями танков и САУ и потерями в личном составе в наступательных операциях составляло 1:6 (Висло-Одерская, Проскуровско-Черновицкая), 1:4 (Львовско-Сандомирская, Берлинская)».* (38, стр. 242)

Подведем первые итоги. Количественные характеристики (потери танков и личного состава) так называемого «контрудара мехкорпусов Красной Армии июня 1941 г.» абсолютно не укладываются в «нормальные», подтвержденные многолетним опытом войны, статистикой десятков наступательных операций рамки. Нормальной (насколько это слово вообще применимо к войне) является ситуация, при которой безвозвратные потери личного состава танковых соединений в ходе крупной фронтовой операции исчисляются единицами процентов, а общие потери (убитые и раненые) составляют в среднем 10—15% от первоначальной численности. Число подбитых танков огромно, в ряде случаев оно в разы превышает первоначальную численность танков. Но за счет непрерывного восстановления и ремонта безвозвратные потери танков за операцию не превышают четверти от первоначального количества. Главной причиной выхода танков из строя является, разумеется, воздействие противника. Технические неисправности и застревание на местности составляют меньше одной пятой от первоначального числа танков. Так воюет воюющая армия.

В июне 41-го все не так. По всем пунктам. Безвозвратные потери танков всех упомянутых в предыдущих главах корпусов (6-й МК, 4-й МК, 8-й МК, 15-й МК) составляют 90 и более процентов. Потери от воздействия противника в 3—4 раза меньше небоевых потерь. По «техническим» причинам потеряно не 17, а 70 и более процентов боевой техники. Потери личного состава вообще трудно описать однозначно. В тех случаях, когда в доступных документах указано число бойцов и командиров, оставшееся в дивизиях и корпусах к середине июня, то оно не превышает 30—50% от первоначального, при этом в ряде соединений (6-й МК, 212-я мд и 37-я тд 15МК, 81-я мд 4МК, 34-я тд 8-го МК) потери личного состава превышают 75—90 и более процентов. В то же время потери людей в конкретных боестолкновениях даже меньше числа потерянных танков!

Самым «удобным» объяснением всех этих мрачных чудес является — по мысли многих современных авторов — громкое произнесение вслух волшебного слова «ОТСТУПЛЕНИЕ». И всем всё становится «понятно». *«Острая нехватка средств эвакуации, отсутствие мощных тягачей привели к тому, что вышедшие из строя танки пришлось оставить на территории, занятой противником...»* Удивительно, но никто из активных пропагандистов такого подхода к оценке событий начала войны пока еще не указал на те способы, с помощью которых можно было бы предотвратить столь прискорбное развитие событий. А спасительных способов, на мой взгляд, ровно два:

1) еще до начала войны отвести все имеющиеся танки за Днепр, а с началом боевых действий двинуться за Енисей. Не исключено, что в таком случае немцы не успели бы их догнать;

2) менее радикальным, но все равно действенным методом было бы изменение организационной структуры танко-

вых соединений. Если бы на каждый танк в дивизии приходилось по два тягача, то можно было бы и не оставлять танки «на территории, занятой противником». Тягачи, правда, тоже ломаются, и на два тягача хорошо бы иметь четыре супертягача для вытаскивания тягачей...

Серьезный же подход к делу начинается с изучения Устава. В Полевом уставе ПУ-39 очень ясно написано, для решения каких задач создаются танковые части и соединения. Соотношение сил сторон на южном ТВД, безусловно, позволяло провести крупную наступательную операцию в направлении Львов—Люблин, как это было предусмотрено и предвоенными планами, и Директивой № 3 от 22 июня 1941 г. Скорее всего, и в этом случае все танки до последнего были бы потеряны, но они были бы потеряны в бою, а не «на территории, занятой противником». Впрочем, действия танков в оборонительной операции, каковую операцию вроде бы пыталось провести командование Юго-Западного фронта, также предусмотрены в ПУ-39:

«391. Танки значительно усиливают оборону и являются надежным средством для поражения противника, прорвавшегося в глубину обороны. Большая маневренность, огневая и ударная мощь танков должны быть полностью использованы ***для активных действий*** (подчеркнуто мной. — ***М.С.***). *Основными задачами танков в обороне являются:*

а) разгром противника, ворвавшегося в оборонительную полосу, и в первую очередь его танков; б) уничтожение противника, обходящего фланг (фланги) обороны».

Такой вариант использования крупных танковых соединений, как отход за Днепр, в ходе которого танки (точнее говоря — остатки личного состава бывших танковых и моторизованных дивизий) обогнали собственную пехоту на 200 км в пространстве и на два месяца во времени, в Уставе не прописан. Никакого разумно-допустимого количества тягачей и не могло хватить для действий по такому варианту, который предусматривал буксировку 90% танков дивизии на расстояние в 500—600 км. Смею вас заверить, уважаемый читатель, что служба «скорой помощи» вашего города (даже если это богатая Москва) не справится с ситуацией, если ей поступят вызовы от 90% жителей. Более того, городская телефонная сеть просто не сможет обеспечить связь, если 90% телефонов одновременно наберут «03».

Вернемся еще раз к данным из монографии А.И. Радзиевского. «Нормальные» среднесуточные потери танков составляют 3—5—7% в день. Применительно к 10-й танковой дивизии 15-го мехкорпуса это означало бы 10—20 танков в день. Максимум. В дивизии было 29 мощнейших тягачей «Ворошиловец». Такими силами вполне можно было обеспечить эвакуацию подбитых танков с поля боя. **Эвакуацию** на ближайший пункт сбора поврежденных машин, **а не буксировку** на 650 км за Днепр к Пирятину.

Худшим из всех возможных, но все равно значительно лучшим того, что было сделано в реальности, был бы вариант использования танков (особенно тяжелых КВ, Т-28, Т-35) в качестве неподвижных огневых точек. Разумеется, не для того делались дорогостоящие машины (*«большая маневренность, огневая и ударная мощь танков должны быть полностью использованы для активных действий»*). И тем не менее превращение неисправных танков в импровизированные доты отнюдь не является запоздалой идей дилетанта. Это вполне стандартная практика войны:

«...Послал на разведку майора А. Ефимова. Часа через полтора он с радостью доложил — есть 16 танков Т-28 без моторов, но с исправными пушками... Для нас это явилось просто находкой. Конечно, надо использовать эти танки как неподвижные огневые точки, зарыть в землю и поставить на направлении Бородино—Можайск, где враг нанесет главный танковый удар... Противник пытался выйти в район Можайска, но был встречен огнем прямой наводкой из наших вкопанных танков Т-28... уже четвертый танк в упор расстреливает из Т-28 сержант Серебряков... Потеряв много техники, враг на короткое время остановился...» (22)

Это строки из мемуаров генерала армии Д.Д. Лелюшенко, который в октябре 1941 г. командовал 5-й армией, вступившей в бой с немецкими танковыми дивизиями на легендарном Бородинском поле под Москвой. И если 16 Т-28 без моторов — это, по мнению боевого генерала, «просто находка», то 278 KB, 215 трехбашенных Т-28 и 48 пятибашенных Т-35, зарытых в землю на перекрестках основных автомобильных дорог Западной Украины, могли бы создать большие проблемы для механизированных войск вермахта, бодро марширующих на трофейных французских автобусах...

Впрочем, предложение закапывать танки в землю является не запоздалым, а, напротив, — поспешным. Никто пока еще не доказал, что танки на самом деле сломались и за 5—10 дней потеряли способность к самостоятельному (без буксира) передвижению. Это очень странное, противоречащее всякой логике и практическому опыту предположение превратилось из теоремы, которую еще надо доказывать, в аксиому только благодаря огромным тиражам советской военно-исторической макулатуры. Авторы немакулатурных исследований просто и мудро обходили вопрос о потерях июня 41-го стороной. Например, все в той же толстенной монографии Радзиевского «Танковый удар», изданной в 1977 г., на весь 41-й год потрачено всего пять строчек:

«Развязанная фашизмом 22 июня 1941 г. война против Советского Союза потребовала от нашего народа огромного напряжения всех моральных и физических сил. Вследствие ряда причин Советская Армия вынуждена была вначале отступить в глубь страны. В тяжелых оборонительных сражениях советские воины и в их составе отважные танкисты, нанося значительный урон противнику в живой силе и технике, мужественно отстаивали города и села родной земли. Перейдя в контрнаступление под Москвой, Советская Армия развеяла миф о непобедимости фашистских войск». (38, стр. 17)

«Вследствие ряда причин...» Мудрый старый генерал отлично понимал, что публично обсуждать эти «причины» не позволят даже ему — начальнику главной военной академии страны. Нынче у нас свобода, да только обсуждать уже нечего. Танков тех нету. Те, что не пошли на переплавку в немецкие мартеновские печи, были переплавлены на Урале и в Запорожье. Никаких Актов технического осмотра, проведенного независимыми экспертами (лучше и точнее сказать — особым отделом и военной прокуратурой), никогда не было. И командиры бывших мехкорпусов, которые в конце июля 1941 г. писали свой «Доклад о боевых действиях», и те, кто эти доклады принимал, в равной мере понимали, что проверить ничего нельзя. Вопрос о том, когда Красная Армия вернется на территорию «бывшей Польши» — и вернется ли вообще, — был тогда открытым. Бесконечная череда «сгоревших фрикционов» в этих отчетах не более достоверна, чем количество уничтоженных немецких танков, указанных там же. И чего совсем уже нельзя проверить — так это причину, по которой диски сцепления перегрелись и покоробились (именно этот отказ и обозначает разговорная фраза «сгорел фрикцион») на марше к полю боя. Вот с *«заеданием поршней двигателя»* все, надеюсь, понятно. Или без масла в картере, или без воды в радиаторе, а еще лучше — и без того, и без другого.... Да и с «горящими фрикционами» перестали мириться уже через месяц после начала массового «падежа» танков:

«ПРИКАЗЫВАЮ:

1. Считать как чрезвычайное происшествие выход машин из строя по следующим причинам:

— коробление дисков сцепления;

— погнутость тяг коробки перемены передач;

— погнутость кривошипа ленивца;

— выход из строя стартера.

Командирам частей в каждом отдельном случае немедленно докладывать мне через моего заместителя по технической части...» (приказ командира 50-й тд от 25 июля 1941 г.). (63, стр. 116)

Переходя от смутных предположений к непреложным фактам, можно твердо констатировать, что **ни до лета 1941 г., ни после него** такого массового «падежа» советских танков никогда не отмечалось. Еще во время первых испытаний танков БТ-5 осенью 1933 г. пять танков прошли по маршруту Харьков—Москва (795 км) за 57 часов.

Средняя скорость движения (без учета остановок) составила 35 км/ч, а общая средняя скорость пробега — 14 км/ч.

Первым эпизодом боевого применения танков БТ была война в Испании. На базе 50 танков БТ-5 был сформирован танковый полк республиканской армии, который в октябре 1937-го вышел в район боевых действий на р. Эбро, совершив за двое с половиной суток марш в 630 км. (94) Пожалуй, самым тяжелым испытанием ходовых возможностей танков БТ стал Халхин-Гол. В конце мая 1939 г. две танковые бригады (6-я и 11-я) совершили беспримерный 800-км марш по раскаленной монгольской степи (температура воздуха в те дни достигала 40 градусов, о том, что творилось внутри раскаленных солнцем стальных коробок, можно только догадываться) в район будущих боевых действий. Вот как описывает эти события Герой Советского Союза К.Н. Абрамов — командир танкового батальона 11-й бригады:

«...Для нашей бригады сигнал боевой тревоги прозвучал 28 мая. На сборы по тревоге нам отводилось полтора часа. Батальон был готов к движению через 55 минут. Предстоял невиданный по напряжению и протяженности 800-километровый марш по безводной монгольской степи... Колонна двигалась по едва заметной степной дороге, протоптанной верблюжьими караванами. Местами дорога пропадала — ее замело песком. Для преодоления песчаных и заболоченных участков приходилось переводить танки с колесного хода на гусеничный. Эту работу хорошо подготовленные экипажи выполняли за 30 минут...» (95)

К исходу дня 31 мая батальон в полном составе вышел в намеченный район. Чуть больше времени (6 дней) потратила на 800-км марш 6-я танковая бригада. Через шесть лет после боев на Халхин-Голе, в августе 1945 г., танки БТ-7 в составе 6-й Гвардейской ТА приняли участие в так называемой «Маньчжурской стратегической операции». Танковые бригады прошли тогда 820 км через горный хребет Большой Хинган со средним темпом марша 180 км в день. (38) **Из общего числа 1019 танков всех типов в ходе операции было потеряно всего 78** (семьдесят восемь) единиц! (2, стр. 373) Старые «бетешки» (самые свежие из которых были выпущены пять лет назад) выдержали и такое испытание. А ведь даже если предположить, что все шесть лет танки просто простояли на консервации, то и в этом случае их техническое состояние могло только ухудшиться: охрупчились резиновые шланги, «отжались» уплотнительные прокладки, коррозия подъела контакты... И что покажется совсем уже невероятным — это процент исправных танков Дальневосточного фронта по состоянию на 30 сентября 1945 г. После тяжелейшего форсированного марша, после боев с отдельными группами японских войск более 80% танков были исправны: (96)

	Всего по списку	**Исправны**	**%%**
Т-34	1899	1794	94
БТ-7	1030	797	77
Т-26	1461	1272	87
Т-38	325	304	94
Всего танков всех типов	5548	4841	87
САУ всех типов	1422	1393	98

История танка Т-34, как написано об этом во всех книжках, началась с того, что в марте 1940 г. два первых опытных танка своим ходом **прошли 3000 км** по маршруту Харьков—Москва—Минск—Киев—Харьков. Прошли в весеннюю распутицу, по проселочным дорогам (двигаться по основным магистралям и даже пользоваться в дневное время мостами было из соображений секретности запрещено). Да, такой марш дался технике нелегко — подгорело ферродо на дисках главных фрикционов, обнаружились сколы на зубьях шестерен коробок передач, подгорели тормоза. В конце концов межремонтный пробег для серийных танков был установлен не в 3000 км (именно такая фантастическая цифра предусматривалась техническим заданием), а «всего» в 1000 км. В январскую стужу 1943 года, в ходе наступательной операции «Дон», советские танковые бригады прошли более 300 км по заснеженной задонской степи и разгромили крупные силы немецкой группы армий «А», прорвавшейся летом 1942 г.

к нефтеносным районам Моздока и Грозного. Летом 1944 года, в ходе операции «Багратион» (разгром немецкой группы армий «Центр» в Белоруссии), 5-я Гв.ТА, наступавшая по бездорожью, среди лесов и болот, прошла 900—1300 км при темпе наступления до 60 км в день и общем расходе моторесурсов в 160—170 часов. (38, стр. 227) В мае 1945 г. танки 3-й и 4-й Гвардейских танковых армий прошли 400 км от Берлина до Праги. По горно-лесистой местности, за пять дней, и при этом — без существенных технических потерь. Легендарная «тридцатьчетверка» прошла всю войну, во многих армиях мира она простояла на вооружении до середины 50-х годов. В финской армии трофейные советские танки и легкие артиллерийские тягачи «Комсомолец» прослужили аж до 1961 года! Без запчастей, без инструкции по эксплуатации, среди финских снегов и болот. И никто почему-то не жаловался на то, что советская бронетехника рассыпается, пройдя 60 км (расстояние от Брод до Радехова).

Еще более удивительное подтверждение надежности и живучести советской техники мы сможем найти, анализируя потери Красной Армии 1941 года — но не танков, а автомобилей.

Открываем еще раз отчет командира 10-й танковой дивизии. До начала боевых действий в дивизии числилось 864 исправных грузовика и автоцистерны. Из них за Днепр, в Пирятин пришло 613 машин. 71 процент! Чего ж вам боле? Без малого три четверти от исходного числа автомашин прошли как минимум 500 км (в отчете названа цифра аж в 3000 км) от границы до Днепра — и это по разбитым грунтовым дорогам, под ударами авиации противника, без ремонтных служб и запчастей. Продолжая «обязательный советский набор» причин разгрома и потери танков, надо было бы еще добавить фразу про «отсутствие ГСМ», но так в природе не бывает, поэтому придется признать, что для грузовиков бензин нашелся. Если из 864 машин пришли в Пирятин 613, значит, были и потери. Арифметика дает нам цифру 251, в отчете указаны причины потерь для 293 автомашин. Эта нестыковка может быть, в частности, связана с тем, что кроме грузовых в дивизии были еще и десятки легковых автомобилей. Но не будем придираться к этим малозначимым частностям, важнее другое — какова была структура потерь автомашин? *«210 машин потеряно в результате боя, 34 машины осталось с водителями в окружении противника из-за технических неисправностей и из-за отсутствия горюче-смазочных материалов, 2 машины уничтожено на сборном пункте аварийных машин в связи с невозможностью эвакуировать при общем отходе части, 6 машин застряло на препятствиях из-за невозможности их эвакуировать, и 41 машина оставлена при отходе части из-за технических неисправностей и невозможности их восстановления»*. Итак, из-за технических неисправностей потеряно не более 77 машин — **менее 9% от общего исходного количества**. Это просто великолепный показатель технической надежности. Что же это за сверхнадежные и высокопроходимые машины? В докладе есть ответ и на этот вопрос: 503 ГАЗ-АА и 297 ЗИС-5.

«Полуторка» ГАЗ-АА — это бывший американский Форд-А. Простой и дешевый, «бюджетный» грузовик. Простой и дешевый для начала 20-х годов, когда он и был разработан и запущен в производство. В начале 40-х его уже можно было размещать в техническом музее. Передний мост на одной рессоре, да и та поперек рамы, задний мост висит на двух обрубках — полурессорах, карданный вал без кардана, карбюратор без воздушного фильтра (просто дырка для забора воздуха, и все). На бешеной скорости в 40 км/час удержать эту машину в прямолинейном движении могла только глубокая колея. После двух-трех «ходок» с колхозного тока на городской элеватор водитель «полуторки» с чувством исполненного долга ставил ее на ремонт: перетягивать баббитовые подшипники коленвала, промывать «пылесосный» карбюратор и прочее. И это убожество обладало надежностью, проходимостью и защищенностью от атак с воздуха большей, нежели бронированные гусеничные машины, часть которых (БТ-7, Т-34) по всем показателям подвижности могли считаться лучшими танками мира?

Можно ли делать далеко идущие выводы на основании данных о потерях одной-единственной дивизии? Конечно, нет, поэтому пойдем дальше. 37-я танковая дивизия все того же 15-го мехкорпуса. Точное количество автомашин, имевшихся к началу боевых действий, не указано ни в отчете командира дивизии, ни в докладе ВРИО командира корпуса. Есть только жалобы на то, что *«мотострелковый полк был совершенно не укомплектован автомашинами»*. 15 июля 1941 г. в дивизии, сосредоточенной в Пирятине, числилось: *«танков Т-34 — 1, танков БТ-7 — 5, бронемашин БА-10—11, колесных машин — 173»*. Сто семьдесят три автомобиля. И 6 танков из 316.

Берем доклад командира 32-й танковой дивизии 4-го МК. Из 420 автомашин всех типов (легковые, грузовые, специальные, автоцистерны) потеряно 133. (63. стр. 189—192) 32% от первоначальной численности. Танков, напомню, было потеряно 269 из 323. 83% от первоначальной численности.

В составе 8-го мехкорпуса, судя по «Справке начальника АБТУ Юго-Западного фронта» от 17 июля 1941 г., осталось 1384 автомашины (41 легковая, 864 ГАЗ-АА и 479 ЗИС-5). Если сравнивать это с первоначальной численностью автомашин во всем 8-м МК (3237 единиц), то сохранено «всего лишь» 44% машин. Цифра эта значительно возрастет, если принять во внимание, что одна из дивизий корпуса (34-я танковая) с приданными ей частями 12-й тд погибла в окружении в районе Дубно и все свои автомобили оставила там.

18-й мехкорпус Южного фронта. Как и другие соединения Южного фронта, он вступил в боевые действия и был разгромлен на несколько недель позднее, нежели мехкорпуса Юго-Западного фронта. К концу июля 18-й МК еще существовал. На его вооружении осталось всего 43 танка БТ и 19 танков Т-26, а также 100 легковых и 1771 грузовая и специальная автомашина, в том числе — 1230 сверхнадежных «полуторок» ГАЗ-АА.

Значительно более мощным до начала войны был 2-й мехкорпус Южного фронта, успевший к тому же получить 60 танков новых типов (КВ и Т-34). По состоянию на 1 августа в корпусе числилось 136 танков (26% от первоначальной численности) и 3294 автомобиля (87% от первоначальной численности). (33, стр. 412, 415)

Теперь перейдем к самым обобщенным данным. Для чего снова обратимся к официальнейшему источнику — многократно цитированной монографии российского Генштаба «Гриф секретности снят». Составители этого труда поработали на совесть. На четырнадцати страницах перечислены потери вооружений и боевой техники по годам войны. Танки — отдельно, пушки — отдельно, гаубицы 122-мм отдельно от гаубиц 152-мм и т.д. Причем потери выражены не только в абсолютных цифрах, но и в процентах от «ресурса», т.е. совокупного количества техники, имевшейся в войсках на начало периода и поступившей из промышленности (по ленд-лизу, из ремонта). Так вот, за второе полугодие 1941 г. проценты потерь чудовищно велики: 73% танков, 70% противотанковых пушек, 60% гаубиц 122-мм, 63% гаубиц 152-мм, 62% ручных пулеметов, 65% станковых пулеметов, 61% минометов... Хотя, казалось бы, ну что может сломаться в миномете? Труба — она и есть труба... На этом мрачном фоне бросаются в глаза два «светлых пятна»: орудия крупного и особо крупного калибра (203-мм и более) и... автомобили. (2, стр. 352—363)

Очень низкие (9,1%) цифры потерь тяжелой артиллерии РГК представляют собой характерный пример того, что называется «исключение, подтверждающее правило». Разумеется, минометы (пулеметы, пушки) не сломались. Они «остались на территории, занятой противником». Тяжелая артиллерия (а она и вправду была тяжелой, от 17 до 45 тонн) не «осталась», так как в первые же дни войны была выведена с территории западных военных округов в глубокий тыл. Маршал артиллерии Н.Д. Яковлев (начальник ГАУ в годы войны) вспоминает:

«Наиболее крупным мероприятием, которым я горжусь и по сей день, явилось принятое по моей рекомендации категориче-

ское распоряжение Ставки об отводе всей артиллерии большой и особой мощности в тыл. Причем отвода немедленного, без ссылок на тяжелейшую обстановку первых дней войны. Поэтому, как ни негодовали наши славные артиллеристы, жаждавшие обрушить свои тяжелые снаряды на врага, им все-таки приходилось грузиться в эшелоны и увозить орудия на восток... Все орудия калибра 203 и 280 мм, а также 152-мм дальнобойные пушки (потеряны были всего лишь единицы) с кадровым составом вовремя оказались в глубоком тылу...» (90, стр. 92)

Трудно сказать, стоит ли гордиться таким решением, но оно было принято, и из 1018 тяжелых орудий было потеряно не более сотни. Но по какой же причине рекордно низкими (33% к ресурсу) оказались потери автомобилей?

Как такое может быть? Примитивные «полуторки» и немногим превосходящие их ЗИСы оказались в два раза надежнее и долговечнее миномета? Фанерные кабинки оказались прочнее танковых бронекорпусов? И бензин для своевременного отъезда с «занятой противником территории» нашелся? Автомобиль — это ведь не лошадь и уж тем более не красноармеец — сколько ни «дави на сознательность», а без горючего он и с места не сдвинется... Но, может быть, мы просто чего-то важного не понимаем? Может быть, есть какой-то неведомый нам закон войны, по которому боевая живучесть фанерных автомобилей выше живучести бронированных танков?

Эти сомнения не давали мне покоя, пока я не открыл хорошо известную специалистам монографию Рейнгардта «Поворот под Москвой». (88, стр. 381) В конце книги «битого гитлеровского генерала» помещена табличка с цифрами потерь вооружения и боевой техники (включая автомобили) вермахта на Восточном фронте в 1941 г. И последние сомнения пропали. Чудес не бывает — **потери автомобилей в воюющей армии в десятки раз превосходят потери танков**:

	танки	**автомобили**	**k=**
Красная Армия	20 500	159 тыс.	8
Вермахт	2 831	116 тыс.	41

Разница цифр разительная. Мы пока не обсуждаем вопрос о том, что потери отступающей Красной Армии больше потерь наступающего вермахта. Тому можно найти или придумать множество «объективных» причин. Но в вермахте на один потерянный танк приходится 41 автомобиль, а в Красной Армии — всего 8. И это все — в среднем за второе полугодие 41-го года. Но в Красной Армии (в отличие от вермахта) танки «закончились» гораздо раньше, поэтому такая оценка сильно искажает реальную картину. Если же рассматривать структуру потерь мехкорпусов Юго-Западного фронта за первые три недели войны (пока еще танки были в наличии), то там число потерянных автомашин и танков практически равно или даже танков потеряно в абсолютных цифрах больше, чем машин!

Столь же красноречиво и соотношение потерь минометов и автомашин в двух армиях. Вермахт теряет всего 17 минометов на одну тысячу потерянных автомашин, а Красная Армия — 116 минометов на тысячу.

	82-мм минометы	**автомобили**	**k=**
Красная Армия	18 500	159 тыс.	9
Вермахт	1974	116 тыс.	59

Все очень просто. Вермахт воюет. Да, воюет ради грабежа чужой земли, выполняя преступную волю бесчеловечного режима. Но немецкая армия воюет, и поэтому она прежде всего бережет свои танки и минометы.

А с машинами — как получится. Вот поэтому у них «опели», «даймлеры» и «мерседесы» и ломаются в 59 раз чаще, чем минометные трубы, — что совершенно логично и технически оправданно. Красная Армия с первых же часов войны превращается в толпу вооруженных беженцев. А для деморализованной, охваченной паникой толпы танки-пушки, пулеметы-минометы являются обузой. Поэтому от них и спешат под любым предлогом избавиться. А грузовичок — даже самый малосильный — берегут. В результате две трети допотопных «газиков» в Красной Армии уцелели, а две трети минометных труб сломались и потерялись...

Глава 17

ЦЕНА ПОРАЖЕНИЯ

Закончив с обсуждением очень важных частностей (таких, например, как объем и структура потерь танков и автомобилей в мехкорпусах Красной Армии), обратимся теперь к наиболее общим количественным параметрам событий первых недель и месяцев войны.

Задача, поставленная перед вермахтом по плану «Барбаросса» (*«основные силы русских сухопутных войск, находящиеся в Западной России, должны быть уничтожены в смелых операциях посредством глубокого, быстрого выдвижения танковых клиньев...»*), была выполнена уже **к середине июля 1941 г.** Войска Прибалтийского и Западного военных округов (более 70 дивизий) были разгромлены, отброшены **на 350—450 км** к востоку от границы, рассеяны по лесам или взяты в плен. Чуть позднее то же самое произошло и с новыми 60 дивизиями, введенными в состав Северо-Западного и Западного фронтов в период с 22 июня по 9 июля. (2, стр. 162—163) Противник занял Литву, Латвию, почти всю Белоруссию, форсировал Буг, Неман, Западную Двину, Березину и Днепр. 9 июля немцы заняли Псков, 16 июля — Смоленск. Две трети расстояния от западной границы до Ленинграда и Москвы были пройдены менее чем за месяц. Войска Юго-Западного фронта в беспорядке отступили за линию старой советско-польской границы, в середине июля 1941 г. танковые части вермахта заняли Житомир и Бердичев, вышли к пригородам Киева.

Практически вся техника и тяжелое вооружение войск западных округов были потеряны. К 6—9 июля войска Северо-Западного, Западного и Юго-Западного фронтов потеряли **11,7 тыс. танков, 19 тыс. орудий и минометов, более 1 млн. единиц стрелкового оружия.** (2. стр. 368). Особенно тяжелые, практически невосполнимые потери понесли танковые войска. Уже 15 июля 1941 г. остатки мехкорпусов были официально расформированы.

То, что советские историки скромно назвали «неудачей приграничного сражения», означало на самом деле разгром Первого стратегического эшелона Красной Армии (по числу дивизий превосходившего любую армию Европы, а по количеству танков превосходившего их все, вместе взятые). К 10—15 июля 1941 г. немцы заняли (точнее сказать — прошли) территорию площадью в 700 тыс. кв. км, что примерно в **3 раза больше** территории Польши, оккупированной вермахтом в сентябре 1939 года, и в **6 раз больше** территории Бельгии, Нидерландов и клочка Северной Франции, захваченных вермахтом в мае 1940 г.

На сопоставлении событий мая 40-го и июня 41-го стоит, наверное, остановиться чуть подробнее. Десятки лет советская историческая пропаганда распространяла слухи про «триумфальный марш», каковым маршем вермахт якобы прошелся по «поверженной Франции». В последнее время звуки этого «марша» все громче и все чаще раздаются со страниц наиновейших публикаций. Оно и понятно — после того, как масштаб катастрофического разгрома Красной Армии стал известен широкой публике, у авторов определенной политической ориентации появилось большое желание изобразить поражение французской армии в самых ярких красках. Вот, например, как небезызвестный г. А. Исаев начинает главу «Обсуждение», в которой собирается подвести итоги сражения на Западной Украине. Он цитирует — в самом положительном смысле, без осуждения или хотя бы иронии — работу некоего немецкого историка, имевшего глупость написать в 1958 г. следующее:

«Прошли первые десять дней кампании. После 10 дней во Франции немецкие танки, разгоняя перед собой трусливых французов и англичан, прошли 800 км и стояли у берегов Атлан-

тики. За первые 10 дней «похода на Восток» было пройдено всего 100 км по прямой...» (33, стр. 230)

Читатель, у которого сохранился дома старый школьный атлас или глобус на подставочке, поймет, почему я использовал столь непарламентское выражение. Во Франции просто нет таких расстояний (от Седана до атлантического побережья 600 км по прямой), вермахт в мае 1940 г. наступал не на запад, к Атлантике, а на северо-запад, к Ла-Маншу, к берегам которого в районе Булонь—Кале передовые танковые соединения вышли 23 мая 1940 г.

Это был, конечно, блистательный успех, но все же 350 км за 14 дней — это не 800 км за 10. Для того чтобы определить, где находились немецкие танковые дивизии на 14-й день «похода на Восток», обратимся к хрестоматийному «Военному дневнику» Ф. Гальдера. В оценках и выводах «битый гитлеровский генерал» часто и сильно ошибался, но местоположение своих войск начальник Генерального штаба вермахта все-таки знал:

«5 июля 1941 года, 14-й день войны.

Обстановка: На всех участках фронта отмечается продвижение в соответствии с планами... На фронте группы армий «Центр» правое крыло танковой группы Гудериана удержало плацдарм (на р. Днепр) *в районе Рогачева* (450 км до ближайшей точки на границе). *Главные силы танковой группы Гудериана медленно продвигаются, ведя упорные бои между Березиной и Днепром. Танковая группа Гота кроме Дриссы форсировала также и Западную Двину выше Полоцка в районе Улла* (425 км) *и закрепилась на северном берегу реки... На фронте группы армий «Север» танковая группа Гёпнера успешно продвигается и приближается своим левым флангом к Острову* (470 км)...

7 июля, 16-й день войны.

...На фронте группы армий «Юг» наши войска прорвали центральный участок оборонительной полосы противника. 11-я танковая дивизия прорвалась восточнее Полонное (260 км) *и теперь прокладывает себе путь на Бердичев среди колонн от-*

ступающих русских войск. 16-я танковая дивизия находится в Староконстантинове (250 км). *9-я танковая дивизия в настоящее время участвует в большом танковом сражении в районе Проскурова* (280 км)...»

Так что если говорить про темп «марша», то в мае 40-го он был в целом ниже темпа наступления Групп армий «Север» и «Центр» в первые 20 дней войны на Восточном фронте. При этом следует учесть и ширину фронта наступления. Боевые действия мая 1940 г. происходили на «пятачке» Нормандии и Фландрии, с максимальными расстояниями в 300 км по фронту и 350 км в глубину. По площади эта территория примерно соответствует размерам Литвы, которую **одна из трех**, самая малочисленная, Группа армий «Север» **заняла за одну неделю** июня 1941 года.

Теперь взглянем на ситуацию первых недель войны с другой стороны. Какие потери нанес вермахт, «разгоняя трусливых французов» и преодолевая «ожесточенное сопротивление» Красной Армии?

В известной монографии Типпельскирха приведены такие цифры потерь вермахта во французской кампании: 27 тыс. убитых, 18,4 тыс. пропавших без вести, 111 тыс. раненых, **итого — 156 тыс**. человек. (29) По уточненным данным, представленным в столь же хрестоматийно-известной работе Мюллер-Гиллебранда, число погибших составило 49 тыс. человек, что даже несколько больше, чем общее число безвозвратных потерь, указанных Типпельскирхом.

В дневнике Ф. Гальдера сопоставимые цифры общих (убитые, пропавшие без вести, раненые) потерь вермахта на Восточном фронте появляются только в конце июля 1941 г. Если перевести данные Гальдера в более привычный для нас вид (объединив потери солдат и офицеров), то получится следующее:

— 102 588 человек (не считая больных) к 16 июля;

— 179 500 (в том числе: Группа армий «Север» — 42 тыс., Группа армий «Центр» — 74,5 тыс, Группа армий «Юг» — 63 тыс.) человек к концу июля (запись от 2 августа);

— 213.301 к 31 июля (запись от 4 августа).

В конце июля 1941 г. вермахт наступал на гигантском фронте от Нарвы до Кишинева (1450 км по прямой), за спиной наступающих была уже территория, на порядок превышающая по площади зону боев французской кампании, потери Красной Армии к тому моменту во много раз превышали численность разгромленных в мае — начале июня 1940 г. войск западных союзников. С учетом этого едва ли будет уместно сравнивать немецкие потери по «календарному принципу»: за 35—40 дней на Западе (12 июня Париж был объявлен «открытым городом», 17 июня правительство Петена запросило перемирия) и за 40 дней на Востоке. Значительно более корректным будет сравнение, построенное на принципе «цена-результат». По общепринятой в отечественной историографии хронологии «приграничное сражение», т.е. разгром войск западных приграничных округов (Прибалтийского, Западного и Киевского), ограничено рамками 22 июня — 9 июля. Уже на этапе этого «приграничного сражения» результат, достигнутый немецкими войсками (численность разгромленных войск противника, глубина наступления, захваченные трофеи), превысил все военные (не путать с геополитическими) достижения французской кампании. Потери же вермахта к этому моменту выражались такими цифрами:

— **64 132** (19 789 убитых и пропавших без вести, 44 343 раненых) к 6 июля 1941 г. (запись от 10 июля);

— **92 120** к 13 июля 1941 г. (запись от 17 июля).

Таким образом, потери личного состава вермахта (как общие, так и безвозвратные) в ходе «триумфального марша по Франции» были **в 2—2,5 раза больше**, чем потери на Восточном фронте к 6—13 июля 1941 года. Теперь нам остается только сравнить численность группировки советских и англо-французских войск. 22 июня в составе войск четырех приграничных округов (Прибалтийский, Западный, Киевский, Одесский) было 149 дивизий (7 кавалерийских дивизий и 12 воздушно-десантных бригад учтены нами как 7 «расчетных дивизий»). Кроме того, к 22 июня на территории западных округов было уже сосредоточено по меньшей мере 16 дивизий второго стратегического эшелона. Таким образом, к началу боевых действий Красная Армия имела на западном ТВД **165 дивизий**, в том числе 40 танковых и 20 моторизованных, 10 противотанковых артбригад. Силы западных союзников в сочинениях советских историков традиционно оценивались в 135 дивизий. И это — совершеннейшая правда. Если просуммировать все формирования, которые в принципе существовали (в Северной Африке, на Ближнем Востоке, на границе с Италией в Альпах, в гарнизонах «линии Мажино», в учебных центрах), и добавить к ним армии Бельгии и Голландии в полном составе, то можно насчитать 135 «расчетных дивизий». И если бы Чемберлен и Деладье готовились к войне надлежащим образом и если бы все эти расчетно-условные единицы были вооружены и сосредоточены на границе с Германией, то все было бы по-другому. В реальности потери немецким войскам нанесли лишь те дивизии, которые находились на ТВД и были введены в бой в период с 10 мая по 10 июня. Это:

— 28 дивизий в составе 7-й, 1-й, 9-й и 2-й французских армий;

— 9 английских дивизий;

— 14 дивизий резерва, развернутые в районе Шалон-сюр-Марн, Сен-Кантен. (29, 55, 57)

Итого — **51 дивизия**, в том числе 3 танковые, в том числе 11 пехотных дивизий, сформированных в начале сентября 1939 г. из совершенно необученных новобранцев. Теоретически можно учесть и 22 бельгийские и 10 голландских дивизий, хотя их вооружение, подготовка и оснащение не шли ни в какое сравнение с кадровыми дивизиями Красной Армии. Вот такими силами западные союзники и нанесли немцам урон**, вдвое превышающий потери вермахта в «приграничном сражении» на Восточном фронте.**

Заслуживает внимания и соотношение потерь немецких танков на Западном и на Восточном фронтах: (10, 31)

	Pz-II	Pz-35/38(t)	Pz-III	Pz-IV	Pz.Bef	Всего
Потери во Франции (май-июнь 1940 г.)	240	99	135	97	69	640
Восточный фронт (к концу июля 1941 г.)	97	140	153	96	17	503
Восточный фронт (к 4—10 сентября 1941 г.)	152	231	252	125	38	798

С такими потерями *«немецкие танки разгоняли перед собой трусливых французов и англичан»*. Особенно впечатляют практически равные цифры потерь средних немецких танков (Pz-III и Pz-IV) на Западном и на Восточном фронтах — и это при том, что основным орудием французской ПТО была 25-мм «Марианна» фирмы Гочкис, а противотанковые вооружения Красной Армии начинались с 45-мм пушек в стрелковых дивизиях и заканчивались 76-мм и 85-мм пушками в составе ПТАБРов. Мы не стали здесь учитывать потери пулеметных танкеток Pz-I. Во-первых, потому, что это не танк, во-вторых, потому, что огромные их потери во Франции (182 единицы) сделают сравнение потерь еще более сюрреалистичным.

Необходимо хотя бы кратко упомянуть и результаты войны в воздухе. За первые три недели войны на Западном фронте (с 10 по 31 мая 1940 г.) безвозвратные потери люфтваффе (самолеты всех типов) составили **978** машин. За первые три недели войны на Восточном фронте (с 22 июня по 12 июля 1941 г.) безвозвратные потери люфтваффе (самолеты всех типов) составили **550** самолетов (по простому суммированию еженедельных сводок штаба люфтваффе — **473** самолета). Т.е. в два раза меньше, чем в небе Нормандии и Фландрии. В целом за все время кампании на Западе (с 10 мая по 24 июня) люфтваффе безвозвратно потеряло на Западном фронте **1401** самолет. Потери летного состава (именно летного, а не наземного персонала и зенитчиков) люфтваффе составили 4417 человек (1092 убитых, 1395 раненых, 1930 пропавших без вести). (31) За сопоставимый промежуток времени (с 22 июня по 2 августа 1941 г.) безвозвратные потери немецкой авиации на Восточном фронте составили **968** самолетов. (59) Таким образом, в любом из рассматриваемых интервалов времени **потери люфтваффе на Западном фронте были выше, чем на Восточном**.

В тот период (май 1940 г.), когда французская авиация и базирующиеся во Франции английские истребители (порядка 700—750 летчиков) еще имели возможность для организованного сопротивления, немецкие потери были **в 2 раза больше**, чем за первые три недели боевых действий на Востоке. Остается только напомнить, что в составе ВВС западных округов было 3,6 тыс. летчиков-истребителей (почти в пять раз больше, чем у союзников) и состав группировки советской авиации непрерывно увеличивался.

При всем при этом майские бои во Франции отнюдь не являются примером успешно проведенной оборонительной операции. Никто из французских политиков, историков, писателей пока еще не догадался назвать это позорище «великой патриотической войной французского народа». Наоборот, слова «май 1940 года» стали для Франции синонимом катастрофы и величайшего национального унижения. *«Потрясенная нация находилась в оцепенении, армия ни во что не верила и ни на что не надеялась, а государственная машина крутилась в обстановке полнейшего хаоса»* — так описывает в своих мемуарах май 1940 г. Шарль де Голль. (55) Черчилль вспоминает, как утром 15 мая 1940 г. его разбудил телефонный звонок — глава правительства Франции П. Рейно в начале шестого дня войны спешил сообщить ему, что «все пропало...». И те потери, которые французские, английские, бельгийские, голландские солдаты смогли нанести тогда вермахту, это тот minimum minimorum, который оказался достижим в условиях общего хаоса, паники и паралича воли у высшего руководства страны...

Вернемся теперь к событиям лета 1941 года и сопоставим общие потери личного состава вермахта (**64 тыс**. человек) с потерями Красной Армии в «приграничном сражении». Войска Северо-Западного, Западного и Юго-Западного фронтов в период с 22 июня по 6—9 июля потеряли **749 тыс**. человек убитыми, ранеными и пропавшими без вести. (2, стр. 162—164) Эта цифра не включает потери частей и соединений Второго стратегического эшелона, которые в начале июля приняли участие в боевых действиях, не включает потери Северного фронта (Ленинградский ВО) и Южного фронта (Одесский ВО), которые начали активные боевые действия соответственно 29 июня и 2 июля. Эта цифра несомненно занижена — по крайней мере в том, что касается потерь Северо-Западного фронта. На стр. 162 статистического сборника Кривошеева (откуда и была взята вышеназванная цифра потерь) сообщается, что войска Северо-Западного фронта (численность которых к началу боевых действий определена составителями в 440 тыс. человек) с 22 июня по 9 июля в ходе «Оборонительной операции в Литве и Латвии» потеряли 87 208 человек убитыми, ранеными и пропавшими без вести, т.е. 20% от первоначальной численности. Может ли это соответствовать действительности? Конечно, нет. Все имеющиеся в нашем распоряжении документы, мемуары, исследования с абсолютным единодушием свидетельствуют — фронт был разгромлен. Разгромлен наголову. От большинства дивизий фронта остались номера и 1—2 тысячи человек личного состава (*«...состояние частей 8-й Армии характеризуется следующими данными: 10-я стрелковая дивизия: 98-й стрелковый полк почти полностью уничтожен; от 204-го стрелкового полка осталось 30 человек без материальной части; 30-й артиллерийский полк имеет одно орудие; 140-й гаубичный артиллерийский полк из 36 орудий потерял 21. Части и управление 90-й стрелковой дивизии до сих пор найти не удалось. Отдельные бойцы дивизии присоединены к частям 10-й стрелковой дивизии. Данные о состоянии остальных частей армии не поступили...»*). (50, стр. 112) Как, наконец, сообщение о потерях **87 тыс. человек** может сочетаться с потерей за тот же период **341 тыс. единиц** стрелкового оружия? (2, стр. 368)

Но даже без учета всех этих странных несовпадений, потери наступающего (причем очень успешно, по 20—30 км в день наступающего) вермахта и обороняющейся Красной Армии составляют **1 к 12**. Это есть «чудо», не укладывающееся ни в какие каноны военной науки. По здравой логике — и по всей практике войн и вооруженных конфликтов — потери наступающего должны быть больше потерь обороняющегося. Соотношение потерь 1 к 12 возможно разве что в том случае, когда белые колонизаторы, приплывшие в Африку с пушками и ружьями, наступают на аборигенов, обороняющихся копьями и мотыгами. Но летом 1941 г. на западных границах СССР была совсем другая ситуация: обороняющаяся сторона не уступала противнику ни в численности, ни в вооружении, значительно превосходила его в средствах нанесения мощного контрудара — танках и авиации, да еще и имела возможность построить свою оборону на системе мощных естественных преград и долговременных оборонительных сооружений.

Не менее красноречивы и цифры, характеризующие соотношение потерь боевой техники. Как было отмечено выше, Красная Армия уже к 9 июля потеряла **11,7 тыс. танков**, а безвозвратные потери танковых дивизий вермахта к концу июля 1941 г. составили **503 танка**. К этой цифре следует добавить потерю 21 «штурмового орудия» Stug III. Можно приплюсовать и потерю 92 танкеток Pz-I. Даже при таком подходе соотношение безвозвратных потерь танков сторон составляет **1 к 19.** Столь же показательным является и соотношение потерь артиллерийского и стрелкового вооружений. На конец 1941 г. потери сторон характеризовались такими цифрами: (2, стр. 351—355, 88, стр. 381)

	Германия	**СССР**	**соотношение**
орудия калибра 150/152 мм	856	4700	1 к 5,5
гаубицы калибра 105/122 мм	1103	6000	1 к 5,4
пушки калибра 75/76 мм	919	12 300	1 к 13,4

	Германия	СССР	соотношение
минометы калибра 81/82 мм	1974	18 500	1 к 9,4
минометы калибра 50 мм	3162	38 000	1 к 12,0
пушки ПТО калибра 37/45 мм	3349	12 000	1 к 3,6
пулеметы ручные и станковые	21 062	189 400	1 к 9,0

Сравним теперь потери вермахта с его же численностью. Для этого снова обратимся к «Военному дневнику» начальника Генерального штаба вермахта:

— запись от 3 июля: *«с 22.6 по 30.6 наши потери составляют в общей сложности 41 087 человек = 1,64% наличного состава...»*;

— запись от 6 июля: *«на 3.07. всего потеряно около 54 000 человек = 2,15% от 2,5 миллиона. Примечательно весьма значительное количество больных, которое составляет почти 54 000, то есть почти равно боевым потерям...»*;

— запись от 17 июля: *«с 22.6 по 13.7 всего выбыло из строя 92 120 человек, что составляет 3,68% общей численности войск...»* (12)

Итак, к середине июля 1941 г. потери вермахта составляют **менее 4% от общей численности**. Это, безусловно, не малые, а очень малые потери. Даже тем, кто не окончил военную академию, должно быть понятно, что армия, которой пришлось преодолевать «упорное сопротивление противника», несет совсем другие потери. Поясним это двумя конкретными примерами.

Операция «Багратион» (разгром немецких войск в Белоруссии летом 1944 г.). Численность группировки советских войск: 156 стрелковых и 12 кавалерийских дивизий, 2 стрелковые, 18 танковых и механизированных бригад, 2 332 тыс. человек личного состава. Численность группировки противника (3-я танковая, 4-я, 9-я, 2-я полевые армии вермахта): 45 дивизий, 442 тыс. человек. (72, стр. 305) Несмотря на подавляющее численное превосходство Красной Армии, ее потери составили **33%** от общей численности группировки (179 тыс. убитых и пропавших без вести, 587 тыс. раненых и больных). (2, стр. 203)

Львовско-Сандомирская операция (освобождение Западной Украины летом 1944 г.). Потери Красной Армии (65 тыс. убитых и пропавших без вести, 224 тыс. раненых и больных) составили **29%** от исходной численности группировки (72 стрелковые и 6 кавалерийских дивизий, 7 танковых и 3 механизированных корпуса, 4 отдельные танковые бригады, 1 млн. человек личного состава). (2, стр 205)

В целом при освобождении Прибалтики, Белоруссии, западных областей Украины, Молдавии (в отечественной историографии это называется Прибалтийская, Белорусская, Львовско-Сандомирская и Ясско-Кишиневская стратегические наступательные операции) Красная Армия потеряла **1400 тыс**. человек (318 тыс. убитых и пропавших без вести, 1084 тыс. раненых и заболевших). Уточним, что здесь не учтены потери Красной Армии в еще двух операциях по освобождению Западной Украины: Ровно-Луцкой и Проскурово-Черновицкой, данными по которым автор не располагает. Сравнивая эти страшные цифры с потерями, которые понес вермахт при оккупации тех же самых территорий в июне — начале июля 1941 г., мы обнаруживаем, что в 1944 году общие потери наступающей Красной Армии оказались **в 15—20 раз больше** потерь наступавшего летом 1941 г. на той же самой местности противника.

Все познается в сравнении. Имеет смысл сравнить потери вооружений Красной Армии 41-го года с потерями в другие периоды войны. Начнем с самого простого и самого главного — с винтовки. На странице 367 многократно упомянутого нами статистического сборника «Гриф секретности снят» написано, что в 1941 году Красная Армия потеряла **6 290 000 единиц стрелкового оружия**. Строго говоря, **одна эта цифра дает исчерпывающий ответ на вопрос о том, что произошло с Красной Армией в 41-м году.** Самым распространенным образцом стрелкового оружия была трехлинейная винтовка Мосина. Оружие это было и осталось непревзойденным образцом надежности и долговечности. «Трехлинейку» можно было утопить в болоте, зарыть в песок, уронить в соленую морскую воду — а она все стреляла и стреляла. Вес этого подлинного шедевра инженерной мысли — 3,5 кг без патронов. Это означает, что любой молодой и здоровый мужчина (а именно из таких и состояла летом 1941 г. Красная Армия) мог без особого напряжения вынести с поля боя 3—4 винтовки. А уж самая захудалая колхозная кобыла, запряженная в простую крестьянскую телегу, могла вывезти в тыл сотню «трехлинеек», оставшихся от убитых и раненых бойцов. И еще. Винтовки «просто так» не раздают. Каждая имеет свой индивидуальный номер, каждая выдается персонально и под роспись. Каждому, даже самому «молодому» первогодку объяснили, что за потерю личного оружия он пойдет под трибунал. Как же тогда могли пропасть шесть миллионов винтовок и пулеметов?

Не будем упрощать. На войне — как на войне. Не всегда удается собрать на поле боя все винтовки до последней.

Не каждый грузовик и не каждый вагон с оружием в боевой обстановке доходит до места назначения. Наконец, какое-то количество винтовок и автоматов на самом деле могли быть испорчены огнем, взрывом, заполярным холодом. Можно ли ориентировочно оценить размер «нормальных» для Красной Армии (в вермахте они были несоизмеримо меньше) потерь стрелкового оружия? Разумеется, можно. Поработав несколько минут с калькулятором и все тем же сборником «Гриф секретности снят», мы выясняем, что в 44—45-х годах один миллион солдат «терял» в месяц 36 тысяч единиц стрелкового оружия. Следовательно, за шесть месяцев 1941 года «нормальные» потери не должны были бы превысить 650—700 тысяч единиц. Фактически потеряно — 6,3 млн. Налицо «сверхнормативная» утрата более **5,6 миллиона** единиц стрелкового оружия.

Столь же «ненормальными» оказались и потери других видов вооружения. Так, за шесть месяцев 1941 года было потеряно 24 400 орудий полевой артиллерии (в эту цифру не вошли противотанковые пушки и минометы), что составило 56% от общего ресурса. А за 12 месяцев 1943 года потеряно 5700 орудий (9,7% ресурса). Таким образом, «среднемесячные» потери 1941 года оказались в **8,5 раза больше**, чем в году 43-м. Еще более показательными являются пропорции потерь орудий противотанковой обороны. По состоянию на 22 июня 1941 г., в Красной Армии числилось 14 900 противотанковых пушек (на самом деле — еще больше, так как составители сборника «Гриф секретности снят» почему-то не учли 76-мм и 85-мм пушки, стоявшие на вооружении ПТАБов). В дополнение к этому колоссальному количеству (по 5 пушек против одного немецкого танка) за шесть месяцев 1941 г. советская промышленность передала в войска еще 2500 противотанковых пушек. Итого — общий ресурс в 17 400 единиц, из которого 70% (12 100 пушек) было потеряно. А за весь 1943 год — за все его 12 месяцев — потеряно 5500 противотанковых пушек, что составило всего лишь 14,6% от общего ресурса 43-го года. В качестве примера для сравнения 1943 год выбран не случайно. Это год грандиозных танковых сражений на Курской дуге, это тот год, когда немцы начали массовое производство тяжелых танков «тигр» и «пантера», против которых наши «сорокапятки» (а именно они все еще составляли 95% от общего ресурса 1943 года) были почти беспомощны. И тем не менее в 1943 году Красная Армия теряла по 460 пушек в месяц, а в 1941 году — в то время, когда два из трех немецких танков на Восточном фронте были легкими машинами с противопульным бронированием, — по 2000 в месяц. **В 4,5 раза больше**. Но и это — абсолютно неверный подсчет. Не было никакой «равномерной» потери по две тысячи пушек каждый месяц — была массовая потеря большей части всего противотанкового вооружения в первые недели войны. Дело дошло до того, что уже 5 июля 1941 г. за подписью Н. Ватутина вышла «Инструкция по борьбе с танками противника», в которой предписывалось *«заготавливать грязь-глину, которой забрасывают смотровые щели танка»*. (50, стр. 142)

Грязь-глина для борьбы с танками. Через две недели после начала войны. В стране, которая с остервенелой настойчивостью тоталитарной деспотии готовилась к войне, накапливая горы вооружений...

Глава 18

САМАЯ ГЛАВНАЯ ГЛАВА

Любители старой, добротной фантастической литературы помнят, конечно, роман Станислава Лема «Непобедимый». Для тех, кто еще не успел прочитать его, напомню краткое содержание. Поисково-спасательная команда на космическом корабле «Непобедимый» отправляется на розыски другой космической экспедиции, бесследно пропавшей на некой далекой планете Регис. Прилетев на Регис, спасатели довольно быстро обнаруживают и корабль, и тела погибших землян. Столь же быстро и легко врачи и биохимики определяют непосредственную причину гибели людей. Причина банальная и именно от этого особенно страшная — голод. Никаких следов отравления, никакой радиации, никаких признаков насилия — все члены экипажа погибшей экспедиции умерли от голода. Рядом с холодильниками, битком набитыми продуктами, на корабле с исправно функционирующей энергоустановкой, средствами связи, защитными лазерами, бластерами и прочими чудесами техники. Тщательное обследование корабля не проясняет глубинную причину гибели людей, но лишь увеличивает число мрачных загадок: бортовой журнал, исписанный детскими каракулями, куски мыла со следами зубов, разодранные в клочья книги... Только ценой огромных усилий, потеряв часть своих людей, команда «Непобедимого» узнает наконец правду. Оказывается, планету захватило некое биомеханическое «облако». Оно обладало способностью генерировать импульсы сверхмощного магнитного поля, стирая тем самым из памяти живых существ все знания, умения, навыки. Именно такая участь и постигла участников погибшей экспедиции. Потеряв рассудок, они превратились в беспомощных младенцев, не способных ни подать сигнал бедствия, ни достать еду из холодильника.

Мрачная фантазия, созданная воображением Станислава Лема, является точной метафорой того, что произошло с Красной Армией летом 1941 года. Самая крупная сухопутная армия мира оказалась одинаково не способна ни к обороне, ни к наступлению. Ни многократное численное превосходство в авиации, ни многократное численное (при значительном техническом) превосходство в танках, ни две линии железобетонных дотов не помогли предотвратить небывалый разгром. Главная ударная сила Красной Армии — огромные, вооруженные лучшими в мире танками Т-34 и КВ механизированные корпуса — просто растаяли, исчезли, оставив после себя груды брошенных танков и бронемашин, запрудивших все дороги Литвы, Белоруссии и Западной Украины. Через большую часть укрепрайонов «линии Молотова» и «линии Сталина» немцы прошли, даже не обратив внимания на серые бетонные коробки опустевших при паническом бегстве ДОТов. Через другие — прорвались с боями, правда, продолжавшимися не более двух-трех дней (речь идет именно о прорыве фронта укрепрайона как такового — героические гарнизоны единичных дотов Гродненского, Брестского, Рава-Русского и других УРов вели бои в полном окружении до 27—30 июня 1941 г.).

Правда, вскоре немецкому командованию пришлось узнать, что окруженные и разгромленные армии четырех западных округов (Прибалтийского, Западного, Киевского и Одесского) представляли собой лишь часть *«основных сил русских сухопутных войск»*. А на место разбитых дивизий из глубин огромной страны подходили все новые, новые и новые соединения. К 10—15 июля была в основном завершена передислокация на ТВД войск второго стратегического эшелона (16, 19, 20, 21, 22, 24 и 28-я Армии). В середине июля в составе действующей армии — несмотря на огромные потери первых недель войны — было уже порядка **234 дивизий**. (3, стр. 105) К концу июля 1941 г. были сформированы 29, 30, 31, 32, 33, 43, 49-я Армии. Всего в ходе двухмесячного Смоленского сражения было введено в бой 104 дивизии и 33 бригады. (21) В сопоставимый период времени (запись в «Военном дневнике» Ф. Гальдера от 2 августа) все соединения вермахта на Восточном фронте получили всего 47 тыс. человек пополнения. Это соответствует 3 «расчетным дивизиям».

В общей сложности до 1 декабря 1941 г. на западное стратегическое направление Ставка направила **150 дивизий и 44 стрелковые бригады**, на ленинградское и киевское направления — еще **140 дивизий и 50 стрелковых бригад**. (21)

А ведь кроме стрелковых (пехотных) соединений формировались еще и кавалерийские, танковые, артиллерийские бригады и дивизии. А. Исаев сообщает, к сожалению — без указания источника, что *«до 31 декабря было сформировано или переформировано 483 стрелковых, 73 танковые, 31 моторизованная, 101 кавалерийская дивизии и 266 танковых, стрелковых и лыжных бригад»*. (33, стр. 655) Кроме того, непрерывно пополнялись личным составом десятки и сотни уже существующих соединений. Всего до конца 1941 г. в войска было отправлено **2250 тыс**. человек маршевого пополнения. (3, стр. 149) В то же время до 31 декабря 1941 г. немецкая Группа армий «Центр» получила всего **192 тыс.** человек для восполнения растущих потерь. Всего с 22 июня до начала битвы за Москву на Восточном фронте появились лишь две новые танковые дивизии (2-я и 5-я) и **24 пехотные** дивизии из резерва верховного командования вермахта.

Причина, по которой Красная Армия наращивала свою численность в объемах, совершенно недосягаемых для противника, предельно проста. То количество дивизий, которое вермахт смог сосредоточить у границ Советского Союза, представляло собой максимум, который смогла достичь 80-миллионная Германия на втором году после начала всеобщей мобилизации. Добавить к этому «максимуму» было почти что нечего. С другой стороны, полторы сотни дивизий Первого стратегического эшелона, которые Красная Армия сосредоточила на фронте к середине июня 1941 г., представляли собой тот минимум, который 200-миллионный Советский Союз смог сформировать и выдвинуть к границе в рамках скрытой, тайной мобилизации, еще ДО объявления открытой всеобщей мобилизации. 23 июня 1941 г. была начата открытая мобилизация, и уже к 1 июля в ряды Вооруженных Сил было призвано **5,3 млн. человек** (что означало увеличение общей численности военнослужащих **в два раза** по сравнению с состоянием на 22 июня). Но 1 июля мобилизация, разумеется, не закончилась. Она еще только начиналась. На первом этапе (по Указу от 22 июня 1941 г.) были призваны военнообязанные 14 возрастов, общая численность которых составила **10 млн. человек**. На втором этапе (по постановлению ГКО № 459 от 11 августа 1941 г.) были призваны военнообязанные старших возрастов (1895—1904 гг. рождения). В итоге до конца 1941 г. **было мобилизовано в общей сложности 14 млн. человек**. (3, стр. 110) Располагая таким огромным людским ресурсом, командование Красной Армии могло как восполнять потери личного состава частей действующей армии, так и формировать все новые, новые и новые соединения. И все это бесчисленное воинство было разгромлено, окружено и пленено в новых «котлах» — у Смоленска и Рославля, Умани и Киева, Вязьмы и Брянска. К началу зимы немцы захватили Харьков и Одессу, Таганрог и Крым, вышли к Москве и Тихвину.

Забыв на минуту о том, что речь идет о страданиях и гибели миллионов людей, о разорении страны и превращении тысяч городов и сел в обугленные руины, забыв обо всем этом и рассуждая с циничным хладнокровием, мы вынуждены констатировать, что в 41-м году советская военная машина работала с исключительно низкой, рекордно низкой эффективностью. Не решив ни одной из поставленных задач, отдав врагу огромные территории, Красная Армия понесла гигантские потери, по ряду позиций — в десятки раз превосходящие потери противника. С другой стороны, потери малочисленного (в сравнении с людскими ресурсами, использованными командованием Красной Армии) и не имеющего никакого существенного превосходства в технике вооружений (а по некоторым видам боевой техники и явно уступающего) противника оказались в десятки раз меньше тех, которые через несколько лет понесет Красная Армия, возвращая в многолетних боях потерянное за несколько месяцев 1941 года. В сопоставимых временных рамках даже слабая, плохо вооруженная и деморализованная армия и авиация Франции нанесли немцам в мае-июне 1940 г. потери большие, нежели те, которые смогла летом 41-го нанести врагу Красная Армия.

Таковы факты. Эти факты достоверны, их избыточно много, и они требуют какого-то рационального, логического объяснения. Предложенные ранее объяснения («внезапность нападения», «многократное численное превосходство противника», «безнадежная устарелость боевой техники Красной Армии») или не соответствуют действительности (проще говоря — лживы), или недостаточны для того, чтобы объяснить военную катастрофу такого масштаба. Огромная работа, проведенная российскими историками в последние два десятилетия, в рамках которой был подробно изучен ход большинства сражений начального периода войны, критически проанализированы принятые командованием Красной Армии стратегические и оперативные решения, лишь подтверждает — на мой взгляд — вывод о том, что ответ на вопрос о причинах катастрофы 41-го года лежит вне сферы проблем оперативного искусства или техники вооружений.

Я считаю, что в самой краткой формулировке ответ на вопрос о причине поражения может быть сведен к трем словам: **АРМИЯ НЕ ВОЕВАЛА.** На полях сражений 1941 года встретились не две армии, а организованные и работающие как отлаженный часовой механизм вооруженные силы фашистской Германии с одной стороны, и почти неуправляемая вооруженная толпа — с другой. Именно такое допущение сразу же позволяет рационально и адекватно объяснить «невероятные» пропорции потерь сторон: разумеется, в вооруженном столкновении армии и толпы потери толпы должны быть в десятки раз больше. Разумеется, даже огромное количество наилучших танков-самолетов-пушек-пулеметов не многим повысит реальную боеспособность неуправляемой толпы.

Простота предложенного определения обманчива. С одной стороны, оно «подталкивает» к карикатурно-нелепому объяснению военной катастрофы невиданного масштаба как следствия мнимого «отсутствия средств радиосвязи» и перерезанных диверсантами проводов. В этой связи повторю еще раз то, о чем говорилось ранее, — связь обеспечивается не проводами, а людьми. Пресловутое «отсутствие связи» было не причиной, а лишь неизбежным следствием превращения многомиллионной армии в вооруженную толпу. Пропало командование, пропали штабы, пропала всякая дисциплина — и **как следствие и составная часть этого распада** пропала, кроме всего прочего, и связь.

— 163 командира дивизии (бригады)

— 221 начальник штаба дивизии (бригады)

— 1114 командиров полков

Это перечень командиров Сухопутных войск (т.е. без учета авиационных командиров, не вернувшихся с боевого вылета), пропавших без вести за все годы войны. (2, стр. 319) Принимая во внимание, что по штату одной стрелковой дивизии требовался один командир, один начальник штаба и пять командиров полков, мы приходим к выводу, что без вести пропал офицерский корпус, по численности более чем достаточный для полного укомплектования старшего начсостава всех дивизий пяти западных военных округов СССР. Стоит отметить и то, что даже к началу 90-х годов не были известны места захоронений 44 генералов Красной Армии (и это не считая тех, кто был расстрелян или умер в тюрьмах и лагерях, не считая погибших во вражеском плену). Сорок четыре генерала — среди них два десятка командиров корпусного или даже армейского звена — бесследно сгинули в пучине войны. (65) Как такое может быть? Как мог пропасть без вести генерал, командир дивизии или корпуса? Вопрос этот вполне оправдан — командиры в одиночестве не воюют. Командование и штаб дивизии имели численность (по штату апреля 1941 г.) в 75 человек (не считая личного состава политотдела, трибунала и комендантского взвода). В штабных структурах корпуса и армии людей еще больше. До каких же пределов должны были дойти хаос, паника, дезорганизация и потеря всяких следов воинской дисциплины, чтобы без приметы и следа «пропадал» командир корпуса или дивизии?

С другой стороны, предложенное определение («армия не воевала») не раскрывает механизм стремительного разложения Красной Армии. И хотя множество приведенных выше фактов (подчеркиваю — фактов, а не цитат, мнений, рассказов) уже дает вполне однозначную «подсказку», у нас есть возможность установить истину, вовсе не прибегая ни к каким гаданиям. Все, что требуется, — это еще раз открыть вполне официальный статистический сборник «Гриф секретности снят». Там предельно ясно написано — куда и как пропала Красная Армия.

На страницах 234—246 указанного сборника приведены данные о потерях действующих фронтов в 1941 году. Уникальность указанных страниц в том, что цифры (прошу вас, уважаемый читатель, забыть на время о той трагедии, что стоит за этими цифрами, и сосредоточиться на простой и чистой арифметике) убитых и пропавших без вести не объединены в единый массив при помощи лукавой буквы «И», а показаны отдельно. Причем прямым текстом написано: «пропало без вести, попало в плен, небоевые потери». Более того, на странице 338 составители сборника даже не побоялись столь же прямо сообщить, что из 4559 тыс. человек, учтенных в донесениях штабов как «пропавшие без вести», 4059 тыс. человек **(т.е. 89%)** находились в плену. С учетом этих пояснений сведем имеющуюся информацию в очередную таблицу:

	Общие потери, тыс. чел. /%%	**Убитые, %%**	**Санитарные потери,%%**	**Пропало без вести, небоевые и проч.%%**
Северный фронт	148 / 100	15,1	42,4	42,6
Северо-Западный фронт	270 / 100	11,7	32,5	55,8

	Общие потери, тыс. чел. /%%	Убитые, %%	Санитарные потери,%%	Пропало без вести, небоевые и проч.%%
Западный фронт	1.298 / 100	8,2	26,3	65,4
Юго-Западный фронт	852 / 100	7,1	15,7	77,2
Южный фронт	312 / 100	10,4	23,6	66,0
Центральный фронт	143 / 100	6,4	22,4	71,2
Брянский фронт	198 / 100	7,2	21,5	71,3

Как видим, за исключением северного фланга войны (Северный и Северо-Западный фронты) **число пленных и пропавших без вести в 7—10 раз превосходит число убитых**. Или, другими словами, именно массовое пленение и дезертирство являются основной составляющей безвозвратных потерь Красной Армии 41-го года. Ситуация на Северном фронте вполне подходит под определение «исключения, подтверждающие правило». Ни условия местности, ни вооружение нищей финской армии не позволяли ей провести крупные операции по окружению противника. Боевые действия имели характер медленного «выталкивания» частей Красной Армии за линию границы 1939 года. Впрочем, и при этом «выталкивании» в плену у финнов оказалось 64 188 советских солдат. (49, стр. 317)

Достоверны ли эти прискорбные и позорные цифры? Скорее всего — нет. Они явно занижены. К такому предположению приводит уже одно только простое сравнение указанных в сборнике «Гриф секретности снят» потерь личного состава и потерь стрелкового оружия. Не берусь судить, что в Красной Армии было организовано более безобразно — учет потерь личного состава или сбережение личного оружия, но цифры, характеризующие эти два рода потерь, категорически не стыкуются друг с другом: (2, стр. 162—169, стр. 368, 88, стр. 381)

	Общие потери личного состава, тыс.	**Потери стрелкового вооружения, тыс.**	**Соотношение потерь**
Вермахт, Восточный фронт, с 22.6 по 31.12.41	831	82	10 к 1
Прибалтийская оборонительная операция, 22.6—9.7	88	341	1 к 3,9
Смоленское сражение, 10.7—10.9	760	233	3,3 к 1
Ленинградская оборонительная операция, 10.7—30.9	345	733	1 к 2,1
Киевская оборонительная операция, 7.7—26.9	701	1765	1 к 2,5

Заставляет усомниться в достоверности учета потерь личного состава и итоговый (за весь период боевых действий 1941 г.) результат, приведенный на стр. 152 (Таблица № 72, «Потери личного состава действующих фронтов и отдельных армий»). Составители сборника «Гриф секретности снят» приводят такие цифры потерь Красной Армии:

— общие потери 4308 тыс. человек, в том числе
— санитарные потери 1314 тыс. человек
— безвозвратные потери 2994 тыс. человек

Если бы это было правдой, если бы безвозвратные потери 41-го года составляли «всего лишь» (еще раз прошу прощения за вынужденную бестактность) **3 млн.** человек, то к концу года численный состав действующей армии должен был бы многократно увеличиться (в сравнении с уровнем 22 июня 1941 г.) и достичь 7—8 млн. человек. Это очень простая школьная задачка про бассейн, в который по одной трубе вливается, а из другой выливается. Какие людские ресурсы получили во второй половине 1941 года части и соединения действующей армии Советского Союза? Как ни странно, но прямого и внятного ответа на этот наиважнейший вопрос нет. Приходится идти к ответу расчетным путем. Всего было мобилизовано 14 млн. человек. Причем они не были «лишними». *«Уже в августе были полностью использованы остатки всех поднятых по мобилизации возрастов (1918—1905 гг. рождения)»*. (3, стр. 150) Как было отмечено выше, речь идет о 10 млн. резервистов, призванных на первом этапе мобилизации (по Указу от 22 июня). Затем призвали еще 4 млн. Разумеется, далеко не все они попали в действующую армию. Действующая армия — это только одна из многих составляющих Вооруженных Сил. Есть еще тыловые и учебные части, испытательные полигоны, есть склады и базы, госпитали, тыловые аэродромы. Например, в Германии при общей численности вооруженных сил рейха в 7,25 млн. чел. в частях и соединениях действующей армии (на всех фронтах) в июне 1941 г. было 3,8 млн. (52%). В СССР на протяжении трех последних лет войны доля личного состава действующей армии составляла 57—58% от общего числа военнослужащих. (2, стр. 138) Можно обоснованно предположить, что такие же цифры применимы и к распределению людских ресурсов в 1941 г. В таком случае из общего числа 14 млн. человек, призванных по мобилизации, в состав действующей армии должно было поступить **не менее 8 млн**. человек. И это — минимальная оценка. Не будем забывать о том, что в состав действующих фронтов летом 1941 г. вошли еще и армии Второго стратегического эшелона, затем — войска ранее считавшихся тыловыми внутренних округов, а в конце года — части Дальневосточного фронта и так называемые «дивизии народного ополчения».

Вся эта простая арифметика приводит нас к тому, что численность действующей армии к концу 1941 года должна была возрасти **как минимум на 5 млн**. человек (8-3 = 5.) Даже если предположить самое худшее: ни один раненый до конца 1941 года так и не вернулся в строй, и на этом основании вычесть из итоговой цифры все санитарные потери (1,3 млн.), то и тогда прирост численности действующей армии должен был бы составить порядка 4 млн. человек.

Фактически же (по статистическому сборнику Кривошеева, стр. 152) среднемесячная численность действующей армии к концу 1941 г. не только не увеличилась, но даже уменьшилась на 0,5 млн. человек! С 3 334 400 до 2 818 500.

Единственно возможное объяснение такой динамики — реальные потери превысили численность пополнения («из бассейна вылилось больше, чем влилось»). Другими словами, реальные безвозвратные потери Красной Армии в 1941 году составили вовсе не 3 млн., а порядка 8—8,5 млн. человек.

Можно ли реконструировать хотя бы минимально достоверную статистику потерь? Вполне можно. Печальный опыт великого множества военных конфликтов XX века показывает, что существует некое, весьма стабильное соотношение числа убитых и раненных в боевых действиях. Это соотношение — 1 к 3. На одного убитого приходится трое раненых. В частности, точно в таких пропорциях сложились и потери вермахта в 1941 г. (209 595 убитых и пропавших без вести, 621 308 раненых). (12, стр. 161) Указанные выше в таблице цифры потерь фронтов 41-го года (убитые и санитарные потери) также укладываются в пропорцию 1 к 3. Сходной была и структура потерь Красной Армии в крупнейших операциях 44—45-го годов (Днепровско-Карпатская операция — 1 к 3,1; Белорусская операция «Багратион» — 1 к 3,3; Львовско-Сандомирская операция — 1 к 3,5; Будапештская операция — 1 к 3,0; Висло-Одерская операция — 1 к 3,5; Берлинская операция — 1 к 3,5). (2, стр. 197—220) Стабильное постоянство этих цифр не может не удивлять, но факты именно таковы. Вероятно, они отражают какое-то фундаментальное соотношение между «прочностью» человеческого организма и поражающим действием оружия той эпохи.

Санитарные потери (количество раненых и заболевших,

поступивших на излечение в госпитали) 1941 года известны (1314 тыс. человек). Они достаточно достоверны: в глубоком тылу и порядка было больше, и учет был по меньшей мере двойной (и при поступлении, и при выписке). Исходя из соотношения раненых и убитых как 3 к 1, можно предположить, что порядка 500 тыс. человек погибло. Суммарные же безвозвратные потери 41-го года не могли быть (по указанным выше арифметическим соображениям) меньше 8 млн. человек. Следовательно, никак не менее **6—7 млн. бойцов и командиров «пропали без вести».**

6—7 миллионов. Столько, сколько было в действующей армии 22 июня 1941 года, и еще раз столько.

Полученная нами сугубо расчетным путем цифра «пропавших без вести» (т.е. пленных, дезертиров, а также не учтенных в донесениях штабов убитых и раненых) с приемлемой точностью коррелирует с другими, вполне достоверными сведениями. Например, с указанной выше цифрой совокупных потерь стрелкового оружия (6,3 млн. единиц). Далее. Немецкое военное командование зафиксировало пленение в 1941 г. **3,8 млн**. бывших военнослужащих Красной Армии. Эта цифра, как справедливо уточняют советские историки, может быть несколько завышена за счет того, что в число пленных немцы включали и военных строителей (а в ряде случаев — и просто мужчин из числа гражданского населения, мобилизованного на рытье окопов и противотанковых рвов). Это верно, как верно и то, что речь идет всего лишь о единицах процентов от общего числа пленных. Никакой нужды в «вылавливании» гражданских строителей и зачислении их в число военнопленных у немцев не было. Более того, поток военнопленных превысил возможности вермахта по их охране и содержанию. Дело дошло до того, что 25 июля 1941 г. был издан приказ генерал-квартирмейстера № 11/4590, в соответствии с которым началось массовое освобождение пленных ряда национальностей (украинцев, белорусов, прибалтов). За время действия этого приказа, т.е. до 13 ноября 1941 г., было распущено по домам 318 770 бывших красноармейцев (главным образом украинцев — 277 761 человек). (2, стр. 334)

По данным, приведенным все в том же сборнике «Гриф секретности снят» (т.е. по меньшей мере не завышенным в целях «злобного шельмования Красной Армии»), советское военное командование и органы НКВД обнаружили и осудили за дезертирство **376 тыс.** бывших военнослужащих. Еще **940 тыс.** человек было «призвано вторично». (2, стр. 140, 338) Этим странным термином обозначены те бойцы и командиры Красной Армии, которые по разным причинам «отстали» от своей воинской части и остались на оккупированной немцами территории. По мере наступления Красной Армии, в 43—44-м гг. они были повторно поставлены под ружье. При этом не следует забывать и о том, что исходное число «отставших» было значительно больше: кто-то погиб от нищеты, голода, обстрелов, расстрелов и бомбежек, кто-то пошел в партизаны и погиб в бою, кто-то записался в «полицаи» и ушел вместе с отступающими частями вермахта.

Вероятно, мы не сильно ошибемся, оценивая общее число дезертиров (если только этот термин вообще применим к ситуации массового развала армии) в **1,3—1,5 млн.** человек. И эта цифра, скорее, занижена, чем завышена. На странице 140 суммарное число всех категорий выбывшего личного состава Красной Армии — убитые, умершие, пропавшие без вести, пленные, осужденные и отправленные в ГУЛАГ (а не в штрафбат, который является частью армии), демобилизованные по ранению и болезни и «прочие» — не сходится с указанным на странице 139 общим числом «убывших по различным причинам из Вооруженных Сил» на **2248 тыс.** человек. Сами составители сборника прямо объясняют такую нестыковку «значительным числом неразысканных дезертиров».

Наконец, и это едва ли не самая страшная правда о начале войны, не менее 1—1,5 млн. «пропавших без вести» состоит из убитых и раненых, брошенных при паническом бегстве и не учтенных в донесениях штабов. По крайней мере, «арифметика требует» именно такой количественной оценки. Впрочем, еще советские историки в своих сочинениях без тени смущения сообщали читателям о том, что «раненые, которых не удалось эвакуировать, были переданы на попечение местного населения». Стоит ли обсуждать вопрос о том, каким образом «местное население», в доме у которого не было ни медикаментов, ни даже лишнего стакана молока, могло взять на свое «попечение» тяжелораненых солдат? 17 ноября 1941 г. начальник Политуправления Западного фронта дивизионный комиссар Лестев в докладе «О политико-моральном состоянии войск» писал: *«Тяжелораненые или раненные в ноги, которые не могли идти и даже ползти, в лучшем случае оставались в деревнях или просто бросались на поле боя, в лесах, и погибали медленной смертью от голода и потери крови. Все это происходило на глазах у людей и являлось одной из причин того, что многие красноармейцы и командиры стремились уклониться от боя, ибо в ранении видели неизбежность гибели».* По сведениям, приведенным Г.Ф. Кривошеевым, 200 (двести) армейских госпиталей пропали без вести, 17 — вышли из окружения «с большими потерями».

Картина беспримерного морально-политического разложения страны и армии будет неполной, если мы хотя бы кратко не упомянем и о фактах массового сотрудничества с врагом.

Уже через несколько месяцев после начала войны, осенью 1941 г., немецкое командование смогло приступить к планомерному формированию «национальных» частей вермахта, укомплектованных бывшими советскими гражданами (если только слово «гражданин» вообще применимо к подданным сталинской империи). Так, было создано в общей сложности порядка 90 так называемых «восточных» батальонов: 26 «туркестанских», 13 «азербайджанских», 9 «крымско-татарских», 7 «волго-уральских» и т.д. В следующем, 1942 году, после прорыва немецких войск на Дон и Кубань, началось создание «добровольческих» казачьих формирований. Так, в мае 1942 г. в 17-й полевой армии вермахта был издан приказ о создании при каждом армейском корпусе по одной казачьей сотне и еще двух сотен — при штабе армии.

Своя казачья сотня появилась в сентябре 1942 г. даже в составе 8-й итальянской армии. К весне 1943 г. в составе вермахта воевало более 20 казачьих полков общей численностью порядка 30 тысяч человек.

Самой распространенной и массовой формой сотрудничества бывших военнослужащих Красной Армии с оккупантами стало зачисление их в регулярные части вермахта в качестве так называемых «добровольных помощников» (Hilfswillige, или сокращенно «Хиви»). Первоначально «хиви» служили водителями, кладовщиками, санитарами, саперами, грузчиками, высвобождая таким образом «полноценных арийцев» для непосредственного участия в боевых действиях. Затем, по мере роста потерь вермахта, русских «добровольцев» начали вооружать. В апреле 1942 г. в германской армии числилось 200 тысяч «хиви». Так, в окруженной у Сталинграда 6-й армии Паулюса в ноябре 1942 г. было 51 800 «хиви», а в 71-й, 76-й и 297-й пехотных дивизиях этой армии «русские» (как называли всех бывших советских) составляли до 40% личного состава. Летом 1942 г. в 11-й армии Манштейна числилось 47 тысяч «добровольцев». В конце концов масштабы массового сотрудничества с оккупантами стали столь велики, что верховным командованием вермахта был создан специальный пост «генерал-инспектора восточных войск». В феврале 1943 г. под началом генерала Кестринга в рядах вермахта, СС и ПВО служило порядка **750 тыс. человек.** С октября 1943 г. «хиви» были включены в стандартный штат немецкой пехотной дивизии в количестве 2 тысячи на дивизию, что составляло 15% от общей численности личного состава.

Такие цифры называют зарубежные историки. С ними вполне согласны и военные историки российского Генштаба, составители сборника «Гриф секретности снят». На стр. 385 читаем: *«Численность личного состава военных формирований так называемых «добровольных помощников» Германии, включая полицейские и вспомогательные, к середине июля 1944 г. превышала* ***800 тыс. человек****. Только в войсках СС в период войны служило более 150 тыс. бывших граждан СССР».* На стр. 334

сообщается, что в 1942—1944 гг. из числа находившихся в немецких лагерях военнопленных в связи со вступлением в «добровольческие формирования» было освобождено порядка 500 тыс. человек. А ведь пленные были важным, но отнюдь не единственным источником людских ресурсов. К услугам немцев были и сотни тысяч дезертиров, и миллионы военнообязанных, уклонившихся от мобилизации в начале войны. И десятки бывших генералов Красной Армии.

За добровольную сдачу в плен и сотрудничество с оккупантами после войны было расстреляно или повешено 23 бывших генерала Красной Армии (это не считая гораздо большего числа тех, кто получил за предательство полновесный лагерный срок). (20) Среди изменников были и командиры самого высокого ранга:

— начальник оперативного отдела штаба Северо-Западного фронта Трухин;

— командующий 2-й Ударной армией Власов;

— начальник штаба 19-й Армии Малышкин;

— член Военного совета 32-й армии Жиленков;

— командир 4-го стрелкового корпуса (Западный фронт) Егоров;

— командир 21-го стрелкового корпуса (Западный фронт) Закутный.

Да, десять человек из числа казненных генералов были в конце 50-х посмертно реабилитированы. (100, 101) Но при этом не следует забывать, что реабилитации 50-х годов проводились по тем же самым правилам, что и репрессии 30-х. Списком, безо всякого объективного разбирательства, по прямому указанию «директивных органов»...

Казненные генералы известны поименно. О рядовых, как всегда, известны только суммарные числа. Так, за неполные четыре месяца войны (с 22 июня по 10 октября 1941 г.) по приговорам военных трибуналов и Особых отделов НКВД был расстрелян 10 201 военнослужащий Красной Армии. Всего же за годы войны только военными трибуналами (без учета деятельности НКВД) было осуждено свыше **994 тысяч** советских военнослужащих, из них **157 593 человека расстреляно.** (98, стр. 139) Десять дивизий расстрелянных...

Массовое дезертирство и массовая сдача в плен были одновременно и причиной, и следствием, и главным содержанием процесса превращения Красной Армии в неуправляемую толпу. Такое на первый взгляд нарочито «диалектичное» определение является единственно возможным для описания небывалых событий лета-осени 1941 г.

Не было ни митингов, ни «солдатских комитетов». Крайне редкими были случаи группового и организованного перехода к врагу. «Типовая схема» разгрома и исчезновения воинской части Красной Армии (как это видно из множества воспоминаний, книг, документов) была такой:

Пункт первый. Потеря командира. Причины могли быть самые разные: погиб, ранен, уехал выяснить обстановку в вышестоящий штаб, застрелился, просто сбежал. Применительно к частям, сформированным в западных, «освобожденных» регионах СССР, к этому перечню можно добавить и «убит подчиненными». Потеря командира была самым распространенным, но не единственным «толчком», приводившим к стремительному распаду воинской части.

Таким толчком мог послужить и реальный прорыв вражеских танков во фланг и тыл, и автоматная стрельба, устроенная небольшой группой немецких мотоциклистов, а то и просто чей-то истошный вопль: «Окружили!»

Пункт второй. Младшие командиры, взявшие на себя командование обезглавленной воинской частью, принимают решение «прорываться на восток». Спасительная простота такого решения обманчива. *«Отход является одним из наиболее сложных видов маневра»,* — сказано в ст. 423 Полевого устава. Оторваться пешком от моторизованного противника невозможно, а транспорт и горючее в лишенной связи и снабжения воинской части быстро заканчиваются. Вышедшие из полевых укреплений и оставившие большую часть тяжелого вооружения войска превращаются в беззащитную мишень для авиации и артиллерии врага. Наконец, сама обстановка отступления, ощущение своей слабости перед лицом противника крайне деморализуют войска. Успешный отход требует строжайшей дисциплины подчиненных и высокого мастерства командиров, т.е. именно того, чего в описываемой ситуации заведомо нет.

Пункт третий. После нескольких неудачных попыток прорыва уцелевшие решают «отходить мелкими группами». Все. Это — конец. Через несколько дней (или часов) бывший батальон (полк, дивизия) рассыпается в пыль и прах.

Пункт четвертый. Огромное количество одиноких «странников», побродив без толка, без смысла и без еды по полям и лесам, выходит в деревни, к людям. А в деревне — немцы. Дальше вариантов уже совсем мало: сердобольная вдовушка, лагерь для военнопленных, служба в «полицаях». Вот и все.

Каким словом вправе мы назвать этих людей? Дезертиры, изменники Родины, отставшие от воинской части, пропавшие без вести, сдавшиеся в плен, захваченные в плен? Какими весами, каким штангенциркулем можно измерить, чего в этой схеме больше: «не умели» или «не хотели»? Неумения командиров руководить или нежелания бойцов воевать? Да и можно ли вообще разделить эти категории — умение и желание, квалификация и мотивация — в таком «роде деятельности», как война, где от человека требуется ежеминутно преодолевать основной для всего живого инстинкт самосохранения? Именно принципиальная неразделимость понятий «не хотели воевать» и «не умели воевать», а вовсе не стремление к пресловутой «политкорректности» не позволяет свести все причины военной катастрофы 41-го года к карикатурно-упрощенной формуле «армия отказалась воевать за Сталина».

С одной стороны, никакая, даже самая высочайшая «мотивация» не поможет остановить танки противника, если орудийный расчет за три года службы стрелял три раза, если на батарею забыли завезти бронебойные снаряды, если батарея находится в одном месте, тягачи без горючего — в другом, немецкие танки прорываются в третьем, а штаб дивизии вообще неизвестно где. С другой стороны, абсолютно нелепо сводить весь анализ хода боевых действий к одному только разбору психологических эффектов и аффектов. Армия держится не столько на «мнении народном», сколько на приказе и дисциплине. Роль командира — и в боевой подготовке вверенной ему части до войны, и в роковые минуты боя — огромна, и там, где командный состав смог навести порядок, смог уберечь своих солдат от заражения всеобщей паникой, там Красная Армия дала достойный отпор агрессорам с первых же дней войны. 831 тысяча солдат и офицеров вермахта не «потерялась» сама собой. Каждый четвертый захватчик, перешедший в июне 41-го границу СССР, оказался в могиле или на больничной койке именно потому, что не вся Красная Армия, не все части и соединения «мелкими группами разбрелись по лесам».

«В поле две воли» гласит старинная и мудрая русская поговорка. Вермахт тоже состоял из живых людей, от природы подчиненных инстинкту самосохранения. Более чем успешные боевые действия немецкой армии, которая практически до самых последних недель войны отнюдь не разбредалась по лесам и полям, также свидетельствуют о том, что поддержание порядка, дисциплины и управляемости в воюющей армии в принципе возможно. Да, сложно, трудно, требует кропотливой многолетней работы по обучению и воспитанию личного состава — от рядового до генерала включительно, — но возможно. Думаю, что этой констатацией исчерпывается все, что может себе позволить в подобных «теоретических рассуждениях» человек, не являющийся ни профессиональным военным, ни высококлассным специалистом по социальной психологии.

Как историк я могу лишь высказать предположение, что двадцать лет диктатуры «партии Ленина-Сталина» весьма способствовали моральному разложению армии; что раскулачивание, «голодомор» и система колхозного рабства заметно снизили готовность мобилизованных мужиков воевать за такую жизнь и за такую власть. Не вызывает, на мой взгляд, сомнений и тот факт, что массовые репрессии 37—38-го годов превратили значительную часть командных кадров Красной Армии в смертельно и пожизненно испуганных людей, что применительно к военному делу означает полную профнепригодность. Дикие «ужимки и прыжки» внешней политики 1939—1941 годов, когда правители СССР то объявляли Гитлера людоедом, то публично поздравляли его с военными победами в Европе, также не способствовали повышению готовности бойцов Красной Армии отдать свою единственную жизнь в очередной драке за передел разбойничьей добычи между Гитлером и Сталиным.

Являются ли эти обстоятельства ИСЧЕРПЫВАЮЩИМ объяснением причин превращения Красной Армии в неуправляемую толпу (каковое превращение стало основной причиной военной катастрофы)? Разумеется — нет. История России не в 1917 году началась. Более того, злосчастные события 17-го года не были случайностью — они долго и больно вызревали внутри российского общества. Да и сами господа Ульянов, Бронштейн и Джугашвили не с Луны же в Смольный упали, а выросли и нашли себе тысячи приверженцев внутри самой России. Возвращаясь ближе к теме, стоит напомнить, что неорганизованность и бестолковщина не были такими уж редкими явлениями в военной истории России. В середине XVII века Иван Посошков в трактате «О ратном поведении» писал:

«У пехоты ружье было плохо и владеть им не умели, только боронились ручным боем, копьями и бердышами, и то тупыми, и на боях меняли своих голов по три, по четыре и больше на одну неприятельскую голову. На конницу смотреть стыдно: лошади негодные, сабли тупые, сами скудны, безодежны, ружьем владеть не умеют, иной дворянин и зарядить пищали не умеет, не только что выстрелить в цель. Убьют двоих или троих татар и дивятся, ставят большим успехом, а своих хотя сотню положили — ничего! Нет попечения о том, чтобы неприятеля убить, одна забота — как бы домой поскорей. Во время боя того и смотрят, где бы за кустом спрятаться...» (106)

Стоит напомнить, что после триумфа 1812 года русская армия с удручающим постоянством демонстрировала мизерные результаты при чудовищных затратах. *«Русской армии не приходится особенно хвалиться. За все время существования России как таковой русские еще не выиграли ни одного сраже-*

ния против немцев, французов, поляков или англичан, не превосходя их значительно своим числом. При равных условиях они всегда были биты...» (103, стр.480) Такое субъективное мнение высказал в свое время товарищ Ф. Энгельс. С этим мнением был согласен и политический оппонент Энгельса, русский анархист М. Бакунин. *«Надо быть чрезвычайно невежественным или слепым квасным патриотом,* — писал он, — *чтобы не признать, что все наши военные средства и наша пресловутая, будто бы бесчисленная армия ничто в сравнении с армией германской. Немецкие офицеры превосходят всех офицеров в мире теоретическим и практическим знанием военного дела, горячею и вполне педантическою преданностью военному ремеслу, точностью, аккуратностью, выдержкою, упорным терпением, а также и относительною честностью. Вследствие всех этих качеств организация и вооружение немецких армий существует действительно, а не на бумаге только, как это было при Наполеоне III во Франции, как это бывает сплошь да рядом у нас...»* С этими мнениями можно и не соглашаться, но нельзя отрицать тот факт, что Первая мировая война, в ходе которой Россия понесла людские потери большие, нежели ее западные союзники, закончилась для союзников победой, а для России — «Брестским миром», условия которого мало чем отличались от капитуляции. Так что вопрос о том, кто более виноват в катастрофе 1941 года — Сталин, Ленин, Николай Второй, Петр Первый или, не к ночи будь помянут, Иван Мучитель, — все еще остается открытым.

Глава 19

ВЕЛИКАЯ МУДРОСТЬ ТОВАРИЩА СТАЛИНА

Утром 22 июня 1941 г. вожди Советского Союза, равно как и их мелкие прихлебатели, испытали огромное желание, подобно страусу, «засунуть голову в песок». Некоторые реализовали это желание в самом что ни на есть прямом смысле. Посол СССР в Королевстве Италия тов. Горелкин уехал от греха подальше на пляж, где его насилу нашли через 6 часов 30 мин. после того, как фашистское правительство объявило войну Советскому Союзу. Московское радио продолжало передавать бодрую воскресную музыку и очередные «сводки с полей», в то время когда радиостанции всего мира, прервав обычные передачи, сообщили и о начале войны, и о уже состоявшейся пресс-конференции Риббентропа. Однако самым оглушительным было молчание Великого Вождя Народов. Сталин отказался выступить по радио с Заявлением советского правительства (главой которого он сам себя назначил всего полтора месяца назад), отказался возглавить Ставку Главного командования (номинальным руководителем которой 23 июня был назначен Тимошенко). Главная официальная газета страны («Известия») 22 июня сообщала о мирном созидательном труде, 23 июня, как обычно, взяла выходной и только на третий день войны, 24 июня, поместила внизу первой полосы текст выступления Молотова, над каковым текстом была размещена огромная, почти на весь газетный лист фотография. Но не Молотова, что было бы логично, а... Сталина. Таким образом, «граждане и гражданки» получили возможность если и не услышать твердое, ободряющее слово, то хотя бы полюбоваться мужественным профилем любимого вождя.

А в это время сам «вождь», окончательно смешав день с ночью (прием в его кабинете начинался то в 3.20 утра, то в 7.35 вечера), пытался разобраться в потоке невероятных сообщений, которые шли с фронта. Отдадим ему должное: всего семь дней потребовалось Сталину для того, чтобы понять — в чем причина неслыханного разгрома. Может быть, потому так быстро и правильно понял он смысл происходящего, что его «университетами» была подпольная работа в подрывной организации, однажды уже удачно развалившей русскую армию во время мировой войны. Товарищ Сталин конкретно знал, как рушатся империи и исчезают многомиллионные армии. Открывшаяся в этот момент истина оказалась непомерно тяжелой даже для этого человека с опытом побегов из сибирской ссылки, кровавой бойни Гражданской войны и смертельно опасных «разборок» с Троцким в 20-е годы. В ночь с 28 на 29 июня Сталин уехал на дачу, где и провел в состоянии полной прострации **два дня — 29 и 30 июня,** не отвечая на телефонные звонки и ни с кем не встречаясь.

Мы не знаем и никогда уже не узнаем, о чем думал Сталин в эти два страшных дня. Зато мы совершенно точно знаем, что он придумал, сидя в одиночестве в пустом доме в Кунцеве. 3 июля 1941 г. Сталин наконец-то обратился по радио к своим подданным с большой речью. Отказавшись признать за собой хотя бы одну малейшую ошибку, он честно предупредил: *«Войну с фашистской Германией нельзя считать войной обычной. Она является не только войной между двумя армиями»*. В той же речи от 3 июля 1941 г. прозвучала фраза, дающая первое представление о том, какими методами товарищ Сталин намеревается вести эту небывалую в истории истребительную войну:

«При вынужденном отходе частей Красной Армии... не оставлять противнику ни килограмма хлеба, ни литра горючего. Колхозники должны угонять весь скот, хлеб сдавать под сохранность государственным органам для вывозки его в тыловые районы. Все ценное имущество, в том числе цветные металлы, хлеб и горючее, которое не может быть вывезено, должно безусловно уничтожаться».

Прямое и точное выполнение этого приказа (а речь Сталина, к тому моменту уже назначившего себя председателем Государственного Комитета Обороны — высшего чрезвычайного органа власти в стране, — была именно приказом, обязательным к исполнению для всех) означало бы голодную смерть для 40 миллионов человек гражданского населения, оставленного отступающей Красной Армией на оккупированной территории. Приказ об истреблении всех запасов продовольствия не был (да и не мог быть) дополнен решением о поголовной эвакуации населения. О какой поголовной эвакуации людей могла бы идти речь, если с оккупированной территории не смогли вывезти даже артиллерийские склады (на которых было потеряно 16 млн. артвыстрелов и 8 млн. мин). (9) Вследствие хаоса и дезорганизации эта директива Сталина не была выполнена в полном объеме, но была в полном объеме использована гитлеровской пропагандой, выпустившей миллионы листовок на тему: «Сталин — убийца и поджигатель».

Голод — это еще не самое страшное. Бесконечная череда войн, мятежей, набегов, неурожаев научила русского мужика «варить суп из топора». Лес, река, огород худо-бедно, но кормили и не давали умереть с голоду. Но в России бывает холодно, а зима 1941/1942-х гг., как на беду, выпала очень ранняя и очень морозная. Это обстоятельство также было принято во внимание. 17 ноября 1941 г. Сталин лично подписал Приказ Ставки Верховного Главнокомандования № 0428: *«...Приказываю:*

1. Разрушать и сжигать дотла все населенные пункты в тылу немецких войск на расстоянии 40—60 км в глубину от переднего края и на 20—30 км вправо и влево от дорог. Для уничтожения населенных пунктов в указанном радиусе немедленно бросить авиацию, широко использовать артиллерийский и минометный огонь, команды разведчиков, лыжников и подготовленные диверсионные группы, снабженные бутылками с зажигательной смесью, гранатами и подрывными средствами...» (102)

К ноябрю 41-го порядка в армии стало больше, и этот приказ выполнялся с неуклонной настойчивостью. Вот, например, 25 ноября оперативный отдел штаба 5-й Армии (Западный фронт) составляет «Донесение о ходе выполнения приказа Ставки № 0428». Приложен перечень 53 сожженных сел и деревень. Честно и самокритично указано на отдельные недоработки (*«Кривошеино — сожжено частично, Брыкино — осталось 5—6 домов»*). 21 ноября военный комиссар 53-й кавдивизии докладывает члену Военного совета 16-й Армии (Западный фронт) о том, что командование дивизии осознало и исправило свои прежние ошибки:

«Вы своим письмом № 018 указываете, что нами не выполняется приказ Ставки Верховного Командования Красной Армии об уничтожении всего, что может быть использовано противником, и что проявляем в этом вопросе ненужный и вред-

ный либерализм. Должен отметить, что до получения приказа Ставки по этому вопросу мы действительно проявляли либерализм и противнику оставлялся хлеб, жилища и т.д. Сейчас в частях нашей дивизии этого нет. Только за 19 и 20 ноября нами сожжено четыре населенных пункта: Гряда — осталось только несколько несгоревших домов, Малое Никольское — полностью, поселок Лесодолгоруково и Деньково — результат пожара мне пока еще не известен, но лично наблюдал, как эти населенные пункты были охвачены пламенем... Ваши указания в дальнейшем будут выполняться с еще большей настойчивостью...» (75)

Голодом и хладом не исчерпывался перечень «казней египетских», которые Сталин решил наслать на мирное население оккупированных районов, на стариков, женщин и детей, которых советское государство не смогло защитить от нашествия чужеземных захватчиков. Уже с начала июля по партийной и «чекистской линии» посыпался град приказов, директив, постановлений о развертывании «всенародного партизанского движения». Так, 1 июля 1941 г. ЦК КП(б) Белоруссии выпустил директиву, в которой призвал *«уничтожать врагов, не давать им покоя ни днем, ни ночью, уничтожать их всюду, где их удастся настичь, убивать их всем, что попадется под руку: топором, косой, ломами, вилами, ножами... При уничтожении врагов не бойтесь применять любые средства — душите, рубите, жгите, травите фашистских извергов...»* Нельзя не отметить, что эти призывы Белорусский ЦК рассылал из Витебска, куда он бежал 24 июня, за три дня до появления передовых отрядов «фашистских извергов» на окраинах Минска, бежал, не предприняв никаких усилий по организованной эвакуации населения и материальных ценностей.

От партийного начальства не отставало и начальство военное. 6 августа 1941 г. маршал Тимошенко — на этот раз в качестве командующего войсками Западного фронта — обратился «ко всем жителям оккупированных врагом территорий». Маршал и бывший главнокомандующий, растерявший свою армию, потерявший десятки тысяч танков, самолетов, орудий, призывал теперь безоружных людей к таким действиям:

«*Атакуйте и уничтожайте немецкие транспорты и колонны, сжигайте и разрушайте мосты, поджигайте дома и леса... Бейте врага, мучьте его до смерти голодом, сжигайте его огнем, уничтожайте его пулей и гранатой... Поджигайте склады, уничтожайте фашистов, как бешеных собак...*» (42, стр. 141)

Можно спорить о том, нашлась бы на свете армия, командование которой не ответило бы жестокими массовыми репрессиями на такие действия в отношении своих солдат («душите, рубите, жгите, травите, как бешеных собак»). Но не приходится сомневаться в том, что реакция командования вермахта и СС была легко предсказуемой. Однако советское руководство не просто отдавало себе отчет в том, что результатом его призывов будут массовые расправы с населением, — оно стремилось к наступлению именно таких последствий. Более того — всеми имеющимися в его распоряжении средствами подталкивало противника к максимально жестокому обращению с мирным населением.

Документы вермахта, к несчастью — слишком многочисленные и достоверные, свидетельствуют о том, что уже в самые первые дни войны, уже в июне 1941 г., наступающие немецкие войска во многих местах находили трупы своих солдат, в силу ряда причин оказавшихся в плену (отставшие, раненые, экипажи сбитых самолетов), которые были замучены с невообразимой садистской жестокостью. (42, стр. 267—274, 298—299) Невозможно поверить в то, что красноармейцы, т.е. в основной своей массе вчерашние русские, украинские, белорусские крестьяне, уже в первые дни войны успели проникнуться такой безумной ненавистью, в ослеплении которой вчерашний хлебороб или шахтер мог «выкалывать глаза, отрезать языки, уши и носы, а также сдирать кожу с рук и ног» у раненых солдат противника.

Гораздо более реалистичной представляется мне гипотеза о том, что эти преступления совершались специальными командами НКВД с целью преднамеренного провоцирования немецких войск на ответные расправы с населением и пленными красноармейцами. По крайней мере, предположение о том, что зверские убийства немецких солдат были осуществлены руками «друзей народа» из НКВД, вполне коррелирует с не вызывающими уже сомнения фактами массового уничтожения заключенных в тюрьмах Западной Украины и Белоруссии, произведенного «чекистами» в те же самые первые дни войны. Так, 12 июля 1941 года начальник тюремного управления НКВД Украины капитан госбезопасности А.Ф. Филиппов докладывал в Москву о проделанной работе:

«...из тюрем Львовской области убыло по 1-й категории 2466 человек... Все убывшие по 1-й категории заключенные погребены в ямах, вырытых в подвалах тюрем, в городе Злочеве — в саду... Местные органы НКГБ проведение операций по 1-й категории в большинстве возлагали на работников тюрем, оставаясь сами в стороне, а поскольку это происходило в момент отступления под огнем противника, то не везде работники тюрем смогли тщательно закопать трупы и замаскировать внешне...» (104)

Зверская расправа с заключенными львовских тюрем (лишь немногие из которых имели счастье быть просто расстрелянными) давно уже стала предметом детальных военно-судебных, в том числе и международных, расследований, в частности — специальной комиссии Конгресса США в 1954 г. Однако Львов вовсе не был исключением. Так, судя по упомянутому отчету капитана Филиппова, в Дрогобычской области «по 1-й категории убыло» 1101 человек, в Станиславской — 1000, в Тарнопольской — 674, в Ровенской — 230, в Волынской — 231. Массовые расстрелы были выявлены в Луцке, Жолкеве, Самборе, Виннице (где с участием международной судебно-медицинской комиссии было эксгумировано 9439 трупов), Ошмянах, Витебске, Риге, Тарту, Резекне, Даугавпилсе... Стоит упомянуть и тот город, название которого так часто встречалось в предыдущих главах этой книги. В докладах офицеров 48-го армейского корпуса вермахта утверждается, что 26 июня в тюрьме г. Дубно было обнаружено более 500 трупов, включая 100 женщин. *«Картина при входе в тюрьму и камеры была жуткой, и ее не передать словами... Все люди были полностью раздеты. В каждой камере висели головами книзу 3—4 женщины, они были привязаны веревками к потолку. Насколько я помню, у всех женщин были вырезаны груди и языки...»* (42, стр. 270)

Организаторам и исполнителям этих преступлений предстояло теперь стать бойцами и командирами отрядов «народных мстителей». Доктор исторических наук В.И. Боярский, действительный член Академии военных наук, а к тому же и бывший полковник КГБ, в своем уникальном по объему приведенного документального материала исследовании пишет:

«...Именно органы и войска НКВД сыграли ведущую роль в развертывании партизанского движения, создании отрядов и диверсионных групп на первом этапе, т.е. до мая 1942 г... Большинство партизанских отрядов полностью формировались из сотрудников НКВД и милиции, без привлечения местных жителей... В дальнейшем, в процессе создания обкомами партии партизанских отрядов из числа местного партийно-советского актива, их руководящее ядро по-прежнему составляли оперативные сотрудники НКВД... В конце 1941г. и в начале 1942 г. основой для формирования партизанских отрядов по-прежнему являлись бойцы истребительных батальонов, оперативные работники НКВД и милиции, агентура органов госбезопасности...» (105, стр. 71, 76, 82)

Сотрудники «органов», которые в 20—30-х годах без лишних сантиментов назывались «карательными», не могли не принести в партизанское движение все свои прежние, приобретенные в годы массовых репрессий навыки. Полное безразличие к жертвам среди мирного населения, ставка на террор и провокации, мародерство и пьянство — все это в полной мере проявилось в деятельности партизанских отрядов, наспех слепленных из «оперативных сотрудников НКВД». Не следует забывать и о том, что система подготовки профессиональных диверсантов была практически полностью разрушена в годы Большого Террора, а большая часть опытных спецназовцев стерта в «лагерную пыль». Порою дело доходило до полного абсурда. Так, в октябре 1941 г. ГлавПУР разослал армейским политорганам «Инструкцию по организации и действиям партизанских отрядов», составленную в 1919 году! (105, стр.191) И если рассылка инструкции 1919 года может быть отнесена к разряду курьезов, то поставленная на самом высоком уровне задача «косить немцев косами и колоть вилами» свидетельствует по меньшей мере о полном непонимании задач вооруженной борьбы в тылу врага. Чем дальше вглубь советской территории продвигались немецкие войска, тем более растягивались их транспортные коммуникации. Каждый снаряд и каждый патрон должен был проделать путь в несколько тысяч километров от завода в Германии до боевых порядков частей вермахта, преодолеть десятки рек и мостов. Эти транспортные артерии проходили по безлюдной лесисто-болотистой местности, самой природой созданной для эффективных диверсионных действий. Там и должен был находиться центр приложения усилий тщательно подготовленных диверсионных групп. Но товарищ Сталин, похоже, воспринимал население оккупированных областей как отработанный шлак, не имеющий уже никакой ценности: этих людей невозможно было использовать ни как дармовую рабочую силу, ни как пушечное мясо. Хуже того — они могли быть использованы противником. Поэтому гибель тысяч таких «бесхозных людишек» рассматривалась им как вполне приемлемая «цена» за убийство пары зазевавшихся немецких отпускников...

Если таким, равнодушно жестоким, было отношение к абсолютно неповинному в военном поражении гражданскому населению, то к бойцам и командирам, побросавшим винтовки, пулеметы и танки, товарищ Сталин испытывал гораздо более определенные чувства. Оправившись от первого шока, вызванного совершенно немыслимым поведением Красной Армии, Сталин начал наводить порядок единственно известным и доступным ему способом. 16 июля 1941 г. он лично подписал Постановление ГКО № 169, которое начиналось дословно так:

«Государственный Комитет Обороны устанавливает, что части Красной Армии в боях с германскими захватчиками в большинстве случаев высоко держат великое знамя Советской власти и ведут себя удовлетворительно, а иногда — прямо геройски, отстаивая родную землю от фашистских грабителей. Однако наряду с этим Государственный Комитет Обороны должен признать, что отдельные командиры и рядовые бойцы проявляют неустойчивость, паникерство, позорную трусость, бросают оружие и, забывая свой долг перед Родиной, грубо нарушают присягу, превращаются в стадо баранов, в панике бегущих перед обнаглевшим противником.

Воздавая честь и славу отважным бойцам и командирам, Государственный Комитет Обороны считает вместе с тем необходимым, чтобы были приняты строжайшие меры против трусов, паникеров, дезертиров...» (6, стр. 473)

Далее шел перечень из 9 фамилий генералов, арестованных *«за позорящую звание командира трусость, бездействие власти, отсутствие распорядительности, развал управления войсками, сдачу оружия противнику без боя и самовольное оставление боевых позиций»*.

Наиболее известными среди них были высшие командиры Западного фронта. Причина, по которой именно командование Западного фронта (а не, например, соседнего Северо-Западного, разгромленного в том же темпе, или Южного, позорно бежавшего перед убогой румынской армией) было выбрано в качестве объекта для показательной расправы, никому не известна. Выбор же конкретных лиц среди генералов Западного фронта был прост и понятен — под нож пошли те, кто к моменту принятия Постановления успел выйти из окружения к своим. Командующего 4-й Армией, по которой пришелся удар танковой группы Гудериана, расстреляли. Командующий 10-й, самой мощной армией фронта, к тому же находившейся на пассивном (с точки зрения наступающего вермахта) участке границы, отделался легким испугом, поскольку вышел из окружения значительно позже. Ничего плохого не случилось и с маршалом Куликом, который в первые дни войны прибыл в штаб 10-й Армии в качестве полномочного представителя Ставки — ему даже вернули маршальские звезды, которые он выкинул в кусты (вместе со всеми документами, орденами и знаками различия). Командующий 3-й Армией Западного фронта и заместитель командующего фронтом не только не понесли какого-либо наказания, но даже были отмечены похвалой Верховного в его августовском приказе № 270. В качестве заслуги командующего 3-й Армией было названо то, что он *«вывел из окружения 498 вооруженных красноармейцев и командиров частей 3-й Армии»,* т.е. менее одного процента личного состава вверенной ему армии.

В тот же день, 16 июля 1941 г., в Красной Армии был восстановлен институт комиссаров. Теперь приказ командира части или соединения был недействителен до тех пор, пока его не подпишет представитель партии. На следующий день, 17 июля 1941 г., Сталин подписал Постановление ГКО № 187, в соответствии с которым «особые отделы» в очередной раз были выведены из подчинения военного командования и переданы в совместное управление НКВД и комиссаров: *«Подчинить Управление Особых Отделов и Особые Отделы Народному Комиссариату Внутренних Дел, а уполномоченного Особого отдела в полку и Особотдел в дивизии одновременно подчинить соответственно комиссару полка и комиссару дивизии».* Задачи «особистам» были поставлены предельно ясные:

«...дать Особым Отделам право ареста дезертиров, а в необходимых случаях и расстрела их на месте. Обязать НКВД дать в распоряжение Особых Отделов необходимые вооруженные отряды из войск НКВД». (6, стр. 475)

Еще через три дня, 20 июля 1941 г. (на этот раз — Указом Президиума Верховного Совета, ибо Сталин строго соблюдал нормы сталинской Конституции), два репрессивных ведомства (НКВД и НКГБ) были объединены в один наркомат внутренних дел под началом товарища Берия.

Две недели спустя, в первых числах августа 1941 г., в районе Умани (Украина) были окружены и сдались в плен две армии: 6-я и 12-я. Всего, по сводкам командования вермахта, в районе Умани было взято в плен порядка 100 тыс. человек. В плену у противника оказались оба командарма (Музыченко и Понеделин), четыре командира корпусов и великое множество командиров меньшего ранга. В их числе был и один из «фигурантов» Постановления ГКО № 169 от 16 июля. Командир 60-й горно-стрелковой дивизии генерал-майор М.Б. Салихов, как ни странно, не был тогда приговорен к расстрелу, а всего лишь понижен в звании до полковника и получил «10 лет тюремного заключения с отбыванием наказания после войны». Сдавшись в плен в августе 41-го, бывший генерал Салихов стал в дальнейшем одним из организаторов власовской РОА. После войны, 1 августа 1946 г., он был повешен по приговору Военной коллегии Верховного Суда. (20, стр. 151)

5 августа 1941 г. командующий Группой армий «Центр» генерал-фельдмаршал фон Бок издал приказ, в котором заявил, что *«трехнедельное сражение под Смоленском завершилось блестящей победой немецкого оружия и немецкого исполнения долга. В качестве трофеев захвачено 309 110 пленных, 3205 уничтоженных или захваченных танков... С благодарностью и гордостью смотрю я на войска, способные к таким действиям...»* (72, стр.75)

Сталин также счел необходимым отреагировать на новую череду поражений и окружений. 16 августа вышел знаменитый Приказ Ставки № 270 «О случаях трусости и сдаче в плен и мерах по пресечению таких действий». Едва ли в военной истории цивилизованных стран найдется аналог этому документу. Для вящей убедительности Приказ № 270 был скреплен подписями Сталина, Молотова, Буденного, Ворошилова, Тимошенко, Шапошникова и Жукова. В констатирующей части отмечалось, что *«некоторые командиры и политработники своим поведением на фронте не только не показывают красноармейцам образец смелости, стойкости и любви к Родине, а, наоборот, прячутся в щелях, возятся в канцеляриях, не видят и не наблюдают поля боя, а при первых серьезных трудностях в бою пасуют перед врагом, срывают с себя знаки различия, дезертируют с поля боя».* Постановляющая часть приказа гласила:

«Приказываю:

1. Командиров и политработников, во время боя срывающих с себя знаки различия и дезертирующих в тыл или сдающихся в плен врагу, считать злостными дезертирами, семьи которых подлежат аресту как семьи нарушивших присягу и предавших свою Родину дезертиров.

Обязать всех вышестоящих командиров и комиссаров расстреливать на месте подобных дезертиров из начсостава.

2. Попавшим в окружение врага частям и подразделениям самоотверженно сражаться до последней возможности, беречь материальную часть, как зеницу ока, пробиваться к своим по тылам вражеских войск, нанося поражение фашистским собакам.

Обязать каждого военнослужащего, независимо от его служебного положения, потребовать от вышестоящего начальника, если часть его находится в окружении, драться до последней возможности, чтобы пробиться к своим, и если такой начальник или часть красноармейцев вместо организации отпора врагу предпочтут сдаться в плен — уничтожать их всеми средствами, как наземными, так и воздушными, а семьи сдавшихся в плен красноармейцев лишать государственного пособия и помощи...

Приказ прочесть во всех ротах, эскадронах, батареях, эскадрильях, командах и штабах». (6, стр. 479)

Исключительно важным для понимания образа мыслей товарища Сталина является тот факт, что в этом основополагающем приказе он не счел возможным или нужным даже упомянуть о таких высоких мотивах, как «защита завоеваний Октября», «спасение человечества от фашистского варварства», не вспомнил ни про Дмитрия Донского, ни про Александра Невского, ни про тысячелетнюю историю России. Просто и без обиняков военнослужащим Красной Армии напомнили о том, что их семьи — если они находятся на территории, контролируемой властью НКВД/ВКП(б) — являются заложниками их поведения на фронте. Для того чтобы современный читатель мог понять конкретный смысл фразы «лишать государственного пособия и помощи», приведем несколько цифр из отчета ЦСУ Госплана СССР о рыночных ценах на продукты и зарплате рабочих по состоянию на лето 1943 года: (107, стр. 235—237)

— среднемесячная зарплата в целом по народному хозяйству 403 руб.;

— среднемесячная зарплата рабочих в промышленности 443 руб.;

— среднемесячная зарплата работников здравоохранения 342 руб.;

— среднемесячная зарплата работников совхозов 203 руб.;

— хлеб ржаной, 1 кг 100 руб.;

— сахар, 1 кг 650 руб.;

— мыло хозяйственное, 400 г. 230 руб.

Угроза уничтожать сдающихся в плен *«всеми средствами, как наземными, так и воздушными»* также не была пустым звуком. Осенью 1941 г. советская авиация бомбила лагеря военнопленных в районе Орла и Новгород-Северского. (42, стр. 103) Едва ли стоит напоминать тот общеизвестный факт, что Советский Союз отказался от всякого сотрудничества с Международным Красным Крестом, что сделало невозможным оказание помощи — прежде всего продовольствием и медикаментами — находящимся в немецком плену красноармейцам. После появления Приказа № 270 только победа, любая победа, неважно кого — Гитлера или Сталина, стала для бойцов Красной Армии единственным шансом увидеть своих родных и близких живыми. Многим в тот момент более вероятной представлялась победа Германии. Так, товарищ Сталин 3 сентября 1941 г., пытаясь одновременно и напугать и разжалобить Черчилля, писал ему: «*Без этих двух видов помощи* (речь шла о высадке англичан во Францию и о поставках в СССР 400 самолетов и 500 танков ежемесячно) *Советский Союз либо потерпит поражение, либо будет ослаблен до того, что потеряет надолго способность оказывать помощь своим союзникам активными действиями на фронте борьбы с гитлеризмом...»* (57, стр. 208)

Не прошло и месяца со дня выхода Приказа № 270, как 12 сентября 1941 г. была принята Директива Ставки № 001919. Во первых строках этой Директивы, уже безо всяких экивоков («с одной стороны... но с другой стороны...») было сказано дословно следующее:

«Опыт борьбы с немецким фашизмом показал, что в наших стрелковых дивизиях имеется немало панических и прямо враждебных элементов, которые при первом же нажиме со стороны противника бросают оружие, начинают кричать: «нас окружили» и увлекают за собой остальных бойцов. В результате дивизия обращается в бегство, бросает материальную часть и потом одиночками начинает выходить из леса. Подобные явления имеют место на всех фронтах...» (5, стр. 180)

На этот раз для борьбы с «подобными явлениями» предполагалось не ограничиваться одними только угрозами массовых расстрелов, но и создать для того соответствующие организационные структуры — заградительные отряды численностью не менее одной роты на стрелковый полк! Увы, все было тщетно. В начале сентября немцы с ходу, практически без серьезных боев форсировали полноводный Днепр в районе Кременчуга, навели 1,5-километровые понтонные мосты, по которым танковые дивизии переехали на восточный берег. Танковая группа Гудериана переехала через Десну по невзорванному мосту у Макошино (по сей день выходят книги и фильмы, в которых это позорище объясняется тем, что «мост был захвачен крупным отрядом немецких парашютистов»). Через два дня после подписания Директивы № 001919, вечером 14 сентября, в районе Лохвицы встретились передовые части 2-й Танковой группы (3-я танковая дивизия) и 1-й Танковой группы (9-я танковая дивизия) вермахта. Это означало, что кольцо окружения гигантского «киевского котла» сомкнулось. Стоит, правда, отметить, что перед началом наступления в составе 3-й тд был 41 исправный танк (5 Pz-IV, 6 Pz-III, 30 Pz-II), а в составе 9-й тд — 51 танк (6 Pz-IV, 31 Pz-III, 14 Pz-II), всего 48 средних танков. Огромная, полумиллионная группировка советских войск прекратила организованное сопротивление менее чем через неделю. Верховное командование вермахта сообщило о захвате 665 тыс. пленных, 3718 орудий и 884 танков.

Октябрь 1941 года начался с окружения главных сил Западного, Резервного и Брянского фронтов (67 стрелковых и 6 кавалерийских дивизий, 13 танковых бригад) в двух крупнейших «котлах» у Вязьмы и Брянска. По утверждению Верховного командования вермахта, в плен попало 658 тыс. человек, было захвачено 5396 орудий и 1241 танк. Октябрьская катастрофа по своим масштабам намного превзошла разгром Западного фронта, имевший место в июне 1941 г. Еще одним качественным отличием «вяземского котла» от котла минского было множество генералов самого высокого уровня, оказавшихся в немецком плену. В их числе: командующий 19-й Армией Лукин, командующий 20-й Армией Ершаков, член ВС 32-й Армии Жиленков, командующий 32-й Армией Вишневский, начштаба 19-й Армии Малышкин, начальник артиллерии 24-й Армии Мошенин, начальник артиллерии 20-й Армии Прохоров. Всего же за шесть месяцев 1941 г. в немецкий плен попали 63 генерала Красной Армии...

Если репрессивные меры в отношении военнослужащих оказались, по сути дела, безрезультатными, то беспощадная политика по отношению к населению оккупированных областей дала ярко выраженный отрицательный результат. Требования Сталина о превращении всей оккупированной немцами территории в выжженную пустыню, провокационные действия «партизан от НКВД» привели к стихийному на первых порах созданию в сельской местности отрядов самообороны, которые взяли на себя защиту деревень и их жителей от вооруженных банд любой «ориентации». Оккупационным властям оставалось лишь объединить все эти «службы порядка», «оборонные команды» под собственным контролем и командованием. Легендарный патриарх советских диверсантов, участник четырех войн, полковник И. Старинов в статье, написанной в 2000 году, говорил: *«Немцы быстро этой ситуацией воспользовались. Дескать, не хотите вместе с детьми оказаться на тридцатиградусном морозе — идите и охраняйте себя сами от поджигателей. Получилось, что мы сами подтолкнули местных жителей к немцам... После появления лозунга «Гони немца на мороз» немцы сформировали полицию численностью около 900 тыс. человек»*. (105, стр. 261, 267) Сама цифра (900 тыс. человек) многократно завышена. Она, скорее всего, отражает личные впечатления практика партизанской войны о том, что «полицаи были на каждом шагу». А вот эти впечатления отнюдь не обманчивы.

По изначальному замыслу советского руководства, небольшие «чекистские» группы (их численность, как правило, составляла 20—25 человек) должны были выполнить роль «центров конденсации», вокруг которых соберутся, образно говоря, партизанские «тучи». Фактически же отношение населения оккупированных немцами областей к «народным мстителям» из числа «агентуры органов госбезопасности» было таким, что численность партизан не только не выросла, но к лету 1942 г. значительно сократилась — и это несмотря на то, что площадь оккупированных территорий заметно увеличилась после харьковской катастрофы и прорыва немцев к Сталинграду. «*УНКВД по Ленинградской области направило в тыл противника 287 отрядов общей численностью 11 733 человека. К 7 февраля 1942 г. из них осталось всего 60 отрядов численностью 1965 человек, т.е.* ***около 17%****... На Украине органы госбезопасности оставили в тылу врага и перебросили туда 778 партизанских отрядов и 622 диверсионные группы общей численностью 28 753 человека. Однако по состоянию на 25 августа 1942 г. поддерживалась связь только с 216 отрядами... действующими значились только 22 отряда, насчитывающие 3310 человек. Следовательно, за 12 месяцев войны уцелели* ***менее 3%*** *партизанских отрядов и групп из числа заброшенных в тыл врага в 1941 году... Не лучше обстояло дело в Белоруссии... К январю 1942 г. из 437 групп и отрядов, которые были заброшены в тыл противника, прекратили свое существование 412,* ***или 95%****... В первую же военную зиму почти все крупные формирования, насчитывающие несколько сотен человек, были уничтожены либо распались на отдельные группы...»* (105, стр. 82, 158)

Утопающий цепляется за соломинку. После того как сотни дивизий Красной Армии не смогли остановить триумфальный марш вермахта, товарищ Сталин решил совершить то, в чем обвинялись и за что были расстреляны десятки тысяч жертв Большого Террора: призвал британских империалистов совершить вторжение в страну победившего пролетариата. 13 сентября он уже просил Черчилля *«высадить 25—30 дивизий в Архангельск или перевести их через Иран в южные районы СССР»*. (57, стр. 213). Потрясающая идея, особенно если принять во внимание, что до начала войны соотношение численности сухопутных армий СССР и Великобритании было порядка 10 к 1... Как и следовало ожидать, предложение отправить все наличные силы английской армии в Архангельск не вызвало в Лондонс положитсльной реакции. Проявив традиционное британское хладнокровие, Черчилль не стал напоминать своему новоявленному союзнику о том, что еще несколько месяцев назад с послом Англии в Москве не желали даже разговаривать и уж тем более — давать ему какие-либо разъяснения по вопросу о том, на чьей стороне в мировой войне находится советское правительство. В своем ответном письме Черчилль ограничился холодной констатацией того, что *«акция, ведущая лишь к дорогостоящей неудаче, — как бы похвальны ни были ее мотивы — может быть полезна только Гитлеру»*.

Спасение пришло оттуда, откуда Сталин и ожидать-то его не мог. Это чудесное избавление от неминуемой гибели так потрясло «вождя народов», что он не смог сдержаться и заявил о нем во всеуслышание. Правда, потом быстро опомнился и больше такого вслух никогда не говорил. Но в ноябре 1941 г., выступая с докладом на торжественном собрании, посвященном очередной годовщине большевистского переворота, Сталин сказал правду: ***«Глупая политика Гитлера превратила народы СССР в заклятых врагов нынешней Германии»***. (108)

Точнее не скажешь. Гитлер совершил длинную череду вопиющих глупостей в то время, когда победа над сталинской империей буквально валилась ему в руки. Первейшей ошибкой была сама стратегическая установка на сугубо военный разгром противника. Полторы сотни немецких дивизий не могли оккупировать страну, раскинувшуюся от Бреста до Владивостока и от Мурманска до Ашхабада. Если Советский Союз и мог быть разрушен, то только взрывом изнутри (что и произошло в реальности ровно через полвека), а единственным смыслом военной операции могло быть лишь инициирование такого взрыва. Но Гитлер, этот самовлюбленный изувер, возомнивший себя орудием «провидения», не смог (или не захотел) понять столь очевидные истины. И тем не менее, независимо от изначальных планов гитлеровского руководства, процесс внутреннего разложения Советского государства пошел со все возрастающим темпом. В национальных окраинах СССР (Прибалтика, Западная Украина, позднее — Северный Кавказ и Кубань) началось полномасштабное вооруженное восстание, приведшее к появлению во Львове, Риге и Каунасе правительств самопровозглашенных «государств». Большая часть населения центральных областей страны встречала немцев без цветов, но со смешанным чувством недоверия и ожидания. Уже к началу осени в плену у немцев было полтора миллиона бывших военнослужащих Красной Армии, в течение сентября-октября 1941 г. это число увеличилось более чем в два раза. Фактически это был огромный «призывной контингент», с готовыми командными кадрами, с военными специалистами всех видов и с циклопическими горами боеприпасов и оружия — от винтовок до танков КВ включительно, — которое ведь не испарилось бесследно, а осталось в гигантском количестве на контролируемой вермахтом территории. Были, наконец, генералы, готовые возглавить антисоветскую русскую армию.

В числе пленных генералов Красной Армии, обсуждавших (судя по протоколам их допросов) с немецким командованием вопрос о возможности или даже необходимости создания антисталинского «правительства» и подчиненной ему армии из военнопленных красноармейцев, Й. Гофман называет, в частности, командующего 5-й Армией Потапова, командующего 20-й Армии Ершакова, командующего 19-й Армии Лукина, командира 8-го стрелкового корпуса Снегова, командира 10-й танковой дивизии Огурцова, командира 72-й горнострелковой дивизии Абрамидзе. Здесь перечислены фамилии только тех генералов, которые — в отличие от многих других — не стали, в конечном итоге, на путь активного сотрудничества с врагом. Ершаков погиб в концлагере, Огурцов бежал из плена, вступил в партизанский отряд и погиб в бою, Потапов, Снегов и Абрамидзе после освобождения и спецпроверки были восстановлены в армии и даже награждены высшими орденами. (20)

Особенно показательной для оценки умонастроений высшего советского генералитета может служить судьба генерал-лейтенанта М.Ф. Лукина. Выдающийся полководец, герой сражений у Шепетовки, Смоленска и Вязьмы, он был захвачен в плен после тяжелого ранения, в бессознательном состоянии (в немецком госпитале ему ампутировали ногу). В ходе спецпроверки были выявлены какие-то факты его «антисоветской деятельности», но 31 августа 1945 г. в докладе на имя Сталина начальник «Смерша» Абакумов написал: *«учитывая, что в результате ранения он остался калекой, считал бы целесообразным освободить и обеспечить агентурным наблюдением»*. (101) В дальнейшем генерал Лукин медленно, но верно стал превращаться в плакатный образец несгибаемого героя, который, оказавшись в немецком плену, «с презрением отверг все посулы и угрозы врага». М.Ф. Лукин был награжден орденом Ленина (1946 г.), двумя орденами Красного Знамени (1946, 1947 гг.), орденом Красной Звезды (1967 г.). Ему было присвоено звание «Почетный гражданин Смоленска», и его именем названа улица в этом городе. Появилась и побежала из публикации в публикацию легенда о том, как Сталин сказал вернувшемуся из плена генералу: «Спасибо за спасение Москвы». В 1966 г. маршалы Тимошенко, Рокоссовский и Конев ходатайствовали о присвоении Лукину звания Героя Советского Союза, но это предложение было тогда отклонено. Наконец, в 1993 г. генералу Лукину было посмертно присвоено звание Героя России.

Примерно в то же время был переведен на русский язык и опубликован давно уже известный западным историкам протокол допроса от 14 декабря 1941 г., в ходе которого пленный генерал Лукин вел с немцами такие беседы:

«...Коммунисты пообещали крестьянам землю, а рабочим — фабрики и заводы, поэтому народ поддержал их. Конечно, это было ужасной ошибкой, поскольку сегодня крестьянин, по сравнению с прошлым, не имеет вообще ничего, а средняя зарплата рабочего 300—500 рублей в месяц, на которую он ничего не может купить. Когда нечего есть и существует постоянный страх перед системой, то, конечно, русские были бы очень благодарны за ее разрушение и избавление от сталинского режима... Если будет все-таки создано альтернативное русское правительство, многие россияне задумаются о следующем: во-первых, появится антисталинское правительство, которое будет выступать за Россию, во-вторых, они смогут поверить в то, что немцы действительно воюют только против большевистской системы, а не против России, и в-третьих, они увидят, что на вашей стороне тоже есть россияне, которые выступают не против России, а за Россию. Такое правительство может стать новой надеждой для народа... Если бы Буденный и Тимошенко возглавили восстание, то тогда, возможно, много крови и не пролилось. Но и они должны быть уверены в том, что будет Россия и российское правительство... Новая Россия не обязательно должна быть такая, как старая. Она может даже быть без Украины, Белоруссии и Прибалтики, будучи в хороших отношениях с Германией. Вот помочь в создании такой России и правительства только в ваших силах, а не в наших...» (110)

Генералы вермахта, которые видели ситуацию в Красной Армии и в лагерях для военнопленных с близкого расстояния, неоднократно обращались к Гитлеру с предложением использовать уникальную ситуацию с целью скорейшего вывода СССР из войны. Совершенно реальной представлялась возможность повторить опыт 1917—1918 гг., когда Германия, поддержав смену власти в России, заключила с новым правительством сепаратный Брестский мир и обеспечила себе таким образом свободу рук для наступления на Западном фронте. Формула Тараса Бульбы («я тебя породил, я тебя и убью») вполне могла быть применена немцами к большевистскому режиму в России. На развалинах Советского Союза могло быть создано несколько союзных гитлеровской Германии «независимых государств» (вроде Словакии или Хорватии), которые бы обеспечивали вермахт продовольствием, сырьем для военной промышленности, вспомогательными воинскими формированиями. Однако Гитлер, в больном мозгу которого расистский бред о «неполноценности славян» причудливо мешался со страхом перед восточным гигантом, отвечал, что он не нуждается в союзе со славянскими «недочеловеками», а от вермахта требуется просто и быстро разгромить Красную Армию. Потом и вовсе перестал отвечать. Когда командующий Группой армий «Центр» генерал-фельдмаршал фон Бок отправил в Берлин проект создания «освободительной армии» из 200 тысяч добровольцев и формирования русского правительства в Смоленске, то его доклад был возвращен в ноябре 1941 с резолюцией Кейтеля: «такие идеи не могут обсуждаться с фюрером».

Для самых предвзятых и невнимательных читателей поясняю: вышеизложенное — это не рассказ о том, «как хорошо могло бы быть». Это грустные мысли о том, что все могло бы быть еще хуже, чем было в реальности, хотя, казалось бы, куда уж хуже? В огне мировой войны не было брода, и поражение Сталина означало бы лишь колоссальное усиление позиций Гитлера, в руках которого могли оказаться гигантские сырьевые ресурсы богатейшей страны мира, да еще и миллионы послушных и ко всему привычных работников. Режим, который мог бы быть установлен на «освобожденной» от власти НКВД/ВКП(б) территории, скорее всего, отличался бы от сталинского лишь цветом знамен и надписями на дверях начальственных кабинетов. Не исключено, что фамилии хозяев кабинетов могли бы остаться прежними. В любом случае после 20 лет жесточайшего террора, после 20 лет искусственного «отрицательного отбора», в ходе которого изгонялись и истреблялись все, в ком предполагалось наличие ума, чести и совести, надеяться на стихийное возникновение полноценной и дееспособной демократии не приходилось. И уж тем более — не в интересах Гитлера было бы формирование демократической власти в вассальных «русских княжествах». Лучше могло бы быть лишь в том случае, который описан в «Лишней главе». Но такого не могло быть никогда, и поэтому та глава — лишняя...

Пленных красноармейцев, от которых отказалось Советское государство, сгоняли как скот на огромные, опутанные колючей проволокой поляны и морили там голодом и дизентерией. Лучше всех агитаторов ГлавПУРа, вместе взятых, фашистские лидеры показали и доказали бойцам Красной Армии, что плен также не является спасением от смерти, до которой им оставалось «четыре шага» в любую сторону... Начатое в свое время по инициативе армейского командования освобождение пленных красноармейцев ряда национальностей было 13 ноября 1941 г. запрещено. А затем пришла ранняя и лютая зима, в которую от холода, голода и болезней погибло две трети пленных 1941 года. С такой же категоричной ясностью оккупационная администрация продемонстрировала ошеломленному населению, что формулу «немцы — культурная нация» пора забыть, а привыкать надо к «новому порядку», который оказался даже проще старого: расстрел на месте за любую провинность. С вызывающей откровенностью народу объясняли, что обслуживание представителей «высшей расы» отныне станет единственным смыслом жизни для тех, кому разрешат жить.

Упустив столь близкую и реальную возможность для ликвидации Восточного фронта политическим путем, Гитлер не удосужился и тем, чтобы максимально использовать весь наличный военный потенциал для достижения победы на поле боя. Десятки дивизий вермахта, сотни тысяч военнослужащих, миллионы резервистов в глубочайшем тылу «готовились к операциям периода после «Барбароссы», в то время когда войска Восточного фронта месяцами не выходили из ожесточенных боев. В самый разгар битвы за Москву 6 истребительных авиагрупп (полков) люфтваффе (из общего числа 22, находившихся с начала войны на Восточном фронте) было переброшено на Средиземноморский ТВД. Даже те, относительно умеренные потери, которые летом 41-го года несли немецкие войска, не возмещались в полном объеме пополнением личного состава. Даже после того, как срыв первоначального плана по уничтожению Красной Армии «в ходе кратковременной кампании» стал совершенно очевиден, Гитлер и его приспешники отнюдь не поспешили напрячь все ресурсы Германии, для того чтобы переломить ситуацию. Достаточно только назвать три цифры, чтобы стала ясна глубина пропасти между потенциальными возможностями немецкой экономики и их реальным использованием в 1941 году:

— среднемесячное производство танков в Германии, 1944 год: 1530;

— среднемесячное производство танков в Германии, 1941 год: 340;

— поставки танков на Восточный фронт (июль-август 41 г.): 89.

Немцы не дошли до Москвы, они на последнем издыхании доползли до нее. В пяти танковых дивизиях 2-й танковой армии Гудериана к 16 октября 1941 г. числился 271 танк, из которых большая часть была небоеспособна; в трех танковых дивизиях 1-й танковой армии в этот день насчитывалось всего 165 танков. В 39-м танковом корпусе Гота к концу октября оставалось по 60 человек в батальоне. (88) В довершение всего Гитлер нашел себе «надежного союзника» в виде японской военщины. В то время (октябрь-ноябрь 1941 г.), когда сотни эшелонов уносили с Дальнего Востока в Подмосковье последний стратегический резерв Советского Союза — полнокомплектные дивизии Дальневосточного фронта, Сибирского и Забайкальского военных округов — японские «милитаристы» заканчивали последние приготовления к нападению на... США! После Перл-Харбора Гитлер, верный своему союзническому долгу, официально объявил войну Америке, и таким образом с замерзающими в российских снегах остатками Восточной армии оказался в ситуации затяжной войны на истощение против СССР, США и Британской империи (которая тогда включала в себя не только маленький, но очень гордый остров, а еще и Канàду, Индию с Пакистаном, Австралию, Южную Африку и еще пару десятков колоний и полуколоний в Африке, на Ближнем Востоке и в Юго-Восточной Азии). Разумеется, и после этого военный разгром фашистского «рейха» не стал простым и легким делом, и после зимы 1941/1942-х годов на всех фронтах мировой войны были пролиты реки крови, но конечный исход борьбы не вызывал уже сомнений...

Сталинский режим вышел из войны в сиянии и блеске величайшего триумфа. Сам Хозяин был объявлен гениальнейшим полководцем всех времен и народов. Восхищенные и очарованные сатрапы поднесли ему наивысшее воинское звание Генералиссимуса. Основания для торжества были нешуточные: рост военно-технического могущества коммунистического режима, огромное увеличение его возможностей заставлять дрожать от страха весь мир были бесспорными. Гигантская армия (которую, отбросив за ненужностью последние воспоминания о революционном прошлом, перестали называть «красной») стояла уже на берегах Дуная и Эльбы. Из поверженной Германии вывозились тысячи тонн технической документации, вывозились целые научно-исследовательские, конструкторские коллективы.

У доверчивых врагов-союзников всеми правдами и неправдами покупали, добывали, воровали новейшие военные технологии. Добыча была огромной: реактивные двигатели, зенитные ракеты, радиолокаторы, баллистические ракеты, инфракрасные системы самонаведения... И, наконец, вершина всех усилий — двадцать тысяч страниц технического описания американской атомной бомбы, скопированной и успешно испытанной всего через четыре года после падения Берлина.

Жизнь подданных империи также была небывалой и беспримерной. Скажем честно, в «России, которую мы потеряли», простой труженик жил не больно сытно, а раз в 5—7 лет, после очередного каприза природы и вызванного этим неурожая, так и вовсе голодал. Квартирный вопрос, обострившийся в годы форсированной индустриализации, заставил десятки миллионов «полновластных хозяев страны» выстроиться в очередь к коммунальному сортиру. Все это, конечно же, не прибавляло радости и заставляло официальную пропаганду с особым усердием напоминать забывшимся о том, что «жить стало лучше, жить стало веселей». Но такой ужасающей нищеты, в какой жили советские люди в конце 40-х годов, не бывало никогда. Сотни городов и десятки тысяч деревень были разрушены дотла отступающей немецкой армией, которая получила от своего командования такую же команду об уничтожении всего и вся, но — в отличие от Красной Армии — выполнила ее с немецкой настойчивостью и педантизмом. Миллионы семей остались без мужчин, работников и кормильцев, миллионы инвалидов превратились в горькую обузу и для себя и для своих близких. Народ жил в бараках, землянках, сараях, подвалах, с «удобствами» во дворе и водопроводным краном в соседнем квартале. И из этих бесконечно усталых, измученных, оборванных и голодных людей вытягивали последние жилы на непосильном труде. Нет, Сталин не был злым по природе человеком, он был бы и рад (возможно) дать своим рабам передышку — но возможности такой не было. Надо было спешить, время и так уже было безнадежно упущено: у американцев были бомбы (правда, никто не знал точно — сколько именно) и вот-вот должны были появиться неуязвимые средства доставки. Времени на вторую (и как прекрасно понимал сам Сталин — последнюю в его жизни) попытку завоевать мир оставалось совсем немного. Поэтому опять с рассвета до рассвета гудели и грохотали цеха огромных военных заводов, опять каждое утро встречало прохладой выжатую как лимон ночную смену, освободившую место у станков и машин для новой смены обреченных «освободителей».

У Сталина не было лишних ресурсов для того, чтобы накормить, одеть и обуть в целое и новое, предоставить нормальное жилье и дешевенький «фольксваген» каждому из выживших в организованной им всемирной бойне победителей. Но он сделал умнее. Оп проявил великую мудрость и сделал один, но истинно царский подарок на всех: Сталин подарил своим подданным СКАЗКУ. О, эта сказка была прекрасна и страшна одновременно. Это была сказка про юную прекрасную страну, в которой среди бескрайних полей и рек дышалось необычайно легко и счастливо. В этой стране все были равны, все были свободны, там не было зависти, доносов, пыток, расстрелов, концлагерей. Церкви и тюрьмы сровняли с землей, мирный, созидательный, бесплатный труд стал владыкой этой земли и вознес над ней свой символ — щит и меч. Но однажды, солнечным летним утром, темные силы внезапно и вероломно напали на прекрасную страну. И тогда весь народ, как один человек, поднялся на смертный бой. То был воистину смертный бой, потому как несметные полчища врагов были вооружены новейшим оружием, а мудрый правитель прекрасной страны частенько выступал на международной арене, где проводил неизменно миролюбивую внешнюю политику и ни о какой войне даже не помышлял. В этом месте сказка теряла уже последние крохи здравого смысла (ибо в чем же тогда была мудрость мудрого правителя, если дурные люди обвели его, как ребенка?), но разве же сказки любят за презренный «здравый смысл»? Благородная ярость мирных людей вскипела, как волна, и обрушилась на проклятую орду захватчиков. У защитников чудесной страны не было танков, не было самолетов, простых винтовок и то не было, но зато был беспримерный в истории массовый героизм. Они бросались грудью на вражеские пулеметы, с бутылками бросались под вражеские танки и, стоя на эшафоте, кричали в лицо врагам: «Нас двести миллионов! Всех не перевешаете!» И бежали в страхе черные полчища прочь из этой страны, и весь мир в восхищении встречал армию мудрого правителя цветами и трофейными аккордеонами.

Взрослые люди слушали эту волшебную сказку — и забывали все, что видели своими собственными глазами, а когда кровожадный и подлый сказочник умер (или был своевременно отравлен своими товарищами по Политбюро), миллионы людей рыдали и бились в истерике...

Хрущев не побоялся многое изменить в стране, которую он неожиданно для самого себя возглавил. Он сильно рисковал, когда вернул с Колымы миллионы зэков, он сильно рисковал, когда в собрании своих подельников публично назвал преступления преступлениями. Он не побоялся даже вытащить из мавзолея и сжечь мумию Сталина. Но и Хрущев не стал менять официозную версию истории войны, не рискнул провести серьезное и нелицеприятное расследование реальных причин военной катастрофы 41-го года. Да и зачем? Для установления истины? Биография товарища Хрущева была такова, что он едва ли помнил и понимал значение этого слова. Для наказания виновных? Безо всякого расследования было понятно, что в числе главных виновников окажется и Жуков, без которого Хрущев не удержался бы у власти, да и сам Хрущев, как один из верных сподвижников Сталина. Самым же главным виновником любое беспристрастное расследование назвало бы коммунистический режим, который Хрущев отнюдь не собирался разрушать. Поэтому решено было поставить большую точку, точнее говоря — восклицательный знак, который отныне заполнял собой сотни страниц миллионов томов «военно-исторических исследований». И даже в тех случаях, когда под грифом «Для служебного пользования» переводилась и издавалась мизерным тиражом серьезная работа западного историка, на первой же странице появлялось суровое предостережение: *«Из-за своей ограниченности и классовой принадлежности автор не смог указать на истинные источники высоких моральных качеств советских воинов — прочность и великие преимущества социалистического общественного и государственного строя, дружбу народов СССР, советский патриотизм и пролетарский интернационализм, безраздельное руководство Коммунистической партии всеми сторонами жизни страны в годы войны».*

Впрочем, иные сочинения западных историков и не нуждаются в агитпроповском комментарии. Пресловутая «политкорректность», на которой тихо сходит с ума современный мир, вкупе со старческой болезнью «левизны» западных интеллектуалов способствовали абсолютно некритическому восприятию и воспроизводству военно-исторических мифов советской пропаганды далеко-далеко от Москвы. *«Вопреки всем контраргументам и уже в период, когда товарищ Сталин был давно разоблачен как преступник против человечества, а Советский Союз шел к гибели, еще в октябре 1991 г. в рамках международной конференции, организованной Исследовательским центром бундесвера по военной истории во Фрайбурге, говорилось о «массовом героизме, храбрости и стойкости», проявленных всеми без исключения красноармейцами с самого начала войны. Если такие утверждения воспринимались беспрекословно, даже аплодисментами в аудитории, которая должна была претендовать на компетентность и научность, то чего же ожидать от широкой общественности, чьи исторические познания в основном базируются лишь на поверхностных сообщениях едва ли не еще менее осведомленной, но зато политически однозначно ориентированной журналистики?»* (42, стр. 95)

Если относительно свободная западная пресса заслуживает в данном вопросе такой характеристики, то как же надо назвать то, что десятки лет обрушивалось на сознание советских людей изо всех «красных уголков»? Не будем, однако, сверх меры и разума преувеличивать роль пропаганды. Пропаганде верят тогда, когда очень хотят в нее поверить. *«Ах, обмануть меня не трудно — я сам обманываться рад...»* Тупой и примитивной советской пропаганде верили далеко не всегда. Сколько ни талдычили по радио и ТВ про «загнивание Запада и третий этап общего кризиса капитализма», а народ так и норовил на этот самый «загнивающий Запад» слинять — если уж и не навсегда, то хотя бы в турпоездку за джинсами и японским «двухкассетником». Сколько ни предупреждали знающие специалисты и умеренно приличные политики о том, что рыночная экономика — это не молочная река с кисельными берегами, а в конкурентной борьбе не может «победить дружба», никто их не услышал и им не поверил. В героические мифы советской истории по сей день верят только те, кто очень хочет в них верить. Да и чем другим, кроме страшных сказок, может потешить себя та часть современной российской публики, в которой «комплекс неполноценности», вызванный прогрессирующим отставанием страны теперь уже не только от Западной Европы, но и от бурно развивающихся государств Азии и Латинской Америки, причудливо переплетается с великодержавными, имперскими амбициями. Чем еще они могут гордиться? Нынешним статусом, извините за выражение, «великой энергетической державы»? Московскими офисами, построенными из финских и итальянских материалов на немецкой технике турецкими строителями, в которых несколько тысяч «менеджеров среднего звена» протирают импортные стулья, подсчитывая на китайском компьютере доходы от экспорта российской нефти?

Правда не побеждает — правда остается. Подлинная, непредвзятая, на документах и фактах основанная летопись Великой Отечественной войны непременно будет написана. Когда? Ответ и на этот вопрос очень простой. Не раньше, но и не позже, чем закончится нынешнее, изрядно затянувшееся «смутное время», и Россия займет наконец достойное ее место в общем ряду цивилизованных стран. Только тогда мы сможем честно признать, что в истории нашей страны были не только славные победы, но и позорные поражения.

ПРИЛОЖЕНИЯ

Военные термины и определения

1. Структура сухопутных войск

Основой Вооруженных сил СССР и Германии являлись сухопутные войска. Применительно к Германии они обозначаются словом **«вермахт»**. Что касается Советского Союза, то термины **«Красная Армия»**, Рабоче-Крестьянская Красная Армия, РККА могут относиться как ко всем Вооруженным Силам, так и только к сухопутным войскам.

Военная авиация (Военно-Воздушные силы, ВВС) Германии обычно обозначается словом **«люфтваффе».**

Характерной специфической особенностью люфтваффе было включение в ее состав сил наземной противовоздушной обороны (ПВО), т.е. зенитных, прожекторных, радиолокационных частей.

2. Подразделения, части, соединения

Первичной «ячейкой» военной структуры является **ПОЛК.** Это воинская **часть,** имеющая свой индивидуальный номер и свое знамя. Структурные **подразделения** внутри полка (в порядке уменьшения численности личного состава): батальон, рота, взвод, отделение. Подразделения не имеют своих «персональных» номеров и обозначаются порядковыми числительными, например: «третий взвод второй роты первого батальона 486-го стрелкового полка». Ориентировочная численность личного состава стрелковых частей и подразделений:

— полк 3—4 тыс. человек
— батальон 700—800 человек
— рота 200 человек
— взвод 50 человек
— отделение 10 человек.

В Красной Армии существовали стрелковые полки **(сп),** мотострелковые полки **(мсп)**, танковые полки **(тп).** Артиллерийские полки, в зависимости от типа используемого вооружения, иногда обозначались как «пушечный артиллерийский полк» **(пап)** или «гаубичный артиллерийский полк» **(гап).** Подразделения артиллерийского полка называются **дивизион** и **батарея**. Состав и численность вооружения артиллерийского полка весьма различны, и лишь в порядке примера можно привести такую типовую структуру:

— 4 орудия в одной батарее
— 12 орудий в одном дивизионе (три батареи)
— 36 или 48 орудий в полку (три — четыре дивизиона).

Несколько полков объединялись в основное тактическое **соединение — ДИВИЗИЮ**. Так, в составе стрелковой дивизии **(сд)** Красной Армии было три стрелковых и два артиллерийских полка, 14 483 человека личного состава. В составе моторизованной дивизии Красной Армии было два стрелковых, один танковый и один артиллерийский полк. Наряду с дивизиями (основным тактическим соединением) в Красной Армии были **бригады** (стрелковые, танковые, артиллерийские). Бригада меньше дивизии, обычно в ее составе 2—3 полка (или 4—5 отдельных батальонов).

Несколько дивизий объединялись в стрелковый **КОРПУС (СК).** Фиксированной численности стрелковый корпус РККА не имел и мог включать в себя от двух до четырех стрелковых дивизий. Кроме того, в состав корпуса включались **части усиления** (один-два артиллерийских полка, зенитный дивизион, понтонно-мостовой батальон и.т.п.).

Механизированные корпуса **(МК)** включали в себя две танковые и одну моторизованную дивизии, отдельный мотоциклетный полк, части усиления.

Применительно к вермахту используются те же самые

термины и сокращения, только вместо термина «стрелковый» используется термин «пехотный»: пехотный полк **(пп)**, пехотная дивизия **(пд)**. Пехотная дивизия вермахта насчитывала 16 589 человек личного состава, включая в себя три пехотных и один артиллерийский полк, несколько отдельных батальонов и дивизионов. Аналог стрелкового корпуса в вермахте обозначается термином «армейский корпус» **(АК)**. Танковые корпуса вермахта **(ТК)** не имели фиксированной структуры, как правило в составе ТК вермахта было две танковые и одна-две моторизованные дивизии.

Несколько корпусов объединялись в крупное соединение — **АРМИЮ**. В тексте книги они обозначаются так: 5-я Армия, 10-я Армия... В мирное время Армия была самым крупным соединением в составе Красной Армии. Во время войны (или накануне планируемой войны) несколько армий, отдельных дивизий и корпусов объединялись в самое мощное соединение — **Фронт**. В вермахте аналогом «фронта» было крупное соединение под названием **Группа армий**. Для вторжения в Советский Союз были развернуты три группы армий: «Север» (с задачей наступления через Прибалтику на Ленинград), «Центр» (для наступления на Минск—Смоленск) и «Юг» (для захвата Украины и, во взаимодействии с румынской армией, Молдавии).

В танковых войсках Красной Армии не было соединений более высокого уровня, нежели механизированный корпус (мехкорпус). В вермахте же были сформированы четыре танковые группы **(ТГр)**: 1-я ТГр в составе группы армий «Юг», 2-я и 3-я в составе Группы армий «Центр» и 4-я ТГр в составе группы армий «Север». В их составе было два (4-я и 3-я танковые группы) или три (2-я и 1-я танковые группы) танковых корпуса.

3. Артиллерия и минометы

Орудия ствольной артиллерии делятся на два основных класса: **ПУШКИ и ГАУБИЦЫ**. Главным внешним различием является длина ствола: у пушек ствол длинный (40—50 калибров), у гаубиц — короткий (20—30 калибров). Разная длина ствола обуславливает определяющее различие в величине начальной скорости снаряда: 650—750 м/сек у пушек, 350—500 м/сек у гаубиц. Разумеется, **снаряд** разгоняет не сам по себе ствол, а **метательный заряд**, который в пушечном **артиллерийском выстреле** (основными элементами артвыстрела являются снаряд, взрыватель и метательный заряд) значительно более мощный, нежели в гаубичном артвыстреле. Бóльшая мощность (т.е. больший вес пороха) пушечного артвыстрела влечет за собой больший вес и габариты затвора, ствола, откатника и всех прочих узлов и агрегатов пушки. В результате пушка весит в несколько раз больше, нежели гаубица того же калибра. Например, самая массовая в Красной Армии гаубица М-30 калибра 122 мм весила (в боевом положении, т.е. без учета веса артиллерийского передка — двухколесной повозки, на которую при движении опираются станины орудия) 2200 кг, а пушка А-19 того же самого калибра 122 мм весила в боевом положении 7080 кг.

Высокая начальная скорость пушечного снаряда позволяет обеспечить значительно большую дальность стрельбы (так, максимальная дальность стрельбы 122-мм гаубицы составляла 8,9 км, а 122-мм пушки А-19 — 20,4 км). При стрельбе на малых дистанциях пушка (благодаря высокой начальной скорости снаряда) позволяет вести прицельную стрельбу **«прямой наводкой»** (траектория полета снаряда почти прямолинейна и почти параллельна поверхности земли). Гаубицы же стреляют **«навесным огнем»** (снаряд выбрасывается под углом 30—45 градусов к горизонту и летит по параболе), что в ряде случаев является важным тактическим преимуществом (возможность стрельбы по невидимым целям на обратных скатах высот, поражение живой силы противника, укрытой в окопах и траншеях).

Своеобразной разновидностью артиллерийских орудий являлись так называемые **полковые** и **горные** пушки.

Это легкие, короткоствольные орудия с низкой (характерной скорее для гаубиц) начальной скоростью снаряда, но предназначенные (в отличие от гаубиц) как для навесной стрельбы, так и для стрельбы прямой наводкой на малых (400—500 м) дистанциях.

МИНОМЕТ представляет собой трубчатую направляющую для запуска неуправляемой ракеты (мины). И хотя эта «направляющая» закрыта снизу и соответственно минометная труба нагружена давлением газов, выбрасываемых из сопла ракетного двигателя мины, давление это на несколько порядков меньше, чем давление внутри ствола артиллерийского орудия. В результате минометный ствол (и вся система в целом) во много раз легче. Так, например, 120-мм миномет весил (в боевом положении) всего 275 кг. К недостаткам (или особенностям) минометов следует отнести низкую точность стрельбы (большое рассеивание мин вследствие нестабильности скорости и траектории полета), принципиальную невозможность ведения огня прямой наводкой даже на минимальных дистанциях, значительно меньший (по сравнению со снарядами ствольной артиллерии того же калибра) вес разрывного заряда и соответственно меньшее поражающее воздействие.

4. Противотанковые пушки и бронебойные снаряды.

Для борьбы с танками (и другими бронированными целями) были разработаны специальные типы орудий — **противотанковые пушки**. До тех пор пока основным видом **бронебойного снаряда** была стальная «болванка», пробивающая броню танка за счет своей кинетической энергии, главным требованием к противотанковой пушке была максимально возможная начальная скорость снаряда. Конструктивно это требовало ствола исключительно большой длины (в 60 и более калибров). Высокая бронепробиваемость является важнейшим, но не единственным требованием к противотанковой пушке и бронебойному снаряду. Танк способен маневрировать как в оперативном смысле (танки могут неожиданно появиться в непредсказуемой точке фронта), так и тактически (непосредственно на поле боя). Соответственно средство борьбы с танком (противотанковая пушка) должно обладать максимально возможной способностью к маневру «колесами и огнем». Это значит, что противотанковая пушка должна быть достаточно легкой для того, чтобы орудийный расчет мог вручную (в прямом смысле этого слова) развернуть ее на огневой позиции, перекатить на другую позицию. Кроме того, колесный ход должен допускать буксировку противотанковой пушки по пересеченной местности с высокой скоростью.

Все вышеперечисленное привело к тому, что в качестве противотанковых использовались пушки относительно малого (37/57-мм) калибра, но с длинными стволами, что позволяло получить начальную скорость снаряда от 750 до 1150 м/сек (это в 3,3 раза выше скорости звука у земли). В начальном периоде Второй мировой войны широко использовались и системы еще меньшего калибра: противотанковые пушки калибра 20/25 мм и противотанковые ружья калибра 8 /15 мм. Однако дальнейшее развитие бронетанковой техники сделало бесполезными не только сверхлегкие системы, но и наиболее распространенные 37, 45, 50-мм противотанковые пушки. К концу войны калибр противотанковых пушек вырос до 75/88-мм. Это позволило полностью решить проблему бронепробиваемости (немецкая 88-мм противотанковая пушка Pak-43 пробивала на малых дальностях броню толщиной в 180 мм), но при этом вес орудия вышел за все разумные пределы (Pak-43 весила 3700 кг, что делало ее практически неподвижной на поле боя). По сути дела, противотанковая артиллерия зашла в тупик, выход из которого стал возможен только после разработки кумулятивных поражающих элементов, для которых скорость доставки снаряда к броне уже не имела никакого значения, что и позволило в послевоенный период заменить противотанковую пушку неуправляемой ракетой (противотанковый гранатомет) или дистанционно-управляемой ракетой (ПТУРС).

5. Танки, танкетки, самоходные орудия, бронемашины, бронетранспортеры.

ТАНК — это боевая машина, обладающая тремя характерными признаками:

— бронированный корпус
— гусеничный движитель
— орудие (пушка) во **вращающейся башне.**

Достаточно распространенной в начале Второй мировой войны разновидностью танков были **огнеметные** (или «химические») танки. Вместо пушки во вращающейся башне такого танка устанавливалось устройство, способное выбрасывать несколько литров жидкости (огнесмесь или жидкие ОВ типа иприта) на дистанцию 50—80 м. Огнеметные танки предполагалось использовать для борьбы с пехотой, укрытой в траншеях, и для поражения гарнизонов дотов.

Размещение артиллерийского орудия внутри вращающейся башни ограниченных габаритов представляет собой весьма сложную инженерную задачу. Поэтому танки начала войны вооружались пушками малого калибра (37/50 мм) или короткоствольными (с малой дальностью прицельной стрельбы) пушками калибра 75/76 мм. Боевое применение показало, что орудия с такими параметрами недостаточно для эффективной поддержки пехоты на поле боя. Поэтому были разработаны бронированные гусеничные машины нового типа — **САМОХОДНЫЕ ОРУДИЯ** («штурмовые орудия», самоходные артиллерийские установки, САУ). Внешним отличием САУ от танка является отсутствие вращающейся башни (орудие установлено в неподвижной боевой рубке, иногда даже открытой с кормы). Все разновидности САУ можно условно разделить на две группы: орудия поддержки пехоты и истребители танков. В первом случае вооружение состоит из мощной пушки (или гаубицы калибра до 152 мм) и пулеметов, во втором случае САУ вооружались противотанковой пушкой и особенно мощно бронировались.

В 30-е годы массово выпускались легкие **ТАНКЕТКИ** (малые танки) с пулеметным вооружением. В Советском Союзе такие танкетки (Т-37/Т-38/Т-40), предназначенные для использования в разведывательных подразделениях танковых и стрелковых дивизий, обладали к тому же способностью двигаться по воде (**плавающие танки**). Однако по мере насыщения пехоты средствами противотанковой обороны использование танкеток становилось все менее возможным. К концу Второй мировой войны они практически исчезли как самостоятельный класс боевых машин.

БРОНЕМАШИНА — это колесная закрытая бронированная боевая машина с пулеметным (а в ряде случаев — и с пушечным) вооружением. Наиболее мощными бронемашинами были советские БА-10, созданные на базе шасси трехосного автомобиля повышенной проходимости и вооруженные 45-мм пушкой во вращающейся башне легкого танка. Несмотря на мощное (для своего времени) вооружение, пушечные бронемашины не получили большого распространения, так как сильно уступали танкам в проходимости на пересеченной местности. С другой стороны, самые разнообразные модели легких бронемашин (разведывательных, командирских, радиосвязных) успешно использовались на протяжении всей войны.

БРОНЕТРАНСПОРТЕР, хотя он часто разрабатывался на шасси того же автомобиля, что и бронемашина, радикально отличался от последней и по назначению, и по внешнему виду. Бронетранспортеры периода Второй мировой войны были, как правило, открытыми колесными машинами с бронированными бортами и кабиной водителя, с легким пулеметным вооружением (или вовсе без вооружения). Они были предназначены для перевозки личного состава мотострелковых подразделений танковых (моторизованных) дивизий. Бронетранспортер того периода не был боевой машиной пехоты (БМП), его задачей было лишь довезти мотопехоту до района развертывания, а на поле боя мотопехота передвигалась самостоятельно (т.е. пешком).

Приложение № 2

Состав и вооружение танковых войск вермахта и Красной Армии, принявших участие в боевых действиях в период с 22 июня по 10 июля

Группа армий «Север»		**Северо-Западный фронт**	
4-я танковая группа **41 ТК** (1 тд, 6 тд)	390/114/155/121	**12 МК** (23 тд, 28 тд, 202 мсд)	730/0
56 ТК (8 тд)	212/64/118/30	3 МК (2 тд, 5 тд, 84 мсд)	672/110
		1 МК (3 тд, 163 мсд)	666/5
		21 МК (42 тд, 46 тд, 185 мсд)	120/0
всего танков:	**602**		**2188**

Группа армий «Центр»		**Западный фронт**	
3-я танковая группа **39 ТК** (7 тд, 20 тд)	494/145/288/61	**11 МК** (29 тд, 33 тд, 204 мсд)	414/20
57 ТК (12 тд, 19 тд)	448/169/219/60	**6 МК** (4 тд, 7 тд, 29 мсд)	1131/452
		13 МК (25 тд, 31 тд, 208 мсд)	282/0
2-я танковая группа **47 ТК** (17 тд, 18 тд)	420/134/99/187	**14 МК** (22 тд, 30 тд, 205 мсд)	518/0
46 ТК (10 тд)	182/57/0/125/	**7 МК** (14 тд, 18 тд, 1 мсд)	959/103
24 ТК (3тд, 4тд)	392/125/60/207	**5 МК** (13 тд, 17 тд)	861/17
		отдельная 57 тд	200/0
всего танков:	**19 36**		**4365**

Группа армий «Юг»		**Юго-Западный и Южный фронты**	
1-я танковая группа **3 ТК** (13 тд, 14 тд)	296/114/42/140	**22 МК** (19 тд, 41 тд, 215 мсд)	712/31
48 ТК (11 тд, 16 тд)	289/107/47/135	**15 МК** (10 тд, 37 тд, 212 мсд)	749/136
14 ТК (9 тд)	143/52/11/80	**4 МК** (8 тд, 32 тд, 81мсд)	979/414
		8 МК (12 тд, 34 тд, 7 мсд)	899/171
		9 МК (20 тд, 35 тд, 131 мсд)	316/0
		19 МК (40 тд, 43 тд, 213 мсд)	453/5
		16 МК (15 тд, 39 тд, 240 мсд)	478/4
		24 МК (45 тд, 49 тд, 216 мсд)	222/0
		5 МК (109 мсд)	209/0
		2 МК (11 тд, 16 тд, 15 мсд)	527/60
		18 МК (44 тд, 47 тд, 218 мсд)	282/0
всего танков:	**728**		**5826**
ИТОГО: в том числе:	**3266 танков** **1081 танкетка** 1039 легких танков 1146 средних танков	в том числе:	**12 379 танков** **1528 Т-34 и КВ**

Примечания

1. Количество танков в соединениях вермахта указано следующим образом:

всего танков в корпусе/танкетки/легкие танки/средние танки /.

2. К категории «танкеток» отнесены Pz-I, Pz-II и вооруженные пулеметами «командирские танки»;

к числу «легких танков»: чешские Pz-38(t) и Pz-III первых серий с 37-мм орудием;

к числу «средних танков»: Pz-III с 50-мм пушкой и Pz-IV.

3. Количество танков в мехкорпусах Красной Армии указано следующим образом:

всего танков в мехкорпусе/в том числе Т-34 и КВ.

4. Численность 1 МК указана без учета 1-й тд, находившейся до конца июля 1941 г. в Заполярье.

5. В таблице не учтены 17 МК и 20 МК Западного фронта, находившиеся в стадии формирования, и 10 МК (Ленинградский ВО), действовавший на фронте войны с Финляндией.

6. В соответствии с фактическим ходом боевых действий 109 мд (5 МК) включена в состав войск Юго-Западного фронта, соответственно количество танков в 5 МК указано без учета численности 109 мд.

7. Все цифры, характеризующие состав и вооружение мехкорпусов Красной Армии, следует рассматривать лишь как ориентировочные. В разных источниках они отличаются на 10—15—20 %. Это, в частности, относится и к численности танков новых типов (КВ и Т-34), которые непрерывно поступали на вооружение частей. Так, например, в приведенной выше таблице в составе 21 МК нет танков новых типов, но в боевых документах первых недель войны упоминаются танки КВ 21-го мехкорпуса.

Состав и потери танковых групп вермахта на Восточном фронте

	1-я ТГр	2-я ТГр	3-я ТГр	4-я ТГр	Всего
Наличие на 22 июня 1941 г.	66	919	780	563	2928
Безвозвратные потери	71	235	233	121	760
Получено новых танков	20	25	42	2	89
Наличие боеготовых танков на 4-10 сентября	327	344	362	373	1406
Наличие временно неисправных танков	187	378	223	71	859

Примечание: не учтены наличие и потери танкеток Pz-I и командирских танков Pz.Bef.

	Pz-II	Pz-35/38 (t)	Pz-III	Pz-IV	Всего
Наличие на 22 июня 1941 г.	743	780	966	439	2928
Безвозвратные потери	152	231	252	125	760
Получено новых танков	0	44	35	10	89
Наличие боеготовых танков на 4-10 сентября	458	393	362	193	1406
Наличие временно неисправных танков	146	193	387	133	859

Примечание: не учтены наличие и потери танкеток Pz-I и командирских танков Pz.Bef

Приложение № 4

Наличие и эшелонирование танков Красной Армии на 1 июня 1941 г.

	КВ	Т-34	Т-28	БТ-5/7	Т-26	Всего
Западные округа	473	837	432	4656	5103	11501
Дальний Восток	0	0	0	1757	3017	4774
Внутренние округа	31	55	10	409	1393	1898
Всего:	504	892	442	6822	9513	**18173**

Примечание:

— в число «Западных округов» включены Ленинградский, Прибалтийский, Западный, Киевский, Одесский, а также Московский военный округ, мехкорпуса которого (7 МК и 21 МК) приняли участие в боевых действиях первых недель войны;

— в общее число танков БТ-5/7 включены 704 танка БТ-7М с дизельными моторами;

— к 1 июля 1941 г. общее число произведенных танков новых типов составило 636 КВ и 1225 Т-34;

— кроме того, на вооружении Красной Армии находилось 59 тяжелых пятибашенных танков Т-35, 589 легких БТ-2, 3447 плавающих танкеток Т-37/38/40, 3258 бронеавтомобилей БА-10, вооруженных 45-мм пушкой;

— по так называемым «переучтенным данным» ГАБТУ РККА общее количество танков на 1 января 1941 г. составляло 7.817 БТ и 11.090 Т-26/

Основные тактико-технические характеристики танков Красной Армии и вермахта

	КВ	Т-34	Т-28	Pz-IV F	Pz-III J	БТ-7	Pz-38(t)	Т-26	Pz-II C
Вес, тонн	48	28,5	27,8	22,3	21,6	13,8	9,4	9,75	9,5
Калибр пушки, мм	76,2	76,2	76,2	75	50	45	37	45	20
Броня, лоб/борт, мм	75 — 75	45 — 40	30 — 20	50 — 30	50 — 30	2 — 13	5 — 15	15 — 15	30 — 20
Мощность, л.с.	600	500	500	300	300	450	125	90	140
Скорость, км/час	35/16	50/25	40/20	42/20	40/20	2/35	42/15	30/15	45/25
Запас хода, шоссе, км	250	300	220	200	145	30	250	180	190

Примечание: в строке «Скорость» первая цифра — максимальная скорость по шоссе, вторая — средняя скорость по проселочной дороге.

Приложение № 6

Эшелонирование боеприпасов по состоянию на 22 июня 1941г. в процентах от общего количества

	Западные округа	Дальний Восток	Внутренние округа	Запасы центра	Всего в РККА, %%/млн. шт.
Артиллерийские выстрелы	44	23	13	20	100/62,3
Минометные выстрелы	61	13	17	9	100/24,9
Винтовочные патроны	46	26	17	11	100/6809

Динамика поступления, потерь и боевого расхода артиллерийских боеприпасов в 1941 г.

Боеприпасы (млн. шт.) к:	наличие 22.06.41 г.	боевой расход	небоевые потери	общая убыль	получено 1.06 — 31.12	наличие на 01.01.42	k=
миномет 50-мм	14,51	4,06	3,28	7,34	7,57	14,74	1,02
миномет 82-мм	11,34	3,80	4,36	8,16	3,77	6,95	0,61
45-мм противотанковая пушка	25,65	4,74	7,13	11,87	7,02	20,80	0,81

Боеприпасы (млн. шт.) к:	наличие 22.06.41 г.	боевой расход	небоевые потери	общая убыль	получено 1.06 — 31.12	наличие на 01.01.42	k=
76-мм полковая пушка	4,90	2,21	2,50	4,71	1,52	1,71	0,35
76-мм дивизионная пушка	8,78	2,47	2,25	4,72	1,93	5,99	0,68
122-мм гаубица	6,56	1,78	2,32	4,10	2,62	5,08	0,77
152-мм гаубица *	2,64	0,63	0,61	1,24	0,93	2,33	0,88
76-мм зенитная пушка	5,03	0,59	0,86	1,45	1,72	5,30	1,05

* без учета выстрелов к 152-мм гаубице-пушке

Нормативы 1941 г. расхода боеприпасов «На день напряженного боя», на одну единицу вооружения, штук:

Винтовка *	**20**
Ручной пулемет *	**620**
Станковый пулемет *	**1400**
Зенитная пушка 76-мм	**84**
Противотанковая пушка 45-мм	**80**
Полковая пушка 76-мм	**100**
Дивизионная пушка 76-мм	**100**
Гаубица 122-мм	**88**
Гаубица 152-мм	**72**
Гаубица-пушка 152-мм	**80**
* норматив 1938 г.	

Источник: «Артиллерийское снабжение в Великой Отечественной войне 1941-45 гг.», Москва-Тула, издательство ГАУ, 1977 г., т. 1.

Договор о дружбе и границе между СССР и Германией

Москва
28 сентября 1939 г.

Правительство СССР и Германское правительство после распада бывшего Польского государства рассматривают исключительно как свою задачу восстановить мир и порядок на этой территории и обеспечить народам, живущим там, мирное существование, соответствующее их национальным особенностям. С этой целью они пришли к соглашению в следующем:

Статья I

Правительство СССР и Германское правительство устанавливают в качестве границы между обоюдными государственными интересами на территории бывшего Польского государства линию, которая нанесена на прилагаемую при сем карту и более подробно будет описана в дополнительном протоколе.

Статья II

Обе Стороны признают установленную в статье I границу обоюдных государственных интересов окончательной и устранят всякое вмешательство третьих держав в это решение.

Статья III

Необходимое государственное переустройство на территории западнее указанной в статье линии производит Германское правительство, на территории восточнее этой линии — Правительство СССР.

Статья IV

Правительство СССР и Германское правительство рассматривают вышеприведенное переустройство как надежный фундамент для дальнейшего развития дружественных отношений между своими народами.

Статья V

Этот договор подлежит ратификации. Обмен ратификационными грамотами должен произойти возможно скорее в Берлине.

Договор вступает в силу с момента его подписания.

Составлен в двух оригиналах, на немецком и русском языках.

По уполномочию Правительства СССР *В. Молотов*
За Правительство Германии *И. Риббентроп.*

Секретный дополнительный протокол к Договору о дружбе и границе

г. Москва
28 сентября 1939 г.

Нижеподписавшиеся уполномоченные при заключении советско-германского договора о границе и дружбе констатировали свое согласие в следующем:

Обе стороны не допустят на своих территориях никакой польской агитации, которая действует на территорию другой страны. Они ликвидируют зародыши подобной агитации на своих территориях и будут информировать друг друга о целесообразных для этого мероприятиях.

По уполномочию Правительства СССР *В. Молотов*
За Правительство Германии *И. Риббентроп*

Заявление правительств СССР и Германии

После того как Германское Правительство и Правительство СССР подписанным сегодня договором окончательно урегулировали вопросы, возникшие в результате распада

Польского государства, и тем самым создали прочный фундамент для длительного мира в Восточной Европе, они в обоюдном согласии выражают мнение, что ликвидация настоящей войны между Германией с одной стороны и Англией и Францией с другой стороны отвечала бы интересам всех народов. Поэтому оба Правительства направят свои общие усилия, в случае нужды в согласии с другими дружественными державами, чтобы возможно скорее достигнуть этой цели.

Если, однако, эти усилия обоих Правительств останутся безуспешными, то таким образом будет установлен факт, что Англия и Франция несут ответственность за продолжение войны, причем в случае продолжения войны Правительства Германии и СССР будут консультироваться друг с другом о необходимых мерах.

28 сентября 1939 года

По уполномочию Правительства СССР *В. Молотов*
За Правительство Германии *И. Риббентроп.*

Заявление министра иностранных дел Германии г. фон Риббентропа

30 сентября 1939 г.

Перед отъездом из Москвы министр иностранных дел Германии г. фон Риббентроп сделал сотруднику ТАСС следующее заявление:

«Мое пребывание в Москве опять было кратким, к сожалению, слишком кратким. В следующий раз я надеюсь пробыть здесь больше. Тем не менее мы хорошо использовали эти два дня. Было выяснено следующее:

1. Германо-советская дружба теперь установлена окончательно.

2. Обе стороны никогда не допустят вмешательство третьих держав в восточноевропейские вопросы.

3. Оба государства желают, чтобы мир был восстановлен и чтобы Англия и Франция прекратили абсолютно бессмысленную и бесперспективную борьбу против Германии.

4. Если, однако, в этих странах возьмут верх поджигатели войны, то Германия и СССР будут знать, как ответить на это».

Министр указал далее на достигнутое вчера между правительством Германии и правительством СССР соглашение об обширной экономической программе, которая принесет выгоду обеим державам. В заключение г. фон Риббентроп заявил: «*Переговоры происходили в особенно дружественной и великолепной атмосфере. Однако прежде всего я хотел бы отметить исключительно сердечный прием, оказанный мне советским правительством и в особенности гг. Сталиным и Молотовым*».

Приложение № 8

Встречные предложения Советского правительства об условиях присоединения СССР к Тройственному пакту

Переданы Председателем СНК В.М. Молотовым послу Германии в СССР Шуленбургу 25 ноября 1940 г.

СССР согласен принять в основном проект пакта четырех держав об их политическом сотрудничестве и экономической взаимопомощи, изложенный г. Риббентропом в его беседе с В.М. Молотовым в Берлине 13 ноября 1940 года и состоящий из 4 пунктов, при следующих условиях:

1. Если германские войска будут теперь же выведены из Финляндии, представляющей сферу влияния СССР согласно советско-германского соглашения 1939 года, причем СССР обязывается обеспечить мирные отношения с Финляндией, а также экономические интересы Германии в Финляндии (вывоз леса, никеля);

2. Если в ближайшие месяцы будет обеспечена безопасность СССР в Проливах путем заключения пакта взаимопомощи между СССР и Болгарией, находящейся по своему географическому положению в сфере безопасности черноморских границ СССР, и организации военной и военно-морской базы СССР в районе Босфора и Дарданелл на началах долгосрочной аренды;

3. Если центром территориальных устремлений СССР будет признан район к югу от Батума и Баку в общем направлении к Персидскому заливу;

4. Если Япония откажется от своих концессионных прав по углю и нефти на Северном Сахалине на условиях справедливой компенсации.

Сообразно с изложенным должен быть изменен проект протокола к Договору четырех держав, представленный г. Риббентропом, о разграничении сфер влияния в духе определения центра территориальных устремлений СССР на юг от Батума и Баку в общем направлении к Персидскому заливу.

Точно так же должен быть изменен изложенный г. Риббентропом проект Протокола или Соглашения между Германией, Италией и СССР и Турцией в духе обеспечения военной и военно-морской базы СССР у Босфора и Дарданелл на началах долгосрочной аренды. При этом в случае, если Турция согласится присоединиться к Пакту четырех держав, три державы (Германия, Италия, СССР) гарантируют независимость и территориальную целостность Турции.

В этом протоколе должно быть предусмотрено, что в случае отказа Турции присоединиться к четырем державам Германия, Италия и СССР договариваются выработать и провести в жизнь необходимые военные и дипломатические меры, о чем должно быть заключено специальное соглашение.

Равным образом должны быть приняты:

— третий секретный протокол между СССР и Германией о Финляндии;

— четвертый секретный протокол между СССР и Японией об отказе Японии от угольной и нефтяной концессий на Северном Сахалине;

— пятый секретный протокол между СССР, Германией и Италией с признанием того, что Болгария, ввиду ее географического положения, находится в сфере безопасности черноморских границ СССР, в связи с чем считается политически необходимым заключение пакта о взаимопомощи между СССР и Болгарией, что ни в какой мере не должно затрагивать ни внутреннего режима Болгарии, ни ее суверенитета и независимости.

Приложение № 9[1]

Соображения по плану стратегического развертывания Вооруженных сил Советского Союза на случай войны с Германией и ее союзниками.

Только лично.

Экземпляр единственный

Председателю Совета Народных
Комиссаров СССР тов. Сталину

Докладываю на Ваше рассмотрение соображения по плану стратегического развертывания Вооруженных сил Советского Союза на случай войны с Германией и ее союзниками.

I. В настоящее время Германия <*по данным Разведывательного управления Красной Армии*> имеет развернутыми около 230 пехотных, 22 танковых, 20 моторизованных, 8 воздушных и 4 кавалерийских дивизий, а всего около 284 дивизий.

Из них на границах Советского Союза, по состоянию на 15.05.41 г., сосредоточено до 86 пехотных, 13 танковых, 12 моторизованных и 1 кавалерийской дивизий, а всего до 112 дивизий. Предполагается, что в условиях политической обстановки сегодняшнего дня Германия, в случае нападения на СССР, сможет выставить против нас до 137 пехотных, 19 танковых, 15 моторизованных, 4 кавалерийских и 5 воздушно-десантных дивизий, а всего до 180 дивизий.

Остальные 104 дивизии будут находиться <*в центре страны в резерве 22 пд, 1 кд, 1 тд, 1 воздушно-десантная дивизия,*

---

[1] <*Дополнения в тексте приведены курсивом и взяты в угловые скобки*>. [Вычеркнутая часть текста взята в прямые скобки]

всего 25 дивизий; в Дании, Бельгии, Голландии и Франции — 40 пд, 2 кд, 1 тд, 2 возд. дес. див., всего 45 дивизий; Югославия — 7 пд, всего 7 дивизий; Греция — 7 пд, 1 кд, всего 8 дивизий; Болгария — 3 пд, всего 3 дивизии; Африка — 5 пд, 1 кд, 1 тд, всего 7 дивизий; Норвегия — 9 пд, всего 9 дивизий; всего 93 пд, 5 кд, 3 тд, 3 возд. дес. дивизий; итого 104 дивизии> [в центре страны на западных границах, в Норвегии, в Африке, в Греции и Италии].

Вероятнее всего главные силы немецкой армии в составе 76 пехотных, 11 танковых, 8 моторизованных, 2 кавалерийских и 5 воздушных, а всего до 100 дивизий будут развернуты к югу от Демблин для нанесения удара в направлении — Ковель, Ровно, Киев. Этот удар, по-видимому, будет сопровождаться ударом на севере из Восточной Пруссии на Вильно и Ригу, а также короткими, концентрическими ударами со стороны Сувалки и Бреста на Волковыск, Барановичи. На юге следует ожидать ударов [одновременного с германской армией перехода в наступление в общем направлении на Жмеринку — румынской армии, поддержанной германскими дивизиями. Не исключена также возможность вспомогательного удара немцев из-за р. Сан в направлении на Львов] *<а) в направлении Жмеринки — румынской армии, поддержанной германскими дивизиями; б) в направлении Мункач, Львов; в) Санок, Львов>*.

Вероятные союзники Германии могут выставить против СССР: Финляндия — до 20 пехотных дивизий, Венгрия — 15 пд, Румыния — до 25 пд. Всего Германия с союзниками может развернуть против СССР до 240 дивизий.

Учитывая, что Германия в настоящее время держит свою армию отмобилизованной, с развернутыми тылами, она имеет возможность предупредить нас в развертывании и нанести внезапный удар. Чтобы предотвратить это [и разгромить немецкую армию], считаю необходимым ни в коем случае не давать инициативы действий Германскому командованию, упредить противника в развертывании и атаковать германскую армию в тот момент, когда она будет находиться в стадии развертывания и не успеет еще организовать фронт и взаимодействие родов войск.

II. Первой стратегической целью действий войск Красной Армии поставить — разгром главных сил немецкой армии, развертываемых южнее Демблин, и выход к 30 дню операции на фронт Остроленка, р.Нарев, Лович, Лодзь, Крейцбург, Оппельн, Оломоуц. <*Последующей стратегической целью иметь: наступлением из района Катовице в северном или северо-западном направлении разгромить крупные силы Центра и Северного крыла германского фронта и овладеть территорией бывшей Польши и Восточной Пруссии.*

Ближайшая задача — разгромить германскую армию восточнее р. Висла и на Краковском направлении, выйти на р.р. Нарев, Висла и овладеть районом Катовице>, для чего:

а) главный удар силами Юго-Западного фронта нанести в направлении Краков, Катовице, отрезая Германию от ее южных союзников;

б) вспомогательный удар левым крылом Западного фронта нанести в направлении Седлец, Демблин, с целью сковывания Варшавской группировки и содействия Юго-Западному фронту в разгроме Люблинской группировки противника;

в) вести активную оборону против Финляндии, Восточной Пруссии, Венгрии и Румынии и быть готовыми к нанесению удара против Румынии при благоприятной обстановке.

<*Таким образом, Красная Армия начнет наступательные действия с фронта Чижов, Лютовиско силами 152 дивизий против 100 дивизий германских. На остальных участках госграницы предусматривается активная оборона*>.

III. Исходя из указанного замысла стратегического развертывания, предусматривается следующая группировка Вооруженных Сил СССР:

1. Сухопутные силы Красной Армии в составе — 198 сд, 61 тд, 31 мд, 13 кд (всего 303 дивизии и 74 артполка РГК) распределить следующим образом:

а) Главные силы в составе 163 сд, 58 тд, 30 мд и 7 кд (всего 258 дивизий) и 53 артполка РГК иметь на Западе, из них в составе Северного, Северо-Западного, Западного и Юго-Западного фронтов — 136 сд, 44 тд, 23 мд, 7 кд (всего 210 дивизий) и 53 артполка РГК; в составе резерва Главного Командования за Юго-Западным и Западным фронтами — 27 сд, 14 тд, 7 мд (всего 48 дивизий);

б) Остальные силы, в составе 35 сд, 3 тд, 1 мд, 6 кд (всего 45 дивизий) и 21 ап РГК, назначаются для обороны дальневосточной, южной и северной границ СССР, из них — на Дальнем Востоке и в ЗабВО — 22 сд, 3 тд, 1 мд, 1 кд (всего 27 дивизий) и 14 ап РГК;

— в Средней Азии — 2 горно-стрелковые и 3 кав.дивизии (всего 5 дивизий);

— в Закавказье — 8 стрелковых и 2 кавалерийские дивизии (всего 10 дивизий) и 2 ап РГК;

— на обороне Черноморского побережья Северного Кавказа и Крыма — 2 стр. дивизии;

— на побережье Белого моря — 1 стр. дивизия.

Детальная группировка сил показана на прилагаемой карте.

2. Военно-воздушные силы Красной Армии в составе имеющихся и боеспособных на сегодняшний день 97 иап, 75 ббп, 11 шап, 29 дбп и 6 тбп (всего 218 авиаполков) распределить следующим образом:

а) Главные силы, в составе 66 иап, 64 ббп, 5 шап, 25 дбп, 5 тбп (всего 165 авиаполков) развернуть на Западе, из них:

— в составе Северного, Северо-Западного, Западного и Юго-Западного фронтов — 63 иап, 64 ббп, 5 шап, 11 дбп и 1 тбп, всего 144 авиаполка;

— в составе резерва Главного Командования за Юго-Западным и Западным фронтами — 14 дбп и 4 тбп, всего 21 авиаполк;

б) Остальные силы в составе 31 иап, 11 ббп, 6 шап, 4 дбп и 1 тбп — всего 53 авиаполка оставить на обороне дальневосточных, южной и северной границ и пункта ПВО гор. Москвы, из них:

— на Дальнем Востоке и в ЗабВО — 14 иап, 9 ббп, 5 шап, 4 дбп и 1 тбп, всего 33 авиаполка;

— в САВО — 1 иап и 1 шап, всего 2 авиаполка;

— в ЗакВО — 9 иап, 2 ббп, всего 11 авиаполков;

— в АрхВО — 1 истр.авиаполк.

На обороне города Москвы — 6 истребительных авиаполков.

Детальная группировка сил показана на прилагаемой карте.

Кроме указанных ВВС, на сегодняшний день имеется в стадии формирования и совершенно еще не боеспособных 52 иап, 30 ббп, 4 шап, 7 дбп и 22 дип, всего 115 авиаполков, на полную готовность которых можно рассчитывать к 1.1.42 г.

Эти авиаполки по мере их готовности намечено распределить следующим образом:

— на Запад назначить 41 иап, 30 ббп, 4 шап, 5 дбп, 14 дип, а всего 94 авиаполка, из них:

— в состав фронтов 41 иап, 33 ббп, 4 шап, 7 дип, всего 87 авиаполков;

— в составе резерва Главного Командования — 4 иап, 4 дбп, всего 7 авиаполков;

— оставить для ДВФронта и ЗабОВО 10 и в ЗакВО — 6 авиаполков;

— на обороне г. Москвы — 5 истр. авиаполков.

Ориентировочные сроки вступления этих авиаполков в строй — согласно таблицы на картах.

IV. Состав и задачи развертываемых на Западе фронтов (карта 1:1000.000):

Северный фронт (ЛВО) — 3 армии, в составе — 15 стрелковых, 4 танковых и 2 моторизованных дивизий, а всего

21 дивизия, 18 полков авиации и Северного военно-морского флота,

с основными задачами — обороны г. Ленинграда, порта Мурманск, Кировской жел. дороги и совместно с Балтийским военно-морским флотом обеспечить за нами полное господство в водах Финского залива. С этой же целью предусматривается передача Северному фронту из ПрибОВО — обороны северного и северо-западного побережья Эстонской ССР.

Граница фронта слева — Осташков, Остров, Выру, Вильянди, зал. Матасалу, острова Эзель и Даго исключительно.

Штаб фронта — Парголово.

Северо-Западный фронт (ПрибОВО) — три армии, в составе 17 стрелковых дивизий [из них 6 национальных], 4 танковых, 2 моторизованных дивизий, а всего 23 дивизии и 13 полков авиации, с задачами: упорной обороной прочно прикрыть Рижское и Виленское направления, не допустив вторжения противника из Восточной Пруссии; обороной западного побережья и островов Эзель и Даго не допустить высадки морских десантов противника.

Граница фронта слева — Полоцк, Ошмяны, Друскеники, Маргерабова, Летцен. Штаб фронта — Поневеж.

Западный фронт (ЗапОВО) — четыре армии, в составе — 31 стрелковой, 8 танковых, 4 моторизованных и 2 кавалерийских дивизий, а всего 45 дивизий и 21 полк авиации.

Задачи: — упорной обороной на фронте Друскеники, Остроленка прочно прикрыть Лидское и Белостокское направления;

— с переходом армий Юго-Западного фронта в наступление, ударом левого крыла фронта в направлениях на <*Варшаву*>, Седлец, Радом, <*разбить Варшавскую группировку и овладеть Варшавой*> [способствовать] <*во взаимодействии с*> Юго-Западным фронтом разбить Люблинско-Радомскую группировкку противника, <*выйти на р. Висла и подвижными частями овладеть Радом*> [и обеспечить эту операцию со стороны Варшавы и Восточной Пруссии].

Граница фронта слева — р. Припять, Пинск, Влодава, Демблин, Радом.

Штаб фронта — Барановичи.

Юго-Западный фронт — восемь армий, в составе 74 стрелковых, 28 танковых, 15 моторизованных и 5 кавалерийских дивизий, а всего 122 дивизии и 91 полк авиации, с ближайшими задачами:

а) концентрическим ударом армий правого крыла фронта окружить и уничтожить основную группировку противника восточнее р. Вислы в районе Люблин;

б) одновременно ударом с фронта Сенява, Перемышль, Лютовиска разбить силы противника на Краковском и Сандомирско-Келецком направлениях и овладеть районами Краков, Катовице, Кельце, имея в виду в дальнейшем наступать из этого района в северном или северо-западном направлении для разгрома крупных сил северного крыла фронта противника и овладения территорией бывшей Польши и Восточной Пруссии;

в) прочно оборонять госграницу с Венгрией и Румынией и быть готовым к нанесению концентрических ударов против Румынии из районов Черновцы и Кишинев, с ближайшей целью разгромить северное крыло румынской армии и выйти на рубеж р. Молдова, Яссы.

Для того, чтобы обеспечить выполнение изложенного выше замысла, необходимо заблаговременно провести следующие мероприятия, без которых невозможно нанесение внезапного удара по противнику как с воздуха, так и на земле:

1. Произвести скрытое отмобилизование войск под видом учебных сборов запаса;

2. Под видом выхода в лагеря произвести скрытое сосредоточение войск ближе к западной границе, в первую очередь сосредоточить все армии резерва Главного Командования;

3. Скрыто сосредоточить авиацию на полевые аэродромы из отдаленных округов и теперь же начать развертывать авиационный тыл;

4. Постепенно под видом учебных сборов и тыловых учений развертывать тыл и госпитальную базу.

V. Группировка резервов Главного Командования.

В резерве Главного Командования иметь 5 армий и сосредоточить их:

— две армии в составе 9 стрелковых, 4 танковых и 2 моторизованных дивизии, всего 15 дивизий, в районе Вязьма, Сычевка, Ельня, Брянск, Сухиничи;

— одну армию в составе 4 стрелковых, 2 танковых и 2 моторизованных дивизий, а всего 8 дивизий, в районе Вилейка, Новогрудок, Минск;

— одну армию в составе 6 стрелковых, 4 танковых и 2 моторизованных дивизий, а всего 12 дивизий, в районе Шепетовка, Проскуров, Бердичев и

— одну армию в составе 8 стрелковых, 2 танковых и 2 моторизованных дивизий, а всего 12 дивизий, в районах Белая Церковь, Звенигородка, Черкассы.

VI. Прикрытие сосредоточения и развертывания.

Для того, чтобы обеспечить себя от возможного внезапного удара противника, прикрыть сосредоточение и развертывание наших войск и подготовку их к переходу в наступление, необходимо:

1. Организовать прочную оборону и прикрытие госграницы, используя для этого все войска приграничных округов и почти всю авиацию, назначенную для развертывания на западе;

2. Разработать детальный план противовоздушной обороны страны и привести в полную готовность средства ПВО.

По этим вопросам мною отданы распоряжения, и разработка планов обороны госграницы и ПВО полностью заканчивается к 01.06.41 г.

Состав и группировка войск прикрытия — согласно прилагаемой карты.

<*Одновременно необходимо всемерно форсировать строительство и вооружение укрепленных районов, начать строительство укрепрайонов в 1942 году на границе с Венгрией, а также продолжать строительство укрепрайонов по линии старой госграницы*>.

VII. Задачи Военно-морскому флоту поставлены согласно ранее утвержденных Вами моих докладов.

VIII. Развертывание войск и их боевые действия имеющимися запасами обеспечиваются:

по боеприпасам:

— мелкокалиберными снарядами на три недели;

— среднекалиберными на месяц;

— тяжелокалиберными на месяц;
— минами на полмесяца;
по зенитным выстрелам:
37 мм — на 5 дней;
76 мм — на полтора месяца;
85 мм — на 11 дней;
по авиабоеприпасам:
— фугасными бомбами на месяц;
— бронебойными на 10 дней;
— бетонобойными на 10 дней;
— осколочными на месяц;
— зажигательными на полмесяца;
по горюче-смазочным материалам:
— бензином Б-78 на 10 дней;
— бензином Б-74 на месяц;
— бензином Б-70 на 2,5 месяца;
— автобензином на 1,5 месяца;
— дизельным топливом на месяц.

Запасы горючего, предназначенные для западных округов, эшелонированы в значительном количестве (из-за недостатка емкости на их территории) во внутренних округах.

IX. Прошу:

1. Утвердить представляемый план стратегического развертывания Вооруженных Сил СССР и план намечаемых боевых действий на случай войны с Германией;

2. Своевременно разрешить последовательное проведение скрытого отмобилизования и скрытого сосредоточения в первую очередь всех армий резерва Главного Командования и авиации;

3. Потребовать от НКПС полного и своевременного выполнения строительства железных дорог по плану 41 года и особенно на Львовском направлении;

4. Обязать промышленность выполнять план выпуска материальной части танков и самолетов, а также производства и подачи боеприпасов и горючего строго в назначенные сроки.

<*Утвердить предложение о строительстве новых укрепрайонов*>.

ПРИЛОЖЕНИЯ:

1. Схема развертывания на карте 1:1000.000 в 1 экз.
2. Схема развертывания на прикрытие на 3 картах.
3. Схема соотношения сил в 1 экз.
4. Три карты базирования ВВС на западе.

Народный комиссар обороны СССР
Маршал Советского Союза *С. Тимошенко*
Начальник Генерального штаба К.А.
генерал армии *Г. Жуков*

Рукопись на бланке: «Народный комиссар обороны СССР», выполненная рукой А. М. Василевского.

б/н, не ранее 15 мая 1941 г.

Письмо Гитлера к Муссолини

21 июня 1941 г.

Дуче!

Я пишу Вам это письмо в тот момент, когда длившиеся месяцами тяжелые раздумья, а также вечное нервное выжидание закончились принятием самого трудного в моей жизни решения. Я полагаю, что не вправе больше терпеть положение после доклада мне последней карты с обстановкой в России, а также после ознакомления с многочисленными другими донесениями. Я прежде всего считаю, что уже нет иного пути для устранения этой опасности. Дальнейшее выжидание приведет самое позднее в этом или в следующем году к гибельным последствиям.

Обстановка. Англия проиграла эту войну. С отчаяньем утопающего она хватается за каждую соломинку, которая в ее глазах может служить якорем спасения. Правда, некоторые ее упования и надежды не лишены известной логики. Англия до сего времени вела свои войны постоянно с помощью континентальных стран. После уничтожения Франции — вообще после ликвидации всех их западноевропейских позиций — британские поджигатели войны направляют все время взоры туда, откуда они пытались начать войну: на Советский Союз.

Оба государства, Советская Россия и Англия, в равной степени заинтересованы в распавшейся, ослабленной длительной войной Европе. Позади этих государств стоит в позе подстрекателя и выжидающего Североамериканский Союз.

После ликвидации Польши в Советской России проявляется последовательное направление, которое — умно и осторожно, но неуклонно — возвращается к старой большевистской тенденции расширения Советского государства. Затягивания войны, необходимого для осуществления этих целей, предполагается достичь путем сковывания немецких сил на Востоке, чтобы немецкое командование не могло решиться на крупное наступление на Западе, особенно в воздухе. Я Вам, Дуче, уже говорил недавно, что хорошо удавшийся эксперимент с Критом доказал, как необходимо в случае проведения гораздо более крупной операции против Англии использовать действительно все до последнего самолета. В этой решающей борьбе может случиться, что победа в итоге будет завоевана благодаря преимуществу всего лишь в несколько эскадр. Я не поколеблюсь ни на мгновенье решиться на этот шаг, если, не говоря о всех прочих предпосылках, буду по меньшей мере застрахован от внезапного нападения с Востока или даже от угрозы такого нападения.

Русские имеют громадные силы — я велел генералу Йодлю передать Вашему атташе у нас, генералу Марасу, последнюю карту с обстановкой. Собственно, на наших границах находятся все наличные русские войска. С наступлением теплого времени во многих местах ведутся оборонительные работы. Если обстоятельства вынудят меня бросить против Англии немецкую авиацию, возникнет опасность, что Россия со своей стороны начнет оказывать нажим на юге и севере, перед которым я буду вынужден молча отступать по той простой причине, что не буду располагать превосходством в воздухе. Я не смог бы тогда начать наступление находящимися на Востоке дивизиями против оборонительных сооружений русских без достаточной поддержки авиации. Если и дальше терпеть эту опасность, придется, вероятно, потерять весь 1941 год, и при этом общая ситуация ничуть не изменится. Наоборот, Англия еще больше воспротивится заключению мира, так как она все еще будет надеяться на русского партнера. К тому же эта надежда, естественно, станет возрастать по мере усиления боеготовности русских вооруженных сил.

А за всем этим еще стоят американские массовые поставки военных материалов, которые ожидаются с 1942 г.

Не говоря уже об этом, Дуче, трудно предполагать, чтобы нам предоставили такое время. Ибо при столь гигантском сосредоточении сил с обеих сторон — я ведь был вынужден со своей стороны бросать на восточную границу все больше танковых сил и обратить внимание Финляндии и Румынии на опасность — существует возможность, что в какой-то момент пушки начнут сами стрелять. Мое отступление принесло бы нам тяжелую потерю престижа. Это было бы особенно неприятно, учитывая возможное влияние на Японию. Поэтому после долгих размышлений я пришел к выводу, что лучше разорвать эту петлю до того, как она будет затянута. Я полагаю, Дуче, что тем самым окажу в этом году нашему совместному ведению войны, пожалуй, самую большую услугу, какая вообще возможна.

Таким образом, моя оценка общей обстановки сводится к следующему:

1. Франция все еще остается ненадежной. Определенных гарантий того, что ее Северная Африка вдруг не окажется во враждебном лагере, не существует.

2. Если иметь в виду, Дуче, Ваши колонии в Северной Африке, то до весны они, пожалуй, вне всякой опасности. Я предполагаю, что англичане своим последним наступлением хотели деблокировать Тобрук. Я не думаю, чтобы они были в ближайшее время в состоянии повторить это.

3. Испания колеблется и, я опасаюсь, лишь тогда перейдет на нашу сторону, когда исход всей войны будет решен.

4. В Сирии французское сопротивление вряд ли продлится долго — с нашей или без нашей помощи.

5. О наступлении на Египет до осени вообще не может быть речи. Но, учитывая общую ситуацию, я считаю необходимым подумать о сосредоточении в Триполи боеспособных войск, которые, если потребуется, можно будет бросить на Запад. Само собою понятно, Дуче, что об этих соображениях

надо хранить полное молчание, ибо в противном случае мы не сможем надеяться на то, что Франция разрешит перевозку оружия через свои порты.

6. Вступит ли Америка в войну или нет — это безразлично, так как она уже поддерживает наших врагов всеми силами, которые способна мобилизовать.

7. Положение в самой Англии плохое, снабжение продовольствием и сырьем постоянно ухудшается. Воля к борьбе питается, в сущности говоря, только надеждами. Эти надежды основываются исключительно на двух факторах: России и Америке. Устранить Америку у нас нет возможностей. Но исключить Россию — это в нашей власти.

Ликвидация России будет одновременно означать громадное облегчение положения Японии в Восточной Азии и тем самым создаст возможность намного затруднить действия американцев с помощью японского вмешательства.

В этих условиях я решился, как уже упомянул, положить конец лицемерной игре Кремля. Я полагаю, т. е. я убежден, что в этой борьбе, которая в конце концов освободит Европу на будущее от большой опасности, примут участие Финляндия, а также Румыния. Генерал Марас сообщил, что Вы, Дуче, также выставите по меньшей мере корпус. Если у Вас есть такое намерение, Дуче, — я воспринимаю его, само собой разумеется, с благодарным сердцем, — то для его реализации будет достаточно времени, ибо на этом громадном театре военных действий наступление нельзя будет начать повсеместно в одно и то же время. Решающую помощь, Дуче, Вы можете оказать тем, что увеличите свои силы в Северной Африке, если возможно, то с перспективой наступления от Триполи на запад; что Вы, далее, начнете создание группировки войск, пусть даже сначала небольшой, которая в случае разрыва Францией договора немедленно сможет вступить в нее вместе с нами и, наконец, тем, что Вы усилите прежде всего воздушную и, по возможности, подводную войну на Средиземном море.

Что касается охраны территорий на Западе, от Норвегии до Франции включительно, то там мы, если иметь в виду сухопутные войска, достаточно сильны, чтобы молниеносно прореагировать на любую неожиданность. Что касается воздушной войны против Англии, то мы некоторое время будем придерживаться обороны. Но это не означает, что мы не в состоянии отражать британские налеты на Германию. Напротив, у нас есть возможность, если необходимо, как и прежде, наносить беспощадные бомбовые удары по британской метрополии. Наша истребительная оборона также достаточно сильна. Она располагает наилучшими, какие только у нас есть, эскадрильями.

Что касается борьбы на Востоке, Дуче, то она определенно будет тяжелой. Но я ни на секунду не сомневаюсь в крупном успехе. Прежде всего я надеюсь, что нам в результате удастся обеспечить на длительное время на Украине общую продовольственную базу. Она послужит для нас поставщиком тех ресурсов, которые, возможно, потребуются нам в будущем. Смею добавить, что, как сейчас можно судить, нынешний немецкий урожай обещает быть очень хорошим. Вполне допустимо, что Россия попытается разрушить румынские нефтяные источники. Мы создали оборону, которая, я надеюсь, предохранит нас от этого. Задача наших армий состоит в том, чтобы как можно быстрее устранить эту угрозу.

Если я Вам, Дуче, лишь сейчас направляю это послание, то только потому, что окончательное решение будет принято только сегодня в 7 часов вечера. Поэтому я прошу Вас сердечно никого не информировать об этом, особенно Вашего посла в Москве, так как нет абсолютной уверенности в том, что наши закодированные донесения не могут быть расшифрованы. Я приказал сообщить моему собственному послу о принятых решениях лишь в последнюю минуту.

Материал, который я намерен постепенно опубликовать, так обширен, что мир удивится больше нашему долготерпению, чем нашему решению, если он не принадлежит к враждебно настроенной к нам части общества, для которой аргументы заранее не имеют никакого значения.

Что бы теперь ни случилось, Дуче, наше положение от

этого шага не ухудшится; оно может только улучшиться. Если бы я даже вынужден был к концу этого года оставить в России 60 или 70 дивизий, то все же это будет только часть тех сил, которые я должен сейчас постоянно держать на восточной границе. Пусть Англия попробует не сделать выводов из грозных фактов, перед которыми она окажется. Тогда мы сможем, освободив свой тыл, с утроенной силой обрушиться на противника с целью его уничтожения. Что зависит от нас, немцев, будет — смею Вас, Дуче, заверить, — сделано.

О всех Ваших пожеланиях, соображениях и о помощи, которую Вы, Дуче, сможете мне предоставить в предстоящей операции, прошу сообщить мне лично, либо согласовать эти вопросы через Ваши военные органы с моим верховным командованием.

В заключение я хотел бы Вам сказать еще одно. Я чувствую себя внутренне снова свободным, после того как пришел к этому решению. Сотрудничество с Советским Союзом, при всем искреннем стремлении добиться окончательной разрядки, часто тяготило меня. Ибо это казалось мне разрывом со всем моим прошлым, моим мировоззрением и моими прежними обязательствами. Я счастлив, что освободился от этого морального бремени.

С сердечным и товарищеским приветом
Его высочеству Главе королевского
итальянского правительства
Бенито Муссолини, Рим.

Библиография

1. *М.И. Мельтюхов. «Упущенный шанс Сталина». М. — Издательство «Вече», 2000.*
2. «Гриф секретности снят», Статистическое исследование под ред. Г.Ф. Кривошеева. — М., Воениздат, 1993.
3. «1941 год — уроки и выводы». — М., Воениздат, 1992.
4. Россия-XX век. Документы. 1941 год. Книга 1. — М., Международный фонд «Демократия», 1998.
5. Русский Архив, т.16, Великая Отечественная, Ставка ВГК. Документы и материалы, 1941 год. — М., Издательство «ТЕРРА», 1996.
6. Россия-XX век. Документы. 1941 год. Книга 2. — М., Международный фонд «Демократия», 1998.
7. Центральный Государственный архив Советской армии. Путеводитель по фондам, том.2, 1993 г..
8. РГАСПИ (Российский Государственный архив социально-политической истории), ф. 17, оп. 162, д. 32, л. 41.
9. «Артиллерийское снабжение в Великой Отечественной войне 1941—45 гг.», статистический сборник, т. 1, Москва—Тула, Издательство ГАУ, 1977 г., размещен на интернет-сайте www.soldat.ru.
10. *Thomas Jentz*, «Panzer Truppen», Shiffer Military History, Atglen, PA;.
11. *Б. Мюллер-Гиллебранд.* «Сухопутная армия Германии 1933—1945». — М., Издательство «Изографус», 2002.
12. *Ф. Гальдер*. «Военный дневник», т. 3. — М., «Воениздат», 1971.
13. *Г. Гот*. «Танковые операции», Смоленск, Издательство «Русич», 1999.
14. Русский архив. Великая Отечественная. Накануне войны. Материалы совещания высшего руководящего состава РККА 23—31 декабря 1940 г. — М., Издательство «ТЕРРА», 1993.
15. *Г.К. Жуков*. «Воспоминания и размышления», т. 1. — М., Издательство «Олма-Пресс», 2002 г.
16. *Г. Гудериан*. «Воспоминания солдата». — Ростов-на-Дону, Издательство «Феникс», 1998 г.
17. *Е. Прочко*. «Артиллерийские тягачи Красной Армии», журнал «Бронеколлекция», № 3/2002 г.

18. *К.С. Москаленко*. «На Юго-Западном направлении», книга 1. — М., Издательство «Наука», 1975.
19. *В. Швабедиссен*. «Сталинские соколы. Анализ действий советской авиации 1941—1945 гг.» — Минск, Издательство «Харвест», 2001.
20. *Ф.Д. Свердлов*. «Советские генералы в плену». — М., Издательство фонда «Холокост», 1999.
21. *П.Т. Куницкий*. «Восстановление прорванного стратегического фронта обороны в 1941 году», «Военно-исторический журнал», № 7/1988.
22. *Д.Д. Лелюшенко*. «Москва—Сталинград—Берлин—Прага». — М., Издательство «Наука», 1985.
23. Сборник документов «Советская авиация в ВОВ в цифрах», 1962 год. Интернет-сайт «РККА».
24. *O. Groehler*. «Geschichte des Luftkrieges 1910 bis 1980», Berlin, 1985.
25. «Неизвестная Россия, XX век». Сборник документов, книга 2. — М., Издательство «Историческое наследие», 1992.
26. *Л.М. Сандалов*. «Боевые действия войск 4-й армии». — М. Воениздат, 1961 г., цитируется по ВИЖ № № 10,11,12/ 1988, 2,6,7/ 1989.
27. *М.Н. Кожевников*. «Командование и штаб ВВС Советской Армии в Великой Отечественной войне 1941—1945 гг.». — М., Издательство «Наука», 1985.
28. *А.В. Владимирский*. «На киевском направлении. По опыту ведения боевых действий войсками 5-й Армии Юго-Западного фронта в июне-сентябре 1941 г.» — М., Воениздат, 1989.
29. *К. Типпельскирх*. «История Второй мировой войны 1939—1945», М., Издательство АСТ, 2001.
30. *Н.П. Золотов, С.И. Исаев*. «Боеготовы были...». Военно-исторический журнал, № 11/ 1993.
31. *Hahn F.* Waffen und Geheimwaffen des deutschen Heeres. Bd. 2.
32. «Самолетостроение в СССР», 1917—1945 гг., кн 1—2, М., 1994 г.
33. *А.В. Исаев*. «От Дубно до Ростова». — М., «Транзиткнига», 2004 г.
34. *С.И. Любарский*. «Некоторые оперативно-тактические выводы из опыта войны в Испании». — М.: Воениздат, 1939.
35. *Г. Клотц*. «Уроки гражданской войны в Испании», пер. с франц. — М., Воениздат, 1938 г.
36. *И.М. Майский*. «Кто помогал Гитлеру». — М., «Международные отношения», 1962 г.
37. *П.Н. Бобылев*. «Репетиция катастрофы». — Военно-исторический журнал, № № 6,7,8 / 1993.
38. *А.И. Радзиевский*. «Танковый удар». — М., Воениздат, 1977 г.
39. «Зимняя война 1939—1940. Кн. 2. И.В. Сталин и финская кампания». (Стенограмма совещания при ЦК ВКП(б)). — М., «Наука», 1998..
40. *П.В. Петров*. «Проблема морской блокады Финляндии в период советско-финляндской войны 1939—1940 гг.» (В сборнике «От войны к миру.

СССР и Финляндия в 1939—1944 гг.». — СПб., Издательство С.- Петербургского университета, 2006 г.).
41. РГАСПИ, ф. 17, оп. 162, д. 33, л. 42—51.
42. *И. Гофман*. «Сталинская война на уничтожение. Планирование, осуществление, документы». — М., АСТ-Астрель, 2006 г.
43. Журнал «Новая и новейшая история», № 6/1992, стр. 5—8.
44. *М.А. Гареев*. «Неоднозначные страницы войны». — М., Воениздат, 1995 г.
45. *И.Х. Баграмян*. «Так начиналась война». — М., Воениздат, 1971.
46. «Военно-исторический журнал», № 5/1989.
47. *С.П. Иванов*. «Штаб армейский, штаб фронтовой». — М., Воениздат, 1990.
48. РГАСПИ, ф. 17, оп. 162, д. 35, л. 13.
49. «От войны к миру. СССР и Финляндия в 1939—1944 гг.». Сборник статей. — СПб., Издательство С.- Петербургского университета, 2006 г.
50. «Сборник боевых документов Великой Отечественной войны» № 34.
51. *Ю.М. Килин*. «Карелия в политике Советского государства. 1920—1941». — Петрозаводск, Издательство Петрозаводского госуниверситета, 1999 г.
52. «Сборник боевых документов Великой Отечественной войны» № 35.
53. «СССР—Германия, 1939—1941». Документы и материалы (перевод сборника документов «Nazi-Soviet Relations», Department of State, 1948), Кн. 2. — Вильнюс, Издательство «Мокслас», 1989 г.
54. «Буг в огне». Сборник статей. — Минск, Издательство «Беларусь», 1977 г.
55. *Шарль де Голль*. «Военные мемуары: Призыв 1940—1942», пер. с фр. — М., АСТ/Астрель, 2003 г.
56. *В.А. Семидетко*. «Истоки поражения в Белоруссии». Военно-исторический журнал, № 4/1989.
57. *Уинстон С. Черчилль*. «Вторая мировая война», т. 3. — М., Издательство «ТЕРРА», 1998.
58. *Н.К. Попель*. «В тяжкую пору». — М., Издательство «АСТ», 2001.
59. *М.С. Солонин*. «На мирно спящих аэродромах». — М., ЭКСМО/Яуза, 2006 г.
60. *В.Д. Шерстнев*. «Трагедия сорок первого. Документы и размышления». — Смоленск, «Русич», 2005 г.
61. *Л.М. Сандалов*. «Пережитое». — М., Воениздат, 1961 г.
62. *Н.Г. Кузнецов. «Накануне». — М., АСТ, 2003 г.*
63. «Сборник боевых документов Великой Отечественной войны». № 33.
64. ЦАМО, ф. 344, оп. 5564, д. 1, л. 62 (опубликовано в «ВИЖ» № 5/1989 г., стр. 49).
65. Подсчет автора на основании материалов публикации. «Отдали жизнь за Родину». Краткие биографические данные генералов Советской Ар-

мии, погибших, умерших и пропавших без вести в период Великой Отечественной войны, ВИЖ 1991, 1992, 1993, 1994 гг.

66. *А.Г. Хорьков.* «Грозовой июнь. Трагедия и подвиг войск приграничных округов». — М., Воениздат, 1991 г.
67. *А.В. Исаев.* «Десять мифов Второй мировой». — М. ЭКСМО/ Яуза, 2004 г.
68. «Зимняя война 1939—1940. Кн. 2. И.В. Сталин и финская кампания». (Стенограмма совещания при ЦК ВКП (б)). — М., «Наука», 1998..
69. Приложение к Статистическому бюллетеню ЦСУ СССР № 41 (540) от 11 ноября 1959 г, цитируется по «Советская повседневность и массовое сознание. 1939—1945», сост. А.Я. Лившин, И.Б. Орлов. — М., РОССПЭН, 2003 г, стр. 297.
70. «Сборник боевых документов Великой Отечественной войны» № 36.
71. «Военно-исторический журнал», № 6/1989.
72. *В. Хаупт.* «Сражения группы армий «Центр», М., ЭКСМО/Яуза, 2006 г.
73. *М.С. Солонин.* «22 июня, или Когда началась Великая Отечественная война?» — М., ЭКСМО/Яуза, 2005.
74. «Военно-исторический журнал», № 11/ 1988 г.
75. «Скрытая правда войны». Сборник документов под ред. П.Н. Княшевского. — М., Издательство «Русская книга», 1992.
76. Интернет-сайт «Мехкорпуса РККА» (www. mechcorps.rkka.ru).
77. *В.С. Архипов.* «Время танковых атак». — М., Воениздат, 1981.
78. *Д.И. Рябышев.* «Об участии 8-го механизированного корпуса в контрударе Юго-Западного фронта». Интернет-сайт «The Russian Battlefield».
79. ЦАМО, ф. 38, оп. 11373, д. 67, цитируется по интернет-сайт «Мехкорпуса РККА» (www. mechcorps.rkka.ru).
80. *Чемберлен П.* «Энциклопедия немецких танков Второй мировой войны», пер. с англ. И.П. Шмелев. — М., АСТ/Астрель, 2003.
81. ЦАМО, ф. 3000, оп. 1, д. 1, л. 56.
82. Сводка танкового управления ГБТУ Красной Армии о наличии танков в Красной Армии за период с 1.01.41 г. по 1.01.44 г., цитируется по интернет-сайт «Мехкорпуса РККА» (www. mechcorps.rkka.ru).
83. «Борьба с немецкими тяжелыми танками «Пантера», НИИБТ ГБТУ, 1943 г., цитируется по интернет-сайт «The Russian Battlefield».
84. РГАСПИ, ф. 17, оп. 162, д. 32, л. 67.
85. «История Второй мировой войны», под ред. А.А. Гречко, в 12 томах, т. 2. — М., Воениздат, 1974 г.
86. *Ф. А. Самсонов.* «Артиллерийское наступление». — М.: Воениздат, 1946.
87. ГАРФ (Государственный архив Российской Федерации), ф. Р-8418, оп. 25, д. 479, л. 7.
88. *К. Рейнгардт.* «Поворот под Москвой. Крах гитлеровской стратегии зимой 1941/42 г.», пер. с нем. Г.М. Иваницкий, под ред. А.И. Бабина. — М. Воениздат, 1980 г.
89. *К.А. Мерецков* «На службе народу», М., Политиздат, 1968 г.

90. *Н.Д. Яковлев* «Об артиллерии и немного о себе». — М., «Высшая школа», 1984 г.
91. «Военно-промышленный курьер», № 31 (48), 18—24 августа 2004 г.
92. ЦАМО, ф. 229, оп. 213, д. 12, л. 95.
93. *В.Н. Новиков.* «Накануне и в дни испытаний». — М., Политиздат, 1988.
94. *И. Желтов, И. Павлов, М. Павлов.* «Танки БТ», Журнал «Армада», № 9/89, 15/99.
95. «На Халхин-Голе: Воспоминания ленинградцев — участников боев с японскими милитаристами». Сост. Н.М.Румянцев, Л., Лениздат, 1989 г.
96. Русский архив: Советско-японская война 1945 года: история военно-политического противоборства двух держав в 30—40-е годы. Документы и материалы в 2 т. — М.: ТЕРРА, 1997, стр. 339.
97. Иллюстрированное приложение к альманаху «Военная летопись». Военно-историческая серия «Армии мира». Выпуск 6, часть 2, стр. 70.
98. *А.Н. Яковлев.* «По мощам и елей». — М., Издательство «Евразия», 1995.
99. *С.И. Дробязко.* «Восточные легионы и казачьи части в вермахте». — М., Издательство АСТ, 1999.
100. Военно-исторический журнал, № 2/1994.
101. *Л.Е. Решин*, В.С. Степанов. «Судьбы генеральские», Военно-исторический журнал, № 10, 11, 12/ 1992.
102. ЦАМО, ф. 353. оп. 5864, д. 1, л. 27, цитируется: по «Скрытая правда войны». Сборник документов под ред. П.Н. Княшевского. — М., Издательство «Русская книга», 1992.
103. *К. Маркс, Ф. Энгельс.* Сочинения, т.11. — М., Политиздат, 1958 г.
104. *Б.В. Соколов* .«Оккупация. Правда и мифы». — М., АСТ-ПРЕСС, 2002 г.
105. *В.И. Боярский.* «Партизаны и армия». — Минск, «Харвест», 2001.
106. *С.М. Соловьев.* «Чтения и рассказы по истории России». — М., Издательство «Правда», 1989 г.
107. «Советская повседневность и массовое сознание. 1939—1945». Сборн. док., сост. А.Я. Ливщин, И.Б. Орлов. — М., РОССПЭН, 2003 г.
108. *И.В. Сталин.* «О Великой Отечественной войне». — М., Политиздат, 1949 г., стр. 59.
109. *К.М. Александров.* «Армия генерал-лейтенанта А.А. Власова 1944 — 1945 г.г.». — СПб., 2004 г.
110. Журнал «Новый часовой» (СПб.), № 2/1994, стр. 173.

ОГЛАВЛЕНИЕ

Марк Солонин

23 ИЮНЯ: «ДЕНЬ М»

Издано в авторской редакции

Художественный редактор *П. Волков*
Технический редактор *В. Кулагина*
Компьютерная верстка *В. Азизбаев*
Корректор *О. Супрун*

ООО «Издательство «Яуза»
109507, Москва, Самаркандский б-р,15

Для корреспонденции:
127299, Москва, ул. Клары Цеткин, 18/5
Тел.: (495) 745-58-23

ООО «Издательство «Эксмо»
127299, Москва, ул. Клары Цеткин, д. 18/5. Тел. 411-68-86, 956-39-21.
Home page: **www.eksmo.ru** E-mail: **info@eksmo.ru**

Подписано в печать с готовых монтажей 20.03.2008.
Формат 84x108 1/32. Гарнитура «Ньютон». Печать офсетная.
Бумага тип. Усл. печ. л. 26,88.
Доп. тираж 5000 экз. Заказ № 5833.

Отпечатано с предоставленных диапозитивов
в ОАО «Тульская типография». 300600, г. Тула, пр. Ленина, 109.